ANDRE

Tod

Buch

BKA-Ermittler und Profiler Maarten S. Sneijder ist bis auf Weiteres vom Dienst suspendiert. Seine ehemalige Partnerin Sabine Nemez, die Sneijder selbst ausgebildet hat, arbeitet nun allein. Doch schon bald ist sie auf Sneijders Hilfe angewiesen, denn mehrere altgediente Kollegen begehen unter mysteriösen Umständen auf brutale Art Selbstmord – nachdem es kurz zuvor in ihren Familien zu ungewöhnlichen Todesfällen gekommen ist.

Sabine wird misstrauisch. Als sie zusammen mit ihrer Kollegin Tina Martinelli versucht, einen Zusammenhang zwischen den einzelnen Fällen herzustellen, führt die Spur in die Vergangenheit und weist auf eine jahrzehntealte Verschwörung hin. Beide wissen, ihre beste Chance, mehr herauszufinden, liegt in einem Gespräch mit Sneijder. Doch der verweigert die Zusammenarbeit – mit der dringenden Warnung, die Finger von dem Fall zu lassen.

Erst als weitere Menschenleben auf dem Spiel stehen, schlägt Sneijder seine eigene Warnung in den Wind und greift selbst ein. Womit er nicht nur seinen einstigen Freunden und Kollegen in die Quere kommt, sondern auch einem hasserfüllten Mörder, der sich auf einem blutigen Rachefeldzug befindet …

Weitere Informationen zu Andreas Gruber sowie zu lieferbaren Titeln des Autors finden Sie am Ende des Buches.

Andreas Gruber

Todesreigen

Thriller

GOLDMANN

Dieses Buch ist auch als E-Book erhältlich.

Penguin Random House Verlagsgruppe FSC® N001967

6. Auflage
Originalausgabe September 2017
Wilhelm Goldmann Verlag, München,
in der Penguin Random House Verlagsgruppe GmbH

Ein Projekt der AVA international GmbH
Autoren- und Verlagsagentur
www.ava-international.de / www.agruber.com
Umschlaggestaltung: UNO Werbeagentur, München
Umschlagmotiv: plainpicture/Minden Pictures/Duncan Usher
FinePic®, München
Th · Herstellung: kw
Satz: Buch-Werkstatt GmbH, Bad Aibling
Druck und Einband: GGP Media GmbH, Pößneck
Printed in Germany
ISBN: 978-3-442-48313-6
www.goldmann-verlag.de

Besuchen Sie den Goldmann Verlag im Netz

für Daniel,
vielleicht liest du dieses Buch eines Tages,
wenn du alt genug bist

»Der einzig einfache Tag war gestern.«

– Maarten S. Sneijder –

PROLOG

Die Autobahn verlor sich jenseits der Scheinwerferkegel in der Dunkelheit und lag vor Benno Marx wie eine endlose Gerade.

Vier Uhr früh! Die Morgendämmerung setzte bereits zögerlich ein. In etwas mehr als einer Stunde würde die Sonne aufgehen. Diesmal ging die Reise nach Hamburg. Benno Marx würde die nächsten vier Stunden durchfahren, erst danach auf einem LKW-Rastplatz halten und die erste Pause einlegen. Genau dreißig Minuten. Danach ging es weiter, und bis dahin würde er nur ein oder zwei Becher Kaffee aus der Thermoskanne trinken und es sich verkneifen, aufs Klo zu gehen. So wie immer.

Er fuhr konstant achtzig. Der Motor röhrte, und die Fotos von seiner Frau und seinen beiden kleinen Kindern, die im Rahmen des Rückspiegels steckten, wackelten bei jeder Bodenwelle, über die der Truck donnerte. Er war voll beladen. Mit der Zugmaschine und dem Aufleger war er mit dreißig Tonnen unterwegs. Benno war bereits in aller Herrgottsfrühe beim Kühltank der Molkerei gewesen, denn je früher er in Hamburg ankam, umso besser. Den Tankwagen mit Milch abliefern, danach einen neuen Anhänger mit Lebensmitteln ankoppeln und zurück nach Frankfurt. Immerhin würde er dieses Wochenende seine Kinder sehen. Die beiden Mädchen hatten ihm verraten, dass sie später ebenfalls LKW-Fahrer werden wollten, weil sie so gern Joghurt und Müsli aßen. Diese Flausen würde er ihnen noch austreiben. Der Job war alles andere als erstrebenswert, aber er konnte eben nichts anderes.

Benno schaltete das Radio ein. Die Verkehrsnachrichten liefen. Aber es war immer das Gleiche – wenn der Sprecher mal einen Stau meldete, war meist keine Zeit mehr, um darauf zu reagieren. Da vertraute er besser auf CB-Funk.

Benno blickte hoch. Das Gerät hing in der Halterung, und das Kabel tanzte hin und her. Es schwieg. Ein gutes Zeichen. Sollte er über Funk nachfragen, ob ein anderer Fahrer auf der Strecke war? *Um diese Zeit?* Schon möglich.

»… kommen wir nun zu den Verkehrsmeldungen im Raum Frankfurt. Auf dem Abschnitt zwischen Frankfurt und Butzbach kommt Ihnen auf der A5 in Fahrtrichtung Norden ein Falschfahrer entgegen. Fahren Sie in beiden Richtungen vorsichtig und überholen Sie nicht.«

Das war seine Strecke! Benno lief ein Schauder über den Rücken. In den sieben Jahren als LKW-Fahrer war ihm noch nie ein Geisterfahrer begegnet. Er stierte geradeaus, konnte aber nichts erkennen. Einige PKWs überholten ihn und rasten mit hoher Geschwindigkeit Richtung Norden.

»He, ihr Idioten!«, schimpfte er. »Hört ihr denn keine Nachrichten?«

Er betätigte die Lichthupe, doch die Fahrer blieben auf dem Gaspedal und preschten davon.

Benno sah in den Seitenspiegel. Langsam erwachte die Autobahn zum Leben. Immer mehr PKWs fuhren auf die Straße auf. Entweder Reiselustige, die noch keine schulpflichtigen Kinder hatten und in den Norden fuhren, oder Frühaufsteher auf dem Weg zur Arbeit.

»Scheiße!« Hastig griff er zum Funkgerät. »Hier spricht Benno, fahre einen weißen Scania. Bin auf Kanal sechs. Hört ihr mich, Kollegen? Bin auf der A5 nach Norden Richtung Butzbach unterwegs. Soeben kam eine Geisterfahrermeldung im Radio. Ist jemand auf meiner Strecke?«

Es knackte. Dann hörte er eine tiefe, brummige Stimme.

»Hier Oskar, fahre einen blauen MAN. Kanal sechs rauscht, geh auf Kanal neunzehn.«

Benno schaltete auf Kanal neunzehn. »Hörst du mich jetzt besser?«

»Ja, wo bist du?«

»Habe gerade das Nordwestkreuz Frankfurt hinter mir.« Benno sah auf sein Navi und gab den genauen Kilometerstand durch.

»Bin etwa drei Kilometer vor dir und gerade an der Raststätte Taunusblick vorbeigefahren«, antwortete Oskar. »Sind ziemlich viele Familien unterwegs.«

»Ich sehe es«, bestätigte Benno.

»Bis jetzt ist mir der Wagen noch nicht begegnet. Blockade?«

Eine kalte Gänsehaut überzog Bennos Unterarme. Er umklammerte das knirschende Leder des Lenkrads. *Blockade!* Jahrelang hatte er sich vor diesem Moment gefürchtet. Aber wer sollte es sonst machen, wenn nicht Oskar und er? Zumindest waren er und sein Wagen voll versichert.

»Klar«, antwortete er mit trockener Kehle.

»Gut, vielleicht ist es auch nur einer, der versehentlich falsch aufgefahren ist und schon längst auf dem Standstreifen steht.«

»Und wenn nicht?«

»Dann stoppen wir ihn.« Oskar klang, als hätte er bereits Erfahrung mit Verrückten, die absichtlich falsch auffuhren. »Tritt aufs Gas, Kumpel. Ich fahre langsamer. In vier Minuten sehen wir uns. Over and out.«

»Over and out«, flüsterte Benno. Dieser Teil der Autobahn war dreispurig. Nur zwei LKWs waren zu wenig. Er starrte auf das Funkgerät. Der Lautsprecher schwieg.

Instinktiv hatte Benno bereits beschleunigt. Nun fuhr er knapp unter hundert, wechselte auf die zweite Spur und überholte einen Citroën mit Wohnwagen. Durch die Scheibe sah er, dass auf der Rückbank zwei Kinder schliefen. Wenigstens würde der Verrückte nicht in dieses Auto krachen und das Leben der Familie zerstören.

Einige Hundert Meter vor sich sah er das Hinweisschild auf die Raststätte, die Oskar gerade eben passiert hatte. Dort müssten doch noch mehr LKW-Fahrer sein. Er griff wieder zum Funkgerät, als gerade auf Kanal 19 eine Meldung durchkam.

»Benno, Oskar, hier spricht Kathie. Habe euer Gespräch gehört. Fahre einen schwarzen Mack. Braucht ihr noch eine Dritte? Bin auf der Taunusblick-Raststätte und fahre gerade auf.«

»Herzlich willkommen, Kathie. Die Luft riecht nach Metall, Öl und Benzin«, rief Oskar.

»Nichts Neues für mich.«

»Morgen Kathie«, sagte Benno. *Dieses coole Gerede soll in Wahrheit doch nur eure Nerven beruhigen.* »Ich fahre gerade auf die Raststätte zu.« Er blickte durch die Scheibe der Fahrerseite. Das Restaurant und der dahinterliegende Aussichtsturm mit dem Glasfahrstuhl waren hell beleuchtet, lagen aber auf der anderen Fahrbahnseite. Allerdings führte eine Brücke über die Autobahn. Und darauf sah er einen metallicschwarzen US-Truck mit Festbeleuchtung, eine siebeneinhalb Tonnen schwere Zugmaschine ohne Auflieger, die beschleunigte und soeben über die Zufahrt auf die Autobahn raste.

Benno betätigte die Lichthupe. »Ich sehe dich«, gab er durch.

»Ich sehe *dich,* Kumpel!«, rief Kathie. »Mach Platz!« Sie betätigte das Hupenhorn ihres Trucks. Der Mack dröhnte zweimal wie ein Kreuzfahrtschiff, das aus dem Hafen auslief.

Benno blieb auf der mittleren Spur. Vor ihm fuhr Kathie, kam auf dem Zubringer immer näher heran und rollte auf die rechte Spur. Ihr schwarzer Truck hatte deutlich mehr PS unter der Haube als seiner.

»Willkommen im Team«, krächzte Benno. Mit einem Mal wurde ihm schlecht.

»Na, wenn das kein freudiger Empfang ist.« Es klang zynisch.

Benno erreichte nun ihre Höhe, nahm etwas Gas weg, und kurz darauf fuhren sie nebeneinander her. Gleichzeitig hatten sie dieselbe Idee gehabt und schalteten ihre Warnblinkanlagen ein. Trotzdem hupten hinter ihnen einige Fahrer und blendeten auf.

»Die Arschgeigen sollen überholen, die können gerne unseren Job übernehmen«, schimpfte Kathie.

Benno sah durch seine Beifahrerseite in Kathies Kabine. Soviel er im Licht ihrer Armaturen erkennen konnte, hatte sie kurzes, dunkles Haar, trug eine schwarze Schirmkappe, passend zur Farbe ihres Trucks, und hatte ein Tattoo am Hals.

»Ist das dein Truck?«, fragte Benno.

»Yep.«

»Und trotzdem machst du bei der Blockade mit?«

»Aus Erfahrung weiß ich, dass Geisterfahrer die mittlere Spur bevorzugen – bin also aus dem Schneider.«

»Kann ich bestätigen«, mischte sich Oskar in das Gespräch.

»Wo bist du?«, fragte Kathie.

Es knackte im Funkgerät. Oskar nannte ihnen seine Position.

Benno blickte auf die Uhr. Seit seinem ersten Funkkontakt mit Oskar waren vier Minuten vergangen. Sie mussten ihn jeden Moment einholen.

»Seid mal still!«, rief Kathie.

Soeben wurde die Falschfahrermeldung im Radio wiederholt.

»Keine Entwarnung – fahren Sie weiterhin in beiden Richtungen vorsichtig.«

Kurz darauf drang wieder ein Song aus dem Radio. *Stairway to Heaven.*

»Idioten«, fluchte Benno und drehte das Radio leiser, damit er den Refrain nicht hörte.

»Ich sehe euch im Seitenspiegel«, meldete sich Oskar schließlich über Funk. »Macht mir ein Plätzchen frei. Ich lasse mich zurückfallen.«

Benno sah die Bremslichter eines Trucks vor sich. Der LKW wechselte auf die dritte Spur. Wie Oskar gesagt hatte: ein blauer MAN. Der Motorwagen zog noch einen Jumboanhänger.

»Was hast du geladen?«, fragte Benno.

»Baumaschinen.«

Insgesamt war das Gefährt bestimmt achtzehn Meter lang, und Benno schätzte es auf ein Gesamtgewicht von vierzig Tonnen. Kathie und er beschleunigten, und nach wenigen Hundert Metern hatten sie Oskar erreicht.

Nun fuhren sie nebeneinander. Das Dröhnen der Motoren klang jetzt doppelt so laut wie vorher. Im Seitenspiegel sah Benno, dass sich hinter ihnen bereits eine Wagenkolonne gebildet hatte. Die meisten hatten wohl begriffen, was sie planten, doch einige Klugscheißer hupten und blinkten sie trotzdem an.

»Kümmert euch nicht darum«, erklärte Oskar.

Benno sah in sein Führerhaus hinüber. Oskar saß in seinem Truck etwas höher als er. Er war etwa sechzig Jahre alt, hatte einen grauen Haarkranz, einen Schnauzer und ein paar Kilo zu viel. Seine Hemdsärmel waren aufgerollt, und am Handgelenk trug er jede Menge Freundschaftsbänder, die im Licht der Armaturen glänzten. Irgendwie erinnerte Oskar ihn an seinen Vater.

Schweigend fuhren sie nebeneinander her, drosselten die Geschwindigkeit auf siebzig Stundenkilometer und warteten ab. Vor ihnen lag die leere Autobahn. Nur ihre drei Abblendlichter schnitten Lichtsäulen in die Dunkelheit.

Sechzig km/h.

Die Geisterfahrermeldung kam ein drittes Mal im Radio. Auch diesmal gab es keine Entwarnung. Bennos Puls beschleunigte. Er schaltete das Radio aus und nahm einen Schluck aus der Thermoskanne. Vielleicht seinen letzten. Erst jetzt merkte er, wie trocken seine Kehle war.

Sie wurden noch langsamer.

Fünfzig km/h.

»Leck mich ... da vorn ist er«, drang Oskars Stimme plötzlich aus dem Funkgerät. »Kommt auf der mittleren Spur auf uns zu.«

Wie Kathie gesagt hat.

Fast gleichzeitig schalteten sie ihr Fernlicht ein und begannen zu hupen. Nun sah auch Benno die Lichter des Wagens, der auf sie zuraste. Dann machte der Mistkerl plötzlich das Licht aus.

»Der wird nicht langsamer!«, stellte Kathie fest.

»Bremsen wir auf vierzig runter«, schlug Oskar vor.

Benno nahm den Fuß vom Gas. Links und rechts sah er, wie die LKWs zurückfielen, dann stieg auch er auf die Bremse, um die Höhe zu halten.

»Benno, es wird ernst«, sagte Oskar. »Er beschleunigt und fährt frontal auf dich zu.«

»Hast du einen Airbag?«, fragte Kathie.

»Ja«, krächzte Benno. Er sah aus dem Augenwinkel, wie Oskar durch sein Führerhaus in seine Fahrerkabine blickte.

Irgendwie hatte er ein Gefühl im Bauch, als kannte er Oskar und Kathie schon ewig. Vielleicht, weil es guttat, wenn man in einem Moment wie diesem Freunde in seiner Nähe hatte.

»Stemm dich beim Aufprall nicht mit den Armen gegen das Lenkrad, verstanden?«, sagte Kathie.

»So ein Quatsch!«, brüllte Oskar. »Mach deinen Gurt auf!«

»Was soll ich?«, rief Benno.

»Lass das Lenkrad los, öffne den Gurt, und klettere hinter den Sitz! In deiner Schlafkoje hast du einen Meter mehr Knautschzone!«

Benno starrte auf das auf ihn zurasende Auto. Er griff zum

Verschluss des Gurts. *Und wenn die Zeit nicht reicht?* Seine Beine waren schwer wie Blei.

»Mach schon!«, brüllte Oskar.

»Das schaffst du nicht mehr«, rief Kathie.

Benno blieb wie versteinert sitzen. Instinktiv starrte er auf das Bild seiner Töchter. *Scheiße! Was für eine blöde Idee! Wärst du doch nicht schon um vier, sondern erst um fünf losgefahren.*

Dann war das Auto da. Dunkel und schnell. Kam wie aus der Hölle herangerast, knallte unter Bennos Stoßstange und verkeilte sich unter der Achse. Benno streckte die Arme durch und wurde nach vorn in den Airbag geschleudert, hörte die Windschutzscheibe knacken und das Quietschen und Kreischen von Metall. Alles, was nicht festgemacht war, flog durchs Führerhaus.

Die Frontscheibe, jetzt ein einziges Spinnennetz, fiel aus dem Rahmen und flog davon, während die gesplitterte Seitenscheibe auf Benno knallte. Zugleich wirbelte der Fahrtwind in den Wagen und riss die Fotos vom Rückspiegel. Automatisch wollte Benno danach greifen, wurde aber zur Seite geschleudert.

Funken schlugen. Der LKW schlingerte.

»Brems doch! Halt den Wagen in der Mitte!«, brüllte Kathie.

Instinktiv war Benno aufs Gas gestiegen. Er schob den zusammengequetschten PKW vor sich her über den Asphalt, wagte aber nicht hinunterzusehen, denn was er aus dem Augenwinkel sah, genügte. Von dem Wagen konnte nicht mehr viel übrig sein – ein verzogenes Gebilde aus Metall, Kunststoff, brennendem Benzin und etwas, das aussah wie ein menschlicher Körper.

1. TEIL

- S U I Z I D -

MITTWOCH, 1. JUNI

1. KAPITEL

Alexandra Meixner klemmte sich ihr Funkgerät an den Gürtel und ging quer über die Autobahn. Der nasse Asphalt reflektierte das Blinklicht des Rettungswagens. Daneben flatterte das rotweiße Absperrband im Wind. Der ganze Straßenabschnitt sah aus wie ein Schlachtfeld.

»Meixner, Autobahnpolizei«, erklärte sie dem Feuerwehrmann, der den Einsatz leitete. »Und?«

»Nichts zu machen«, brüllte er gegen das Dröhnen des Krans an, der sich gerade in Position brachte. »Wir müssen die Leiche aus dem Wrack schneiden.«

Meixner sah zum Ambulanzwagen auf dem Standstreifen. Die Hecktür war offen, und drinnen lag ein junger Mann. Gut aussehend, breit gebaut, blondes Haar. Er hatte Abschürfungen, sein Kopf war bandagiert. Laut seinen Papieren hieß er Benno Marx. Er hatte den Geisterfahrer gestoppt und stand noch unter Schock. Der Notarzt würde ihn zu Ende untersuchen, und danach wollte Meixner noch kurz mit Benno sprechen, bevor ihn der Wagen ins Krankenhaus brachte.

Während sie wartete, ging sie zur Unfallstelle. *Mein Gott, sieht das aus!* Der schwarze Audi war frontal unter die Vorderachse des Tankwagens gekracht. Durch die Wucht des Aufpralls war der Einfüllstutzen an der Seitenwand des Lasters leck geworden, und Milch hatte sich über die Autobahn ergossen. Aber am schlimmsten war, dass das Dach des PKWs wegrasiert und der Wagen wie eine Ziehharmonika zusammengequetscht worden war. *Nur falsch aufgefahren? Niemals!* Und wenn das stimmte, was die anderen beiden LKW-Fahrer behauptet hatten, hatte der Fahrer des Audi sein Licht ausgeschaltet und beschleunigt. *Du wolltest also sterben!*

Meixner kennzeichnete die Position der Räder auf der Fahrbahn mit einem Markierungsspray, dann zerrten die Feuerwehrleute das Wrack mit einer Stahlseilwinde unter dem Laster hervor. Sie schnitten das Blech mit einer Hydraulikschere auf und zogen die Leiche eines Mannes heraus – oder was davon übrig war. *Ach du Scheiße!* Ein junger Feuerwehrmann übergab sich. Meixner konnte nicht sagen, wie alt der Selbstmörder war. Nach der Bekleidung zu schließen war es jedenfalls ein Mann. Was von seinem Kopf übrig war, steckte eingedrückt zwischen den Schultern.

Falls es irgendwo Führerschein oder Personalausweis gab, war da im Moment nicht heranzukommen. Also rief Meixner die Zentrale an und gab das Wiesbadener Kennzeichen des Audi für eine Kfz-Halteranfrage durch. Wenn der Tote der Halter des Wagens war, wäre er vorerst nur auf diese Weise zu identifizieren – und sie musste so rasch wie möglich seinen Namen herausfinden.

Meixner zog die Taschenlampe vom Gürtel ab. Neugierig leuchtete sie in den verzogenen Innenraum des Wagens. Alles war voller Glasscherben und Blut. Zwischen den Pedalen klemmte ein Smartphone. Vielleicht hatte der Mann während der Fahrt telefoniert, das Handy war ihm hinuntergefallen, er wollte es aufheben, nahm dabei die falsche Auffahrt und geriet in die falsche Richtung. Völlig unmöglich war das nicht, aber es klang sehr unwahrscheinlich.

Meixner fasste das Telefon mit Latexhandschuhen an und packte es in einen Klarsichtbeutel. Auf dem Display klebten Blut und Scherben, es hatte einen Sprung, war aber noch intakt. Diese Dinger waren unverwüstlich. Durch die Plastikfolie wollte Meixner die Kontaktadressen und letzten Verbindungen checken, doch das Telefon war gesperrt.

Mist, Fingerabdruck!

Sie blickte sich um und sah den Leichensack auf einer Bahre am Straßenrand liegen. Der Notarzt warf soeben einen Blick auf die Armbanduhr und schrieb etwas auf ein Blatt Papier.

Meixner ging zur Bahre und zog den Reißverschluss auf. Der Arm des Toten fiel heraus, Scherben rieselten zu Boden.

»Kann ich Ihnen helfen?«, murmelte der Arzt desinteressiert, ohne aufzublicken.

»Ich brauche nur seinen Fingerabdruck«, krächzte sie, schob den Zeigefinger der rechten Hand des Toten in die Klarsichtfolie und presste die Fingerkuppe auf das Smartphone.

Auch wenn der Mann tot war, würden seine Fingerabdrucklinien Strom leiten. Und tatsächlich – der Scanner entsperrte das Gerät, und nun war der Inhalt des Handys frei zugänglich. Meixner wandte sich ab.

»Und wer macht den Leichensack zu?«, rief der Arzt.

»Sie!« Meixner würde sich den Anblick nicht noch einmal antun und den Arm anfassen. Stattdessen sah sie sich die letzten Einträge auf dem Gerät an.

Der Mann hatte wenige Minuten vor dem Unfall noch eine SMS verschickt. Hoffentlich war es keine Nachricht an seine Frau in der Art: *Liebling, schalt schon mal die Kaffeemaschine ein und gib den Kindern einen Gutenmorgenkuss von mir, bin gleich bei euch.*

Da sie selbst eine Tochter hatte, würde ihr so etwas aufs Gemüt schlagen. Sie öffnete die SMS und scrollte durch die wenigen Sätze. Was sie las, klang völlig anders als erwartet.

Du hattest recht.
Die Vergangenheit holt uns ein.
Der 1. Juni wird uns alle ins Verderben stürzen.
Leb wohl!

Da läutete ihr eigenes Handy, und sie ging sofort ran: die Zentrale.

»Wir haben das Kennzeichen überprüft. Es ist ein Dienstfahrzeug. Ein Kollege von uns, vom BKA Wiesbaden.«

»Vom Bundeskriminalamt?«, fragte Meixner entgeistert nach.

»Ja. Kriminalhauptkommissar Gerald Rohrbeck.«

Diesen Namen hatte Meixner zwar noch nie gehört, aber sie kannte das BKA gut genug. Immerhin war sie knapp drei Semester lang an der Akademie ausgebildet worden, ehe sie das Handtuch geworfen hatte. Mittlerweile hätte sie schon seit einem Jahr fertige Profilerin sein können, aber sie war mit ihrem Ausbilder nicht klargekommen. Fast keiner aus ihrem Modul war das. Darum hatten Schönfeld, Gomez und sie die Ausbildung abgebrochen, und nur Sabine Nemez und Tina Martinelli hatten die Akademie für hochbegabten Nachwuchs bis zum Schluss durchgezogen. Ausgerechnet *die* beiden – von denen sie es am wenigsten erwartet hätte. Mein Gott, was war ihr Ausbilder doch für ein Kotzbrocken gewesen. *Maarten Sneijder,* dachte sie zynisch, nein, falsch: *Maarten S. Sneijder.* Das *S* war ihm ja so verdammt wichtig gewesen.

»Sind Sie noch dran?«

»Ja, danke für die Info«, sagte Meixner. »Hatte Rohrbeck Angehörige?« Sie hörte, wie die Kollegin in der Zentrale in die Tastatur hämmerte.

»Seine Frau ist letztes Jahr gestorben. Er hat einen Sohn, fünf Jahre alt.«

O Kacke!

»Danke.« Meixner beendete das Gespräch.

Ein Kollege also! Und nun ist sein Sohn Waise! Sie blickte zum Leichensack auf der Bahre und hatte wieder das schreckliche Bild von vorhin vor Augen. Die Hose war zerfetzt, die Beine mehrfach gebrochen, der Oberkörper nur noch ein Trümmerhaufen.

Da drückte ihr ein flaues Gefühl den Magen zusammen. Sie trat noch einmal an das Wrack heran und leuchtete mit der Taschenlampe erneut ins Wageninnere. *Nichts!* Also ging sie nach hinten und leuchtete die Rückbank aus. Instinktiv war sie darauf gefasst, die zerquetschte Leiche eines Kindes zu sehen. Doch zum Glück war auch die Rückbank leer.

»He, Sie!«, rief sie einem der Feuerwehrmänner zu. »Können Sie den Kofferraum aufbrechen?«

»Jetzt?«

»Nein, nach dem Frühstück. Natürlich jetzt, es ist dringend!«

Meixner wartete eine Minute, bis zwei Männer den Deckel mit einer Hydraulikschere aufgeschnitten hatten.

Die Vergangenheit holt uns ein … Leb wohl!

Die Männer traten zur Seite, und Meixner blickte in den Kofferraum.

Nichts! Keine Kinderleiche.

Meixner atmete erleichtert auf. »Okay, danke.« Sie blickte auf die Anzeige des Handydisplays und las den Text noch einmal – er ergab genauso wenig Sinn wie vorher. Abgesehen von dem kryptischen Inhalt machte sie aber noch eine andere Sache stutzig: *Der erste Juni, das ist doch heute!*

Schlagartig wurde ihr bewusst, dass sie auf dem Handy des Toten gar nicht nachgesehen hatte, an wen die SMS gegangen war. Nun betrachtete sie die Nummer des Empfängers. Jemand, der als SNEIJ abgespeichert war.

»O nein!«, entfuhr es ihr. *Ich kenne diese Nummer! Und ich kenne diesen Namen!*

Die rätselhafte SMS war an ihren ehemaligen Ausbilder gegangen: Maarten S. Sneijder.

2. KAPITEL

Sabine Nemez betrat den kleinen Hörsaal und ließ den Blick über die Reihen gleiten, die wie in einem Amphitheater aufsteigend und im Halbkreis angeordnet waren. Die acht Studenten ihres Moduls waren bereits anwesend.

Der Anblick war ihr geläufig. Vier Semester lang hatte sie selbst hier Tag für Tag die Bank gedrückt. Ungewohnt war bloß, dass sie diesmal hinter dem Pult stehen sollte.

Nachdem Maarten Sneijder vor einem Dreivierteljahr verhaftet und vom Dienst suspendiert worden war, Waffe und Dienstmarke abgegeben und auch seine Lehrtätigkeit an der Akademie niedergelegt hatte, war eine große Lücke entstanden. Einige Kollegen waren eingesprungen, doch nun hatte eine von ihnen, die Ausbilderin Anna Hagena, dienstlich verreisen müssen. BKA-Präsident Hess war an Sabine herangetreten und hatte sie gebeten, kurzfristig Hagenas Modul zu übernehmen. Nur für den letzten Monat vor den Sommerferien. Zusätzlich zu ihrer Tätigkeit in der Mordgruppe. Und sie hatte zugesagt – unter der Voraussetzung, dass sie beim Unterricht freie Hand hatte. Widerwillig hatte Hess zugestimmt. Anscheinend gingen ihm für diesen Job die Leute aus. Und da sie als ehemalige Schülerin und spätere Partnerin von Sneijder dessen Methoden wie kaum jemand anderer kannte, war sie wie geschaffen dafür, an der Akademie einzuspringen.

Sabine legte die Dossiers auf das Pult, stellte sich daneben, strich sich das lange braune Haar hinters Ohr und steckte die Hände in die Hosentaschen. Mit ihren eins dreiundsechzig war sie zwar körperlich nicht gerade der Inbegriff der autoritären Respektsperson, doch die Studenten waren mucksmäuschenstill und sahen sie erwartungsvoll an.

»Mein Name ist Sabine Nemez.« Ihren Dienstgrad sparte sie sich. »Willkommen beim Modul der Operativen Fallanalyse«, begann sie, und ihr Herz schlug bis zum Hals. Bestimmt war sie aufgeregter als ihre Studenten. »Da Kriminalhauptkommissarin Anna Hagena kurzfristig dienstlich verhindert ist, werde ich Sie für den Rest des Semesters unterrichten. Wie Sie wissen, ist Ihr eigentlicher Dozent, Maarten Sneijder, immer noch bis auf Weiteres vom Dienst suspendiert.«

»Maarten S. Sneijder«, rief jemand nach vorn.

»Richtig.« Sabine musste schmunzeln. Mein Gott, wie oft hatte sie diese Richtigstellung von Sneijder selbst gehört. »Ich könnte Ihnen jetzt das Handbuch der Operativen Fallanalyse vorbeten, mithilfe dessen wir einen fiktiven Fall durchspielen würden, oder wir könnten uns einen gelösten Fall ansehen. Aber darauf habe ich keine große Lust, mal abgesehen davon, dass ich das nicht für besonders effizient halte. Außerdem habe ich keine Ahnung, was gerade im Lehrplan steht.«

»Schlecht vorbereitet«, grummelte ein Student in der dritten Reihe.

»Ich würde sagen, *gar nicht vorbereitet*«, korrigierte Sabine ihn. »Ich habe erst gestern erfahren, dass ich Ihre Gruppe übernehmen darf. Und deshalb unterbreite ich Ihnen einen anderen Vorschlag. Ich mache mit Ihnen das, was ich am besten kann.«

Die Studenten sahen sie abwartend an.

»Ich bin vier Semester lang in den Genuss von Maarten S. Sneijders Unterricht gekommen und hatte später das Vergnügen, mit ihm als Partner zusammenzuarbeiten. In dieser Zeit habe ich seine Methoden kennengelernt.«

»Die Methode des Visionären Sehens«, wisperte jemand.

»Exakt. Außerdem möchte ich mit Ihnen, ganz in Sneijders Tradition, ein paar *ungelöste* Fälle durchnehmen. Er war immer der Meinung, dass man die Lösung bereits aufgeklärter Fälle googeln oder im Archiv nachlesen könnte. Aber wie er, so möchte auch ich Sie zu selbstständig denkenden Menschen heranbilden. Jeder kreative Ansatz ist erlaubt. Wir werden uns daher einen aktuellen Fall vornehmen und versuchen, über den Tellerrand zu blicken. Dabei werden Sie unter anderem auch Sneijders breites Repertoire an Ermittlungsmethoden kennenlernen – von seinen kleinen Eigenarten mal abgesehen.«

»Wie selbstgedrehte Zigaretten«, sagte einer.

Die Studenten lachten, und Sabine grinste. Natürlich hatte sich Sneijders Vorliebe für Marihuana bis zu ihnen durchgesprochen.

Sabine wurde wieder ernst. »Davor muss ich Sie aber bitten, diese Verschwiegenheitserklärung zu unterzeichnen.« Sabine ging durch die Reihen und teilte die Formulare aus. »Wenn Sie dagegen verstoßen, fliegen Sie von der Akademie. Wenn Sie sich jedoch an meine Anweisungen halten, lernen Sie vermutlich in einem Monat Praxis mehr als in einem ganzen Semester voll trockener Theorie. Wie klingt das?«

Die Studenten nickten. Eine junge Frau hob die Hand.

»Ja bitte?«

»Wie war Sneijder so?«

Sabine hatte mit vielem gerechnet, aber nicht damit. »Sneijder kann man nicht beschreiben. Man muss ihn erlebt haben.«

Doch damit gaben sich die Studenten nicht zufrieden. »Erzählen Sie!«, bohrten sie weiter.

Wie war er so? Sabine ging wieder zum Pult, setzte sich daneben leger auf den Tisch und ließ die Beine herunterbaumeln.

»Er war ein Kotzbrocken«, sagte sie. »Manchmal habe ich ihn dafür gehasst, wie er mit anderen Menschen umging. Er hat sie gedemütigt, regelrecht zusammengefaltet. Er duldete keinen Widerspruch. Aber diese Härte allen Menschen und besonders seinen Studenten gegenüber diente nur einem Zweck: Er wollte uns auf die Realität dort draußen vorbereiten. Die Durchfallquote in seinem Modul lag bei siebzig Prozent. Auf der anderen Seite hatte er eine Aufklärungsrate von siebenundneunzig Prozent. Er konnte sich in jedes noch so kranke Gehirn hineinversetzen – und das tat er auch, bis zur völligen Selbstaufopferung.« Seufzend hob sie den Blick. »Aber so weit werden wir hier nicht gehen.«

Ein Student hob den Arm. »Angeblich hat er letztes Jahr einen Menschen erschossen.«

»Nicht nur angeblich.«

»Sie waren dabei, nicht wahr? Wurde er deshalb verhaftet und anschließend suspendiert?«

Sabine nickte. Sie hatte die Bilder immer noch vor Augen und spürte immer noch die Tränen, die ihr an diesem Tag übers Gesicht gelaufen waren.

»Waren Sie bei Sneijders Gerichtsverhandlung dabei?«

Wiederum nickte sie. »Ich war die Hauptzeugin.«

»Und?«

Alle beugten sich nach vorn und starrten sie an.

O Gott, was für ein neugieriger Haufen! Aber Meixner, Schönfeld, Gomez, Martinelli und sie waren vor drei Jahren nicht anders gewesen. »Heben Sie Sneijders Akte aus dem Archiv aus. Dort können Sie meine gerichtliche Zeugenaussage nachlesen.«

»Hätten wir schon längst getan, aber wir haben keinen Zugang zum Archiv.«

Den hatte ich damals auch nicht. »Seien Sie kreativ, lassen Sie sich etwas einfallen.«

Enttäuscht lehnten sich die Studenten zurück.

»Was macht Sneijder heute?«, fragte eine junge Frau mit kurzen blonden Haaren in der ersten Reihe.

»Um die Wahrheit zu sagen: Ich weiß es nicht.« Sie hatte seit der Gerichtsverhandlung keinen Kontakt mehr zu Sneijder. In dieser Zeit hatte sie ihn kein einziges Mal gesehen, ihn nie um Rat gefragt und all ihre Fälle allein gelöst.

Nachdem sich das Gemurmel im Saal beruhigt hatte, ging sie durch die Reihen und sammelte die unterschriebenen Verschwiegenheitserklärungen ein. Dann griff sie zur Fernbedienung, schloss die Jalousien und aktivierte den Beamer.

»Ich hoffe, Sie haben einen starken Magen. Gleich sehen Sie die Fotos eines aktuellen Tatorts ...«

Eine Stunde später hatten die Studenten den Hörsaal verlassen. Bestimmt gingen sie nun in die Mensa auf einen starken Kaffee, zu mehr würde ihnen der Appetit fehlen. Aber es hatte keinen Sinn, sie zu schonen. Sabine hatte sich vorgenommen, wie Sneijder gleich von Beginn an die Spreu vom Weizen zu trennen. Sie schaltete den Beamer aus und packte ihre Unterlagen zusammen.

Als sie den Hörsaal verlassen wollte, läutete ihr Handy. Die Nummer von Hess erschien auf dem Display. *Der Präsident höchstpersönlich.* Gab es schon die erste Beschwerde wegen ihrer Unterrichtsmethode?

»Guten Morgen, Präsident Hess«, meldete sie sich.

»Nemez, ich habe eine Ermittlung für Sie«, kam er gleich zur Sache.

»Aber ich unterrichte gerade an der Akademie. Sie selbst haben ...«

»Ich weiß!«, unterbrach er sie. »Die paar Stunden an der Akademie machen Sie doch nebenbei.«

»Weiß Kriminalhauptkommissar Timboldt davon?«

»Keine Sorge, ich werde ihn noch darüber unterrichten.«

»Danke«, murmelte Sabine. Nach Sneijders Suspendierung

war Timboldt der neue Leiter der gesamten Mordgruppe im BKA geworden, womit er einen unglaublichen Karrieresprung hingelegt hatte. »Worum geht es?«

»Eine Frau ist gestern Abend in ihrem Haus die Treppe hinuntergestürzt und hat sich das Genick gebrochen. Nicht weit weg von hier, in Mainz. Sie wurde erst heute Morgen gefunden. Vermutlich handelt es sich um Mord.«

Vermutlich? Sabine schwieg. Wollte Hess sie verarschen? »Einbruch und Raubmord?«

»Wissen wir noch nicht.«

»Bei allem Respekt, aber das klingt nicht nach einem Fall für das BKA. Dafür ist doch die Mainzer Kripo zustä…«

»Nemez! *Ich* entscheide hier immer noch, wo und wann das BKA ermittelt und wo nicht. Und dieser Fall *ist* wichtig! Bei der Toten handelt es sich um Doktor Katharina Hagena.«

Hagena! Ein nicht gerade häufiger Name. Sabine legte die Unterlagen auf das Pult und starrte durchs Fenster des Hörsaals auf das Areal der Akademie. Hinter dem Parkplatz, den Schranken und dem Häuschen des Pförtners lag auf der gegenüberliegenden Straßenseite das mächtige Gebäude des BKA. »Hagena?«, wiederholte sie. »So wie …?«

»Richtig, so wie Anna Hagena. Die Tote ist ihre Schwester.«

Sabine schluckte. Nicht nur, dass sie soeben Anna Hagenas Studenten übernommen hatte, sie kannte die Frau auch persönlich. Hagena war etwa fünfundvierzig Jahre alt, und Sabine hatte vor zwei Jahren einige Module bei ihr belegt.

Nun war Anna Hagenas Schwester tot. »Und ich soll …?«

»Ja, verdammt. Sie sollen den Fall übernehmen, und wenn es tatsächlich Mord war, den Mistkerl ans Kreuz nageln.«

»Weiß Anna Hagena schon, dass ihre …?«

»Nein, und damit sind wir beim zweiten Teil Ihrer Aufgabe: Bringen Sie es ihr schonend bei.«

3. KAPITEL

Donnerstag, 26. Mai

Hardy zog den Gürtel seiner Jeans enger. Der Dorn rastete im letzten Loch ein, und ein zusätzliches Loch wäre auch gut gewesen. Da sah man wieder, wie man sich im Lauf der Jahre veränderte. Obwohl er wegen seines Trainings einige Kilo zugelegt hatte, war seine Taille schmäler geworden.

Er schlüpfte in die Lederjacke und spürte, wie sie an den Oberarmen und am Brustkorb spannte.

»Los, weiter!«, rief jemand hinter ihm.

Hardy musste sich nicht umdrehen, um zu wissen, wer den Raum betreten hatte. Es war die Stimme von Major Kieslinger, deren dumpfen Klang er nur zu gut kannte.

»Ich sagte *weiter*!«

»Ja, halt's Maul«, murrte Hardy.

»Wie bitte?«

Mit Hardy war schon einmal das Temperament durchgegangen, er hatte dem Mann damals den Kiefer gebrochen, und das hatte ihm weitere achtzehn Monate eingebracht.

Hardy war nicht so blöd, denselben Fehler ein zweites Mal zu begehen. Besonders nicht an einem Tag wie diesem. Und deshalb schwieg er.

»Was hast du gesagt?«

»Nichts.« Hardy krempelte die Ärmel der Lederjacke einmal um und griff in die Innentasche. Da steckte seine Sonnenbrille. Er wischte die Gläser am Stoff seines schwarzen T-Shirts ab und steckte sich die Brille über der Stirn in den Bürstenhaarschnitt. Seine ehemals blonden Haare waren an der Seite grau geworden, die Wangen schmal, Stirn und Hals faltig, und der Haaransatz war ganz schön zurückgewichen. Das Gesicht eines Fünfzigjährigen. Gealtert, aber mit wachem, messerscharfem Blick. So klar und scharf wie noch nie.

»Du bist schick genug«, drängte Major Kieslinger hinter ihm. »Los jetzt!«

Kommentarlos setzte sich Hardy in Bewegung. Pünktlich um acht Uhr erreichte er den Schalter für die Entlassungen.

»Hardy, mein Freund!«, sagte der Fettklops hinter dem Sprechschlitz. »Du siehst scheiße aus.«

»Zwanzig Jahre in deiner Nähe können einen Mann verändern«, brummte Hardy.

Der Fette schob einen Kugelschreiber und einen Packen Formulare durch den Schlitz. »Kriege drei Unterschriften, hier, hier und hier.«

Hardy las sich die Entlassungspapiere und den Depositenbericht genau durch. Schließlich griff er zum Stift und kritzelte *Thomas »Hardy« Hardkovsky* auf die Blätter.

»Verflucht, das ist ungültig, das ist nicht dein richtiger Name«, beschwerte sich der Beamte.

»Ach ja, richtig«, brummte Hardy, und strich zwei Teile davon durch.

~~Thomas~~ »Hardy« ~~Hardkovsky~~

»O Mann!«, rief der Fette. »Mit dir gibt es immer nur Ärger. Bin ich froh, dich endlich loszuwerden.«

»Dann rede nicht lange herum und gib mir meine Sachen, du Qualle!«

Der Fette schob eine Kunststoffschale durch den Schlitz. Darin befand sich ein kleiner Haufen armseliger Besitztümer, die zwei Jahrzehnte lang im Magazindepot im Keller gelagert hatten. Hardy wühlte mit den Fingern durch die Sachen: ein Reserveschlüssel für einen Pajero. *Wem gehört der Wagen jetzt wohl – falls es ihn überhaupt noch gibt?* Ein Haustorschlüssel. *Das Haus gibt es jedenfalls definitiv nicht mehr, das haben sie inzwischen abgerissen.* Ein uraltes Mobiltelefon mit Antenne. *So groß wie ein Ziegelstein. Vergiss es!* Eine Tüte Bonbons. *Schau an – englische Rockie-Drops mit Pfefferminzgeschmack. Abgelaufen vor neunzehn Jahren.* Eine alte Lederbrieftasche mit ein paar Scheinen drin. *Zweihundertsiebzig D-Mark. Wie hilfreich!* Zum Glück waren ihm an der Kasse zwölftausenddreihundert Euro ausbezahlt worden. Der Job in der Küche hatte sich bezahlt gemacht – Überstunden an fast jedem Wochenende –, und die Gefängnisdirektion hatte die Hälfte seiner Einkünfte als Rücklage für ihn angespart.

Hardy wühlte weiter durch den Stapel. Ein längst abgelaufener Reisepass und ein Führerschein. *Nur noch ein sprödes Heft und ein vergilbter Fetzen Papier.* Eine Packung Schmerztabletten. *Die könnt ihr behalten!* Eine teure Taschenuhr, die sie ihm damals als finanzielle Sicherstellung abgenommen hatten. *Sieh an, klebt immer noch Blut von der Festnahme dran.* Ein zerlesenes Buch. *Der Fänger im Roggen.* Eine Packung Streichhölzer und eine Schachtel Zigaretten. *Memphis – aber damit hast du vor zwanzig Jahren aufgehört.*

»Okay.« Hardy nahm nur Brieftasche, Führerschein, Pass, Uhr und das Buch, steckte alles in die Tasche und ging.

»Und der Rest?«, rief ihm der Fettklops nach.

»Kannst du auf eBay verhökern.«

»Und was ist mit den Büchern in deiner Zelle? Wie viele sind es? Hundert?«

»Zweihunderteinundsechzig«, antwortete Hardy. Der Fettklops war noch nie gut im Zählen gewesen.

»Zweihunderteinundsechzig?«, wiederholte der Mann.

»Ja.« Hardy drehte sich um. Eine bunte Mischung aus Faulkner, Steinbeck und anderem Zeug, für das sich niemand im

Knast interessierte. »Das kannst du jemandem in deiner Familie schenken, falls wenigstens einer deiner Verwandten lesen kann.«

Hardy stand auf der Straße, setzte sich die Sonnenbrille auf und blickte in beide Richtungen. Die Sonne brannte unbarmherzig auf sein Genick, der Schweiß lief ihm über den Rücken.

Diese verdammte Hitze!

Und da waren auch wieder seine Kopfschmerzen. Seit Jahren kamen sie regelmäßig, er weigerte sich aber, Medikamente dagegen zu nehmen. Lieber die Schmerzen ertragen als die Sinne betäuben. *Scheiß drauf!*

Das alte rote Backsteingebäude mit den vergitterten Fenstern, in dem die Justizvollzugsanstalt Bützow untergebracht war, lag nun hinter ihm. *Im wahrsten Sinn des Wortes.* Vor ihm lag die Freiheit.

Von hier waren es nur dreißig Kilometer Luftlinie nach Rostock, und an manchen Tagen hatte Hardy sogar das Gefühl gehabt, das Salzwasser der Ostsee riechen zu können. Das war natürlich Einbildung, aber wenn man so lange im Knast war wie er, entwickelte man eigene Fantasien. Und nicht alle hatten mit Rache zu tun. Allerdings würde es ihn jetzt erst mal nicht ans Meer ziehen, sondern in eine andere Richtung: in die Gegend von Frankfurt und Wiesbaden. Da musste er hin. Dort würde er Antworten finden.

Wie zu erwarten war niemand gekommen, um ihn abzuholen. *Wer denn auch?* Niemand würde sich freuen, dass er wieder draußen war. *Im Gegenteil!*

Der Einzige, der sich für ihn zu interessieren schien, war der Fahrer des schwarzen Lada Taiga, der etwa hundert Meter weit entfernt vor der Friedhofsverwaltung auf der Straße stand. An der schiefen Stoßstange sah Hardy, dass der Wagen eine leichte

Schräglage nach links hatte, es schien also jemand darin zu sitzen. Wer das war, konnte er nicht erkennen, denn das Sonnenlicht spiegelte sich in der Scheibe.

Langsam ging Hardy zur Bushaltestelle, die direkt vor der Haftanstalt in der Kühlungsbornerstraße lag. Von dort aus würde ihn der Stadtverkehrsbus zum Bahnhof bringen.

Während der wenigen Schritte nahm er das Buch aus der Jackentasche. Es wurde Zeit, neue Bekanntschaft mit Holden Caulfield und seiner Schirmmütze zu machen, die er immer verkehrt herum trug.

Auf der ersten Seite in dem Buch stand eine Widmung.

Im Grunde deines Herzens bist du immer noch ein Kind.
Bleib so.
In Liebe, Lizzie

Eine Widmung von seiner Frau. Niemand auf dieser Erde hatte ihn so gut gekannt wie Elisabeth Hardkovsky, seine Lizzie. Na ja, mit Ausnahme von Nora – aber diesen Gedanken verdrängte er rasch wieder.

Hardy erreichte die Haltestelle und schielte zu dem schwarzen Wagen hinüber. Niemand würde ihn daran hindern, sein Vorhaben in die Tat umzusetzen. Weder der Mann im Lada Taiga noch sonst jemand.

Immerhin hatte er zwanzig Jahre darauf gewartet, endlich die Wahrheit herauszufinden. Er würde in Erfahrung bringen, wie und warum seine Frau gestorben war und wer dafür verantwortlich war. Sorgfältig hatte er an den Details seines Vorhabens gefeilt. Die Sache würde er jetzt innerhalb weniger Tage durchziehen, und es würde ein verdammter Todesreigen werden – für alle, die damals ihre Hand im Spiel gehabt hatten …

4. KAPITEL

Mainz lag nur wenige Autominuten südlich von Wiesbaden. Im Stadtteil Gonsenheim stand eine vornehme Villa neben der anderen, und besonders in der Breite Straße sah man die prächtigsten Bauten in unterschiedlichen Baustilen.

Neidisch könnte man werden!

Sabine parkte ihren Wagen neben einer Straßenbahnhaltestelle direkt vor einem zweistöckigen Haus mit unten roten und oben gelben Backsteinen, mit Erkern, Gaubenfenstern und niedlichem Spitzdach. Die Tür hinter dem schmalen Balkon war geöffnet, und ein blütenweißer Vorhang wehte ins Freie. Sabine legte das BKA-Schild auf das Armaturenbrett, nahm ihr Notebook und stieg aus.

Eine Minute später stand sie in dem Einfamilienhaus, lehnte sich an den Holzpfosten des Treppengeländers und blickte über die Stufen hinauf in den ersten Stock. Für Anfang Juni war es draußen ungewöhnlich heiß und drückend, aber im Haus lief zum Glück die Klimaanlage.

Die Kollegen von der Spurensicherung waren größtenteils fertig, und Dr. Katharina Hagenas Leiche war bereits abtransportiert worden. Nur die weißen Linien zeigten noch, wo ihr Körper gelegen hatte: verkrümmt am Ende der Treppe mit unnatürlich zur Seite gedrehtem Kopf.

»Spuren eines Einbruchs?«, fragte sie einen Kollegen, nachdem sie ihm ihren Ausweis gezeigt hatte. Im oberen Stockwerk flammte ein Blitzlicht auf.

»Das BKA?«, stellte der Mann von der Mainzer Kripo erstaunt fest, steckte sein Diktiergerät weg und schüttelte dann den Kopf.

»Spuren eines Kampfes?«

»Nein.«

»Spuren von Gewalteinwirkung am Körper der Toten?«

»Nein.«

»Fehlt irgendetwas?«

»Sieht nicht danach aus. Ich frage mich, was wir hier eigentlich sollen.«

Das frage ich mich auch. Sabine blieb ihm die Antwort schuldig. Aber offensichtlich wusste Hess mehr als sie oder glaubte es zu wissen. Andernfalls hätte er sie nicht herbeordert.

»Brauchen Sie uns noch?«, fragte der Mann.

»Nein, wenn Sie fertig sind, können Sie gehen. Danke!«

Der Mann nickte seinen Kollegen zu, woraufhin die ihre Sachen zusammenpackten. Vom oberen Stock kamen die Leute von der Spurensicherung und der Kripofotograf herunter, und gemeinsam verließen sie im Gänsemarsch das Haus. Die massive Eingangstür mit den Glaskassetten knallte zu, und im nächsten Moment war es bis auf das Surren der Klimaanlage totenstill in der Villa.

Sabine rief sich die Daten von Katharina Hagenas Akte, die sie zuvor gelesen hatte, ins Gedächtnis. Die Frau war dreiundfünfzig gewesen, hatte – wie später ihre Schwester Anna – nach dem Abitur die Polizeischule absolviert, hinterher aber keine Karriere beim BKA eingeschlagen, sondern Jura studiert, promoviert, jahrelang in verschiedenen Anwaltskanzleien gejobbt und sich vor knapp zehn Jahren mit einer eigenen Kanzlei selbstständig gemacht. Schwerpunkt Strafrecht. Anscheinend hatte sie gut verdient, zumindest mehr als ihre Schwester beim BKA, denn Katharina Hagena hatte – wie sie von einer Kollegin wusste – allein in dieser Villa mit kleinem Garten, Sauna, Infrarotkabine und Whirlpool gelebt. Laut Grundbuch war das Anwesen schuldenfrei.

Sabine starrte die Treppe hinauf. Von dort oben war die Anwältin hinuntergestürzt. Am oberen Treppenabsatz gab es Spuren an der Wand. Wenn man den vorläufigen Daten der Spurensicherung glauben durfte, die Sabine sich im zentralen Einsatzleitsystem angesehen hatte, stammten diese von Katharina Hagenas Fingernägeln. Die Anwältin hatte sich wohl in die Tapete gekrallt und war abgerutscht. Daraufhin war sie mit dem Kopf in etwa einem Meter Höhe an die Wand geknallt. *Ist jemand im Haus gewesen und hat sie bedrängt?* Falls ja, hatte sie vermutlich versucht sich zu wehren und war die Treppe hinuntergefallen. Gebrochenes Handgelenk, gebrochenes Schlüsselbein, ausgekugeltes Daumengelenk, gesplittertes Schienbein und schließlich Genickbruch. Laut ärztlichem Befund litt sie an starker Osteoporose. Als sie unten auf dem Teppich ankam, war sie vermutlich schon tot.

Wieder blickte Sabine hinauf. Da die Räume drei Meter fünfzig hoch waren, wirkte die Treppe entsprechend imposant. Irgendwie erinnerte sie der Anblick der Stufen an den Film *Der Exorzist,* in dem Linda Blair auf allen vieren über die Treppe hinuntergekrabbelt kam. In dem Haus war es auch genauso düster wie im Film, da wegen der Hitze alle Jalousien unten waren.

Theoretisch hätte Katharina Hagena auch über eine Katze oder einen Hund gestolpert sein können, doch es gab keinerlei Hinweise auf ein Haustier, keinen Fressnapf und auch sonst nichts. Somit lautete die Frage: *Wer* oder *was* hatte sie bedrängt?

Sabine rief über ihr Notebook den aktuellen Stand der Ermittlungen auf, der minütlich aktualisiert wurde. Hagena hatte offiziell ganz allein in diesem Haus gelebt, und den Nachbarn waren keine Besucher an diesem Abend aufgefallen. Den einzigen Hinweis auf einen Gast hätte die Alarmanlage liefern können. Ein modernes Funksystem mit Kamera und Bewegungsmelder, das jede Bewegung vor der Eingangstür filmte. Doch die Aufnahmen waren gelöscht worden. Und auf der Tastatur, die sich unter dem Display an der Wand im Vorzimmer befand, gab es keine Fingerabdrücke. Nicht einmal die von Katharina Hagena selbst. Das Pulver der Spurensicherung klebte noch darauf. Also hatte jemand die Aufnahmen absichtlich entfernt und anschließend seine Fingerabdrücke auf der Tastatur weggewischt. Möglicherweise war Hess' übertriebene Sorgfalt doch nicht so unbegründet – und vielleicht konnten die Spezialisten die gelöschten Aufnahmen wiederherstellen.

Sabine ging mit ihrem Notebook die breite Treppe hinauf. Die ratternde Klimaanlage blies kühle Luft hinunter, sodass sich eine Gänsehaut in Sabines Nacken bildete. Im oberen Stockwerk lag ein dunkelroter Perserteppich. Sabine konnte keine Falte darin erkennen, über die Katharina Hagena eventuell hätte gestolpert sein können. Von hier aus ging es in fünf weitere Räume: Bad, WC, Schlafzimmer, Büro und begehbarer Schrank. Neben der Bürotür fand Sabine das Display der Klimaanlage. Es war auf sechzehn Grad eingestellt. *Ungewöhnlich niedrig!* Möglicherweise hatte ein eventueller Mörder die Temperatur so gedrosselt, um die Arbeit des Rechtsmediziners bei der exakten Feststellung des Todeszeitpunkts zu erschweren. *Clever gelöst!* Immerhin war die Anlage die ganze Nacht bis jetzt aktiv gewesen. Und auch auf diesem Display hatten die Kollegen von der Spurensicherung keine Fingerabdrücke gefunden.

Wie lautete Sneijders Kommentar in solchen Situationen? *Je mehr Spuren der Killer zu verwischen sucht, umso mehr Spuren hinterlässt er uns.*

Sabine schaltete die Klimaanlage aus und betrat Katharina Hagenas Büro. Auch hier waren die Jalousien geschlossen, und in dem Raum herrschte eine frostige Kälte. Sabine legte ihr Notebook auf den Schreibtisch und verzichtete darauf, sämtliche Berichte noch einmal zu aktualisieren. *Technik ist nicht alles.*

Lieber wollte sie versuchen, die Atmosphäre des Tatorts in sich aufzunehmen.

Wenn man die heruntergestellte Klimaanlage berücksichtigte, war der Tod gegen zweiundzwanzig Uhr eingetreten. Sabine schloss für einen Moment die Augen und rief sich die Fotos in Erinnerung, die die Kollegen gemacht hatten. Die Anwältin hatte noch kein Nachthemd getragen, sondern war mit Jeans und schwarzer Bluse bekleidet gewesen. Und laut vorläufigem Befund des Rechtsmediziners hatte sie kurz vor ihrem Tod weder Zähne geputzt noch Spuren von Seife an den Fingern gehabt.

Sabine hörte ein Knarren des Parkettbodens und sah auf. Jemand befand sich im Zimmer. In der gegenüberliegenden dunklen Ecke des Büros stand eine Frau. Schlank, hochgewachsen, in Jeans und schwarzer Bluse. Sie hielt den Blick gesenkt und sah Sabine durch das lange dunkle Haar an, das ihr in die Stirn fiel.

Sabine kniff die Augen zusammen. *»Katharina Hagena?«*

»Ja.«

»Was haben Sie gestern Abend kurz vor zweiundzwanzig Uhr hier oben gemacht?«

»Was vermuten Sie?«

»Im Bad sind Sie noch nicht gewesen, um sich für die Nacht frisch zu machen. Ich nehme an, auf der Toilette auch nicht, denn es gibt auch im unteren Stockwerk eine. In Ihrem begehbaren Kleiderschrank waren Sie auch noch nicht, da Sie noch die Ausgehkleidung trugen. Also bleibt nur das Büro.«

»Dann wird es wohl stimmen.«

»Vermutlich waren Sie nicht allein in Ihrem Büro, habe ich recht?«

»Vermutlich.«

»Wer war noch da?«

»Sehen Sie Verletzungen oder Kampfspuren an mir?«

»Nein. Sie haben Ihren Mörder also gekannt?«

»Oder meine Mörderin.«

Oder meine Mörderin, wiederholte Sabine in Gedanken. Sie schüttelte die Vision ab, und das Bild der Frau verblasste. In der Ecke stand nichts weiter als eine Stehlampe, an der ein Kleiderhaken mit einer Strickjacke hing.

Sabine betrachtete den Schreibtisch. Auch hier keine Spuren eines Kampfes, Akten und Stifte ordentlich sortiert, neben dem Monitor ein Tablett mit leerem Teller und Kaffeetasse. Sabine roch dran. *Kakao.* Anscheinend hatte Katharina Hagena Dienstagnacht in ihrem Büro gearbeitet.

Auf der anderen Seite des Schreibtisches stand eine moderne Telefonanlage mit großem Display und Freisprecheinrichtung; daneben lag ein Notizbuch. Sabine blätterte es auf. Eine Kombination aus Terminkalender und Telefonverzeichnis. Für Dienstagabend waren keine Termine eingetragen. Danach kam bloß der Hinweis, dass sich Hagena am Mittwoch eine Vorabendserie im TV ansehen wollte. Wie die Folge ausging, würde sie nicht mehr erfahren.

Auch auf der Tastatur des Telefons klebte noch das Pulver der Spurensicherung. Hier hatte es ebenfalls keine Fingerabdrücke gegeben. Sabine rief über das Display die Speicherkarte auf, um sich die Nummern der letzten Telefonate anzusehen.

Keine Eintragungen!

Auf dem Anrufbeantworter waren auch keine Nachrichten. Sie lächelte bitter. Irgendjemand hatte sich wirklich große Mühe gegeben, alle Spuren zu verwischen.

Soviel Sabine wusste, waren die Eltern der Hagena-Schwestern bereits vor vielen Jahren gestorben. Katharina hatte bis auf ihre Schwester keine Verwandten. Sabine schlug das Telefonbuch auf, suchte Anna Hagenas Nummer heraus und rief sie mit ihrem Handy an.

Es läutete dreimal, dann hob die Kollegin ab. »Hagena?«

»Hallo, hier spricht Sabine Nemez, BKA Wiesbaden. Ich habe an der Akademie Ihr Modul …«

»Ich weiß, wer Sie sind. Ehemalige Studentin von der Akademie. Kann mich an Sie erinnern. Geht es um meinen Kurs?«

»Ich rufe aus dem Haus Ihrer Schwester an.«

»Aha.« Hagena klang nicht gerade überrascht. »Ich wollte gestern Abend mit ihr telefonieren, habe es mehrmals versucht, konnte sie aber nicht erreichen, woraufhin ich die Nachbarin angerufen habe, damit sie nach Katharina sieht. Seitdem habe ich nichts mehr gehört. Was ist passiert?«

»Ich habe leider schlechte Nachrichten. Es betrifft Ihre Schwester.« Sabine machte eine Pause. »Sie wurde heute Morgen tot in ihrem Haus aufgefunden.«

Schweigen.

»Es tut mir leid«, fuhr Sabine fort. »Vermutlich ist sie die Treppe hinuntergestürzt und hat sich das Genick gebrochen.« Sabines Mutter war vor einigen Jahren in einer Kirche in München ermordet worden. Damals hatte sie den Mistkerl gemeinsam mit Maarten Sneijder gefasst. Sie wusste also, wie es war, ein Familienmitglied zu verlieren, und konnte sich gut in Anna Hagenas Situation hineinversetzen.

»Es tut mir leid«, wiederholte Sabine. »Was wollten Sie mit Ihrer Schwester besprechen?«

Keine Antwort.

»Anna, ich muss mit Ihnen sprechen. Wann können wir uns sehen?«, fragte Sabine.

Hagenas Stimme klang gebrochen. »Ich bin beruflich in Berlin. BKA-Sicherheitskonferenz. Ich komme heute Abend zurück, allerdings erst ziemlich spät.«

Sabine wusste, dass diese Konferenz jedes Jahr in der Nähe der Kaiser-Wilhelm-Gedächtniskirche stattfand. »Kann ich gegen neun Uhr zu Ihnen kommen?«

Hagena dachte nach. »Ja, sicher.« Sie räusperte sich. »*Sie* untersuchen den Fall? Nicht die Mainzer Kripo?«

»Präsident Hess will es so.«

»Verstehe. Wurde Katharina ermordet?«

»Wissen wir noch nicht. Falls ja, werde ich den Mörder finden.«

»Ich weiß, danke.« Sie beendete das Gespräch.

Sabine betrachtete den leeren Teller und die Kakaotasse neben dem Monitor.

Ich wollte gestern Abend mit ihr telefonieren, habe es mehrmals versucht, konnte sie aber nicht erreichen.

Aber Katharina Hagena war doch zu Hause gewesen! Und *nach* dem Mord konnte Anna Hagena nicht mehr angerufen haben, da das Display die versäumten Anrufe angezeigt hätte.

Etwas stimmte hier nicht. Sabine würde sich von der Telekom eine Liste mit den letzten Anrufen und Gesprächen besorgen. Allerdings nicht auf dem Dienstweg – die Telefongesellschaften rückten die Daten nämlich erst am Monatsende heraus, wenn sie regulär abrechneten, es sei denn, der Staatsanwalt schritt ein. So lange wollte Sabine nicht warten. Mittlerweile kannte sie Wege, um rascher an die Informationen heranzukommen.

Aber es gab noch zwei andere Dinge, die sie stutzig machten: Anna Hagena hatte recht emotionslos reagiert – obwohl sie gerade ihre letzte lebende Verwandte verloren hatte. Und sie hatte auch gar nicht wissen wollen, ob ihre Schwester bevor oder nachdem sie hier angerufen hatte, gestorben war. Sabine selbst hätte in diesem Fall der genaue Zeitpunkt des Todes interessiert.

Um ein Uhr saß Sabine in der Mensa der Akademie und scrollte in ihrem Notebook durch ein weiteres Update des vorläufigen Berichts der Spurensicherung. Viele Untersuchungen standen noch aus, und das Ergebnis würde erst in ein paar Tagen vorliegen. Eigentlich hätte Sabine diesen Fall als Nächstes mit ihren

Studenten durchnehmen können, doch irgendwie widerstrebte ihr das. *Warum eigentlich?* Es gab nur eine einzige, aber relativ simple Antwort: *Weil dir dein Bauchgefühl sagt, dass deine Kollegin irgendwie darin verwickelt ist. Und deshalb solltest du die Sache vorsichtig angehen!*

»Hallo, Sabine.«

Sie schreckte hoch. Vor ihr stand Diana Hess, die Frau des BKA-Präsidenten. Sie trug einen eleganten cremefarbenen Hosenanzug und hatte die Haare bis auf ein paar Strähnen hochgesteckt.

»Ich warte auf meinen Mann, wollte mir etwas die Beine vertreten und habe Sie zufällig durchs Fenster in der Mensa gesehen. Wie geht es Ihnen?«

»Danke. Wollen Sie sich nicht setzen?« Sabine schob ihre Unterlagen zusammen.

»Ich habe nur ein paar Minuten Zeit.« Diana Hess nahm Platz. Eine Sonnenbrille steckte im Ausschnitt ihrer Bluse, und ihre Haut roch nach Sonnenöl. »Mein Gott, wie lange ist das her, seit ich diese Mensa das letzte Mal betreten habe?« Sie lächelte.

Sabine brauchte nicht lange zu überlegen. »Ein halbes Jahr. Am Tag von Sneijders Gerichtsverhandlung. Wir haben uns hier getroffen und Kaffee getrunken.«

»Ja, richtig.«

Sabine hatte Diana zwar seither öfters gesehen – einige Male am Eingang des BKA-Gebäudes, dann in Dietrich Hess' Büro, zweimal beim Mittagessen und einmal in der Wiesbadener Fußgängerzone beim Einkaufen. Sie hatten sich immer gut verstanden, waren einander sympathisch, aber so richtig ungestört hatten sie nie reden können. Kein Wunder bei einer Frau wie Hess, die offizielle Termine ohne Ende hatte, und bei Sabines Job, der sie oft in andere Bundesländer oder ins Ausland führte. »Wie geht es Ihnen?«

»Ach ja, eigentlich ganz gut«, seufzte Diana. »Mich in die Arbeit zu stürzen war für mich schon immer die beste Methode, um schreckliche Erinnerungen zu verarbeiten.«

Damit meinte sie wohl die Ereignisse, als sie und Sabine nur knapp dem Tod entronnen waren – und ihre Art der Therapie war anscheinend die anstrengende Wohltätigkeitsarbeit für Kinderheime, der sie sich seit einem Dreivierteljahr widmete.

»Und Ihnen?«, fragte Diana.

»Für mich ist die Mörderjagd meine Motivation weiterzumachen.« *Kuhscheiße!* Sie hörte sich schon an wie Sneijder.

Diana wurde ernst, betrachtete ihre schlanken Finger und spielte mit einem Ring. »Ich kann Ihnen nicht oft genug dafür danken, dass Sie nicht gegen Maarten ausgesagt haben. Mir ist klar, welche Überwindung Sie das gekostet haben muss.«

Sabine nickte. Das war eine schwere Zeit für sie gewesen, an die sie sich nicht gern erinnerte. Offensichtlich lag Diana die Sache schon seit Langem auf dem Herzen, und anscheinend war das auch der Grund, warum sie *zufällig* in der Mensa aufgetaucht war. Aber warum ausgerechnet jetzt, nach einem halben Jahr?

Sabine sah zur Seite, um sicherzugehen, dass niemand ihr Gespräch belauschte. »Ich habe es für Sie und Sneijder getan.« Sie wusste, wie eng die beiden immer noch befreundet waren.

Diana presste die Lippen aufeinander. »Ohne Maartens Freispruch hätte es übel für ihn ausgesehen.«

Und was hat es gebracht? Dietrich Hess hatte ihn trotzdem wegen der schweren Vorwürfe vom Dienst suspendieren müssen. Sabine versuchte zu lächeln. »Ich habe nur die Wahrheit gesagt.«

An Diana Hess' Blick sah Sabine, dass sie beide sich der Lüge bewusst waren. Im Zuge der Ermittlungen um die sogenannten *Todesmärchen,* wie die Presse Sneijders und ihren letzten gemeinsamen Fall getauft hatte, hatte Sneijder einen Mann erschossen. Normalerweise wäre er deswegen, selbst bei guter Führung, für mindestens zehn Jahre in den Knast gewandert. Und nichts anderes hätte Sneijder verdient. Doch an dem Tag ihrer Gerichtsaussage hatte Sabine erkannt, dass das Leben nicht schwarz und weiß war, sondern dass es eine breite Grauzone zwischen Legalität und Verbrechen gab. Sie hatte sich mehr als einmal auf die Zunge gebissen und schließlich schweren Herzens einen Meineid geleistet. Nur dieses eine Mal, hatte sie sich geschworen, und so die Tat vor sich selbst gerechtfertigt. Immerhin hatte ihr Sneijder mehr als einmal das Leben gerettet – nun waren sie quitt.

»Mein Mann hat mir versprochen, dass er versuchen wird, Maarten wieder offiziell in den Dienst des BKA zu holen«, sagte Diana.

Sabine sah auf. *Das ist neu!* »Wie stehen seine Chancen?«

Diana verzog das Gesicht. »Leider schlecht. Ich habe keine Ahnung, wann und ob das überhaupt jemals gelingen wird. Aber er versucht sein Möglichstes, solange er noch Präsident ist.«

»Hat er vor, in den Ruhestand zu gehen?«

»In sechs Monaten. Wir wollen an die Ostsee übersiedeln. Unser Sohn geht zwar noch zur Schule, aber er ist alt genug und wird hier bei seiner Tante in Wiesbaden bleiben.«

»Nette Gegend, ich kenne die Ostsee von einigen Fällen. Wissen Sie, wie es Sneijder geht?«, fragte Sabine.

»Er …« Diana räusperte sich. »Er unterrichtet hier in Wiesbaden als Gastdozent an der Universität für Wirtschaft und Recht. Ein Nebenfach: Spezielle Psychologie.«

Sabine musste schmunzeln. »Die armen Studenten.«

»Ja, die haben es nicht leicht bei ihm. Er hat sich keinen Deut geändert«, seufzte Diana. Ihr Blick fiel auf den Bildschirm des Notebooks. »Ist das der Fall Hagena?«

Sabine nickte. »Ihr Mann hat mich damit beauftragt.«

»Ja, ich weiß. Das war meine Idee, Sie auf den Fall anzusetzen. Eine schreckliche Sache.«

»Ihre Idee?«, wiederholte Sabine.

Diana nickte. »Ich sagte ihm, wenn jemand Licht in die Sache bringen kann, dann Sie.«

Sabine fühlte sich geschmeichelt, andererseits wurde sie stutzig. »Das bedeutet, Sie kannten Katharina Hagena?«

»Katharina ist … *war* eine bekannte Anwältin in Mainz und Wiesbaden.«

»Demnach kennen Sie vermutlich auch Anna Hagena?«

»Mein Gott, welche von Dietrichs Mitarbeiterinnen kenne ich nicht?« Diana lächelte. »Nachdem Maarten vom Dienst suspendiert wurde, hat sie die Ermittlungen an seinem letzten ungelösten Fall übernommen.«

Sabine hob instinktiv die Augenbrauen, versuchte aber, sich nichts anmerken zu lassen. »Aber vermutlich nicht sehr erfolgreich.«

»Stimmt, wer kommt schon an Maartens hohe Aufklärungsrate heran?« Diana Hess erhob sich. »Ich muss los, um meinen Mann zu einem Termin und später zu einem offiziellen Abendessen mit Innenminister und Oberstaatsanwalt zu begleiten und dabei die Atmosphäre aufzulockern.« Sie verdrehte die Augen. »Sie wissen ja, wie so etwas läuft. Übrigens …« Sie senkte die Stimme. »Mein Angebot gilt immer noch. Maartens Freunde sind meine Freunde, und wenn Sie meine Hilfe brauchen, können Sie mich jederzeit anrufen.«

»Ich weiß, danke.« Sabine sah Diana Hess nach, wie sie durch den Seitenausgang der Mensa verschwand.

Anna Hagena hat also Sneijders letzten ungelösten Fall übernommen – und nun war ihre Schwester unter mysteriösen Umständen gestorben.

5. KAPITEL

Tina Martinelli kannte Sneijders Haus nur aus Erzählungen. Angeblich war es ein altes Sommerhaus am Stadtrand von Wiesbaden, das direkt am Wald lag. Zumindest hatte Sabine Nemez es ihr mal so beschrieben.

Am Wald gelegen war jedoch die Untertreibung des Jahres. Sneijders Haus befand sich am Ende von einer Art Wanderweg, kaum mit dem Auto befahrbar. Angeblich besaß Sneijder ja nicht einmal einen Führerschein. Darum hatten ihn die Kollegen früher immer mit dem Dienstwagen von zu Hause abholen müssen. *Früher.* Mittlerweile waren auch diese Zeiten vorbei. Womit Sneijder seit einem Dreivierteljahr seine Brötchen verdiente, war Tina egal. Sie wollte nur seine Aussage – denn diesmal war *er* der Befragte.

Tina parkte ihren Wagen neben einem Bach vor einer Holzbrücke und ging den Rest des Forstweges zu Fuß. Auf einer Lichtung lag vor dem Hintergrund bewaldeter Hügel eine alte, stillgelegte Mühle mit rotem Schindeldach, Giebelfenstern, Holzläden und einem Schornstein mit Wetterhahn. Sneijders Haus wurde freundlich von der Mittagssonne beschienen. Saftig grüner Efeu rankte sich an einem Holzspalier die Wand empor, daneben schwirrten Bienen über die Wiese.

Als Tina näher kam, sah sie, dass der Bach, an dem sie zuvor entlanggefahren war, durch eine bogenförmige Öffnung im Fundament des Gebäudes verschwand. Vor dem Grundstück entdeckte sie ein riesiges Holzfass, an dem ein Schild hing.

Maarten S. Sneijder – Besucher unerwünscht!

Das war klar!

Auf der Natursteinterrasse standen unter dem Dachvorsprung und einer tief hängenden Regenrinne ein Tisch und Korbstühle. Sneijder saß in einem davon im Schatten und las in einer großformatigen Zeitung. Zu seinen Füßen lag ein Basset auf einer Decke, der, als er Tina bemerkte, müde den Kopf hob und ein tiefes *Wuff* ausstieß. Danach vergrub er die Schnauze wieder in der Decke und schloss die Augen.

Als Sneijder kurz von der Zeitung aufsah und Tina erkannte, faltete er das Blatt zusammen und legte es auf den Korbtisch neben sich. Tina sah den Lauf einer Pistole zwischen den Seiten. Der Form nach zu schließen eine Glock. Sneijders ehemalige Dienstwaffe?

»Wen haben Sie erwartet?«, fragte sie. »Einen Auftragskiller?«

»Kann man nie wissen«, knurrte Sneijder. »Es verirrt sich nur selten ein Wagen in diese Gegend. Und Vincent ist nicht gerade der beste Wachhund.«

Tina griff in die Hosentasche und holte einen Hundekuchen hervor. Jahrelang hatte sie von Sneijders Hund gehört, nun sah sie ihn zum ersten Mal. Er hatte ein struppiges Fell und war für einen Basset ziemlich dünn. Tina kniete sich hin, streichelte Vincent und hielt ihm das Leckerli vors Maul. Es war nie verkehrt, Sneijder milde zu stimmen, vor allem wenn man etwas von ihm brauchte. Und seine Zuneigung zu diesem Hund war bekannt.

Der Basset schnappte nach dem Hundekuchen und verschlang ihn in einem Stück. Grummelnd ließ er sich wieder auf der Decke nieder.

»Was wollen Sie?«, fragte Sneijder unbeeindruckt.

»Irgendwie hatte ich erwartet, Sie mal in legerer Kleidung vorzufinden, in Jeans und Sweatshirt, aber …« Sie betrachtete Sneijder irritiert. Er trug wie all die Jahre zuvor einen maßgeschneiderten Anzug und ein weißes Hemd. Tina hatte ihn noch nie anders gesehen. Der oberste Knopf des Hemdes war zwar geöffnet und das Sakko hing über der Stuhllehne, doch Sneijder sah immer noch sehr *offiziell* aus.

»Lassen wir den Smalltalk. Was wollen Sie?«, wiederholte er.

»Darf ich mich setzen?«

»Nein, sonst stören Sie mich noch länger.« Sneijder erhob sich. Aber nicht, um Tina einen Stuhl zum Tisch zu schieben, sondern um nach der Hundebürste zu greifen. »Komm her, mein Junge.« Er klopfte auf einen freien Korbstuhl, woraufhin Vincent kurz murrte, sich erhob und auf den Stuhl sprang.

»Ich habe gehört, der Hund ist Ihnen zugelaufen.«

»Ist er. Zum dritten und letzten Mal, Martinelli, was wollen Sie?« Sneijder begann mit seinen langen, dünnen Armen den Hund zu bürsten, was der sich mit einem kehligen Glucksen gefallen ließ.

Sneijder war erst fünfzig, aber er hatte immer schon älter ausgesehen. Sein ehemaliger Job hatte ihn gezeichnet, und auch dieses Dreivierteljahr Suspendierung hatte es nicht besser gemacht. Alle anderen hätten sich erholt – er nicht. Die dünn rasierten Koteletten begannen beim Ohr und verliefen in einer schmalen Linie bis zum Kinn. Der Kontrast zu der Glatze und dem bleichen Gesicht, das so aussah, als hätte es seit Jahren keine Sonne mehr gesehen, wirkte wie aus einem Schwarz-Weiß-Film. Sneijder war ein einziger Fremdkörper in dieser Sommerlandschaft.

Tina zog sich einen freien Stuhl heran und setzte sich. »Was können Sie mir über Gerald Rohrbeck erzählen?«

»Hat er etwas angestellt?«

Es sollte witzig klingen, doch Tina war nicht nach Scherzen zumute. Sie blieb ernst. »Sagen *Sie* es mir.«

»Im BKA-Archiv gibt es eine ausführliche Personalakte zu jedem Kollegen. Werfen Sie einen Blick hinein.«

»Hab ich schon. Gerald Rohrbeck war fünfzig Jahre alt, derselbe Jahrgang wie Sie, und arbeitete seit fünfundzwanzig Jahren beim BKA. Ein Kollege vom alten Schlag, ein Dinosaurier. Seine Frau hatte einen Herzklappenfehler und starb letztes Jahr. Seitdem war er alleinerziehend.«

»Wollten Sie mir nicht etwas erzählen, das ich noch nicht weiß?«, unterbrach Sneijder sie.

Wie du willst! Dann würde sie ihm etwas erzählen, das er sicher noch nicht wusste und sie selbst erst aus dem zentralen Einsatzleitsystem der Wiesbadener Kripo erfahren hatte. »Gestern Abend ist Rohrbecks Haustür mit einem Dietrich geöffnet und die Sicherheitskette gewaltsam aus der Wand gerissen worden. Ein oder mehrere Einbrecher sind ins Haus eingedrungen, und dabei wurde sein fünfjähriger Sohn im Wohnzimmer aus nächster Nähe mit einer illegalen, nicht registrierten Waffe erschossen.« Tina machte eine Pause. »Aus der Wohnung ist nichts gestohlen worden.«

Sneijder schwieg. Er hatte nicht einmal mit der Wimper gezuckt, als sie zuvor begonnen hatte, von Rohrbeck in der Vergangenheitsform zu sprechen. Offensichtlich wusste er bereits, dass Rohrbeck Selbstmord begangen hatte.

»Heute Morgen ist Rohrbeck mit seinem Wagen falsch auf die Autobahn aufgefahren«, erzählte sie weiter, »und hat sich als Geisterfahrer das Leben genommen. Die Leiche seines Sohnes lag immer noch zu Hause. Im Pyjama. Er hat sie im Kinderzimmer aufgebahrt. Die Kriminaltechnik fand auf dem Teppich zwischen Vorraum und Wohnzimmer Blutspuren, die die Treppe hinauf in den ersten Stock ins Kinderzimmer führten.«

Sneijder schwieg.

»Drei LKW-Fahrer haben ihn gestoppt. Rohrbeck war sofort tot.«

»In Deutschland sterben jährlich über zehntausend Menschen durch Selbstmord – und über hundertfünfzigtausend versuchen es.« Sneijder bürstete weiter seinen Hund, die Bewegung hatte etwas Meditatives.

»Verdammt Sneijder, Sie sind so gefühlskalt!«, entfuhr es Tina. »Einer Ihrer Kollegen hat sich das Leben genommen!«

»Jeder ist für sich selbst verantwortlich.«

»Ich habe mit Meixner gesprochen. Sie war am Unfallort und hat die Fotos geschossen.«

»Meixner …«, erinnerte sich Sneijder und hielt einen Moment lang inne. »Hat im dritten Semester das Handtuch geworfen. Ist jetzt bei der Autobahnpolizei, soviel ich gehört habe.«

»Richtig. Die drei LKW-Fahrer werden übrigens vom Staatsanwalt angezeigt, weil ihre Blockade illegal war.«

Nun hob Sneijder überrascht die Augenbrauen. »Tatsächlich?«

»Ach, das interessiert Sie, ja? Schön, dass Sie wenigstens hier eine menschliche Regung zeigen. Die drei Männer kommen höchstwahrscheinlich vor Gericht, weil ihre Aktion strafbar ist und einem Mordversuch gleichkommt.«

»Zwei Männer und eine Frau«, korrigierte Sneijder sie.

Sieh an! Tina überlegte kurz. *Wie immer ist er bestens informiert.* »Einer von ihnen wird seinen Job verlieren«, presste sie hervor. »Dabei haben die drei nur versucht, eine Amokfahrt zu stoppen. Der Familienreiseverkehr hat begonnen, und weit mehr Menschen hätten dabei draufgehen können. Für mich ist das ein Akt von Zivilcourage, aber das Gesetz sieht das völlig anders.«

»Und da tanzt gleich der Staatsanwalt an?«

»Immerhin handelt es sich um einen toten BKA-Beamten. Auch wenn von dem nicht mehr viel übrig war, was man hätte identifizieren können.« Sie griff in die Innentasche ihrer Windjacke. »Wollen Sie ein paar Fotos von Rohrbeck sehen?«

Er schüttelte den Kopf. »Ich habe im Lauf meiner Dienstzeit wirklich ausreichend viele schrecklich verstümmelte Leichen gesehen, danke.«

Tina legte die Fotos trotzdem auf den Tisch.

Sneijder betrachtete sie emotionslos. »Und nun sind Sie hier, weil das BKA in diesem Fall ermittelt und Sie von mir wissen wollen, wie ich Rohrbecks Amokfahrt einschätze?«

»Nein, verdammt, Sie wissen ganz genau, warum ich hier bin.« Sie ließ die Fotos liegen, stand auf und steckte die Hände in die Hosentaschen.

»Haben Sie noch ein Leckerli für Vincent?«, fragte Sneijder.

»Nein, habe ich nicht. Ich will von Ihnen wissen, warum Rohrbeck Ihnen kurz vor seinem Tod eine SMS geschickt hat.«

»Der Idiot hat sie nicht gelöscht?«

»Nein, vermutlich hatte er vor seinem Selbstmord andere Sorgen«, antwortete Tina sarkastisch.

Sneijder nickte. *»Du hattest recht. Die Vergangenheit holt uns ein. Der erste Juni wird uns alle ins Verderben stürzen. Leb wohl!«*, gab er den exakten Wortlaut der SMS wieder.

»Was hat Rohrbeck damit gemeint?« Ziemlich genervt drehte sie an dem Ring in ihrer Lippe. »Wen wird der erste Juni ins Verderben stürzen? Und warum? Was wird heute noch passieren?«

»Wer sagt, dass damit der heutige Tag gemeint ist?«

»Ich …« Tina verstummte und dachte nach. »Ich nehme an, er meinte den heutigen Tag, weil sein Sohn gestern Nacht erschossen wurde. Was wissen Sie darüber? Wer könnte in sein Haus eingedrungen sein?«

»Ich weiß gar nichts.«

»Sneijder, man muss kein Verhörspezialist sein, um zu wissen, dass Sie mich anlügen. Was bedeutet diese Nachricht an Sie?«

Sneijder legte die Hundebürste weg. Sein Gesichtsausdruck änderte sich, auch sein Tonfall. »Martinelli, bis jetzt bin ich freundlich zu Ihnen gewesen, aber das kann jede Sekunde vorbei sein. Da Sie eine meiner ehemaligen Studentinnen sind – übrigens neben Sabine Nemez die beste, die ich je hatte, und Sie wissen, wie selten ich Komplimente mache –, gebe ich Ihnen jetzt *drei* gute Ratschläge, die ich sonst niemand anderem gegeben hätte.« Er hob drei Finger. »Den *ersten*, den *einzigen* und den *letzten* Rat: Lassen Sie die Vergangenheit ruhen!«

»*Welche* Vergangenheit?«

»Martinelli! Muss ich deutlicher werden?«, fragte er scharf. »Geben Sie den Fall ab! Der ist eine Nummer zu groß für Sie.«

»Sie arbeiten nicht mehr beim BKA«, erinnerte Tina ihn. »Wenn ich mir einen dringenden Tatverdacht einfallen lasse, kann ich Sie einfach so ...« Sie schnippte mit den Fingern. »... ohne weitere Begründung und ohne richterlichen Beschluss in Untersuchungshaft nehmen lassen und in einer Verhörzelle vierundzwanzig Stunden lang vernehmen. *Scheiß drauf!* Achtundvierzig Stunden, wenn es sein muss!«

»Ja, das könnten Sie«, antwortete Sneijder gelassen.

»Sie wissen, was das bedeutet! Kein Kontakt zu anderen, keine Hofgänge, Besuche oder Telefonate.«

»Tun Sie das, aber eines sollten Sie wissen: Ich kenne alle Verhörtricks. Einige davon habe ich sogar selbst erfunden und weiterentwickelt, und ich garantiere Ihnen, von mir werden Sie nichts erfahren. Ich gebe Ihnen nur diesen einen Rat, den ich jetzt zum letzten Mal wiederhole und an den Sie sich halten sollten.« Sneijder stand auf, schlüpfte in sein Sakko und richtete die Manschettenknöpfe. »Lassen Sie die Finger von diesem Fall!«

6. KAPITEL
Donnerstag, 26. Mai

Hardy stieg aus dem Bus und ging die Straße hinunter. Eine Allee mit verblühten Kirschbäumen lag vor ihm. Es duftete nach Sommer. Links und rechts am Straßenrand befanden sich Doppelreihenhäuser aus Backstein mit grauen Dachziegeln und dazwischen Garagen. Hannover-Bemerode. Eine nette Familiengegend. Wenig Ausländer, keine Drogensüchtigen, stattdessen ein paar kläffende Hunde und Kinderfahrräder, die am Zaun lehnten. Von irgendwoher wehte der Duft eines Holzkohlengrills.

Wie nett!

Hardy blickte auf das Foto, das Lizzie, ihre beiden Kinder und ihn zeigte. Ein Selfie würde man heute sagen, vor einem Springbrunnen in der Fußgängerzone Wiesbadens. Die Zwillinge waren vier Jahre alt gewesen. In einer parallelen Welt, in der einiges anders gelaufen wäre, hätten sie in so einer Gegend wie dieser leben können. Glücklich, zufrieden und sicher. Aber fast alles war schiefgegangen. Er würde den Grund dafür herausfinden. Und Nadine Pollack konnte ihm dabei helfen. *Beginne dort, wo du eine Niederlage am leichtesten verschmerzen kannst.* Und das war genau hier!

Hardy steckte das Foto in die Jeans und hielt vor der Hausnummer vier. Ein eleganter weißer Ford Kuga stand vor dem Garagentor, ein Duftbäumchen hing am Rückspiegel, und im Kofferraum stand ein großer Hundekäfig.

Aus dem Augenwinkel hatte Hardy eine Bewegung hinter einem der Fenster des Hauses wahrgenommen. Er öffnete das Gartentor und ging über die Waschbetonsteine zur Haustür. Neben ihm drehten sich die Flügel einer kleinen Windmühle aus Holz, und hinter der hohen Thujenreihe hörte er das Gelächter von Kindern, die offenbar in einem Schwimmbecken zu plantschen schienen. Als er das letzte Mal hier gewesen war – vor zwanzig Jahren –, waren die Thujen noch zart und nur einen halben Meter hoch gewesen, und auf den Nachbargrundstücken hatten noch keine Häuser gestanden.

Hardy erreichte die Eingangstür. Neben dem Schuhabstreifer lagen ein ferngesteuertes Polizeiauto mit geknickter Antenne und eine Art modernes Skateboard. Zu seiner Zeit hatten diese Dinger noch vier Räder gehabt, nicht zwei. Er läutete an der Tür, und ein Big-Ben-Gong ertönte im Haus. Kurz darauf riss jemand die Tür auf.

»Hallo, ich …«, rief eine Frau erfreut, die fast in Hardys Alter war, aber deutlich jünger aussah.

»Hallo, Nadine«, sagte er.

»Ich …« Ihr Lächeln erstarb von einer Sekunde auf die andere. »*Du* bist es? Was willst du hier?« Es klang abweisend. Sie wischte sich die langen blonden Haare hinter die Schulter. Nervös nestelte sie am Träger ihres engen Ripp-Shirts.

»Wie geht's, Nadine?«

»Ich werde dich nicht hereinbitten, und es wäre besser, du verschwindest augenblicklich, denn mein Mann und meine Tochter kommen jeden Moment heim.«

»Du hast eine Tochter?«

»Ja, sie ist dreizehn.«

»Ein schwieriges Alter.«

»Nein, ist es nicht. Sie ist brav und lernt ordentlich.«

»Anders als du«, stellte er fest.

»Ja, sie ist anders als ich. Aber auch ich habe mich verändert. Und mein Mann ist ein guter Vater, der …«

»Weiß er von deiner Vergangenheit, dem Drogengeschäft und …?«

»Nein, Hardy. Und dabei soll es auch bleiben.«

Er nickte.

»Seit wann bist du draußen?«, fragte sie.

»Seit sechs Stunden.«

»Hab ich mir gedacht.« Sie betrachtete seine Kleidung. »Du warst noch nicht einkaufen.«

»Ich habe auch noch nichts gegessen und habe nicht mal ein Zimmer zum Übernachten.«

»Hier kannst du nicht bleiben.«

»Keine Sorge, Nadine, deswegen bin ich nicht hier.« Er griff in die Innentasche seiner Jacke und bemerkte, wie Nadines Körper sich versteifte. Langsam holte er eine neue Schachtel englische Rockie-Drops mit Pfefferminzgeschmack heraus. »Habe ich aus einem Automaten. Hätte nicht gedacht, dass es die noch gibt.«

»Die hast du immer gemocht.«

»Zwanzig Jahre sind nicht spurlos vorübergegangen. Heute schmecken sie anders – oder meine Erinnerung spielt mir einen Streich.« *Wieder einmal.* Er hielt ihr die Schachtel hin. »Ein Drops?«

Sie schloss für einen Moment die Augen und holte tief Luft. »Hardy, lass das! Bitte geh!«

Hardy nahm ein Drops und ließ die Schachtel in der Jackentasche verschwinden. »Nadine, ich brauche Informationen.«

»Ich weiß nichts.«

»Du weißt ja noch nicht mal, *was* ich wissen will.«

»Das interessiert mich auch nicht. Ich habe mit der Vergangenheit abgeschlossen und lebe jetzt …«

»Lizzie und die Zwillinge sind vor zwanzig Jahren gestorben. In unserem Haus bei lebendigem Leib verbrannt.«

Nadine zögerte. »Ich weiß.«

»Ich möchte ihren Mörder finden.«

»Hardy …« Nadine lachte kurz auf und nestelte nervös an ihren Haaren. »Du hast sie selbst ermordet!«

»Ich?«, wiederholte er. »Das glaubst du doch nicht wirklich. Ich habe wegen der Drogengeschäfte gesessen.«

»Aber doch nicht zwanzig Jahre!« Ihre Hände zitterten.

»Den Rest haben sie mir angehängt.«

»Wer?«

»Das will ich herausfinden.« Er sah in ihren Augen, dass sie gar nicht erst versuchen wollte, ihm zu glauben.

»Hardy, du hast deine Strafe abgesessen, bist jetzt ein freier Mann. Mach einfach …«

»Du weißt, dass ich das nicht kann. Ich werde Lizzies Mörder finden.«

»Hardy, ich möchte mich nicht wiederholen, aber *du* hast sie selbst getötet.«

»Woher willst du das wissen?«

»Die Presse hat darüber berichtet, in Talkshows wurde über dich geredet, außerdem waren in Internetforen erst kürzlich Auszüge aus deinem psychiatrischen Gutachten zu lesen.«

»Aus welchem? Es gab zwei.«

»Aus dem offiziellen.«

»Ja, das offizielle.« Er lachte bitter auf. »Das wurde vom Gericht bestellt. Ein beeideter Sachverständiger, der sich als klinischer Gesundheitspsychologe auf die Zurechnungsfähigkeit von Angeklagten und die Glaubwürdigkeit von Aussagen spezialisiert hat. Der Mann hatte ein gewisses Renommee, dementsprechend wurde sein Gutachten bezahlt.«

»Warum hast du es nicht angefochten?«

»Hab ich ja«, knurrte er. »Das Gegengutachten kam von einer jungen Psychologin, die mein Strafverteidiger aufgetrieben hat. Sie war fähig, hatte aber keine Chance, die Arbeit eines angesehenen Psychologen anzufechten.«

»Tja, das ist eben Pech.« Nadine klang nicht so, als glaubte sie ihm. Sie sah ihn traurig an. »Nimmst du noch Medikamente?«

Hardys Hand ballte sich zur Faust. Sein linkes Augenlid begann zu zucken. Kopfschmerzen kündigten sich an, die sich wie ein Korkenzieher langsam durch seine Schläfen in sein Gehirn drehten. Er spürte, wie die Aggressionen kamen.

»Hier und jetzt ist kein guter Zeitpunkt für einen deiner Ausraster«, zischte Nadine.

Es hatte keinen Sinn, mit ihr darüber zu streiten. Er wusste, dass er kein Mörder war. Langsam öffnete er seine Faust. »Hat jemand bei dir eine Tasche für mich abgegeben?«

»Was? Wovon sprichst du?« Sie schüttelte kaum merklich den Kopf.

»Wo ist meine Tasche?«, wiederholte er und machte einen Schritt über die Türschwelle in den Vorraum.

Nadine wich zurück, steckte aber die Finger in den Mund und stieß einen lauten Pfiff aus. Sogleich bimmelten mehrere Glöckchen, und Hardy hörte, wie im oberen Stock des Hauses Hundekrallen über den Parkettboden scharrten.

Im nächsten Augenblick rasten zwei ausgewachsene Dobermänner die Treppe herunter und bremsten sich links und rechts von Nadine ein. Die Hunde waren prächtige Exemplare, die die Zungen hechelnd aus dem Maul hängen ließen.

»Brutus, Zerberus, sitz!«, befahl Nadine.

»Brutus und Zerberus?«, wiederholte Hardy amüsiert. »Weißt du, dass mich im Knast einmal ein Schäferhund angefallen hat? Offiziell gibt es in Bützow keine Hunde, inoffiziell schon. Nach einem Ausbruchsversuch wurden sämtliche Zellen durchsucht. Dabei verwenden sie Hunde. Einer drehte durch und fiel mich an. Er hat sich in meinen Oberschenkel verbissen, und ich habe ihm das Genick gebrochen. Ist gar nicht so leicht, einem ausgewachsenen Hund das Genick zu brechen. Man muss ihn gut erwischen,

seinen Körper in der Kniekehle einkeilen und sich dann mit dem gesamten Gewicht auf ihn fallen lassen. Dass es Notwehr war, interessiert dort keinen. Danach prügelten sie mich mit Schlagstöcken bewusstlos. So etwas kommt natürlich nie an die Öffentlichkeit – denn Hunde gibt es dort ja offiziell nicht.«

»Nette Geschichte, aber Brutus und Zerberus sind abgerichtete Schutzhunde.«

»Natürlich.« Hardy ließ sich auf die Knie nieder und ging mit den Hunden auf Augenhöhe. »Hallo, meine Kleinen«, sagte er in einem sanften Ton und zeigte den Tieren seine leeren Handflächen. Dabei hechelte er wie ein Hund.

»Hardy, was soll das?«

Er näherte sich mit der Hand demjenigen der Hunde, den er für ein Weibchen hielt. Das Tier zog die Lefzen hoch, entblößte seine Zähne, schnupperte dann jedoch kurz an Hardys Fingern und ließ zu, dass Hardy es hinter dem Ohr streichelte. »Jaaa, das gefällt dir, meine Kleine.«

Die Hündin ließ sich auf die Vorderpfoten nieder, dann rollte sie sich auf den Rücken und ließ sich von Hardy Hals und Bauch kraulen. Der andere Hund blieb in der Zwischenzeit reglos stehen, sah herüber und winselte eifersüchtig.

»Wer ist die Kleine?«, fragte Hardy. »Brutus oder Zerberus?«

»Hardy, du hattest deinen Auftritt, aber jetzt solltest du verschwinden.«

»Wo ist meine Tasche?«

»Ich weiß nicht, wovon du sprichst.«

»Nadine, meine Tasche!« Er packte die Hündin etwas fester an der Kehle.

Nadines Augen weiteten sich. »Böser Junge!«

Offenbar handelte es sich dabei um ein Kommando, denn die Hündin sprang augenblicklich auf, legte die Ohren an und zog die Lefzen zurück. Auch der andere Hund fletschte die Zähne.

»Hardy, fordere mich nicht heraus!«, drohte Nadine.

Hardy erhob sich und wischte seine Hände an den Jeans ab. »Ich hab verstanden.«

»Leb wohl!«

Er schob das Bonbon von einer Backe in die andere, dann zerbiss er es und schmeckte das scharfe Pfefferminzaroma im Mund. »Leb wohl.«

Er drehte sich um und ging zum Gartentor. Nadine sah ihm nach, und als er wieder auf der Straße stand, schloss sie die Haustür. Er hörte, wie sie zusperrte und eine Kette vorlegte.

Mein Gott, Nadine! Im Gegensatz zu einem Menschen hätte er keinem Hund je etwas antun können, nicht einmal in Notwehr. In Wahrheit war die Geschichte bei der Durchsuchung der Zellen anders abgelaufen. Dass sie Hunde einsetzten, stimmte zwar, aber er selbst war Major Kieslinger und einem der Wärter an die Gurgel gegangen und hatte darum die Prügel kassiert.

Hardy blickte auf die Taschenuhr, dann sah er zur Busstation. *Psychologisches Gutachten! So eine Scheiße!* Er konnte nicht glauben, dass Nadine tatsächlich für bare Münze hielt, was die beknackten Ärzte über ihn behaupteten. Aber ganz so umsonst, wie er anfangs befürchtet hatte, war der Besuch bei Nadine doch nicht gewesen – es gab eine Sache, die ihm nicht aus dem Kopf ging. Vielleicht hatte er alles ja auch nur falsch interpretiert – aber etwas in der Art, wie sie ihn weggeschickt hatte, war seltsam halbherzig gewesen. Und dann dieser Befehl, den sie den Hunden gegeben hatte: *Böser Junge.* Jedenfalls gab es jemanden, den sie früher so genannt hatten. Er hatte illegale Hundekämpfe veranstaltet und seine Tiere mit Speed gedopt.

Hardy schob sich ein neues Bonbon in den Mund und machte sich auf zu seinem nächsten Ziel. Zu Otto Gedecker, dem bösen Jungen.

7. KAPITEL

Sabine Nemez las eine Nachricht auf ihrem Handy. Sie stammte von Marc Krüger, ihrem Kollegen von der BKA-Abteilung Mobilfunkforensik, den sie letztes Jahr auf der BKA-Weihnachtsfeier kennengelernt hatte.

Marc war ein Jahr älter als sie und ein ziemlicher Nerd, wie alle in der IT, aber wirklich gut in seinem Job. Außerdem hatte er ausgezeichnete Kontakte zur Deutschen Telekom, die er manchmal benutzte. Dieser Weg war zwar nicht gerade legal, aber sollte sich etwas Interessantes ergeben, konnte sie nachträglich immer noch beim Staatsanwalt einen richterlichen Beschluss anfordern.

In Marcs Liste fand sie die Telefonate von Dr. Katharina Hagena, und das letzte Gespräch hatte gestern Nacht um einundzwanzig Uhr dreißig stattgefunden. Von ihrem Festnetzanschluss aus. Es hatte zwölf Minuten gedauert. Kurz danach war sie laut vorläufigem Obduktionsbefund die Treppe ihres Hauses hinabgestürzt und am Ende der Stufen mit Genickbruch liegen geblieben.

Sabine starrte auf die Telefonnummer. Sie erinnerte sich daran. Es war der Handyanschluss von Anna Hagena, mit der Sabine erst heute Mittag gesprochen hatte. Worüber hatten die beiden Schwestern geredet? Und warum hatte Anna dieses Telefonat ihr gegenüber nicht zugegeben?

Sabine würde es gleich erfahren. Sie saß in ihrem Wagen vor Anna Hagenas Haus, wo sie sich um einundzwanzig Uhr mit der Kollegin verabredet hatte. Jetzt war es fünf nach neun.

Aber vorher gab es noch etwas anderes, was Sabine herausfinden musste. Sie rief die Mobilfunkforensik an und ließ sich zu Marc Krüger durchstellen.

»Herrgott, ich bin noch nicht so weit«, murmelte Marc genervt, als er ihre Stimme hörte.

»Ich will doch bloß wissen, ob Anna Hagena gestern Nacht tatsächlich in Berlin war.«

»Ich kann mit der Handypeilung höchstens herausfinden, wo ihr *Handy* zu diesem Zeitpunkt war, falls es in einen Mast eingeloggt war, aber nicht, wo *sie* war.«

»Das meine ich ja.«

»Wir sind zwar das BKA und können manchmal sogar zaubern ...« Er machte eine Pause und pfiff das Intro der Harry-Potter-Filme. »Aber das braucht seine Zeit.«

»Danke, Frodo.«

»Frodo ist aber nicht ...«

»Ja, ich weiß. Ruf mich an, sobald du etwas hast.« Sie unterbrach die Verbindung, da sie keine Lust auf eine nerdige Diskussion mit Marc hatte, und steckte das Handy weg.

21.15 Uhr.

Sabine stieg aus dem Wagen und streckte den Rücken durch. Obwohl es schon zu dämmern begann, war es immer noch unglaublich heiß. Ein dünner Schweißfilm klebte auf ihrer Haut, den der Wind jetzt kühlte.

Stechmücken umschwirrten Sabines Kopf. Sie scheuchte die Insekten weg und ging auf das Wohnhaus zu. In der Nähe zirpten Grillen. Außerhalb von Wiesbaden war es zwar deutlich kühler als in der Stadt, allerdings wurde man hier dafür von den lästigen Blutsaugern halb aufgefressen.

Sabine läutete an der Gegensprechanlage des modernen Wohnhauses bei *Hagena*.

Es knackte. »Hallo?«, meldete sich eine Männerstimme.

»Hier spricht Sabine Nemez, Bundeskriminalamt Wiesbaden, ich habe einen Termin bei Anna Hagena.«

»Die ist im Moment nicht da.«

»Darf ich inzwischen raufkommen?«

Keine Antwort.

Im nächsten Moment surrte der Türöffner.

»Dritter Stock«, drang die Stimme des Mannes durch den Lautsprecher.

Sabine ignorierte den Fahrstuhl und lief die Treppe hinauf. Neonlicht ließ die neuen Bodenfliesen erstrahlen. Es roch nach Silikon und Scheuermittel.

Im dritten Stock öffnete sich am Ende des Ganges eine Tür. Ein schlanker, durchtrainierter Mann Mitte dreißig mit schwarzem Vollbart lehnte im Türrahmen. Hinter ihm lugte neugierig ein etwa siebenjähriges Mädchen mit langen blonden Haaren hervor. Es trug bereits einen Pyjama und hielt eine Zahnbürste in der Hand. Sogleich fiel Sabine das dunkelgraue Hartplastikgestell mit Gurten, Verstrebungen und Gelenken auf, das von ihren Fersen über Knie und Oberschenkeln bis zur Hüfte reichte.

Sabine zeigte ihren Ausweis. »Ich bin eine Kollegin von Anna. Darf ich reinkommen?«

Der Mann versperrte ihr nach wie vor den Weg zur Wohnung. »Anna ist nicht da. Ich bin ihr Lebensgefährte, aber wenn es um berufliche Fragen geht, kann ich Ihnen nicht weiterhelfen.«

Sabine musterte ihn. Er war mindestens acht oder neun Jahre jünger als Anna. »Wo ist sie?«

»Sie haben sie knapp verpasst. Anna war kurz zu Hause, ist dann aber wieder losgefahren.«

»Wissen Sie wohin?«

»Sie sagte, sie müsse nur noch einmal kurz ins Büro.« Er fuhr seiner Tochter übers Haar. »Geh schon mal ins Bad, ich komme gleich, es dauert nicht lange.«

Das Mädchen blieb wie angewurzelt stehen. »Ist Mama was passiert?«

»Nein.« Sabine beugte sich lächelnd zu dem Mädchen. »Ich habe drei Nichten in deinem Alter. Wie heißt du denn?«

Das Mädchen starrte sie an. »Was wollen Sie von meiner Mama?«

»Mit ihr reden.«

»Sind Sie vom Krankenhaus?«

»Ich?« Sabine runzelte die Stirn. »Nein, ich bin eine Arbeitskollegin von deiner Mama.«

»Geh jetzt!«, sagte ihr Vater.

»Gute Nacht.« Die Kleine stopfte sich die Zahnbürste in den Mund. »Ich heiße Anni, wie meine Mama.« Sie drehte sich um und stakste mit ihrem Gestell in die Wohnung.

Bei dem Anblick brach Sabine das Herz. Sie senkte die Stimme. »Ich wusste nicht, dass Anna eine so junge Tochter hat.«

»Sie ist meine Tochter aus einer früheren Beziehung. Anna und ich sind seit sechs Jahren zusammen. Wir sind nicht verheiratet, aber Anni ist sozusagen mit ihr aufgewachsen, darum sagt sie *Mama* zu ihr.«

»Hatte das Mädchen einen Unfall?«

»Zerebralparese.«

»Das tut mir leid«, sagte Sabine, ohne genau zu wissen, was das war.

Offenbar sah ihr der Mann das an, da er sich kurz umblickte, ob das Mädchen tatsächlich im Bad verschwunden war, ehe er weitersprach. »Bei der Geburt wurde ihr Gehirn durch Sauerstoffmangel geschädigt. Dadurch arbeiten ihre Muskelgruppen nicht harmonisch miteinander.«

»Und diese Stütze …?«

»Eine Orthese. Sie aktiviert die Muskeln und unterstützt Anni beim Gehen. Aber deswegen sind Sie nicht hier, oder?«

»Nein.« Sabine schluckte, dann senkte sie ein weiteres Mal die Stimme. »Warum hat sie solche Angst um ihre Mutter?«

»Anna war ein paarmal im Krankenhaus, und Anni hat das wohl mitbekommen, obwohl wir das von ihr fernhalten wollten. Anna hat Schilddrüsenkrebs.«

Ach, du Scheiße! Ein Unglück kommt selten allein. »Weiß ihr Arbeitgeber davon?«

»Das BKA? Natürlich.« Der Mann senkte den Blick. »Aber Anna verweigert jede Chemotherapie und möchte weiterhin im Dienst bleiben.« Er griff zur Klinke. »So, war's das jetzt? Ich muss mich um meine Tochter kümmern.«

»Noch eine Frage. War Anna heute in Berlin?« In diesem Moment ging das Licht im Gang aus. In der Wohnung brannte eine Lampe, und Sabine sah nur noch die Silhouette von Anna Hagenas Lebensgefährten. Deutlich waren nun seine breiten Schultern zu sehen.

»Ja. Aber sie ist früher als geplant heimgekommen.«

»Das heißt?«

»Sie war schon am frühen Nachmittag da, ist aber gleich ins Leichenschauhaus gefahren. Wahrscheinlich um ihre Schwester zu identifizieren.«

Leichen wurden schon lange nur noch über Fingerabdrücke und DNS identifiziert, aber das behielt Sabine für sich.

Eine andere Wohnungstür im Treppenhaus ging auf, und Licht fiel in den Gang. Hagenas Lebensgefährte reagierte nicht, sondern schien durch Sabine hindurch ins Nichts zu starren.

»Darf ich doch reinkommen und drinnen auf Anna warten?«

Der Mann schüttelte den Kopf. »Wenn Sie wollen, können Sie gern draußen vor dem Haus warten. Anna kommt sicher bald wieder heim.«

»Was für einen Wagen fährt sie?«

»Einen roten Toyota.«

Die Tür im Treppenhaus fiel zu, und es wurde wieder dunkel.

»Danke.« Sabine gab dem Mann ihre Visitenkarte. »Rufen Sie mich bitte an, wenn sie heimkommt. Es ist wichtig. Gute Nacht. Und alles Gute für Ihre Tochter.«

»Danke, gute Nacht.«

Der Mann war nicht zu beneiden. *Außerdem ist er völlig am Ende.* Sabine drehte sich um und ging die Treppe hinunter. Auf dem Weg zum Ausgang wählte sie Anna Hagenas Handynummer, doch die war besetzt. *Mist!* Daraufhin rief sie den Pförtner am BKA-Haupteingang an, um sich zu erkundigen, ob Hagena das Gebäude betreten hatte. Der sah kurz im Computer nach und verneinte.

Dachte ich mir doch.

Krankes Kind und Todesfall in der Familie hin oder her – im Moment fühlte sie sich kräftig verarscht. Als sie ins Freie trat und die drückend warme Nachtluft inhalierte, läutete ihr Handy.

Hoffentlich ist das Hagenas Rückruf. Sabine ging sofort ran, aber es war nicht Hagena.

»Hallo, ich bin es«, meldete sich Marc Krüger.

»Ach du«, murmelte sie enttäuscht.

»*Ach du?*«, äffte er sie nach. »Ich dachte, du erwartest meinen Anruf schon sehnsüchtig?«

»Tu ich auch. Was hast du herausgefunden?«

»Also, zunächst mal: Frodo ist aus *Herr der Ringe …*«

»Marc, bitte!«

»Ja, okay.« Er tippte auf der Tastatur. »Anna Hagena hat gestern Abend gegen einundzwanzig Uhr dreißig ein Telefonat geführt.«

»Das wissen wir mittlerweile schon – zwölf Minuten lang,

und zwar mit ihrer Schwester«, unterbrach Sabine ihn. »Aber wo *war* sie zu diesem Zeitpunkt?«

»Ihr Handy war in einen Berliner Mast eingeloggt, in der Nähe des Kurfürstendamms.«

»Der Kurfürstendamm ist lang.«

»Bei der Kaiser-Wilhelm-Gedächtnis-Kirche.«

In deren Nähe hatte die Sicherheitskonferenz stattgefunden. Anna Hagena hatte also diesbezüglich die Wahrheit gesagt. »Okay, danke.«

»Hilft dir das weiter?«

»Leider nicht«, seufzte sie.

»Falls rauskommen sollte, dass ich die Daten einer Kollegin ausforsche, geht es mir an den ...«

»Ja, alles gut! Von mir erfährt es niemand. Danke. Hast etwas gut bei mir.«

»Kino?«

»Von mir aus, aber *ich* suche den Film aus.« Sie legte auf.

Jetzt hatte sie zwar ein Date, aber nicht die Antwort, auf die sie gehofft hatte. Zwei Fragen blieben weiterhin unbeantwortet: Was hatten die beiden Frauen miteinander besprochen? Und warum hatte Anna dieses Gespräch nicht erwähnt?

Sabine ging zu ihrem Wagen. In weiter Ferne hörte sie das Signal eines Zuges und das metallene Schlagen der herannahenden Räder auf den Gleisen.

Etwas an der ganzen Sache war mordsmäßig faul. Das sagte ihr ein Bauchgefühl, das sie bisher nur selten getäuscht hatte.

8. KAPITEL

Anna Hagena saß in ihrem Wagen und starrte durch die Windschutzscheibe in die Abenddämmerung. Um sie herum wurde es rasch dunkel, die Armaturenbeleuchtung war erloschen, und die Lichter der Stadt lagen weit genug entfernt, sodass der Anblick sie nicht ablenkte. Abwechselnd leuchteten Scheinwerfer und bunte Neonreklamen auf. Dort war das Leben noch voll im Gange – aufgeregt und hektisch, im Gegensatz zu Annas Innerem. Seit sie ihren Entschluss gefasst hatte, war sie von Minute zu Minute ruhiger geworden.

Schließlich drehte sie den Zündschlüssel um, sodass die Armaturen wieder zum Leben erwachten. Sie öffnete das Seitenfenster und ließ die angenehm kühle Nachtluft in den Wagen. Grillen zirpten im Gras. Dann berührte sie das Display der Bluetooth-Einrichtung und scrollte durch die Telefonnummern. Sie wählte eine Verbindung, die unter MSS abgespeichert war.

Nach dem fünften Läuten meldete sich eine Stimme mit niederländischem Akzent. »Sneijder.«

»Hallo, Maarten, ich bin es.«

»Anna.« Seine Stimme klang überrascht.

So viel Gefühlsregung hätte sie Maarten Sneijder gar nicht zugetraut. »Wie geht es dir?«

»Wie soll es mir schon gehen? Der Job fehlt mir. Aber viel eher lautet doch die Frage, wie es *dir* geht?« Er machte eine Pause. »Habe vom Tod deiner Schwester gehört. Bist du in Wiesbaden? Du willst doch nicht etwa zu mir kommen?«

»Nein, ich bin noch in Berlin«, log sie.

»Ich wäre sowieso kein guter Gesprächspartner gewesen.«

»Warst du noch nie. Aber mir fällt im Moment niemand anderer ein, mit dem ich reden könnte.«

»*Vervloekt*, was für ein Kompliment.« Ein Streichholz zischte, und Sneijder zog hörbar an einer Zigarette. »Ich habe übrigens im zentralen Einsatzleitsystem nachgesehen, wer den Todesfall deiner Schwester untersucht.«

»Du hast noch Zugang zu den Daten?« Anna hörte ein Geräusch durch den Lautsprecher und sah Sneijder vor ihrem geistigen Auge lächeln, während Rauchschwaden um sein Gesicht zogen. Bestimmt hatte er sein berühmtes Leichenhallenlächeln aufgesetzt!

»Natürlich – ich hatte immer zwei Zugänge mit zwei Passwörtern. Einen Zugang haben sie nach meiner Suspendierung gelöscht. Von dem anderen wusste niemand.«

»Du warst schon immer ein Fuchs.« Sie dachte nach. »Und warum verrätst du mir das so nebenbei?«

»Ich denke, im Moment hast du andere Probleme, als mir ans Bein zu pinkeln.«

Sie schwieg.

»Sabine Nemez untersucht den Fall«, sagte er.

»Ich weiß, sie wollte sich mit mir treffen.«

»*Wollte?*«, wiederholte er. »Aber du willst nicht mit ihr reden«, vermutete er.

Anna biss sich auf die Lippen. Sneijder war immer noch spitzfindig. »Du hast es erraten.«

»Auch wenn du vor ihr fliehst, sie wird die Wahrheit herausfinden.«

»Das bezweifle ich.«

»Du unterschätzt sie.«

»Was weiß sie schon?«

»Im Moment noch nichts – aber ich kenne sie, ich habe sie

zwei Jahre lang ausgebildet und einige komplizierte Verbrechen mit ihr aufgeklärt. Ich weiß, wie sie arbeitet. Wenn sie sich einmal in einen Fall verbissen hat, wird sie nicht lockerlassen, bis sie ihn gelöst hat.«

»Sie weiß nichts!«

»Rohrbeck und sein Sohn sind auch tot.«

»Ich weiß.«

»Tina Martinelli untersucht diesen Fall.«

»Wenn schon.«

»Anna, hör mir zu! Ich habe auch Martinelli ausgebildet. Die beiden werden dahinterkommen.«

»Nein! Wie denn?«

»Sei nicht so naiv. Ihre Büros liegen nebeneinander. Die sind nicht so blöd, wie du glaubst.«

»Und wenn schon …« *Ach, Scheiße!* Anna starrte nach oben und wischte sich eine Träne aus dem Augenwinkel.

»Du weißt doch, wer deine Schwester und Rohrbecks Jungen getötet hat«, vermutete Sneijder.

»Wir alle wissen es.«

Schweigen.

Dann atmete Sneijder tief durch. Im Hintergrund war das kehlige Grunzen eines Hundes zu hören. »Einige von uns haben damals eine Grenze überschritten«, sagte er. »Es war klar, dass irgendwann die Rechnung dafür präsentiert wird. Ich habe immer gesagt, die Wahrheit wird eines Tages ans Licht kommen.«

»Das muss nicht sein. Wir könnten weiterhin alle den Mund halten und uns wehren«, schlug Anna vor.

»Wehren?«, wiederholte Sneijder geringschätzig. »Die Chancen auf Erfolg stehen verdammt schlecht.«

»Weißt du … Seit gestern Abend denke ich über nichts anderes nach. Haben wir eine Chance? Und falls ja, was würde uns die kosten?«

»Egal wie hoch der Preis ist, es ist aussichtslos.«

»Das wollte ich wissen.«

»Hast du mich deswegen angerufen?«

»Ja. Ich bin übrigens zu derselben Antwort gekommen wie du.« In weiter Ferne hörte sie das Signal eines Zuges. Sie berührte das Display. »Ich muss Schluss machen. Leb wohl.«

»Anna! Ich …«

Sie trennte die Verbindung und legte den Zündschlüssel wieder um, sodass das Licht der Armaturen erlosch. Erneut saß sie in völliger Dunkelheit.

Durch das geöffnete Seitenfenster hörte sie das Scheppern der Anhängerkupplungen und das näher kommende Rattern der Waggons. Zwischen den Bäumen blitzte das Licht des Zuges auf.

Die rote Ampelanlage begann zu blinken, und vor ihrem Wagen senkte sich die automatische Schranke herunter.

Der Zug erreichte die Biegung, und nun strahlte das Licht der Lok durch die Nacht direkt auf den beschrankten Bahnübergang. Anna schloss für einen Moment die Augen.

Zehn, neun, acht … zählte sie im Geist herunter.

Einmal noch blickte sie kurz in den Rückspiegel. Auch hinter ihrem Wagen war die automatische Schranke heruntergegangen.

Fünf, vier, drei …

Als Kinder hatten sie oft *Angsthase* auf diesem gefährlichen Bahnübergang gespielt. Nie war etwas passiert.

Zwei, eins …

Im nächsten Moment war der Zug da. Sie hörte das Quietschen der Notbremse, doch das würde nichts mehr nützen. Auf dieser Strecke hatte der Zug Höchstgeschwindigkeit.

Als Nächstes hörte sie den ohrenbetäubenden Knall, das Splittern von Glas, das Knirschen von Metall und dann nichts mehr.

9. KAPITEL

Das Kreischen der Notbremse schnitt Sabine in die Ohren wie das Schrillen einer Kreissäge. So ein Geräusch hatte sie noch nie in ihrem Leben gehört.

Sogleich lief sie von dem Wohnhaus weg und auf eine Anhöhe neben dem Parkplatz, wo unter einem Vordach eine Reihe Müllcontainer stand. Sie kletterte auf eine der Tonnen und von dort aufs Dach hinauf.

In einigen Hundert Metern Entfernung sah sie, wie ein Zug einen eingekeilten Wagen vor sich herschob. Funken spritzten links und rechts von den Gleisen in die Dunkelheit. Obwohl der Zug eine Vollbremsung machte, schien er nicht langsamer zu werden. Die Autoreifen brannten bereits, und vermutlich war Öl in die Flammen gelaufen, denn plötzlich brach auch Feuer im Motor und im Wageninneren aus.

Scheiße! Sabine sprang von dem Dach und rannte über den Hügel hinunter zu ihrem Auto. Während sie ihren Wagen aufschloss und einstieg, telefonierte sie bereits mit dem Notruf. Das Gespräch dauerte nur eine halbe Minute. Indessen hatte sie den Wagen gestartet und war losgefahren. Instinktiv in die Richtung, die der Zug nahm. Ein Blick auf ihr Navi zeigte ihr, wohin die Bahngleise führten. Da gab es eine Stelle, die sie mit dem Auto erreichen konnte.

»Bitte wenden Sie bei der nächsten Möglichkeit«, ertönte die Stimme von Klaus Kinski, die sie vor langer Zeit einmal für ihr Navi heruntergeladen hatte und die sie automatisch nach Hause lotsen wollte.

»Jetzt nicht.« Genervt stieg sie aufs Gas.

Aus dem Lautsprecher ertönte ein Warnsignal, weil sie sich nicht angegurtet hatte, aber auch das ignorierte sie. Nach einer Minute erreichte sie die Straße, die an den Gleisen entlangführte. Wobei – *Straße* war übertrieben. Es war eher ein schmaler Weg, den sie dazu noch in entgegengesetzter Fahrtrichtung befuhr. Rasch beschleunigte sie, da ihr im Moment kein Wagen entgegenkam.

Sie schaltete das Fernlicht ein und trat aufs Gas. Der Wagen holperte über den brüchigen Asphalt. Sie passierte eine Heckenreihe und hatte freie Sicht. Etwa hundert Meter vor ihr sah sie den Zug. Er hatte angehalten, vor sich das brennende Autowrack. Durch die Belüftungsschlitze drang der bestialische Gestank von verkohlten Autoreifen in das Innere von Sabines Wagen. Eine schwarze Rauchwolke stieg von der Unfallstelle in den Nachthimmel auf. Der Lokführer war bereits ausgestiegen, stand neben den Flammen, schirmte das Gesicht mit dem Arm ab und telefonierte.

Sabine musste halten, da die Straße eine Kurve machte und sie mit dem Auto nicht mehr näher an die Unfallstelle herankommen konnte. Sie parkte ihren Wagen in einer Wiese, damit sie die Feuerwehrleute nicht behinderte, die bald auftauchen würden, und sprang aus dem Auto.

Das Feuer prasselte heftig, und zwischendurch zerplatzte immer wieder irgendetwas mit einem hohlen Knall, als würde irgendwo explosionsartig heiße Luft entweichen. Sabine lief zwischen den Büschen zur Unfallstelle, doch näher als bis auf fünf Meter kam sie nicht heran, da die Flammen weit aus dem Wagen schlugen. Die Fahrerseite des Autos war völlig zusammengedrückt, und es stank nach Gummi und versengtem Kunststoff, während die Sitzbezüge und das Plastik der Armaturen im Feuer schmolzen.

»Gehen Sie nicht näher ran!«, rief der Zugführer. »Der Wagen könnte jeden Moment explodieren.«

Soviel Sabine wusste, explodierten Autos nicht mehr so leicht wie früher, es sei denn, das Gasgemisch eines fast leeren Tanks entzündete sich. Doch es roch nicht nach Benzin. Sie schirmte die Augen mit der Handfläche ab und sah auch nirgends Flüssigkeit aus dem Wagen tropfen.

»Haben Sie einen Feuerlöscher im Zug?«, rief sie.

»Ja.«

»Dann holen Sie ihn!«

Der Mann setzte sich in Bewegung. Mittlerweile starrten die Passagiere aus den geöffneten Fenstern der Waggons. Aussteigen konnten sie zum Glück nicht, da die Türen auf offener Strecke automatisch verschlossen blieben. Andernfalls hätte es hier vor neugierigen Gaffern sicher nur so gewimmelt.

Sabine ging näher an das Autowrack heran. Sie konnte nicht helfen. Hinter dem Lenkrad, eingeklemmt zwischen Tür und Beifahrersitz, saß ein bereits verbrannter Mensch.

Plötzlich roch Sabine auch verbrannte Haut und versengte Haare. Unwillkürlich wurde ihr übel.

Als erneut ein dumpfer Knall aus dem Wagen drang, trat sie einen Schritt zurück.

Im flackernden Licht der Flammen sah sie, dass es sich um einen roten Toyota handelte, der vom Zug erfasst und gut einen Kilometer weit mitgeschleift worden war.

Damit wusste Sabine, wer die Tote im Wagen war.

10. KAPITEL

Freitag, 27. Mai

Nach einer unruhigen Nacht in einer billigen Pension in Frankfurt war Hardy vor einer Stunde mit dem Zug in Rüsselsheim am Main angekommen. Die Stadt lag zwischen Frankfurt und Wiesbaden, jeweils zwanzig Autominuten von den beiden Städten entfernt, und hier hoffte er seine Antworten zu finden – und zwar bei Otto Gedecker.

Von einem Exknacki, der vor einem Jahr rausgekommen war, wusste er, dass Otto jetzt in einer Wohnung in der Zieglergasse lebte. Aber der *Böse Junge* war nicht zu Hause gewesen. Eine Nachbarin hatte Hardy erzählt, dass Otto um diese Zeit am Wochenende immer trainierte, und zwar in Mickys Boxclub am Stadtrand.

Nun stand Hardy vor dem Rolltor einer ehemaligen Fabrik, schob sich die Sonnenbrille ins Haar und sah sich um. Zu beiden Seiten rostige Autowracks und Gestrüpp, das durch den aufgerissenen Asphalt und zwischen den stillgelegten Bahngleisen wucherte. Eine trostlose Gegend.

Das Gebäude war grau, einfach nur staubgrau, von den Grundfesten bis zum Dach. Die Fensterscheiben aus Mosaikglas waren teilweise eingeschlagen, und der Schornstein aus Backsteinziegeln war sicher schon seit mehr als zwanzig Jahren nicht mehr in Betrieb gewesen.

Ein Schild hing über dem Rolltor.

Mickys Boxclub

Mehr war dort nicht zu lesen, einfach nur *Mickys Boxclub.* Und wie es da so stand, mit schwarzen Lettern auf einem großen Blechschild, wirkte es beinahe abschreckend.

Hardy schob das Tor auf und trat ein. Drinnen roch es nach Öl, Metall, abgestandener Luft und Schweiß. Unmittelbar hinter dem Eingang stand ein altes Radiogerät auf dem Boden. Links ging es zu den Kabinen und Duschen, geradeaus führte ein dunkler Gang zur Halle. Von dort hörte er ein Schnaufen und das Trippeln von Füßen.

Er lief den Gang entlang und trat durch eine offene Brandschutztür in die Halle. Hier drinnen sah das Gebäude genauso heruntergekommen aus wie von außen. Kein modernes Fitnessstudio mit großen Spiegelwänden und elektronischen Geräten in Zirkelformation.

Das Publikum war durchschnittlich zwischen dreißig und fünfzig Jahre alt, fast nur Männer. Einige übten Kickboxen an den Sandsäcken, andere trainierten zu zweit mit Schlagpolstern oder droschen auf Punchingbälle ein, die mit Haken an der Decke befestigt waren.

In der Mitte standen drei Boxringe. Zwei davon waren belegt. In einem fand gerade ein Kampf statt, im zweiten unterrichtete ein Trainer zwei Männer und zwei Frauen. Da keine Musik in der Halle lief, waren das Schnaufen und Schlagen deutlich zu hören. *Decken, Ausweichen, Uppercut!* Vieles davon hatte Hardy selbst im Knast kennengelernt. Die Sporthalle in Bützow war jedoch um einiges komfortabler gewesen als dieser Schuppen, in dem der Mitgliedsbetrag garantiert in bar beglichen wurde.

»Ich suche Otto«, rief Hardy einem Mann und einer Frau zu, die nebeneinander seilsprangen.

»Im Ring«, keuchte die Frau.

»Danke.« Hardy ging näher. *Unfassbar!* Der Trainer war tatsächlich Otto.

Otto hatte einige Pfunde zugelegt, und sein Brustkorb, der immer schon mächtig gewesen war, sah nun geradezu gewaltig aus. Er trug ein ärmelloses T-Shirt mit großem Ausschnitt, eine knielange weite schwarze Hose, Stutzenstrümpfe und Boxschuhe. Schweiß lief ihm über die grau behaarte Brust. Otto hatte inzwischen eine Glatze, und in seinem Nacken prangte ein Tattoo. Von dieser Entfernung sahen die beiden schwarzen Kreise aus wie die Ohren einer Comicmaus – und als Hardy näher kam, sah er, dass Otto tatsächlich ein verblasstes altes Tattoo von Micky Maus auf Rücken, Schultern und Nacken trug.

O Mann!

Hardy stellte sich neben die Seile, sah zum Ring hinauf und schob sich ein Pfefferminz-Drops in den Mund. Er wartete, bis Otto in seine Nähe tänzelte. »Verausgab dich nicht zu sehr, Otto«, sagte er beiläufig.

Der Mann stoppte, wischte sich mit dem Unterarm den Schweiß von den Augenbrauen und sah hinunter.

»Ich fasse es nicht, die haben dich tatsächlich entlassen?«, nuschelte Otto. »Einen feigen Frauen- und Kindermörder!«

Hardy ignorierte die Beleidigung. »Gestern früh.«

Otto spuckte den Mundschutz auf den Boden. »Und da kommst du gleich zu mir?«

»Nicht direkt, vorher war ich bei Nadine.«

Ottos Blick verfinsterte sich. »Schade, dass dich ihre Hunde nicht zerfleischt haben.«

Die Männer und Frauen, die von Otto trainiert wurden, machten ebenfalls eine Pause, belauschten das Gespräch und sahen Hardy skeptisch an.

»Sollen wir in der Zwischenzeit weitermachen, Micky?«, fragte einer von ihnen.

Otto schüttelte den Kopf. »Macht fünf Minuten Pause, ich muss mich mit einem alten *Kumpel* unterhalten.«

»*Micky?*«, wiederholte Hardy.

»Ja, neuer Name.«

»Sag bloß, dieser erbärmliche Laden gehört dir?«

»Ja, dieser erbärmliche Laden gehört mir, Arschloch! Komm rauf, dann zeig ich dir, was wir hier so machen.«

»Danke, heute keine Lust.« Hardy griff in die Tasche und holte die Schachtel mit den Rockies heraus. »Ein Drops?«

Otto ignorierte die Frage. »Was willst du hier?«

»Kannst du dir das nicht denken?«

»Denken war nie meine große Stärke – verpiss dich!«

»Was weißt du über Lizzies Tod?«, fragte Hardy.

»Dass du kranker Mistkerl sie auf dem Gewissen hast.«

Geht das jetzt wieder los? »Und das hast du zwanzig Jahre lang geglaubt?«

»Dir kann es doch völlig egal sein, was ich glaube. Jedenfalls habe ich keinen Bock, mit dir darüber zu reden, und deshalb solltest du von hier verschwinden, ehe es bitter für dich wird.« Otto verzog das Gesicht zu einer gefährlichen Grimasse.

Soll das etwa eine Drohung sein? »Dann wird es eben bitter für mich.« Hardy sah Otto wild entschlossen an. »Denkst du, das macht mir etwas aus? Wenn du nicht mit mir reden willst, musst du mich schon an den Beinen voran hier rausschleifen.«

»Okay, du Arschloch …« Otto musterte ihn. »Ich mach dir einen Vorschlag. Du scheinst gut in Form zu sein. Komm rauf, und wir machen eine Runde. Für jeden Schlag, den du anbringen kannst, beantworte ich dir eine Frage.«

»Und wenn ich leer ausgehe?«

»Leckst du deine Wunden, haust ab und lässt dich hier nie wieder blicken.«

Hardy schüttelte amüsiert den Kopf. »Ist das dein Ernst? Du bist zehn Jahre älter als ich, und ich habe im Knast nicht nur auf meinem Arsch gesessen und Tüten geklebt.«

»Umso besser. Dann komm rauf und zeig es mir!«

Hardy schlüpfte aus seiner Jacke und kletterte in den Ring.

»Ho, ho!«, rief Otto. »Hätte nicht gedacht, dass du wirklich den Mumm hast. Dein Body sieht nicht schlecht aus. Könnte interessant werden. He, Leute, macht Platz. Hardy und ich zeigen euch jetzt mal, wie man richtig boxt.« Er wandte den Kopf zur Seite. »He, Marco! Hol mal ein Paar Handschuhe!«

Fünf Minuten später stand Hardy im Ring, trug einen Mundschutz und hatte von einem von Ottos Partnern Boxhandschuhe angelegt bekommen. Mittlerweile waren die Trainingseinheiten um sie herum beendet worden, und die meisten Besucher standen um den Ring und warteten, was sich da oben tun würde.

»Aufwärmen?«, fragte Otto.

»Nicht nötig«, sagte Hardy und hob die Hände. Die Boxhandschuhe waren um einiges leichter als die im Knast. Allerdings …

Der erste Schlag traf ihn wie ein Dampfhammer an der Schläfe. Er hatte Ottos Faust zwar kommen sehen, aber zu spät reagiert. Im nächsten Moment lag er auch schon auf dem Boden und hörte die Vögelchen zwitschern.

»O Mann!« Otto lachte. »Du hast eine Reaktion wie ein totes Opossum.«

Ja, und das tote Opossum wird dir gleich den Arsch aufreißen! Hardy rappelte sich auf und bewegte den Kopf hin und her, um die Benommenheit abzuschütteln. Seine Nackenwirbel knackten.

Otto tänzelte vor ihm herum. »Was wolltest du wissen?«

Hardy schob die Fäuste in die Deckung und kam näher. »Was weißt du über Lizzies Tod?«, nuschelte er mit dem Mundschutz.

Keine Antwort.

»Hat dir jemand eine Tasche für mich gegeben?«

Otto grinste. »Eine Antwort pro Treffer.«

Hardy kam näher und schlug ansatzlos auf Ottos Kinn, doch der war rechtzeitig zur Seite ausgewichen, und Hardys Schlag ging knapp vorbei ins Leere. Gleichzeitig knallte Otto ihm die Faust in die Rippen, sodass es Hardy die Luft aus der Lunge drückte.

Scheiße! Er hatte Otto unterschätzt. Trotz seines Alters war dieser wendig und hatte immer noch die Power einer Dampflok in den Armen. Und Otto meinte es offensichtlich ernst. Doch auch Hardy konnte noch einen Zahn zulegen.

Also konzentrierte er sich erst einmal, tänzelte vor Otto auf und ab, wich dessen Schlägen aus, studierte seine Bewegungen und versuchte herauszufinden, wo die Achillesferse seines Gegners war.

»Leg ihn auf die Bretter, Micky!«, rief jemand.

»Keine Sorge ruft schon mal einen Krankenwagen«, antwortete Otto, ohne den Blick von Hardy zu nehmen.

Hardy versuchte, einen Moment zu erwischen, in dem Otto unaufmerksam war, doch auch wenn der mit seinen Leuten redete, ließ er seinen Gegner keine Sekunde lang aus den Augen.

Nach einer weiteren Minute ging Hardy zum Angriff über. Seine Rechte schoss vor – Otto wich aus –, wieder ging der Schlag nur knapp daneben. Hardy setzte sogleich die Linke nach – doch Otto riss die Hand zur Deckung hoch. Hardy versuchte einen Uppercut, doch Otto war im letzten Moment zur Seite getänzelt, sodass ihn Hardys Schlag auch wieder nur knapp verfehlte.

Was hat dieser alte Sack doch für ein Glück!

Hardys nächste Kombination würde schneller kommen. Mit ein paar geschickten Schlägen drängte er Otto in die Ecke. Nun stand er da, wo er ihn haben wollte. Hardy spürte, dass sein nächster Schlag Otto auf die Bretter schicken würde, doch da ließ sich Otto gegen die Seile fallen.

Aus dem Augenwinkel sah Hardy eine Bewegung, und kurz darauf spürte er den Schmerz. Otto hatte Hardy mit dem Fuß gegen das Knie getreten. Es war ein Gefühl, als hätte Otto ihm die Kniescheibe mit einem Vorschlaghammer rausgehauen. *Hat der Eisenkappen am Schuh?*

Hardy knickte ein, war einen Moment lang abgelenkt, und noch bevor er reagieren konnte, kassierte er einen Schlag in die Nieren.

»Scheiße!«, presste er hervor und krümmte sich.

Anscheinend wusste Otto, dass er auf Dauer keine Chance gegen Hardy hatte, wenn er fair kämpfte. Aber auch Hardy hatte ein paar miese Tricks im Knast gelernt.

Er wollte einen Schlag vortäuschen und stattdessen einen tiefen Schlag knapp über Ottos Gürtellinie anbringen. Doch Otto trat ihn ein weiteres Mal. *Fuck!* Diesmal von der Seite in die Kniekehle, und Hardy sackte sofort ein und knallte mit dem Knie auf die Bretter.

Otto stand blitzschnell über ihm, und noch bevor Hardy wieder aufstehen konnte, hatte Otto ihm von schräg oben eine gegen den Kiefer gedonnert, dass Hardy für ein paar Sekunden das Bewusstsein verlor.

Blackout!

Hardy konnte erst wieder klar denken, als er die Augen öffnete und merkte, dass er auf dem Boden lag. Er schob den Kiefer hin und her. Der Mundschutz war ihm rausgefallen, und er schmeckte Blut, als er mit der Zunge über das Zahnfleisch tastete. »Du Arschloch!«, presste er hervor.

»Ja, so boxen wir hier. Mein Boxclub – meine Regeln. Hätte ich dir vielleicht vorher sagen sollen. Aber im Knast macht ihr es sicher nicht anders.« Er schob ihm mit dem Fuß eine Trinkflasche vors Gesicht, dann kniete er sich neben Hardy hin. »Hardy«, zischte er leise. »Du solltest jetzt besser abhauen.« Otto erhob sich. »Macht mir mal jemand die Handschuhe auf. Ich hab genug für heute.«

Hardy rappelte sich stöhnend auf, wartete darauf, dass ihm einer von Ottos Schülern die Handschuhe aufschnürte und schob sich dann zwischen den Seilen aus dem Ring.

Er tastete nach seinem Kinn und seinen Rippen. *Fuck!* Eine schmerzte beim Atmen und war vielleicht angeknackst. Er hätte Otto gleich von Beginn an in die Hoden schlagen und ihm danach das Gehirn rausprügeln sollen.

Hardy spuckte Blut auf den Boden und schlüpfte ächzend in seine Jacke.

»*Fanculo!*«, schimpfte einer von Ottos Trainingspartnern.

»Marco, halt's Maul und wisch das weg«, rief Otto und griff in das Seitenfach seiner Sporttasche, die neben dem Ring auf dem Boden stand. Er holte etwas daraus hervor, das er rasch in seiner Hosentasche verschwinden ließ. »Und jetzt los!« Er wollte Hardy am Oberarm packen und ihn vermutlich zum Ausgang zerren, doch Hardy hob abwehrend die Hand.

»Danke, ich finde den Weg allein.«

Otto begleitete ihn durch die Halle und den Korridor zum Ausgang. Bevor Hardy durch das Tor ins Freie trat, blickte Otto einen Moment lang zur Decke, an der eine Lampe hing, eine trübe Funzel, die gerade mal so viel Licht spendete, dass man sich in der Dunkelheit nicht den Kopf an den Wandregalen stieß.

»Ich kann dir deine Fragen nicht beantworten, weil ich nur das weiß, was in der Zeitung stand«, sagte Otto, immer noch den Blick zur Lampe erhoben.

Hardy sah ebenfalls hinauf. »Was …?«

»Scher dich endlich zum Teufel!«, rief Otto.

Hardy schwieg. Wie hieß es so schön im Knast? *Wahre Freunde verlassen dich erst, wenn es brenzlig wird.* Und für ihn traf das anscheinend gerade besonders zu.

»Das ist der einzige Rat, den ich dir geben kann, hast du gehört?« Otto griff in die Tasche seiner Boxerhose und zog die geballte Faust daraus hervor.

Hardy sah, dass er einen Schlagring in der Hand hielt. Aber das matte Eisen des Totschlägers spannte sich nicht um Ottos Finger. Im Gegenteil. Otto streckte Hardy die offene Hand hin und präsentierte ihm den Schlagring. Eine Seite war mit einer Feile scharfkantig zugeschliffen worden.

Ich werd verrückt! Das ist mein alter Totschläger!

Für einen Augenblick hatte Hardy das Gefühl, als deutete Otto mit dem Kopf stumm auf seine Hand. *Nimm schon!*

Schweigend griff Hardy danach und ließ ihn in seiner Hosentasche verschwinden.

»Lass dich hier nie wieder blicken.«

Wortlos trat Hardy durch das Tor, stand vor der Fabrik und blinzelte in die sengende Sonne, die vor ihm die Luft über dem Asphalt zum Flimmern brachte. Er kramte seine Sonnenbrille aus der Jackentasche und wartete darauf, dass Otto das Rolltor hinter ihm zuschob.

Er würde schon noch herausfinden, warum Otto sich so seltsam verhielt. Anscheinend war hier draußen alles ein wenig komplizierter, als er gedacht hatte. Jedenfalls würde Hardy als Nächstes zu demjenigen gehen, der ihm seinerzeit den Schlagring gegeben hatte. Seine ehemalige rechte Hand: Antoine Tomaschewsky.

11. KAPITEL

Diana Hess stieß die Tür des Lokals auf und trat ins Freie. Die Nacht war zwar schwül, aber die frische Luft tat dennoch gut und war eine willkommene Abwechslung zu der hitzigen Atmosphäre und dem Lärmpegel in dem Lokal.

Drei Stunden Gespräch mit dem Innenminister und dem Oberstaatsanwalt reichten fürs Erste. Zu oft hatte sie sich ihre Kommentare verkneifen müssen, weil Dietrich sie scharf angesehen hatte. Mit der Bemerkung, Kopfschmerzen zu haben, hatte sie sich entschuldigt, um für ein paar Minuten frische Luft zu schnappen.

Draußen kam sogleich ein Mann im dunklen Anzug auf sie zu, der nur wegen des halb verdeckten Kommunikationssets im Ohr als Zivilbeamter zu erkennen war. »Ist alles in Ordnung, Frau Hess?«

»Danke, Viktor.« Sie lächelte. »Ich möchte mir nur kurz die Beine vertreten.«

»Sie sollten besser …«

»Nein, das ist schon in Ordnung.«

»Soll ich Sie begleiten?«

»Danke, nicht notwendig. Ich werde nicht fliehen.« Sie lächelte wieder.

Der Mann trat einen Schritt zurück und stand wieder neben dem schwarzen Wagen, der unmittelbar vor dem Lokal parkte.

Diana legte sich ihre Stola um die Schultern und ging die Straße hinunter.

Halb elf Uhr nachts. Die Gegend war wie ausgestorben. Diana überquerte die Straße und erreichte eine Brücke, die über die Eisenbahngleise führte. Sie ignorierte das Baustellenschild und das Absperrband und betrat die Brücke. Auf der gegenüberliegenden Seite lag ein Park, aber die Beleuchtung auf der Brücke war ausgefallen, darum befand sich hier wohl auch niemand. Diana brauchte ohnehin Ruhe.

Ein Zug rauschte unter ihr durch, sodass das Konstrukt aus Eisentraversen über ihr verdächtig vibrierte. Funken stoben von der Oberleitung. Diana hielt kurz inne und sah den rasch kleiner werdenden Lichtern des Zuges hinterher, der mit einem schrillen Pfiff in der Dunkelheit verschwand. Merkwürdigerweise kamen plötzlich sehr viele Züge auf dieser Strecke durch. Vermutlich war es vorhin zu einer Störung auf den Gleisen gekommen.

Diana lehnte sich an das Geländer und kramte eine Schachtel Zigaretten aus der Handtasche. Wenn man so selten wie sie rauchte, half Nikotin meist gegen Kopfschmerzen. Nikotin und Koffein. Einen Espresso hatte sie schon getrunken. Nun zündete sie sich eine Zigarette an, inhalierte und betrachtete den Rauch, der sich in der Nacht verlor.

Dann sah sie zur Straße und zu dem Lokal. Es war aus dieser Entfernung fast nicht mehr zu sehen. Nur das Schimmern der Leuchtreklame konnte man erkennen.

Smalltalk, Lächeln, Witze machen, wieder Lächeln, aufmerksam nicken und hin und wieder seine Meinung sagen dürfen, wenn sie exakt der ihres Mannes entsprach. Es wurde immer unerträglicher. Wie sehr sie das mittlerweile ankotzte! Es wurde Zeit, dass sie aus Wiesbaden rauskamen und an die Ostsee zogen.

Sie hatte oft darüber nachgedacht, wie ihr Leben verlaufen wäre, wenn sie Dietrich Hess nicht geheiratet und stattdessen ihren älteren Sohn allein großgezogen hätte. Auch das wäre möglich gewesen. Natürlich hätte sie viele schöne Stunden und interessante Empfänge verpasst, hätte vermutlich auch nie mit ihrer Wohltätigkeitsarbeit begonnen – andererseits wäre ihr auch viel Leid erspart geblieben. Und auch viele Informationen, die sie eigentlich nicht haben durfte und auch gar nicht haben wollte. Aber wenn man die Frau des BKA-Präsidenten war und noch dazu nicht gerade dumm, ließ sich das nur schwerlich vermeiden.

Was bringt es, darüber nachzugrübeln? Es ist, wie es ist! Mach das Beste daraus und lebe dein Leben. Außerdem sollte sie bald wieder zurückgehen, bevor Viktor oder ein anderer vom Personenschutz nervös wurden.

In diesem Moment läutete ihr Handy. Viktors Nummer erschien auf dem Display.

»Hallo, Viktor«, meldete sie sich.

Es knisterte nur in der Verbindung. Für einen Moment befürchtete sie, nicht Viktor, sondern jemand anderen mit elektronisch verzerrter Stimme am Apparat zu haben. *Viktor ist tot! Wir haben Ihren Mann!*

Augenblicklich schlug ihr Herz schneller. Dann hörte sie die Stimme am anderen Ende der Verbindung.

»Wo sind Sie? Alles in Ordnung bei Ihnen?«

Mein Gott, es ist Viktor. Ich bin schon richtig paranoid!

»Ja, alles in Ordnung. Ich bin auf der Eisenbahnbrücke und komme gleich zurück.«

»Lassen Sie sich nicht zu lange Zeit.«

»Ja … ich brauche einfach frische Luft.«

»Ich rauche noch eine, dann komme ich Ihnen entgegen.«

»Wenn Sie meinen … danke.« Seufzend unterbrach sie die Verbindung und steckte das Handy in die Handtasche. Dann schnippte sie die Zigarette über das Geländer auf die Bahngleise und wollte gerade zurückgehen, als sie sah, dass jemand vor ihr auf der Brücke stand. Nur einen Steinwurf entfernt. Ein mittelgroßer Mann mit breiten Schultern, der sie beobachtete. *Ist das Viktor?*

»Sind Sie mir also doch gefolgt?«, fragte sie.

Keine Antwort.

Der Mann kam näher, und als ihn das aufblitzende Licht eines vorbeifahrenden Zuges anstrahlte, sah sie sein Gesicht.

Augenblicklich wurde ihr Gaumen trocken, ihre Finger wurden eiskalt. *»Sie!«*, entfuhr es ihr.

Der Mann trug Jeans und eine Lederjacke. »Guten Abend, Frau Hess.« Seine Stimme klang brüchig und trocken.

»Thomas *Hardy* Hardkovsky«, stellte Diana erschrocken fest. »Du lieber Himmel, wie sehen Sie denn aus?« Ihr Herzschlag beschleunigte. Unwillkürlich wich sie einen Schritt zurück. »Sie brauchen einen Arzt.«

»Mir geht es gut«, antwortete Hardy.

Seine Lippe war blutverkrustet, seine Wange und sein Auge sahen aus, als wäre eine gewaltige Schwellung gerade im Abklingen. Außerdem war seine Nase anscheinend vor Kurzem gebrochen worden.

Diana wollte in ihre Handtasche greifen, doch Hardy erhob die Stimme.

»Lassen Sie das! Sie brauchen weder Handy noch Pager oder Pfefferspray, ich tue Ihnen nichts! *Solange* Sie mit mir reden!«

Sie zog die Hand wieder heraus. »Wie lange sind Sie schon draußen?«

»Seit sieben Tagen, und es war keine leichte Zeit für mich.«

»Das ist nicht zu übersehen«, bemerkte sie. »Wie haben Sie mich gefunden?«

»Ich folge Ihnen schon den ganzen Tag.«

»Ich wusste, dass ich Sie eines Tages wiedersehen würde«, sagte sie so gelassen wie möglich, merkte aber, dass sie immer mehr

Luft einsog und nicht ausatmen konnte. Ihr Brustkorb spannte sich schmerzhaft. »Ich weiß, dass Ihre Frau und Ihre Kinder damals gestorben sind. Glauben Sie mir, es tut mir so leid, was passiert ist.«

»Sie sind bei lebendigem Leib verbrannt …«

»Hardy, ich weiß.«

»Sie wurden ermordet … aber nicht von mir«, behauptete Hardy, und es lag so viel Zorn und Verbitterung in seiner Stimme.

»Wenn Sie davon überzeugt sind, dass es so war, wie Sie sagen, sollten Sie versuchen, den offiziellen Weg zu gehen.«

»Den offiziellen Weg?«, wiederholte er bitter. »Damit verliere ich keine Zeit mehr.« Er packte das Eisengeländer so fest, dass seine Knöchel weiß hervortraten. »Ich frage Sie nur einmal, und Sie sollten mir die richtige Antwort geben.«

Diana schluckte und versuchte dabei unauffällig zu dem Lokal zu spähen. Vielleicht war der Sicherheitsbeamte schon auf dem Weg zu ihr. »Ich versuche es. Was wollen Sie wissen?«

»Wie komme ich ungestört an Ihren Mann ran?«

12. KAPITEL

Sabine fuhr mit dem Lift in den dritten Stock des BKA-Gebäudes, wo ihr Büro lag. In der engen Kabine merkte sie erst, wie schrecklich ihre Haare und die Kleidung nach Rauch stanken. Und jetzt, da sie sich im Spiegel sah, wusste sie auch, warum der Pförtner am Eingang sie so entgeistert angesehen hatte.

Ihre Haare waren vom Ruß ganz speckig und verklebt, und sie hatte schwarze Schlieren im Gesicht, die sie sich mit ihren schmutzigen Händen auf Stirn und Wangen nur noch weiter verschmiert hatte. *Wirklich toll!*

Die Fahrstuhltür ging auf, und Sabine marschierte in ihr Büro. Dort holte sie die Ladekabel für Notebook und Handy, sperrte ab und ging wieder den Korridor hinunter.

Die Tür zu Tina Martinellis Büro stand offen. In dem Zimmer brannte Licht, doch Sabine warf keinen Blick hinein, sondern ging eilig daran vorbei. Es war halb elf Uhr nachts, und so verdreckt, wie sie aussah, hatte sie keine Lust auf irgendein Gespräch. Schleunigst nach Hause, Kleidung in die Waschmaschine, und nichts wie unter die Dusche. Eine DVD einlegen, und dann den Anblick von Anna Hagenas verkohlten Händen und dem verbrannten Gesicht für immer aus der Erinnerung löschen.

»Was ist denn mit dir passiert? Du siehst ja echt scheiße aus.«

Sabine blieb stehen und drehte sich um.

Tina stand im Türrahmen und sah ihr nach. »Den ersten Platz beim Schönheitswettbewerb gewinnst du so nicht.«

»Du aber auch nicht«, antwortete Sabine. Tina trug Piercings in Lippe und Nase, und ihr schwarzes Haar stand struppig weg. Außerdem sah sie von der nächtlichen Arbeit müde aus. »Ich hatte einen schweren Tag.«

»Sieht man«, sagte Tina. »Meiner war auch nicht besser.«

»Erzähl es mir morgen, gute Nacht.«

»Da gibt es nicht viel zu erzählen. Ich war bei Sneijder, aber der hat mich abblitzen lassen wie eine Anfängerin an ihrem ersten Tag bei der Streifenpolizei.«

»Du warst bei Sneijder?«

Tina nickte. Plötzlich holte sie eine Flasche Bourbon hinter ihrem Rücken hervor. »Wollen wir die aufmachen und reden?« Verführerisch schwenkte sie die Flasche in der Hand.

»Meine Kehle brennt.«

Tina lachte. »Umso besser. Komm rein, ich gebe dir auch ein paar Erfrischungstücher, damit du dein hässliches Gesicht wieder sauber kriegst.«

»Danke, du Ekel!« Das musste ausgerechnet Tina sagen, mit dem ganzen Blech im Gesicht, den rasierten und tätowierten Augenbrauen und den Skorpion- und Spinnennetz-Tattoos am Hals. Dass so jemand beim BKA arbeiten durfte, hatte Tina nur Sneijders Hartnäckigkeit und ihren ausgezeichneten Erfolgen an der Akademie zu verdanken.

Sabine betrat Tinas Büro, und ihre Kollegin zog eine Schublade auf, in der tatsächlich jede Menge kleine abgepackte Seifenstücke und Erfrischungstücher lagen.

»Hab ich im letzten Jahr bei Flügen und aus Hotels mitgehen lassen.«

Sabine wischte sich Hände und Gesicht ab. »Du klaust? Hast du das auch von Sneijder gelernt?«

»Nein, das hab ich schon immer getan.«

»Und so was ist beim BKA.« Sabine lächelte. »Hättest du dir je gedacht, dass wir so viel herumreisen würden?«

»Nein, aber ich hätte gedacht, dass wir zumindest ein größeres Büro bekämen.« Tina öffnete die Flasche und goss Sabine und sich jeweils ein halbes Glas ein. »Cheers.«

»Cheers.« Sabine leerte ihr Glas mit einem Schluck und spülte den ganzen Rauch, der sich in Mund und Kehle festgesetzt hatte, hinunter. »Boah, das ...« Tränen traten ihr in die Augen.

Tina lachte. »Noch einen?«

»Danke, nein«, röchelte Sabine.

»Ich denke oft an die Zeit an der Akademie zurück«, sinnierte Tina. »Und du glaubst nicht, mit wem ich heute gesprochen habe.«

»Mit Sneijder?«, witzelte sie.

»Ja, du Schlaumeier, aber *davor*! Mit Meixner. Die arbeitet jetzt bei der Autobahnpolizei.«

Tina erzählte von ihrem Gespräch mit Meixner, dem Unfall auf der Autobahn, dem zusammengedrückten Audi, Gerald Rohrbecks Leiche, seinem ermordeten Sohn, seiner SMS an Sneijder, dem kryptischen Gespräch mit diesem und seiner Warnung, an dem Fall weiterzuarbeiten.

»Rohrbeck wohnt ... *wohnte* doch in Wiesbaden«, korrigierte Sabine sich, nachdem Tina ihren Bericht beendet hatte. »Was hat der um diese Zeit bei Butzbach auf der Autobahn gemacht?«

»Laut Auswertung seines GPS-Trackers ist er mit dem Dienstwagen die ganze Nacht kreuz und quer herumgefahren.«

»Und das, obwohl sein Sohn in derselben Nacht erschossen worden ist?«, fragte Sabine.

»Vielleicht gerade deswegen«, überlegte Tina. »Und nun erzähl, warum du wie ein Schornsteinfeger aussiehst.«

»Anna Hagena, unsere Ausbilderin und Kollegin, hat in ihrem Wagen auf den Bahngleisen Selbstmord begangen. Das Auto ist komplett ausgebrannt, ich war zufällig an der Unfallstelle und durfte nachher noch bei der Polizei eine Stunde lang eine Zeugenaussage abgeben. Aber vieles konnte ich denen unmöglich erzählen.«

Tina hob eine Augenbraue. »Zum Beispiel?«

Sabine berichtete von dem vermeintlichen Mord an der Anwältin Katharina Hagena, dem geheimnisvollen Telefonat der beiden Schwestern, ihrem Besuch bei Anna Hagena und schilderte noch einmal in allen Einzelheiten ihr Eintreffen an der Unfallstelle auf der Bahnstrecke.

»*Porca puttana!*«, schimpfte Tina und goss ihnen beiden ein weiteres Glas ein. »Zwei Kollegen begehen am selben Tag Selbstmord.«

»Und am Vortag wurde jeweils eines ihrer Familienmitglieder ermordet – Rohrbecks Sohn und Hagenas Schwester.«

»*Es gibt keine Zufälle!*«, sagten Tina und Sabine wie aus einem Mund in niederländischem Akzent. Diesen Satz hatte Sneijder ihnen jahrelang eingetrichtert.

»Wer oder was könnte dahinterstecken? Ein raffinierter Killer, der Menschen in den Tod treibt?«, vermutete Sabine.

»Unwahrscheinlich, aber nicht unmöglich«, murmelte Tina. »Rohrbeck war alleinerziehend, und sein fünfjähriger Junge wurde erschossen, okay. Da sehe ich ein, dass er keinen Bock mehr hat. Aber warum nimmt sich eine Karrierefrau wie Hagena das Leben? Die hatte doch eine Bilderbuchkarriere, eine hohe Aufklärungsrate und unterrichtete nebenbei an der Akademie. Was wirft diese Frau so aus der Bahn?«

»Das frage ich mich auch.« Sabine dachte an ihr Gespräch mit Hagenas Lebensgefährten. Am Schilddrüsenkrebs allein konnte es wohl nicht gelegen haben. Das war zwar eine ganz schön heftige Packung, aber jemand, der bisher so wild entschlossen durchs Leben marschiert war, brach nicht einfach unter so merkwürdigen Umständen und so plötzlich zusammen. »Möglicherweise eine Mischung aus Angst, Sorge, Verzweiflung, Stress und Depression, und dann hat sie keinen anderen Ausweg mehr gesehen«, sinnierte Sabine. »Andererseits wusste Hagena immer genau, was sie wollte. Sie machte mit neunzehn als Jahrgangsbeste das Abitur, bestand auf Anhieb den Aufnahmetest beim BKA, absolvierte das dreijährige Studium, begann als Kriminalkommissarin in der Drogenfahndung des BKA, wechselte zu Sexualdelikten an Jugendlichen und …«

»Was?«, unterbrach Tina sie. »Wann war sie beim Drogendezernat?«

Sabine rief sich Anna Hagenas Lebenslauf in Erinnerung. »Ich nehme an, gleich nach der Ausbildung, als sie Anfang zwanzig war.«

Tina sprang auf und wühlte in den Unterlagen auf ihrem Schreibtisch. »Leck mich! Rohrbeck hat auch als junger Kriminalkommissaranwärter bei der Rauschgiftfahndung begonnen.«

»Na und? Viele haben dort angefangen.«

»Bei welcher Abteilung war sie?«

Sabine dachte nach. »VED, soweit ich mich erinnere.«

»Rohrbeck auch«, bestätigte Tina. »Wofür steht dieses Kürzel eigentlich?«

»Keine Ahnung.«

»Jedenfalls bedeutet das, sie waren Kollegen und kannten sich schon ziemlich lange.«

»Tina, ich bitte dich! Beim BKA arbeiten über fünftausend Leute. Da wäre es ein Zufall, wenn …«

»Ja, jetzt!«, unterbrach Tina sie. »Aber damals waren es noch nicht so viele. Beide gehörten zur alten Garde. Das waren Dinosaurier, von denen mittlerweile gar nicht mehr so viele hier arbeiten.«

So wie Sneijder!

»Kann sein, aber das bringt uns nicht weiter.« Sabine blickte auf den Ausdruck von Rohrbecks SMS an Sneijder, der auf

Tinas Tisch lag. Sie nahm das Blatt und las die Nachricht. *»Die Vergangenheit holt uns ein. Der erste Juni wird uns alle ins Verderben stürzen«*, murmelte sie. »Was sollte am ersten Juni passieren? Denkst du, er wusste, dass sich Hagena das Leben nehmen würde?«

»Möglich wäre es. Allerdings hat Sneijder angedeutet, dass es etwas mit der Vergangenheit zu tun haben könnte.«

Sabine überlegte. »Wann genau wurde Rohrbecks Sohn eigentlich erschossen?«

»Gestern, gegen 21 Uhr.«

»Und Katharina Hagena wurde gestern um 22 Uhr die Treppe hinuntergestoßen«, sinnierte Sabine. »Wo genau hat Rohrbeck gewohnt?«

»Im Süden Wiesbadens.« Tina nannte ihr die Straße.

»Moment. Das ist gar nicht so weit von Katharina Hagenas Wohnort entfernt. Die lebte in der Breite Straße, im Nordwesten von Mainz.« Sabine griff nach ihrem Handy, öffnete den Routenplaner und tippte die Daten ein. »Die Wohnorte liegen mit dem Auto gerade mal neun Minuten voneinander entfernt.«

»Und das bedeutet? Ein und derselbe Kerl hat zuerst Rohrbeck und danach Hagena einen Besuch abgestattet?«

»Möglich.« Sabine schloss den Routenplaner, stand auf und tippte eine SMS. »Ich werde mir die Daten von Anna Hagenas letzten Telefonaten holen, bevor der Zug sie erfasst hat.«

»Das geht so einfach?«

»Wenn man die richtigen Kontakte hat.«

Tina sah sie fragend an.

Sabine sah kurz auf. »Marc Krüger von der Mobilfunkforensik – der ist gut.«

»Ahaaa!«, rief Tina. »Bahnt sich da vielleicht etwas an?«

Sabine zog die Augenbrauen zusammen. »Vergiss es.« Sie schickte die Nachricht ab. »So, jetzt muss ich duschen und ausschlafen. Reden wir morgen weiter. Danach werde auch ich Sneijder einen Besuch abstatten. Anscheinend weiß er was darüber.«

»Das kannst du dir sparen. *Verdomme!*«, machte Tina seinen Akzent nach. »Er hat mir kein Wort verraten, außer dass ich die Finger davon lassen soll.«

»Was wir natürlich nicht tun werden.« Sabine versuchte zu lächeln.

Tina erhob sich ebenfalls. »Klar lösen wir die Fälle …«

»Und zeigen Sneijder, was wir gelernt haben.« Sabine schlug in Tinas Hand ein. Dann ging sie zur Tür. »Danke für den Bourbon.«

»War ein Geschenk von Sneijder, zur bestandenen Ausbildung.«

Sabine verzog das Gesicht. »Mir hat er ein Diktafon geschenkt – er war schon ein merkwürdiger Kauz, oder?«

»Ja, war er – darf ich dich was fragen?«

Sabine wurde mulmig. Tinas ernster Tonfall ließ sie bereits ahnen, worum es vermutlich ging. »Klar.«

Tina räusperte sich. »Wie war das damals eigentlich, als Sneijder den Mann erschossen hat?«

»Darüber haben wir doch schon gesprochen, außerdem kennst du meine Zeugenaussage.«

»Ja klar, die *Zeugenaussage*!« Tina sah sie mit einem Blick an, der etwa so viel bedeutete wie *Verarsch-mich-nicht!* Dann senkte sie die Stimme zu einem Flüsterton. »Hatte der Kerl wirklich eine Waffe, oder habt ihr, Sneijder und du, ihm eine untergeschoben, damit es so aussieht, als hätte Sneijder in Notwehr gehandelt?«

»Was würdest du jetzt an meiner Stelle antworten?«

»Hast du?«

Sabine erkannte in Tinas Blick, dass sie die Wahrheit ahnte.

Ja, verdammt, es war anders, als ich es vor Gericht erzählt habe. Aber sie würde sich hüten, das jemals vor irgendjemandem zuzugeben, nicht einmal vor Tina, sogar völlig betrunken und in einem abhörsicheren Raum.

Einen Moment lang sah Sabine die bedrückende Enge des Schwurgerichtssaals im Wiesbadener Landgericht vor sich. Roch das Holz, hörte das Glucksen der Heizkörper und sah das Pult mit der Richterin und den beiden Richtern in den schwarzen Roben, die Stenografin, die eifrig tippte, die stoischen Polizeibeamten neben dem Ausgang und den Staatsanwalt, der den Fall Sneijder untersucht hatte …

Der Raum war kleiner gewesen, als sie vermutet hatte, mit dunklem Parkettboden und schmucklosen weißen Wänden, an denen nur ein Kreuz hing. Durch die Fenster schien die Mittagssonne und spiegelte sich auf dem Blech der Fensterbretter.

Sneijder saß hinter einem Tisch, hatte das Mikrofon zur Seite gedreht und verfolgte das Geschehen mit seinem Adlerblick. Wie immer trug er einen Designeranzug und ein blütenweißes Hemd mit Manschettenknöpfen. Trotz des bestehenden Anwaltszwangs hatte Sneijder darum gebeten, sich selbst vertreten zu dürfen. Das Gericht hatte zugestimmt, ihm jedoch nach einer Belehrung einen Pflichtverteidiger zur Seite gestellt, was ihm allerdings überhaupt nicht passte.

Der Staatsanwalt, eine imposante Erscheinung mit grau meliertem Haar, erhob sich und richtete seine Worte an die Vorsitzenden. »Zur Herbeiführung einer wahrheitsgemäßen Aussage erachte ich eine Vereidigung der Zeugin für unbedingt notwendig.«

Gar nicht gut! Sabines Herzschlag beschleunigte sich. Hatte sie doch gehofft, dass es nicht so weit kommen würde. Aber der Staatanwalt wollte Sneijder um jeden Preis in die Knie zwingen.

Die Richterin war einverstanden. »Für einen Meineid sieht das Gesetz eine Strafandrohung von einem Jahr bis zu fünfzehn Jahren Freiheitsstrafe vor. Ist Ihnen das bewusst?«

Sabine nickte, danach erhob sie sich und wurde vereidigt.

»Sabine Nemez, Sie schwören im Bewusstsein Ihrer Verantwortung vor Gericht, dass Sie nach bestem Wissen die reine Wahrheit sagen und nichts verschweigen werden.«

Sabine versuchte, nicht zu schlucken und so ruhig wie möglich zu bleiben. »Ich schwöre.«

Daraufhin wandte sich der Staatsanwalt an Sabine. »Schildern Sie dem Gericht bitte noch einmal, woran Sie sich an jenem besagten Tag konkret erinnern, und machen Sie bitte deutlich, ob und inwieweit Ihre Erinnerung mit Unsicherheiten behaftet ist. Beschränken Sie sich bei Ihrer Aussage immer nur auf das, was Sie selbst gesehen oder gehört haben.«

Sabine dachte kurz nach und atmete tief durch. *Jetzt kannst du nicht mehr zurück! Das ziehst du durch. Du bist es Sneijder schuldig.* »An jenem besagten Tag haben Maarten Sneijder und ich im Zuge der Ermittlungen der sogenannten ›Todesmärchen‹ im Büro des Direktors eine Verhaftung vorgenommen. Die Gründe liegen dem Gericht bereits vor. Der Verhaftete widersetzte sich, woraufhin es zu einem heftigen Wortgefecht kam. Sicherheitshalber zog Sneijder seine Dienstwaffe, richtete sie jedoch noch nicht auf den Direktor, den wir verhaften wollten, sondern wollte ihn zunächst mit ruhigen Worten zur Vernunft bringen.«

Instinktiv änderte Sabine diesmal ihre Wortwahl, damit ihre Aussage auf die Richter nicht wie auswendig gelernt wirkte.

»Wo stand der Direktor während dieser Diskussion?«

»Hinter dem Schreibtisch. Als er einen Schritt auf den Tisch zumachte, zog auch ich meine Waffe und ermahnte ihn, sich nicht mehr zu rühren.«

»Wie hat er reagiert?«

Sabines Herz raste wie wild. »Er hat sich hinuntergebeugt und die Schublade geöffnet.«

»Kann es sein, dass er nach seinem Mobiltelefon greifen wollte, um seinen Anwalt anzurufen?«

»Seine Beweggründe entziehen sich meiner Kenntnis. Er hat uns nicht darüber informiert.«

»Aber in der Schublade befand sich doch auch ein Smartphone.«

»Das mag sein. Aber erstens konnte ich das nicht wissen, und zweitens war das völlig irrelevant, da unsere Anweisung klar und deutlich lautete, sich nicht zu bewegen!«

»Aber er hätte auch vorhaben können zu telefonieren«, hakte der Staatsanwalt nach.

»Genauso gut hätte er auch nach der Waffe greifen können, die ebenfalls in der Schublade lag.«

»Von der Sie aber ebenso wenig Kenntnis hatten!«

»Das ist richtig, darum habe ich den Direktor ein weiteres Mal aufgefordert, sich nicht zu bewegen, was er jedoch ignoriert hat. Sneijders Warnschuss hat ihn ebenso wenig beeindruckt.«

»Ich verstehe. Hätten auch Sie in dieser Situation geschossen?«

»Ja, auf jeden Fall.«

»Warum haben Sie es nicht getan?«

Sabine zögerte einen Moment. Die Frage war offensichtlich eine Falle gewesen. »Ich hatte den Finger bereits am Abzug, doch Sneijder ist mir zuvorgekommen.«

Der Staatsanwalt nickte zwar, schien mit dieser Antwort jedoch nicht zufrieden zu sein. »Wie ist die Waffe Ihrer Meinung nach in die Schublade gekommen?«

»Das müssten Sie schon den Direktor fragen.«

»Der ist ja nun bedauerlicherweise tot.« Der Staatsanwalt

seufzte. »Und wann hat Sneijder dann zum zweiten Mal geschossen?«

»Als der Direktor die Hand aus der Lade gezogen und sich wieder aufgerichtet hat.«

»Ja, dass der Direktor aufrecht stand, hat die Analyse des Schusskanals der Ballistik bestätigt«, gab der Staatsanwalt zu. »Haben Sie erkannt, ob der Direktor nun eine Waffe in der Hand hielt oder nicht?«

»Nein, dafür reichte die Zeit nicht aus. Seine Hand wurde von dem Monitor auf dem Schreibtisch verdeckt, und Sneijder hatte bereits geschossen.«

»Und das hätten Sie ebenfalls getan?«

»Ja, das hätte ich.«

»Interessant, denn der Direktor hatte nämlich, wie Sie beide jetzt wissen, *keine* Waffe in der Hand.«

»Wie gesagt, das ließ sich nicht erkennen, und da der Direktor sich unseren Anweisungen widersetzte, mussten wir davon ausgehen, dass er sich jetzt nicht plötzlich ergeben würde.«

»Musste es ein exakter Schuss in den Kopf sein? Hätte ein Schuss in die Schulter nicht gereicht?«

»Sneijder stand zu weit entfernt. Ich bezweifle, dass man aus dieser Entfernung in Anbetracht der angespannten Situation und in der Eile die nötige Zeit hat, exakt zu zielen und entsprechend zu treffen.«

Der Staatsanwalt nickte. Sabine war sicher, dass er ihr kein einziges Wort glaubte. »Sie und Sneijder sind nicht nur Kollegen, sondern auch Freunde«, stellt er fest.

»Ich würde es eher als Nichtangriffspakt bezeichnen«, antwortete Sabine und bemerkte aus dem Augenwinkel, wie Sneijders Augenbraue für einen Moment in die Höhe zuckte.

»Hatten Sie den Eindruck, dass Sneijder an diesem Tag unter Alkohol- oder Drogeneinfluss stand?«

»Nein.«

»War er an diesem Tag bei völlig klarem Verstand?«

»Wollen Sie unterstellen, dass er es an anderen Tagen während der Ausübung seines Dienstes nicht war?«

»Beantworten Sie meine Frage!«

»Ich bin keine Psychologin«, knurrte Sabine, »aber soweit ich es beurteilen kann, war er bei völlig klarem Verstand.«

»Warum haben Sie Ihren Kollegen Maarten Sneijder nach dem tödlichen Schuss dann überhaupt verhaftet?«

»Um sicherzugehen, dass nichts am Tatort verändert werden kann, falls es zu Anklage und Gerichtsverhandlung kommen würde und sein Verhalten in Notwehr angezweifelt werden sollte.«

»Und genau das ist ja nun der Fall«, hakte der Staatsanwalt ein. »Ich bezweifle den Tatbestand der Notwehr und unterstelle Maarten Sneijder Mord im Affekt.«

»Und die Waffe in der Schublade?«, mischte sich nun die Richterin in das Gespräch. »Sie war immerhin auf den Direktor registriert.«

»Möglicherweise hat sich ja nur ein Telefon in der Lade befunden«, behauptete der Staatsanwalt. »Maarten Sneijder hätte nach dem Mord das Büro durchsuchen, die Waffe in einem Schrank finden und in die Schublade legen können.«

»Das konnte er gar nicht!«, protestierte Sabine. »Ich habe Sneijder sofort festgenommen.«

Ein falsches Lächeln umspielte die Gesichtszüge des Staatsanwalts. »War es so?«

»Selbstverständlich. Warum hätte ich bei einem Betrug tatenlos zusehen und das Risiko eingehen sollen, überführt zu werden und meine Karriere aufs Spiel zu setzen?«

»Ja, warum? Könnte es nicht sein, dass sogar *Sie* die Waffe dort deponiert haben?«, vermutete der Staatsanwalt.

»Aus welchem Grund hätte ich die Beweise manipulieren sollen?«, fragte Sabine aufgebracht, während ihr Herz schneller schlug. *Scheiße!*

»Möglicherweise weil Sie selbst Angst vor einer Anklage hatten? Oder sind Sie vielleicht einfach nur naiv?«, konterte der Staatsanwalt.

Sabine schnaubte innerlich, sagte aber nichts.

»Haben Sie noch weitere Fragen?«, wollte die Richterin wissen.

»Nein, danke.« Der Staatsanwalt setzte sich.

»Und Sie, Herr Sneijder?«

»Durchaus.« Sneijder besprach sich kurz mit seinem Verteidiger, dann trank er einen Schluck Tee aus der Thermoskanne, die auf seinem Tisch stand, und erhob sich. Das Aroma von Vanille durchströmte die ersten Reihen des Gerichtssaals.

Sabine war hinter ihrer Bank stehen geblieben.

»Sie können sich setzen«, sagte Sneijder und wandte sich an den Kläger. »Herr Staatsanwalt, das Denken ist Ihnen zwar durchaus gestattet, aber wie ich sehe, bisher erspart geblieben. Anders kann ich mir Ihr Verhalten nicht erklären, Sabine Nemez als *naiv* zu bezeichnen.«

»Herr Sneijder!«, mahnte ihn die Richterin. »Sie dürfen gern fortfahren, aber hier im Gerichtssaal erwarte ich von Ihnen den nötigen Respekt.«

»Wenn Sie unbedingt darauf bestehen.« Sneijder nickte. »Wie Sie aus der Dienstakte der Kollegin Nemez wissen, hat sie während ihrer Ausbildung an der Akademie in sämtlichen Fächern Bestnoten erzielt, im Dienst eine überdurchschnittlich hohe Aufklärungsrate erreicht, in der Praxis stets korrekt agiert und nie gegen eine Vorschrift verstoßen. Ihr also ängstliches oder naives Verhalten vorzuwerfen entbehrt absolut jeder Grundlage. Daher möchte ich das Motiv für diesen Prozess hinterfragen.«

»Kommen Sie zum Punkt, wenn ich bitten darf!«, drängte die Richterin.

»Etwas Geduld. Sie werden gleich verstehen, worauf ich hinauswill«, sagte Sneijder. »Der Direktor war, wie Sie den Akten entnehmen können, gegenüber seinen drei Exfrauen unterhaltspflichtig. Eine dieser Damen hat eine Cousine, und diese ist …«

»Das hat doch nichts mit diesem Fall zu tun!«, protestierte der Staatsanwalt.

»Fahren Sie fort!«, forderte die Richterin Sneijder unbeeindruckt auf.

Sabine blickte auf. *Jetzt wird es interessant.*

»Und diese Cousine ist die Ehefrau …«

»Also bitte! Wohin soll das führen?«, rief der Staatsanwalt.

»Ist die Ehefrau des Staatsanwalts«, fuhr Sneijder unbeirrt fort. »Daher ist der Versuch nur allzu verständlich, den Ruf des Direktors sauber zu halten und es so darzulegen, als sei er Opfer eines brutalen und ungerechtfertigten Polizeiübergriffs geworden.«

Sneijder hatte wohl ziemlich lange suchen müssen, um diesen familiären Zusammenhang herauszufinden. Mit der Befangenheit des Staatsanwalts war der Prozess geplatzt, und das Gericht hatte Sabines Aussage nie wieder infrage gestellt.

»Alles okay?«, fragte Tina.

Sabine sah auf. Für einen Moment war sie in Gedanken abgedriftet, doch nun befand sie sich wieder in der Gegenwart, im BKA-Gebäude in Tinas Büro.

»Lassen wir das Thema, es ist spät«, sagte Sabine.

»Im Prinzip geht es mich ja auch nichts an. Aber ich wollte dir nur sagen …« Tina räusperte sich. »Ich hätte verstanden, wenn du Sneijder in Schutz genommen hättest, denn ich an deiner

Stelle hätte genauso gehandelt.« Sie fuhr mit der Hand durch die Luft. »O Mann, war das theatralisch.«

»Danke.« Sabine öffnete die Tür und trat in den Gang. Plötzlich hörte sie eine Polizeisirene und sah durch das Fenster, wie eine kleine Wagenkolonne mit Blaulicht aus der BKA-Tiefgarage ausrückte und die Straße entlangraste.

»Aber hallo, die haben es ganz schön eilig.«

Ein paar Türen wurden aufgerissen, und einige Kollegen liefen zum Fahrstuhl.

»Was ist los?«, rief Tina. »Bricht der Dritte Weltkrieg aus?«

»Ihr habt es wohl noch nicht gehört«, sagte ein Mann, der an ihnen vorbeilief.

»Nein, was denn? Ein Atomangriff?«

»Bei einem Abendessen mit ihrem Mann und dem Oberstaatsanwalt hat Diana Hess das Restaurant verlassen, ist von einer Brücke auf die Bahngleise gesprungen und vom Zug erfasst worden.«

43 Jahre zuvor – Tag der Schmerzen

»Dieses Heft willst du lesen?«, fragte ihn der Mann im Kiosk.

Hardy nickte.

»Bist du nicht noch etwas zu jung dafür?«

»Ich bin acht«, log Hardy. *Und nun gib es endlich her!*

»Wenn du meinst.«

Hardy legte eine Mark auf den Tresen – den letzten Rest des Geldes, das er diesen Sommer gespart hatte – und starrte den Fettsack mit den krausen Koteletten im Kiosk ernst an, darum bemüht, erwachsener zu wirken als die sieben Jahre, die er in Wirklichkeit erst war.

Der Mann strich die Mark ein und legte den Heftroman auf den Tresen.

Jerry Cotton – Anschlag in Amsterdam!

»Den Rest können Sie behalten«, sagte Hardy großzügig, faltete das Heft zusammen, steckte es in die Gesäßtasche seiner Hose und ging.

In den Sommerferien hatte er schon drei Hefte dieser Reihe gelesen. Jede Woche erschien ein neues. Er verstand zwar nur die Hälfte, fand aber die Dialoge zwischen Jerry Cotton und seinem Partner Phil Decker toll, ebenso wie die Verfolgungsjagden mit den Autos. Vor allem aber gefielen ihm die Cover. Wenn er selbst mal groß war, würde er auch Agent werden, so wie Jerry Cotton.

Hardy betrat das Gebäude, in dem er mit seinen Eltern wohnte. Da beide arbeiteten, konnte er die Tage während der Ferien verbringen, wie er wollte. Seine Mutter jobbte bis fünf als Kellnerin in einer Konditorei, und sein Vater arbeitete in einer

Stahlfirma. Nicht im Büro, sondern an den Maschinen – sein Vater erzählte zwar immer etwas anderes, aber Hardy roch es an seinen Haaren und sah es am Dreck unter seinen Fingernägeln. Ihm machte niemand so leicht etwas vor – in dieser Hinsicht war er bereits wie Jerry Cotton.

Hardy ging durch den Torbogen des Hauses und betrat den Innenhof. Auf der Rutsche saßen ein paar blonde Spielzeugpuppen in blauen Kostümen, und im Sandkasten spielte ein Mädchen mit Plastikförmchen und einem Eimer Wasser. Es war dabei, eine Sandburg zu bauen.

Hardy stellte sich vor das Mädchen hin und wartete, bis es ihn ansah. »Hallo, Nora.«

Sie lächelte. »Hallo, Hardy.«

Sie nuschelte, so als hätte sie Watte unter der Zunge, doch das störte ihn nicht. Seine Mutter hatte ihm erklärt, dass Nora vor einem Jahr, als sie vier gewesen war, Scharlach gehabt und eine Mittelohrentzündung bekommen hatte. Weil die zu spät behandelt worden war, war Nora seitdem auf beiden Ohren taub. Sie hörte nichts, nicht einmal den Knall eines Krachers. Hardy hatte es ausprobiert.

Aber mit ihren blonden Zöpfen, den strahlend blauen Augen und den Sommersprossen war Nora nicht nur extrem süß, sondern auch klug, wie seine Mutter behauptete, denn sie hatte innerhalb eines halben Jahres Lippenlesen gelernt. Und weil Hardy das faszinierend fand, half er ihr regelmäßig beim Üben. Um mehr Zeit dafür zu haben, hatte er Nora auch über die Wintermonate mit ihren Eltern immer in das Aquamarin-Hallenbad begleitet. Natürlich ohne zu bezahlen, er hatte sich einfach heimlich unter dem Drehkreuz durchgeschwindelt.

Dort planschten sie dann herum und übten schwierige Wörter und lange Sätze. Manchmal täuschte Hardy sie und formte mit den Lippen Wörter, die es gar nicht gab. Wenn sie dahinterkam, stieß sie ihn ins Wasserbecken oder boxte ihm in den Bauch. Wegen ihrer kleinen Fäuste kitzelte ihn das nicht einmal, aber immerhin hatte er ihr dabei auch gleich beibringen können, wie man richtig zuschlug; dass es besser war, den Daumen nicht *in* die Faust zu nehmen, sondern außen *an* die Faust zu legen. Er kannte sich aus – schließlich hatte er seinen Vater oft genug beim Zuschlagen beobachten können.

Die Sonne spiegelte sich in Noras Halskettchen mit dem kleinen silbernen Kreuz als Anhänger. »Hilfst du mir bei meiner Burg?«

»Keine Zeit, muss das neue Heft lesen. Ist heute gekommen.«

Sie stöhnte altklug auf. »Du verstehst ja gar nicht, was da drin steht.«

»Na und? Ich …«

Hardy verstummte, als er das Grölen mehrerer Jungs hörte. Sie wohnten auch in dem Haus, waren ein paar Jahre älter als Hardy und einen Kopf größer als er. Sie waren zu dritt und marschierten in lässigem Gang hinter Nora zur Sandkiste. *Idioten!*

»Was ist?«, fragte sie.

»Die Blödmänner sind wieder da«, sagte er tonlos, indem er nur die Lippen bewegte.

Noras Gesichtszüge erstarrten.

Toni und seine Freunde bauten sich rund um die Sandkiste auf und begannen Nora zu verspotten. Natürlich konnte sie nicht hören, was sie sagten, und schon gar nicht, *wie* sie es sagten. Aber in Hardys Ohren klang es schrecklich. Toni, dieser miese Drecksack, verstellte seine Stimme und lallte wie ein schwachsinniges Mädchen.

»Halou Hardiiieee, üch spüle Saundbuuurg bauen.«

Hardy spürte, wie ihm die Schlagadern knüppeldick unter der Haut hervortraten.

»*Ou-jou, ou-jou*«, stotterte ein anderer.

»Halt's Maul!«, schrie Hardy schließlich.

Sogleich verstummten die drei. Langsam wandten sie sich um und traten vor Hardy hin.

»Lasst ihn in Ruhe!«, rief Nora, doch die drei ignorierten sie. Also sprang sie auf, stellte sich mit ihren fünf Jahren zwischen Hardy und Toni und funkelte Toni mit strengen Augen an. »Lasst ihn …«

Doch weiter kam sie nicht. Toni stieß sie so heftig zur Seite, dass sie über den Holzrand der Sandkiste stolperte, rücklings in den Sand fiel und dabei den Wassereimer umstieß.

»Guck mal!«, gackerte einer der drei und zeigte auf Nora, die in einer Matschpfütze lag. Die Rückseite ihres blauen Kleides war komplett durchweicht.

Nora funkelte Toni immer noch böse an, doch als die drei Jungs schadenfroh zu lachen begannen, traten ihr Tränen in die Augen.

»Schau dir nur die kleine dreckige Göre an«, rief Toni. *»Ou-jou, ou…«* Er verstummte.

Hardy hatte zugeschlagen.

Eigentlich wollte er Toni nur auf der Brust treffen, doch sein Handknöchel war auf dem Knopf von Tonis Hemd abgerutscht, und seine Faust hatte Toni direkt unter dem Kinn getroffen. Der verdrehte für einen Moment die Augen, fiel steif wie ein Brett um und knallte mit dem Kopf an den Holzrand der Sandkiste. Es knackte hässlich, und sogleich sprudelte Blut aus der Wunde.

Erst jetzt schrie Toni auf. *Zum Glück!* Denn Hardy hatte schon befürchtet, dass Toni sich überhaupt nicht mehr bewegen würde. Doch der hielt sich mit schmerzverzerrtem Gesicht den Hinterkopf, und binnen Sekunden waren Haare und Finger mit Blut verklebt. Seine Kumpel halfen ihm auf, und zu dritt rannten sie davon.

Hardy reichte Nora die Hand und half ihr aus dem Matsch. Sogleich begann er damit, ihr den Sand vom Kleid zu wischen.

»Lass das!«, herrschte sie ihn an und nahm seine Hand. »Du bist so dumm, Hardy.«

Hardy blickte sie an. »Warum? Die Blödmänner tun dir nie wieder was. Und mir auch nicht.«

»Das meine ich nicht. Wenn dein Papa davon erfährt.«

»Wenn schon.« Hardy zuckte mit den Achseln.

Mein Vater! Daran hatte er gar nicht gedacht.

Nora sah ihn besorgt an. »Das hättest du nicht tun dürfen. Trotzdem danke.« Sie griff in die Tasche ihres Kleides und hielt ihm eine Schachtel mit Pfefferminz-Drops hin. »Da, für dich. Hab ich meinem Papa geklaut, hat er aus England mitgebracht.«

»Der Nachbarjunge hat eine Platzwunde am Kopf!«, brüllte Hardys Vater ihn noch am gleichen Abend an. »Die musste genäht werden. Verdammt noch mal, bist du noch zu retten? Ich war gerade drüben und musste mir allerhand von seinem Vater anhören!«

Hardy starrte mit hochrotem Kopf zu Boden.

»Immerzu musst du dich prügeln! Du wirst ...«

»Lass den Jungen«, flüsterte Hardys Mutter im Hintergrund.

»Du, misch dich nicht ein!«, brüllte Hardys Vater und geriet nur noch mehr in Rage. Seine Finger hatten sich zur Faust geballt – so wie Hardy es Nora gezeigt hatte, mit geradem Handgelenk und dem Daumen draußen.

Aber diesmal schlug sein Vater nicht zu. Verdrosch weder seine Mutter noch Hardy mit der Faust. Diesmal zog er den steifen Ledergürtel aus den Schlaufen seiner Hose.

Heute ist wieder mal der Gürtel dran. Wie viele Hiebe gibt es diesmal?

Hardy kniff die Augen zusammen, presste die Lippen aufeinander und ballte die Fäuste. Die ersten Schläge gingen noch, doch mit jedem weiteren Schlag tat es mehr weh.

Aber er jammerte nicht, und er weinte nicht. Er biss nur die Zähne zusammen und dachte an seine Zukunft und an das, was er sich jedes Mal in solchen Situationen schwor: Eines Tages würde er Polizist werden oder Agent so wie Jerry Cotton und gegen solche Kerle wie seinen Vater vorgehen.

Eines Tages!

Langsam begann sein Hintern wie Feuer zu brennen; die Schläge gingen durch den Stoff seiner Hose durch, als kassierte er die Prügel auf die nackte Haut.

Da rutschte ihm das Jerry-Cotton-Heft aus der Hosentasche und fiel zu Boden. Das hatte er komplett vergessen. Es war bereits zerrissen, und die Seiten hingen zerfetzt in alle Richtungen. Er würde viel Klebeband brauchen, um es wieder so hinzubekommen, dass er es lesen konnte.

Sein Vater hob das Heft auf. »Solchen Dreck liest du?«, brüllte er. »Dafür gibst du dein Taschengeld aus? Oder hast du es geklaut?«

Hardy antwortete nicht. Doch die Tränen, die er sich so lange verkniffen hatte, konnte er nun nicht länger zurückhalten.

Er weinte.

Und diesmal war er nicht wie Jerry Cotton.

2. TEIL

- G R U P P E 6 -

DONNERSTAG, 2. JUNI

13. KAPITEL

Die Nachricht von Diana Hess' grauenvollem Tod steckte Sabine nach einer nahezu schlaflosen Nacht immer noch in den Knochen. Nach einer Tasse starken Kaffees fuhr sie im Morgengrauen zum BKA-Gebäude und begab sich mit dem Lift in das unterste Kellergeschoss, in dem sich auf einer doppelten Stahlbetonebene das Archiv befand. Weiter oben hätten die Tonnen von Papier die anderen Stockwerke zum Einsturz gebracht.

So früh am Morgen, eineinhalb Stunden vor Dienstbeginn, war noch niemand hier. Sabine setzte sich in eine Nische, die in einem toten Winkel lag und von keiner Deckenkamera eingesehen werden konnte, und klemmte sich hinter ein Terminal. Natürlich hätte sie sich auch online über ihr Notebook ins Archiv einloggen können, doch damit hätte sie offenkundige digitale Spuren hinterlassen, auf die jemand nur allzu rasch aufmerksam geworden wäre.

Sie machte sich nichts vor – wenn es jemand wirklich wissen wollte, würde er auch trotz dieser Vorsichtsmaßnahme herausfinden können, wonach sie hier im Archiv gesucht hatte. Aber so war es zumindest schwieriger.

Vermutlich betraf Rohrbecks SMS gar nicht den gestrigen ersten Juni, sondern einen ersten Juni in der Vergangenheit. Also ging sie zuerst alle Dienstakten mit den Namensvermerken von Gerald Rohrbeck und Anna Hagena durch, die vom ersten Juni des Vorjahres stammten. Danach durchforstete sie die Onlinezeitungsmeldungen zum ersten Juni, doch auch hier fand sie nichts Auffälliges. Sie wusste ja nicht einmal, ob es da überhaupt etwas zu finden gab und ob die Todesfälle Rohrbeck und Hagena tatsächlich zusammenhingen.

Danach ging sie ein weiteres Jahr zurück und startete eine neue Suche.

Was für ein Scheißjob!

Nach eineinhalb Stunden brannten ihre Augen vom Flimmern des Monitors, und sie war ziemlich entnervt. Als sich ihr von hinten eine Hand auf die Schulter legte, schreckte sie zusammen.

»Tina«, entfuhr es ihr, während sie die Schultern sinken ließ.

»Schon was gefunden?«

»Nein. Ich habe jetzt zehn Jahre durchforstet. Mittlerweile kenne ich Rohrbecks und Hagenas Karrieren in- und auswendig.«

»Und?«

»Na ja, in beiden Akten tauchen ein paar Ungereimtheiten auf.«

Tina zog sich einen Drehstuhl heran und setzte sich neben Sabine. »Was für Ungereimtheiten?«, flüsterte sie.

»Ich habe einen Hinweis darauf gefunden, dass sowohl Rohrbeck als auch Hagena einmal von der Internen vernommen worden sind. Aber ich weiß nicht, wann. Außerdem gibt es weder Unterlagen darüber, worum es da gegangen ist, noch, ob ihnen je etwas nachgewiesen werden konnte.«

»Du verarschst mich!«

»Nein.«

»Worum könnte es sich da handeln?«

»Keine Ahnung.« Sabine zuckte die Achseln. »Unterschlagung von Beweisen, verschwundene Waffen oder Drogen aus der Asservatenkammer, Schmiergeldzahlungen durch die Betreiber von Glücksspielautomaten oder Beteiligungen an einem Bordell – da gäbe es viele Möglichkeiten. Jedenfalls sind ihre Namen einmal im Zusammenhang mit der DAB aufgetaucht.«

»Der Dienstaufsichtsbehörde? Die beiden waren also korrupt?«

Sabine hob die Hand. »Sie wurden nie angezeigt. Falls überhaupt, wurden sie nur verdächtigt.«

In diesem Moment läutete Sabines Diensthandy. Eine unbekannte Nummer erschien auf dem Display. Sabine ging ran. »Hallo?«

»Spreche ich mit Sabine Nemez?«, fragte eine Frau mit gehetzter schriller Stimme.

»Kommt darauf an. Woher haben Sie diese Nummer?«

»Ich bin vom *Wiesbadener Echo.* Wir haben erfahren, dass Sie im Todesfall einer Ihrer Kolleginnen ermitteln. Darüber hinaus gab es weitere Todesfälle, unter anderem den der Gattin des BKA-Präsi…«

»Kein Kommentar.« Sabine unterbrach die Verbindung. »Die Presse«, stöhnte sie auf.

»Die haben mich heute auch schon angerufen. Anscheinend probieren die wahllos alle Dienstnummern und Durchwahlen aus. Die wittern eine fette Schlagzeile, und du wirst sehen, das wird noch schlimmer.« Tina wurde ernst. »Übrigens gibt es bei Diana Hess bis auf vage Druckstellen am Hals – aber das müssen die Rechtsmediziner noch genau untersuchen – keine Anzeichen, dass sie gewaltsam über die Brüstung der Eisenbahnbrücke gestoßen worden ist.«

Am Hals? Das klang seltsam. »Selbstmord?« Sabine schüttelte den Kopf. »Eine Frau wie Diana Hess nimmt sich doch nicht selbst das Leben.« Unwillkürlich rief sie sich ihr letztes Gespräch mit Diana in Erinnerung. *Wir wollen an die Ostsee übersiedeln.* Dazu würde es nun nicht mehr kommen.

»Was hast du?«, fragte Tina.

»Ich habe gestern noch mit ihr gesprochen, und sie hat sich dafür bedankt, was ich für Sneijder …« Sabine vollendete den Satz nicht. »Jedenfalls klang sie weder bedrückt noch selbstmordgefährdet. Im Gegenteil – sie hat sich im Geiste auf das Abendessen mit Innenminister und Oberstaatsanwalt vorbereitet.« Sie schluckte.

»Danach ist es passiert. Und was sollte es sonst sein, außer Selbstmord? Drei Rechtsmediziner haben die ganze Nacht durchgearbeitet und bisher keine eindeutigen Spuren einer äußeren Gewalteinwirkung an der Leiche finden können. Zumindest an dem, was der Zug von ihr übrig gelassen hat, der unmittelbar …«

»Hör auf!«, rief Sabine. Sie wollte sich das gar nicht vorstellen. Allein der Gedanke war schrecklich genug, dass Diana nicht mehr am Leben war. »Vielleicht war sie es gar nicht.«

»Ich habe die Fotos von ihrer Leiche gesehen.« Tina rückte näher. »Sabine, sie *ist* es.«

»Ich sagte, du sollst aufhören!« Tränen traten ihr in die Augen. Irgendwie war es ihr bisher gelungen, den Schmerz zu verdrängen.

»Tut mir leid, ich …« Tina verstummte für einen Augenblick. »Schau mal!«

»Was?« Sabine wischte sich über die Augen und wandte den Kopf.

Tina zeigte auf den Artikel, den Sabine gerade am Monitor aufgerufen hatte. Er handelte von einem BKA-Einsatz am ersten Juni vor exakt zehn Jahren.

»Mach das mal größer!«

Sabine griff zur Maus.

Dietrich Hess befördert seine ehemaligen Kollegen von der Drogenfahndung Gerald Rohrbeck und Anna Hagena …

Der Rest war unwichtig.

»Ehemalige Kollegen«, las Tina vor. »Das bedeutet, nicht nur Rohrbeck und Hagena waren früher in derselben Abteilung, sondern auch Hess!«

Sabine starrte auf den Artikel und hatte plötzlich nur noch einen einzigen Gedanken. *Und nun hat auch Hess' Ehefrau Selbstmord begangen.*

Wenn die Spuren und Verbindungen so weit in die Vergangenheit reichten und der Fall noch komplexer war, als sie bisher angenommen hatten, gab es nur eine Möglichkeit, wie sie mit ihren Ermittlungen rasch zu einem Ergebnis kommen konnten.

Sie musste dringend mit Sneijder sprechen.

14. KAPITEL

Gegen neun Uhr betrat Sabine den Campus der Wiesbadener Universität für Wirtschaft und Recht, erfuhr, in welchem Stockwerk Sneijder sein Seminar hielt, betrat den Hörsaal durch den hinteren Seiteneingang und setzte sich in die letzte Reihe.

Die Atmosphäre an dieser Uni war deutlich anders als die an der Akademie des BKA. Viel lockerer. Außerdem saßen hier etwa hundert Studenten, die beobachteten, wie Sneijder das Podium betrat und geduldig an seinen Manschettenknöpfen drehte, während er seinen kalten Adlerblick durch den Saal schweifen ließ.

Sneijder sah aus wie immer. Obwohl der Hörsaal nicht klimatisiert war, trug Sneijder einen dreiteiligen dunklen Anzug, eine dunkelblaue Krawatte und polierte Lackschuhe. Würde er diese Studenten ebenfalls wie Idioten behandeln, so wie seine ehemaligen Kripoanwärter beim BKA? Vermutlich – aus welchem Grund hätte Sneijder sich ändern sollen?

Sneijder wartete etwa eine Minute, bis Ruhe eingekehrt war. »Eines vorweg ...« Er ging die Treppe des Mittelgangs hoch. »Falls Sie mich zufällig im Gang, in der Mensa oder auf dem Weg zur Uni treffen sollten, verschonen Sie mich bitte mit dem üblichen Smalltalk, wie *Mensch, was für ein Wetter!* Interessiert mich nicht, denn wir sitzen nicht draußen, sondern im Hörsaal. *Haben Sie gut hergefunden?* Natürlich, sonst wäre ich nicht hier. Außerdem habe ich keinen Führerschein und werde von zu Hause abgeholt. *Was machen Sie beruflich?* Müssten Sie eigentlich wissen, sonst wären Sie nicht hier.

Also …« Er klatschte einmal laut in die Hände. »Beginnen wir mit dem siebentägigen Blockseminar. *Wie arbeitet die menschliche Psyche?*«

Okay, Sneijder hatte sich wirklich keinen Deut geändert – und er machte keinen Unterschied zwischen gewöhnlichen Studenten und künftigen BKA-Kollegen.

Dennoch wirkt er irgendwie anders.

Sabine betrachtete ihn genauer, während er im Mittelgang in ihre Nähe kam, sie aber nicht bemerkte. Er sah – obwohl das kaum möglich schien – blasser und kränklicher aus als sonst. Offenbar fehlte ihm die Mörderjagd, und Sabine konnte sich nur schwer vorstellen, dass Sneijder seinen derzeitigen Job befriedigend fand.

»Ein Beispiel, mit dem ich Ihnen verdeutlichen werde, wie das menschliche Gehirn arbeitet, trug sich vor etwas mehr als einem Jahr in Nürnberg zu. Ich war zufällig in der Nähe und wurde als Spezialist für Entführungsfälle zu einer Zeugeneinvernahme geholt. Eine mehrstöckige Wohnhaussiedlung am Stadtrand: Garagenparkplätze, zwei Innenhöfe, Kinderspielplatz, dahinter der Wald mit Wanderwegen. Eine junge Mutter betritt am Montagmorgen um acht Uhr früh die Waschküche im Keller, während ihre zweijährige Tochter draußen im Hof spielt. Plötzlich ist die Kleine verschwunden. Die Mutter sucht sie verzweifelt und alarmiert schließlich die Polizei. Das Mädchen kann nicht gefunden werden. Ich komme mittags zum Ort des Geschehens und spreche mit der Mutter. Sie ist hysterisch und erzählt mir aufgebracht, was passiert ist.«

Einige Studenten schrieben auf ihren Notebooks mit.

Sneijders Stimme veränderte sich. *»Ich war nur zehn Minuten im Keller. Wie immer am Montag. Susi spielte in der Zwischenzeit draußen. Sie läuft nie weg. Ich habe die Wäsche in die Waschmaschine gesteckt und sie eingeschaltet. Als ich wieder raufkam,* *war Susi weg. O Gott, bitte finden Sie sie. Jemand muss sie geschnappt und entführt haben. Womöglich ist sie schon tot.«*

Sneijder machte eine Pause und wartete, bis alle zu Ende geschrieben hatten. »Ich habe noch ein paar Minuten mit ihr gesprochen, habe ihre Hände betrachtet, Ölspuren und Erdkrumen unter ihren Fingernägeln bemerkt und sie gefragt, wo sie Susis Leiche vergraben hat.«

Plötzlich herrschte betretenes Schweigen im Saal. Einige hüstelten. Sogar Sabine hielt den Atem an. Diese Geschichte kannte sie noch gar nicht.

»Die Mutter hat sie …?«, fragte eine Studentin.

»Wenn Sie eine Frage haben, heben Sie die Hand!« Sneijder ging vom Mittelgang zum Podest hinunter. »Ja, ihre eigene Mutter hat sie ermordet. Ich bin mir da völlig sicher. Susi hatte Fieber gehabt, den ganzen Samstag und Sonntag gequengelt, bis es den Eltern schließlich zu viel wurde. Die Mutter hat die Nerven verloren und wollte ihr Kind mit einem Kissen endlich zum Schweigen bringen … was ihr auch gelungen ist.« Sneijder holte tief Luft. »Ich habe die Frau noch fünf Minuten lang vernommen, danach hätte sie mich vermutlich zu der Stelle geführt, wo sie den Leichnam ihrer Tochter an diesem Morgen um drei oder vier Uhr früh verscharrt hat. Aber ihr Mann kam dazwischen, verbot ihr weiterzureden und verständigte den Anwalt der Familie.«

»Aber woher wollen Sie wissen, dass es sich so zugetragen hat?«, fragte jemand, der diesmal die Hand gehoben und Sneijders Nicken abgewartet hatte. »Nur wegen der Erdkrumen?«

Sneijder setzte sein typisches Leichenhallenlächeln auf, bei dem Sabine jedes Mal ein Schauer über den Rücken lief.

»Nicht wegen der Erdkrumen; die waren völlig nebensächlich«, sagte er. »Es war eine ihrer Aussagen, die sie vehement wiederholt hat. *O Gott, jemand muss sie geschnappt und entführt haben. Womöglich ist sie schon tot!*«

»Aber genau das hätte doch passiert sein können. Jemand entführt das Mädchen, missbraucht es und verscharrt seine Leiche.«

»Natürlich hätte das so passieren können, aber denken Sie doch bitte nur einmal logisch … nur ein einziges Mal!« Sneijder massierte einen Druckpunkt an seinem Handrücken zwischen Daumen und Zeigefinger, um seine Cluster-Kopfschmerzen zu lindern, die ihn vermutlich wieder einmal entsetzlich quälten. »Diese Möglichkeit ist die letzte, an die eine junge Mutter denken würde. Wie heißt es so schön? *Die Hoffnung stirbt zuletzt.* Zuerst denkt man *immer* daran, dass das eigene Kind nur davongelaufen ist, zu einer Freundin oder der Nachbarin, weil man alle anderen viel schrecklicheren Möglichkeiten verdrängt. Es ist eine Schutzfunktion der Psyche. Und selbst wenn die Kripobeamten die Möglichkeit in Erwägung ziehen würden, dass das Kind entführt worden und mittlerweile tot sein *könnte,* würde eine Mutter immer noch fest daran glauben, dass ihr Kind einfach nur davongelaufen wäre. Doch diese Mutter hat die Realität vorweggenommen und von Beginn an die Möglichkeit in Betracht gezogen, dass ihre Tochter tot ist. *Das* hat sie verraten.«

Einige Hände schossen in die Höhe. Sneijder erteilte einer jungen Studentin das Wort.

»Wurde die Leiche gefunden?«

Sneijder schüttelte den Kopf. »Bis jetzt nicht. Die Kripo hat das gesamte Waldstück abgesperrt, die Spurensicherung auch alle Stellen abseits der Wanderwege durchkämmt, Leichenspürhunde haben tagelang gesucht, und sogar ein Teil des Waldes wurde umgegraben. Erfolglos.« Er steckte die Hände in die Taschen. »Ich wollte die Eltern einem Lügendetektortest unterziehen, aber ihr Anwalt plädierte auf Verletzung der Menschenwürde, wodurch der Einsatz des Polygraphen vom Bundesgerichtshof untersagt wurde.«

»Ich erinnere mich daran«, murmelten nun einige Studenten.

»Wer tut das nicht?«, fragte Sneijder. »Die Meldung ging mehrere Monate lang durch die Medien.«

Sabine kam die Geschichte nun auch bekannt vor, und sie wusste auch, dass der Fall noch lange nicht abgeschlossen war – nur hatte sie bisher nicht geahnt, dass Sneijder darin involviert gewesen war.

»Die Eltern sammelten Spendengelder für die Suche nach ihrer Tochter«, erzählte Sneijder weiter. »Und sie ließen keine Möglichkeit aus, um in Talkshows aufzutreten. Demnächst erscheint sogar ein dünnes Buch, das die Mutter mit einem Ghostwriter geschrieben hat. Natürlich verarbeitet jeder seine Trauer anders, aber je öfter die Eltern in der Öffentlichkeit auftraten, umso häufiger gab es Gerüchte, dass Susi möglicherweise durch einen tragischen Unfall gestorben sein könnte, die Mutter dies vertuscht und eine Entführung nur vorgetäuscht hätte, um mit ihrem Mann später die Leiche verschwinden zu lassen.«

»Aber die Eltern suchen immer noch so vehement nach ihrer Tochter – die können sie doch unmöglich getötet haben. Das kann doch nicht alles bloß Ablenkung sein?«

Sneijder fixierte die junge Studentin. »Sind Sie sicher?«

Während ein Raunen durch den Saal ging, erhob sich Sabine. Wie immer rüttelte Sneijder die Gemüter auf.

Sabine verschwand durch den Seitenausgang nach draußen und holte sich in der Mensa einen Becher Kaffee. Dann sah sie im öffentlich ausgehängten Lehrplan nach, wie lange Sneijders Einheit noch dauern würde. *Zeit genug!*

Sie stellte sich zu einem Gangfenster, blickte auf die Bäume und den Rasen im Innenhof des Campus und rief Tina an, die sogleich an ihr Handy ging. »Ich bin jetzt bei Sneijder an der Uni«, informierte sie Tina.

»Schon mit ihm gesprochen?«

»Noch nicht.«

»Dann viel Glück.« Es klang ironisch. »Hast du schon Hagenas letzte Telefondaten erhalten?«

»Nein.«

»In der Zwischenzeit habe ich weiter im Archiv gegraben und konnte noch etwas herausfinden«, sagte Tina. »Rate mal, wer damals noch gemeinsam mit Rohrbeck, Hagena und Hess in dieser Abteilung VED bei der Drogenfahndung des BKA gearbeitet hat?«

»Sneijder?«, vermutete Sabine.

Tina lachte laut auf. »Sneijder und die Drogenfahndung – das hätte gepasst. Nein, ein anderer Kollege, der uns gut bekannt ist und der immer noch beim BKA ist.«

»Mensch, spann mich nicht auf die Folter!«

»Klaus Timboldt.«

Timboldt! Ihr neuer oberster Vorgesetzter. Sabine erinnerte sich an ihren letzten gemeinsamen Fall mit Sneijder, bei dem sie bei einem Tatort im Bayerischen Wald das erste Mal die Bekanntschaft mit Timboldt gemacht hatte. Er war wie Rohrbeck, Sneijder, Hess und einige andere auch einer von der alten Garde und mittlerweile ein hohes Tier beim BKA – wortkarg, zynisch und im Lauf der Zeit hart und verbittert geworden. Aber wer war das nicht nach jahrzehntelanger Arbeit beim Bundeskriminalamt?

»Den willst du dir vorknöpfen?«, fragte Sabine verunsichert.

»Ich?«, wiederholte Tina. »*Wir!*«

»Und du glaubst, er wird gerade uns mir nichts, dir nichts alles erzählen?«

»Richtig: Er wird dir nichts und mir nichts erzählen«, scherzte Tina, wurde aber im nächsten Moment wieder ernst. »Trotzdem sollten wir ihn befragen.«

»Einverstanden, ich ruf dich an, sobald ich mit Sneijder fertig bin.«

»Zwing ihm ein Gespräch auf, das er nicht vergisst«, sagte Tina und legte auf.

Sneijder ein Gespräch aufzwingen! Na klar!

Zehn Minuten vor der ersten Pause betrat Sabine noch einmal den Hörsaal.

Sneijder stand leger vor dem Pult. »Befragen Sie einen Zeugen nicht *heute,* sondern erst *morgen,* weiß er nur noch die Hälfte.« Er faltete ein weißes Blatt Papier.

»Am nächsten Tag wissen wir nur noch ein Viertel.« Er faltete das Blatt ein weiteres Mal.

Danach bog er das Blatt ein drittes und viertes Mal zusammen, doch diesmal tat er sich bereits schwer, weil die Oberfläche des Blatts schon so klein und der Wulst so dick waren. »Und vier Tage später wissen wir nur noch ein Sechzehntel. Wollen Sie mit einem Sechzehntel der Information die richtige Entscheidung treffen?« Er machte eine Pause. »Oder mit hundert Prozent?« Nun faltete er das Blatt wieder auseinander und hielt es in die Höhe.

Einige Studenten grinsten. Sneijder blickte auf seine Uhr, eine Swatch in den Farben der niederländischen Flagge. »Fünfzehn Minuten Pause.«

Während die Studenten ihre Sachen auf den Pulten liegen ließen, aufsprangen und nach draußen liefen, stieg Sabine die Treppe zum Podium hinunter.

Sneijder betrachtete sie aus dem Augenwinkel. »Warum haben Sie sich nicht die ganze Stunde angehört?«

»Wäre vermutlich interessant gewesen«, gab sie zu. »Einiges davon kannte ich noch gar nicht.«

»Sie lügen! Nichts davon haben Sie gekannt.« Er sah auf, gab ihr aber nicht die Hand.

»Ja, das stimmt.« *Sneijder ist immer wieder für eine Überraschung gut.* »Glauben Sie wirklich, dass die kleine Susi von ihren Eltern ermordet worden ist?«

»Ermordet vielleicht nicht, aber ich bin davon überzeugt, dass sie mit ihrem Tod zu tun haben. Ein Unfall, ein falsch dosiertes Schlafmittel – es gibt viele Möglichkeiten. Lesen Sie sich die Protokolle ihrer Einvernahmen durch. Seit über einem Jahr erzählt die Mutter immer wieder Wort für Wort dieselbe Geschichte.«

»Das deutet doch darauf hin, dass sie die Wahrheit sagt.«

»Sie wissen doch selbst am besten, dass das nicht stimmt, Eichkätzchen.« Sneijder musterte sie mit wissendem Blick.

Sabine spürte, wie sie leicht rot wurde, als sie an ihre letzte Begegnung im Gerichtssaal dachte. Anscheinend hatte er ihren Schachzug durchschaut.

Sneijder schien kurz zu überlegen, ob er darauf eingehen sollte, sprach dann aber zum Glück weiter. »Würde ich Sie mehrmals fragen, was Sie gestern gemacht haben, würden Sie zwar auch immer wieder das Gleiche erzählen, aber jedes Mal mit anderen Worten. Ich verfolge diesen Fall seit damals in der Presse, und Susis Mutter erzählte von Beginn an immer wieder *exakt* dieselbe Geschichte. Und das deutet darauf hin …«

»Dass sie den Text einstudiert hat.«

Trotz neunmonatiger Abstinenz vom BKA hatte er nichts von seiner Brillanz eingebüßt. »Vielleicht sollte ich mich in Ihr Seminar einschreiben?«, scherzte sie.

»Würde Ihnen auf keinen Fall schaden«, antwortete er ernst.

»Sind Sie hier an der Uni eigentlich zufrieden?«, fragte sie.

»Nach meiner Suspendierung habe ich mehrere interessante Jobangebote erhalten, die meisten von der Privatwirtschaft, sie aber alle abgelehnt. Das ist das Schöne an meiner Situation: Heute kann ich mir – im Gegensatz zu Ihnen – die Aufträge aussuchen. Und Weiterbildung war schon immer eine meiner liebsten Beschäftigungen.«

Abgesehen von der Mörderjagd, merkte sie in Gedanken an und bezweifelte, dass Sneijder sich tatsächlich so richtig wohl fühlte. Seine Gesichtsfarbe zumindest behauptete das Gegenteil. »Fehlt Ihnen das BKA?«, fragte sie freiheraus.

»Es gibt nur wenige Menschen, die wie Sie und ich hinter Vorhänge geschaut haben, die für Normalsterbliche ewig zugezogen bleiben. Mein Kopf ist immer noch voll von Bildern, die mir nicht aus dem Sinn gehen.« Sein Blick verlor sich, und seine Stimme wurde leiser. »Manchmal habe ich Albträume. Ich wache schweißgebadet auf, und die Killer, die ich im Lauf der Jahre in den Knast gebracht habe, stehen in meinem Schlafzimmer – im Dunkel um mein Bett herum und starren mich an.«

Sabine schluckte. »Und dann?«

Sneijder hob den Blick und sah sie an. »Ich rede mit ihnen. Sie erzählen mir, was in ihren Köpfen vorgeht.«

Trotz der Hitze in dem Saal lief Sabine ein Schauer über den Rücken.

Sneijder schien die Vision abzuschütteln, verstaute seine Unterlagen in einer Schublade, die er versperrte, und begleitete Sabine zur Tür. »Ich habe gehört, Sie unterrichten jetzt selbst an der Akademie des BKA.«

»Unter anderem auch Ihre Methode des Visionären Sehens.«

Sneijder lächelte wehmütig, sagte aber nichts. Sabine folgte ihm nach draußen ins Freie, wo sie sich in der Raucherzone in den Schatten eines Baumes zu einem großen zylinderförmigen Aschenbecher stellten. Sneijder kramte einen selbstgedrehten Glimmstängel aus einem Etui und wollte ihn soeben anzünden, als ein älterer hochgewachsener Mann im Anzug auf sie zukam.

»*Vervloekt!*« Sneijder steckte den Joint weg. »Der Rektor.«

Sabine runzelte die Stirn. »Seit wann scheren Sie sich um Vorgesetzte?«, begann sie, verstummte aber, als sie das etwa siebenjährige Mädchen an der Seite des Rektors bemerkte.

Sneijder stellte sie in seiner typisch knappen Art einander vor: »Der Rektor – seine Enkeltochter – Sabine Nemez.« Er räusperte sich. »Meine ehemalige Kollegin beim Bundeskriminalamt«, fügte er schließlich hinzu, als er den fragenden Blick des Rektors sah. Das war schon mehr, als Sabine von ihm erwartet hatte.

Das Mädchen reichte Sabine artig die Hand und starrte auf ihre Waffe im Gürtelholster. »Sind Sie Polizistin?«

Sabine lächelte, da die Kleine sie an ihre eigenen neugierigen Nichten erinnerte. »Ja, so könnte man es sagen.«

»Wie viele Mörder fangen Sie an einem Tag?«, fragte das Mädchen.

»*Ooch.*« Sabine dachte nach und tat so, als zählte sie das Ergebnis an ihren Fingern ab. »Heute habe ich erst drei gefangen, aber der Tag ist ja noch jung.«

Das Mädchen riss beeindruckt die Augen auf. »Haben Sie auch Jack the Ripper gefasst?«

»Nun ist es aber genug«, maßregelte der Rektor seine Enkelin.

»Nein.« Sabine lachte auf. »Ich habe Jack the Ripper nicht gefasst, dafür bin ich zu jung, aber …« Sie drehte sich zu Sneijder und klopfte ihm anerkennend auf die Schulter. »Aber Maarten Sneijder hat ihn damals gefasst.«

Sneijder runzelte die Stirn. »Maarten *S.* Sneijder«, korrigierte er sie.

»O ja! Verzeihen Sie bitte.«

Während Sabine sich mit dem Mädchen unterhielt und seine Fragen beantwortete, besprach der Rektor kurz etwas Berufliches mit Sneijder, das Sabine am Rande mitbekam.

»Ich habe dem Leiter des Rechtsmedizinischen Instituts in Mainz, den ich gut kenne, von Ihrem Seminar erzählt, und er lässt fragen …« Der Rektor machte eine umfassende Geste. »Für wie viel würden Sie dort unterrichten?«

»Dasselbe Angebot. Ein einstündiger Vortrag kostet eintausend Euro, ohne Mehrwertsteuer. Ein ganztägiges Seminar fünftausend Euro, ein Wochenendseminar zehntausend Euro, fünf Tage fünfzehntausend und ein Semesterkurs mit achtzehn Nachmittags- und Abendeinheiten dreißigtausend Euro.«

»Ja, danke, das dachte ich mir. Ich werde es ihm ausrichten.« Der Rektor sah so aus, als notierte er die Beträge im Geiste. Dann streckte er die Hand nach seiner Enkelin aus. »Komm, ich zeige dir mein Büro, danach lade ich dich auf ein Eis ein.«

Der Rektor verabschiedete sich und ging. Das Mädchen drehte sich noch einmal um und blickte Sabine an. »Viel Glück bei der Jagd.«

»Danke.« *Das kann ich gut gebrauchen.* Als die beiden außer Hörweite waren, wandte sich Sabine an Sneijder. »Sie nehmen *dreißigtausend Euro* für einen Semesterkurs?«

Sneijder kramte die Zigarette aus seiner Sakkotasche und zündete sie an. »Nein, tue ich nicht«, antwortete er nach einem Zug. »Aber wenn ich zusätzlich noch etwas extrem Kostspieliges anbiete, erscheint der vorher genannte Preis im Verhältnis dazu sehr günstig.«

Sie sah ihn fragend an.

Er drehte die Zigarette zwischen den Fingern. »Wer etwas Teures anbringen will, muss etwas noch Teureres als Vergleich dazustellen – verstehen Sie? Das ist Verkaufspsychologie!«

»Und wenn den Semesterkurs tatsächlich jemand buchen möchte.«

»Um diesen Preis? Ich bitte Sie! Falls doch, habe ich keine Zeit, weil ich ausgebucht bin. Man muss sich eben rarmachen.«

»Sie sind ein Schlitzohr!«

»Danke.« Rauch waberte um sein Gesicht. »Wir haben noch

fünf Minuten Zeit, und Sie sollten endlich damit beginnen, mir zu erzählen, weswegen Sie hier sind.« Er hielt ihr einen Joint hin.

»Nein danke. Diana Hess hat mir erzählt, dass Hess versuchen wird, Ihre Suspendierung aufzuheben, damit Sie wieder für das BKA arbeiten dürfen.«

»*Dürfen?*« Es klang zynisch.

»Die Anklage gegen Sie wurde fallen gelassen. Falls Sie vollständig rehabilitiert werden …«

»Nemez!«, unterbrach er sie, hob die Hand und spreizte drei Finger ab. »Jetzt haben Sie nur noch drei Minuten, dann muss ich wieder rein. Stehlen Sie nicht meine Zeit und sagen Sie mir, weshalb Sie wirklich hier sind. In drei knappen und präzisen Sätzen!«

Sabine atmete tief durch. *Na klar!* Sneijder hasste Smalltalk, und anders als knapp und präzise konnte man nicht mit ihm kommunizieren.

»Kürzlich gab es zwei Morde und zwei Selbstmorde von …«

»Weiß ich«, unterbrach er sie.

»Ich brauche Ihre Hilfe, um …«

»Nemez, lassen Sie die Finger davon. Rühren Sie nicht zu tief in dieser Scheiße.«

»Aber das ist mein Job.«

»Jeder Job hat Grenzen.« Er drückte den Joint im Aschenbecher aus. »Ich muss gehen.«

»Sie haben sich meinen dritten Satz noch nicht angehört.«

»Bitte!«, seufzte er genervt. »Aber der wird nichts an meiner Meinung ändern, denn ich habe Tina Martinelli bereits gesagt, dass mich diese Fälle nicht interessieren.«

Sabine wollte etwas sagen, aber in diesem Moment vibrierte ihr Handy. *Eine SMS!* »Entschuldigen Sie bitte.« Sie zog das Telefon heraus und öffnete die Nachricht. Sie war von Marc Krüger und enthielt eine Liste mit Anna Hagenas letzten Telefonaten vor ihrem Selbstmord auf den Bahngleisen.

»Nemez, was ist nun!«, drängte Sneijder.

»Ja, einen Moment noch, das ist wichtig …« Sie starrte auf die Telefonverbindungen. Hagena hatte unmittelbar vor ihrem Tod mit jemandem telefoniert, dessen Nummer Sabine nur allzu gut kannte: *Sneijder!* Das Gespräch hatte knapp fünf Minuten gedauert.

Sabine steckte das Handy weg und sah auf. »Dann wird es Sie auch nicht interessieren, dass gestern Nacht als letzte Leiche auch die von Diana Hess dazugekommen ist«, konfrontierte sie ihn mit den letzten Fakten und berichtete ihm kurz von Diana Hess' mysteriösem Tod.

Sneijder schwieg, und es war nicht abzuschätzen, was gerade in seinem Kopf vorging. Der Mann, den sie geglaubt hatte zu kennen, hatte sich vor einem Dreivierteljahr als völlig unberechenbar herausgestellt.

»Gerade zu ihr hatten Sie doch eine enge Bindung«, setzte sie nach. »Ihr Tod kann Sie doch nicht kaltlassen. Nach allem, was wir miteinander durchgemacht haben.« Sie spürte Tränen in sich hochsteigen. »Gemeinsam könnten wir …«

»Zwischen uns gibt es kein *gemeinsam* mehr! Ich unterrichte an der Uni, Sie arbeiten beim BKA.«

»Gut, wie Sie wollen!« *Mein Gott, hast du dich tatsächlich dazu hinreißen lassen, einem suspendierten Kollegen vorzuschlagen, dass er mit dir zusammenarbeitet?* Das verstieß gegen alle Regeln. Auch wenn es Sneijder war. Immerhin hatte er einen Menschen kaltblütig erschossen, und sie konnte nie sicher sein, ob er mittlerweile nicht selbst zu einem der Monster geworden war, die er ein Leben lang gejagt hatte. Was tat sie eigentlich hier?

Sabine wischte sich über den Augenwinkel und schluckte ihren Schmerz hinunter. Sie hatte es auf die freundliche Tour versucht, doch nun wurde ihr Ton schärfer. »Worüber haben Sie gestern Nacht mit Anna Hagena gesprochen?«

Sneijder starrte sie lange an, ohne etwas zu sagen. Anscheinend hatte er nicht damit gerechnet, dass sie so schnell an die Daten herankommen würde. »Ich fürchte, dieses Gespräch war privat.«

»Bei Mord gibt es keine Privatsphäre.«

»Bei Selbstmord schon«, konterte er.

»Hagena hat Ihren letzten ungelösten Fall übernommen. Worum ging es da?«

»Ein völlig unwichtiger, nebensächlicher Fall. Schauen Sie doch im zentralen Einsatzleitsystem nach.« Obwohl sie mittlerweile allein auf dem Raucherplatz standen, senkte Sneijder die Stimme. »Was immer Sie herausfinden, man wird Sie als Nestbeschmutzer bezeichnen.«

Sie glaubte sich verhört zu haben. »Sie sollten mich besser kennen«, presste sie gedämpft hervor. »Ich werde die Hintergründe von Dianas Tod herausfinden. Und wenn er mit Rohrbecks oder Hagenas Tod zu tun hat, werde ich die Verbindungen ebenfalls aufdecken. Mit Ihnen oder ohne Sie. Das bin ich ihr schuldig.«

Sneijder sah sie unglücklich an. »Eichkätzchen, ich ...«

»Nein!« Drohend hob sie den Finger. »Ich habe mir geschworen, nichts mehr zu vertuschen.« Den nächsten Satz flüsterte sie so leise, dass sie ihn fast selbst nicht mehr hörte. »Ein Meineid reicht mir.«

»Ich habe verstanden.« Sneijders Blick wurde finster. »Ich habe mich bis jetzt nie bei Ihnen dafür bedankt, was Sie für mich getan haben. Ich werde es auch jetzt nicht tun, denn es war Ihre Entscheidung, und ich habe Sie nicht darum gebeten.«

»Ich weiß, und ich habe weder einen Dank von Ihnen verlangt noch erwartet.«

Er musterte Sabine und nickte schließlich. »Ich weiß, dass Sie und Tina Martinelli nicht anders können, und offenbar kann ich Sie nicht davon abbringen, in dieser Sache zu ermitteln.«

»Es klingt ja fast so, als würden Sie sich ernsthaft Sorgen um uns machen.«

»Vielleicht tue ich das. Betrachten Sie es als ein Entgegenkommen, wenn ich Ihnen jetzt einen Rat gebe. Seien Sie auf der Hut. Vertrauen Sie niemandem und machen Sie sich darauf gefasst, dass Sie sich mit ein paar mächtigen Leuten anlegen.« Dann drehte sich Sneijder um und verschwand in das Gebäude.

15. KAPITEL

Freitag, 27. Mai

Hardy kam am späten Nachmittag in Hofheim am Taunus an. Die Stadt lag ebenso wie Rüsselsheim zwischen Wiesbaden und Frankfurt, aber nicht südlich, sondern nördlich des Mains. Die Gegend sah ähnlich aus. Niedliche Fachwerkhäuser, Grünanlagen und Biergärten mit Sonnenschirmen. In einem davon hatte Hardy eine Kleinigkeit gegessen und war anschließend durch die Stadt gelaufen.

Hardys ehemaliger Freundeskreis war nicht gerade groß, und nach Nadine Pollack und Otto Gedecker gab es nur noch eine Person, die seinerzeit zu seinen Partnern gezählt hatte: Antoine Tomaschewsky. Seine Villa lag im Norden der Stadt, nah am Waldrand, die ersten Ausläufer des Taunusgebirges im Hintergrund.

Die abgeschiedene Lage war nur ein Grund, warum das Haus – damals wie heute – eine geradezu unheimliche Wirkung auf den Betrachter hatte. Vor allem jetzt, gegen neun Uhr abends. Der andere war Antoines Vorliebe für ungewöhnliche Dekorationen.

Die Mauer, die das Grundstück umgab, war etwa zwei Meter hoch und mit schmiedeeisernen Spitzen versehen. Neben dem Tor stand ein riesiger Blumentopf in Form einer Eule, in dem sich große Kakteen mit langen fleischigen Blättern befanden. Antoines Frau liebte Kakteen.

Hätte Hardy mehr Empathie aufgebracht, wäre er mit einem Kaktus im Arm hier aufgetaucht. Doch selbst das hätte vermutlich nichts geändert. Nachdem Nadine und Otto ihn mit der

Freundlichkeit tollwütiger Dobermänner empfangen hatten – sowohl im realen als auch im übertragenen Sinne –, würde es hier wohl nicht anders sein.

Hardy bezahlte das Taxi und steckte sein zerfleddertes Taschenbuch in die Gesäßtasche seiner Jeans. Hundert Seiten fehlten ihm noch bis zum Schluss. Er überquerte die Straße, ging auf das ebenfalls schmiedeeiserne offene Tor zu und starrte auf das dunkle Haus dahinter. Ein Mann, der einen etwa doppelt so breiten Brustkorb hatte wie Hardy, versperrte ihm den Weg.

»Darf ich rein?«, fragte Hardy.

Der Mann musterte ihn von oben bis unten. »Hier findet eine Geburtstagsfeier statt, geschlossene Gesellschaft, Freundchen.«

Schau an! Hardy rechnete nach. Christiane war ungefähr so alt wie er, es war wohl ihr fünfzigster Geburtstag. »Ich komme, um zu gratulieren.«

»Wie ist Ihr Name?«

»Thomas *Hardy* Hardkovsky.«

Der Mann sprach in ein Funkgerät. Die Antwort ging für Hardy im Knacken und Rauschen unter, er sah jedoch, wie der Mann schließlich nickte und beiseitetrat. »Sie haben fünf Minuten Zeit.«

»Mehr brauche ich nicht.« Hardy betrat das Grundstück. Nach einem Meter ging das Licht des Bewegungsmelders vor der Eingangstür automatisch an, doch Hardy ignorierte die massive Tür mit den Spiegelglaskassetten, die das Licht ein Dutzend Mal reflektierten. Er ging auf dem schmalen Weg neben dem Haus zur Rückseite des Grundstücks.

Bunte Solarlampen beleuchteten den Weg neben der Hausmauer. Im Garten befanden sich diverse Skulpturen, Nachtmahre und Dämonen mit Flügeln, die nun rot, grün und blau schimmerten. Das Böse und Dunkle hatten Antoine schon immer fasziniert.

Je näher Hardy dem eigentlichen Garten kam, desto deutlicher hörte er Gelächter und Klirren von Gläsern. Der Partylärm wurde lauter. Lampions und Fackeln brannten. Über Lautsprecher war psychedelische Tanzmusik der Siebzigerjahre zu hören. *Typisch Antoine.* Doch die Gäste tanzten nicht. Nur ein paar offensichtlich betrunkene und leicht bekleidete junge Damen wiegten ihren Körper zur Musik. Die anderen Besucher standen entweder an der Bar im Pavillon oder ließen sich auf aufblasbaren Inseln durch den Pool treiben.

Schön habt ihr es hier! Dieses Leben hättest du auch haben können, wie alle anderen, wenn du es vor zwanzig Jahren nicht verbockt hättest.

Hardy packte einen Kellner am Arm, der mit einem Tablett belegter Brötchen an ihm vorbeilaufen wollte. »Wo finde ich Antoine?«

»Der Hausherr ist in der Bibliothek.«

Hardy sah ihn fragend an.

»Durch die Terrasse ins Haus, am Ende des Wohnzimmers die rechte Tür.«

»Danke.« Hardy ging über die Terrasse, schob das teure Insektengitter zur Seite und betrat das Wohnzimmer. Vom Garten her drang die Musik gedämpft ins Wohnzimmer, doch auch hier drehte sich eine Schallplatte auf dem Plattenteller. *Dean Martin.* Hardy ging durch den Raum und sah eine Tür auf der rechten Seite. Er klopfte an und trat ein.

Antoine Tomaschewsky stand am Schreibtisch und schrieb etwas. Als Hardy die Tür hinter sich schloss, drehte sich Tomaschewsky um und öffnete gleichzeitig den Mund. »Ich habe gehört, dass du entlassen wurdest.«

»Gestern früh.«

»Du …!« Tomaschewsky verstummte und blickte über die Lesebrille. »Mann, du siehst kacke aus.«

Hardy fuhr sich über die Schwellung im Gesicht. »Ein kurzes Gespräch mit Otto.«

»Und nun versuchst du es hier? Ich sage dir gleich, das wird nicht gut enden. Was willst du?«

Dean Martin drang dumpf durch die gepolsterte Tür der Bibliothek.

Hardy musterte seinen Freund. Oder war es sein *ehemaliger* Freund? Tomaschewsky war etwa fünfundsechzig Jahre alt. Wenn man von den Altersflecken am Handrücken absah, den Augenringen, Stirnfalten und dem grauen Haarkranz, sah er mit seiner drahtigen Figur immer noch wie ein Leistungssportler aus. »Du hingegen scheinst topfit zu sein.«

»Christiane hält mich jung. Wir spielen Golfturniere. Was willst du?«, wiederholte Tomaschewsky, nahm die Brille ab, legte sie achtlos auf den Schreibtisch und griff stattdessen nach einem Glas Bourbon.

Hardy griff in die Tasche seiner Lederjacke. »Ein Drops?«

Tomaschewsky ignorierte die Frage, schüttelte nicht einmal den Kopf.

Hardy nahm sich selbst ein Bonbon. »Du weißt, weshalb ich hier bin.«

»Keine Ahnung. Brauchst du eine Unterkunft? Nach zwanzig Jahren gibt es für Leute wie dich Nachbetreuungseinrichtungen und Integrationshilfen.«

»Lass den Quatsch!«

»Du könntest dich auch freiwillig mit einem Bewährungshelfer …«

»Danke, darauf habe ich verzichtet.«

»Brauchst du Geld? Von mir kriegst du keins!«

»Wer hat das Feuer gelegt? Wer hat Lizzie und die Kinder getötet?«

»Ich verstehe ja, dass dich die ganze Sache traumatisiert hat.

Im Knast haben sie dir bestimmt eine Traumatherapie empfohlen, und die hättest du …«

»Antoine!«, unterbrach Hardy ihn scharf. »Wo ist meine Tasche, die du …?«

»Hardy, was soll das? Ich weiß nicht, wovon du sprichst.«

Hardy spürte, wie ihm das Blut in den Kopf stieg. *Warum macht niemand das Maul auf?* Seine Hand ballte sich ein paarmal zur Faust, bis er den kurzen Stressanfall abgebaut hatte und die aufkeimenden Kopfschmerzen verschwunden waren. »Wovor hast du Angst?«

»Angst? Ich habe meine Strafe abgesessen, wie du auch, und bin seit zehn Jahren draußen aus dem Geschäft.«

»Okay, du bist draußen. Von mir aus. Aber du kanntest Lizzie!«, brüllte Hardy. »Ich will doch nur den Kerl finden, der ihr das angetan hat.«

»Den Kerl, der ihr das angetan hat?«, wiederholte Tomaschewsky. »Du bist noch verrückter, als ich dachte.«

»Kannst du dich nicht mehr an unser Gespräch erinnern?«, fragte Hardy. »Wo ist meine Tasche?«

»Welche Tasche?« Tomaschewsky nahm einen Schluck.

In diesem Moment stürzte Hardy sich auf ihn, schlug ihm das Glas aus der Hand und packte ihn an der Gurgel. »Meine Tasche!«, zischte er. »Mehr will ich nicht, dann lasse ich dich und deine feine Gesellschaft in Ruhe, und du siehst mich nie wieder.«

»Verschwinde«, röchelte Tomaschewsky.

Hardy hörte, wie sich die Tür hinter ihm öffnete. Schlagartig wurde Dean Martins Stimme lauter. Hardy fürchtete, gleich die Faust des Türstehers zu spüren, doch im Spiegel der Glasvitrine sah er, dass es Christiane war, die den Raum betreten hatte. Im roten bodenlangen Cocktailkleid, die blonden Haare zu einem Knoten hochgesteckt und ebenfalls mit einem Glas in der Hand.

Augenblicklich ließ Hardy Tomaschewsky los und strich ihm über den Hemdkragen. »Hallo, Christiane …« Er wollte sich umdrehen. »Herzlichen Glück…« Im nächsten Moment spürte er den Schlag.

Tomaschewsky hatte ihn ansatzlos mit einem rechten Haken auf die Nase geschlagen, sodass Hardy zu Boden ging. »O Scheiße!«, fluchte er und stützte sich auf allen vieren auf. Blut lief ihm aus der Nase.

Tomaschewsky nahm ein Bündel Servietten vom Schreibtisch und warf es neben Hardy auf den Boden. »Du blutest mir den Teppich voll!«

Hardy ballte die Faust. Natürlich hätte er Antoine niederschlagen und es ihm so richtig heimzahlen können, aber ein Gewaltausbruch würde nichts bringen. *Diesmal nicht!* Außerdem wollte er nicht gleich wieder in den Knast. Er wischte sich die Nase ab. »Christiane, es tut mir leid, aber ich …«

»Hardy, ich kann nicht behaupten, dass ich mich freue, dich wiederzusehen. Was du deiner Frau und deinen Kindern angetan hast, widert mich an«, sagte sie mit brüchiger, aber dennoch bestimmter Stimme. »Deshalb solltest du jetzt gehen.«

Fuck! Da waren die Kopfschmerzen wieder, die sich wie Spiralbohrer durch seine Schläfen drehten. »Christiane, ich …«

»Sie hätten dich nicht rauslassen sollen. Niemals! Wir wollen nichts mehr mit dir zu tun haben«, sagte sie. »Verschwinde endgültig aus unserem Leben. Hast du verstanden?«

Was zum Teufel war in sie alle gefahren? Nadine, Otto, Antoine und er waren fünf Jahre lang durch dick und dünn gegangen, hatten gemeinsam Kohle ohne Ende gescheffelt – und das hatte sie zusammengeschweißt. Hatten sich alle in den letzten zwanzig Jahren so verändert? Hatten Geld und Vornehmtuerei Antoine und Christiane völlig kalt und gefühllos werden lassen? Ihre Milieus waren immer schon unterschiedlich gewesen,

Christiane war früher vornehme Immobilienmaklerin gewesen, mit zwielichtiger Klientel. Zwar hatten ihr Ruf und ihr Geschäft nach Antoines Haftstrafe gelitten, aber Antoine war nach der Entlassung bei ihr eingestiegen, und gemeinsam hatten sie sich wieder hinaufgearbeitet. Hardy wusste, dass das keine leichte Zeit gewesen war; er hatte sich stets über all seine Expartner auf dem Laufenden gehalten. Aber so wie es aussah, hatten sie es geschafft: Geld genug und offensichtlich keine Lust mehr, sich mit alten *Freunden* abzugeben.

»Ich verstehe.« Hardy wischte sich die blutige Nase ab, stopfte die Servietten in die Hosentasche und trat den Rückzug an.

Als er an Christiane vorbeikam, gab er ihr nicht die Hand, sondern zeigte ihr nur wie zur Entschuldigung die blutverschmierte Handfläche. »Gute Nacht.«

»Leb wohl.«

Tomaschewsky schwieg.

Hardy verließ das Haus, ging über die Terrasse am Pool vorbei und nahm den Weg durch den Garten zum Ausgang. Resigniert setzte er sich auf der Straße neben die Toneule auf den Asphalt, zog die Beine an und lehnte sich mit dem Rücken an die Mauer.

»Waren Sie erfolgreich?«, fragte der Türsteher.

Hardy gab keine Antwort. Zweimal atmete er tief durch, dann biss er die Zähne zusammen, packte seine Nase und zog kräftig daran. Es knackte. Tränen schossen ihm in die Augen, aber die gebrochene Nase war wieder gerade. Nur dass jetzt wieder Blut auf sein T-Shirt floss.

Kacke!

Er wischte sich das Blut mit einer Serviette ab, legte den Kopf in den Nacken und lehnte sich an die Mauer. Aus dem Augenwinkel bemerkte er, dass der Türsteher zu ihm herübersah. Was für einen armseligen Anblick er abgeben musste.

Als Hardys Tränen getrocknet waren und die Wunde aufgehört hatte zu bluten, drehte er das Bündel Servietten um. Im schwachen Licht der Straßenbeleuchtung sah er einige Wörter, die mit Kugelschreiber auf die Rückseite geschrieben worden waren. Manche hatten sich im Blut aufgelöst, dennoch war die Nachricht zu lesen. Sein Puls beschleunigte sich.

Uns tut leid, was passiert ist. Wir werden vom BKA beobachtet und in unserem Haus abgehört. Die anderen vermutlich auch.

Hardy schnäuzte sich in die Serviette, knüllte sie zusammen und ließ sie in der Jackentasche verschwinden.

Auf der darunterliegenden Serviette stand eine weitere Nachricht, die Tomaschewsky kurz vor Hardys Betreten in der Bibliothek geschrieben haben musste.

Vor dem Haus unter der Toneule. Viel Glück!

Hardy knüllte auch diese Nachricht zusammen und ließ sie in der Jacke verschwinden. Das beantwortete zumindest einige Fragen. Zum Beispiel warum Nadine, Otto, Antoine und Christiane plötzlich nichts mehr mit ihm zu tun haben wollten.

Damit blieb aber die nächste große Frage: Warum sollte das BKA Nadine, Otto oder Antoine überwachen? Um herauszufinden, ob sie Hardy etwas verrieten? Falls ja, was? *Das ist doch paranoid!* Aber wenn nicht? Dann hatte irgendjemand verdammte Angst davor, *dass* er etwas herausfand. Steckte wirklich das BKA dahinter? Wer immer es war, Hardy würde denjenigen aus seiner Komfortzone locken müssen.

»Sie sollten gehen, bevor die nächsten Gäste kommen«, riet ihm der Türsteher.

»Ist ja gut!« Hardy blieb sitzen, schob sich ein weiteres Bonbon in den Mund und starrte über die Straße zum Waldrand. Ein naher und perfekter Ort, um dieses Haus zu überwachen – aber somit auch ein perfekter Ort für Hardy, um herauszufinden, *wer* das Haus überwachte.

Autoscheinwerfer blendeten ihn. Vor ihm hielt eine Limousine auf dem knirschenden Kies.

»Die nächsten Gäste. Hau ab, du Penner!«

»Ja.« Der Wagen versperrte Hardy die Sicht auf den Wald.

Bevor sich die Autotüren öffneten, rappelte er sich umständlich hoch, stemmte sich mit dem Fuß gegen die Mauer, kippte dabei die wuchtige Toneule und griff unauffällig darunter. Er tastete über den Asphalt, bis er einen schmalen, scharfkantigen Gegenstand spürte, den er in der Hand verschwinden ließ.

»Gute Nacht.« Ächzend erhob er sich und ging die Straße hinunter.

Einige Meter von der Villa entfernt öffnete er die Hand. Im Licht der Straßenbeleuchtung glänzte ein kleiner Schlüssel mit einer eingravierten Nummer. *0508.* Sonst nichts – das Datum seines Geburtstags, der fünfte August.

Der Schlüssel für ein Schließfach!

16. KAPITEL

»Sie haben Ihr Ziel erreicht«, drang die nasal gedehnte Stimme von Klaus Kinski aus dem Lautsprecher von Sabines Navi.

Sie schaltete das Gerät aus und blickte durch die Windschutzscheibe.

»Und du legst dich mit ein paar mächtigen Leuten an?«, fragte Tina, die neben ihr auf dem Beifahrersitz saß.

»Das hat Sneijder gesagt.« Sabine schnallte sich ab. »Komm.«

Sie stiegen aus und gingen über die Straße zu der Reihenhaussiedlung, deren zweistöckige Häuser durch Doppelgaragen miteinander verbunden waren und die jeweils über einen kleinen Garten verfügten.

»Von Timboldt hätte ich mir eine etwas noblere Gegend erwartet«, murmelte Tina. »Der arbeitet jetzt immerhin schon seit wie vielen Jahren beim BKA? Dreißig? Er ist der Leiter der gesamten Mordgruppe und wohnt in so einer Ecke?«

»Vielleicht ist er hier aufgewachsen. Außerdem ist es hier doch gar nicht so übel. Warte ab, wo *wir* in dreißig Jahren wohnen.« Sabine suchte die Hausnummern ab und fand die Nummer zwölf.

Es war achtzehn Uhr. Irgendwo knatterte ein Rasenmäher, es stank nach Benzin. Laut Dienstplan hatte Timboldt heute frei und würde erst morgen wieder im Bundeskriminalamt erscheinen.

Sabine schaute zur Garage, vor der ein metallicblauer Van stand. Sah so aus, als wäre Timboldt zu Hause. Sabine drückte mehrmals auf die Klingel, und es dauerte ungefähr eine halbe

Minute, bis sie einen Schatten hinter dem Türspion bemerkten und Geräusche an der Tür hörten. Anscheinend wurde eine Sicherungskette abgenommen. Dann öffnete jemand.

Es war Timboldt selbst. Hochgewachsen, hager, etwas über fünfzig Jahre alt und mit einem kantigen, verbitterten Gesichtsausdruck. Er hatte einen borstigen grauen Dreitagebart und trug Jeans und ein kurzärmeliges schwarzes Hemd.

»Mein Name ist Sabine Nemez, ich bin …«

»Ich weiß, wer Sie sind«, unterbrach er sie. »Ich kenne meine Leute. Wir haben letztes Jahr mit Sneijder den Tatort im Bayerischen Wald untersucht.«

»Die Todesmärchen, ja.«

»Und Sie?« Er wandte den Blick zu Tina. »Mari…?«

»Tina Martinelli. Ich …«

»Ah, Martinelli. Sneijder hat mir von Ihnen erzählt. Was wollen Sie hier? Ich bin gerade erst heimgekommen und habe nicht viel Zeit.«

»Wir haben nur ein paar Fragen.«

»Weiß Ihr Abteilungsleiter, dass Sie hier sind?«

»Nein. Wir haben nur ein paar Fragen zu einer Ermittlung«, wiederholte Sabine.

»Morgen bin ich wieder im Büro, dann können Sie einen Termin ausmachen.« Er wollte die Tür bereits wieder schließen.

»Ich fürchte, so lange können wir nicht warten«, sagte Sabine rasch. »Wir untersuchen die Todesfälle von Gerald Rohrbeck sowie von Anna und Katharina Hagena.«

»Sie kannten Rohrbeck und Hagena«, fügte Tina hinzu.

»Natürlich kannte ich die beiden. Ich bin schon so lange im Dienst«, seufzte Timboldt und starrte die beiden an. Dann schien er einen Entschluss gefasst zu haben und trat einen Schritt zurück. »Kommen Sie rein.« Er führte sie in die Küche.

In dem Raum lief die Spülmaschine. Sabine sah unauffällig

auf die digitale Anzeige, doch Timboldt war ihr Blick aufgefallen. Das Display zeigte noch eine Restzeit von *11 Minuten.* Also war er nicht gerade erst heimgekommen, wie er behauptet hatte.

Timboldt verschränkte die Arme vor der Brust und stellte sich vor die Spülmaschine und das Küchenfenster, von dem aus man an der Garage vorbei an der gesamten Wohnhausreihe die Straße hinuntersehen konnte. Deutlich sah Sabine die gelben Nägel und Fingerkuppen von Timboldts rechter Hand. Seine Zähne waren vom Nikotin ebenso gelb geworden. Dementsprechend roch es in dem Haus nach kaltem Rauch, der wie eine Krankheit in den Vorhängen und den Polstermöbeln nistete.

Er bot ihnen weder einen Sitzplatz noch etwas zu trinken an. »Was wollen Sie wissen?«

»Sie, Rohrbeck, Hagena und Hess waren früher in derselben Abteilung der Drogenfahndung.«

Er nickte. »Abteilung VED.«

»Ich weiß nicht, ob Sie schon darüber informiert wurden, aber Rohrbecks Sohn wurde erschossen, Anna Hagenas Schwester erlitt bei einem Sturz in ihrem Wohnhaus einen Genickbruch, und Diana Hess ist unter einer Eisenbahnbrücke von einem Zug erfasst worden.«

Timboldt sah sie mit versteinerter Miene an.

»Entschuldigen Sie bitte, natürlich wissen Sie davon«, murmelte Sabine. Immerhin war er der Vorgesetzte ihres Abteilungsleiters. »Gerald Rohrbeck hat gestern früh Selbstmord begangen, und Anna Hagena hat sich am Abend das Leben genommen.«

»Verdächtigen Sie mich?« Vermutlich sollte es wie ein Scherz klingen.

»Nein.« Sabine blieb ruhig. »Aber es scheint so, als hätte es jemand gezielt auf BKA-Kollegen abgesehen. Er tötet Familienmitglieder und treibt die Hinterbliebenen in den Freitod.«

»*Er?*«, wiederholte Timboldt.

»Mittlerweile können wir von einer Mordserie ausgehen – und Serientäter sind zu neunzig Prozent männlich.«

»Falls die Todesfälle überhaupt zusammenhängen«, stellte Timboldt fest.

»Um das herauszufinden, sind wir hier«, konterte Sabine.

Timboldt blieb unbeeindruckt. »Sie sollten mit Hess sprechen, falls Sie einen Zusammenhang zwischen den Morden und unserer damaligen Arbeit in der Drogenfahndung sehen. Er war unser Abteilungsleiter.«

Mit Hess sprechen! Als ob es so leicht wäre, an den Präsidenten heranzukommen. Noch dazu jetzt, wo seine Frau tot ist. »Entschuldigen Sie, Herr Präsident, aber haben Sie ein Alibi für die letzten beiden Nächte?«

»Der steht als Nächstes auf unserer Liste«, murmelte Tina.

Timboldt schnalzte mit der Zunge. »Hören Sie, ich habe nicht viel Zeit. Meine Frau ist ein Pflegefall. Sie hat Alzheimer, und ich habe noch nicht nach ihr gesehen, seit ich heimgekommen bin.«

»Ihre Frau? Alzheimer?«, konnte Sabine eine neugierige Nachfrage nicht unterdrücken.

»Ja, meine Frau ist erst achtundvierzig, und es ist eine besondere Form der Krankheit, die früher ausbricht. Verdammtes Schicksal. Also, was wollen Sie?«

Sabine schluckte. »Das tut mir leid.«

»Geschenkt.«

»Worin könnten Hess, Rohrbeck und Hagena verstrickt gewesen sein?«

»Verstrickt?« Timboldt lachte auf. »Keine Ahnung. Fragen Sie doch beim Gericht, der Staatsanwaltschaft oder bei der Dienstaufsichtsbehörde nach.«

Wenn das so einfach ginge, hätte ich es längst getan! »Was könnte an einem ersten Juni passiert sein?«

»In welchem Jahr?«

»Weiß ich nicht.«

Timboldt hob die Schultern. »Ich auch nicht.«

Sabine konnte die aufkeimende Unruhe in ihr nur mäßig bändigen. »Es muss doch auch in Ihrem Interesse sein, die Selbstmorde Ihrer Kollegen aufzuklären.«

»Jeder ist für sich selbst verantwortlich«, murrte Timboldt.

Eiskalt! Sneijder hatte es ähnlich ausgedrückt.

Sabine überlegte, wie sie die nächste Frage formulieren sollte, da mischte sich Tina in das Gespräch.

»Sie waren gestern auch schon im Urlaub. Woher wussten Sie vom Tod Ihrer Kollegen und deren Angehörigen?«

Sabine sah auf und beobachtete Timboldts Reaktion. Doch der blieb gelassen.

»Das Sekretariat hat mich angerufen. Außerdem habe ich mich mit Sneijder getroffen, und der war wie immer bestens informiert.«

»Mit Sneijder?«, hakte Sabine nach. »Worüber haben Sie gesprochen?«

»Das ist privat und geht Sie nun wirklich nichts an. Und jetzt sollten Sie beide von hier verschwinden, ehe ich mir Ihre Personalakten genauer ansehe und Ihre Arbeitsweisen durch die interne Verwaltung auf eventuelle Dienstvergehen überprüfen lasse.« Er bleckte die gelben Zähne, und sein Grinsen sah verdammt unheimlich aus.

»Das können Sie gern tun«, sagte Sabine unbeeindruckt. »Wir ermitteln in …«

Da läutete Timboldts Handy. Er unterbrach Sabine augenblicklich mit einer Geste und ging ran. Eine Zeitlang hörte er nur zu, dann stellte er Fragen. »Bist du sicher? Ja natürlich … Wenn du meinst, okay, ab morgen. Wann werden sie es erfahren? Gut … Klar, ich kümmere mich darum.«

Sabine hörte die verzerrt blecherne Stimme seines Gesprächspartners. Es war ein Mann, und Klang und Tonfall erinnerten sie an Dietrich Hess. Schließlich unterbrach Timboldt die Verbindung und steckte das Handy weg.

»War das Hess?«, fragte sie ihn unverblümt.

Timboldt gab keine Antwort.

»Was wollte er?«, hakte sie nach.

Timboldt schüttelte nur unglaublich arrogant den Kopf. »Das geht Sie nichts an, Kollegin Nemez!«

»Ich weiß, dass Sie etwas wissen!«

»Nicht …« Tina packte sie am Arm, doch Sabine riss sich los und machte einen Schritt auf Timboldt zu. Der blieb gelassen vor dem Küchenfenster stehen.

»Bei allem Respekt! Aber ich werde das Gefühl nicht los, dass Sneijder und Sie wissen, wer hinter den Morden stecken könnte. Und wenn ich dahinterkomme, dass Sie einen Mörder decken, dann …« Im selben Moment bereute sie, dass sie die Beherrschung verloren hatte. *Dann werde ich Ihnen – ob Vorgesetzter oder nicht – so den Arsch aufreißen, dass Ihre kranke Frau Ihr geringstes Problem ist,* dachte sie den Satz zu Ende.

Timboldt senkte gefährlich leise die Stimme und sah sie an, als könnte er ihre Gedanken lesen. »Sie haben sich im Ton vergriffen. Und drohen Sie mir da etwa gerade?«

»Ich werde so tief wie nötig graben, das ist mein Job«, sagte sie. *Die ganze Sache aufwühlen und die Köpfe derjenigen zum Rollen bringen, die damit etwas zu tun haben.*

»Sabine!«, rief Tina und starrte zum Fenster. »Schaut doch!«

Timboldt drehte sich um, und gemeinsam sahen sie zur Garage. Rauch quoll durch Ritzen ins Freie.

17. KAPITEL

»Was zur Hölle ist das?«, rief Tina. »Ihre Garage brennt!«

»Das ist kein Feuer«, sagte Sabine.

Timboldt wollte bereits zur Tür stürzen, doch Sabine hielt ihn auf. »Sehen *Sie* nach Ihrer Frau! Wir kümmern uns darum. Kommt man durch das Haus zur Garage?«

»Ja, dort den Gang entlang. Neben der Brandschutztür hängt ein Feuerlöscher.« Timboldt ließ sie in der Küche zurück, rannte in den Vorraum und über eine Treppe nach oben.

Sabine und Tina hatten sich bereits in Bewegung gesetzt. Sie liefen in den Vorraum, durch einen dunklen Gang, an einigen Regalen mit Lebensmitteln vorbei und gelangten zu einer gelben Brandschutztür.

Tina telefonierte bereits mit der Notrufzentrale, forderte Rettung und Feuerwehr an und gab Timboldts Adresse durch, während Sabine an der Türklinke rüttelte. *Abgeschlossen.* Sie sah sich um. *Kein Schlüssel.* Dann ging sie in die Knie und spähte durch das Schlüsselloch. Der Schlüssel steckte auf der anderen Seite. *Scheiße!*

Es stank nach Autoabgasen, und hinter der Tür hörte sie das leise Brummen eines Wagenmotors.

Sie zog ihre Dienstwaffe aus dem Holster. »Zurück!«, rief sie und zielte auf das Schloss.

Tina presste sich, noch immer telefonierend, hinter einer Stellage mit Ölkannen und Kanistern an die Wand. Sabine schoss. Das erste Projektil fuhr als Querschläger mit einem schmatzenden Geräusch in die seitlich gelegene Wand. Schon die nächsten beiden gingen in die Tür und zerrissen den Zylinder. Der Knall war so ohrenbetäubend, dass Sabine einen schrillen sirrenden Ton im Kopf hatte.

Tina hatte indessen das Telefonat beendet und den Feuerlöscher aus der Halterung genommen. Sabine schob den demolierten Riegel zurück, zog die schwere Tür auf, und sogleich schlug ihnen eine bestialisch stinkende Abgaswolke entgegen.

Bleigrauer Dunst erfüllte die Garage. Sabine erkannte einen Stapel Autoreifen, dahinter nichts. Sie holte tief Luft, zog sich das T-Shirt über Nase und Mund und stolperte in die Garage. Sie steckte die Waffe wieder ins Holster, denn hier konnte ihnen sowieso niemand auflauern – er wäre längst ohnmächtig geworden. Mit der freien Hand wedelte sie die Wolken beiseite und erkannte einen Wagen. Sie tastete zur Fahrertür und riss sie auf. Sogleich drangen ihr Hitze und eine dicke Abgaswolke aus dem Wagen entgegen. In dem Auto musste es über vierzig Grad haben. Durch den Dunst sah sie, dass jemand auf dem Beifahrersitz saß.

Gleichzeitig bemerkte sie aus dem Augenwinkel, wie Tina das einzige Fenster in der Garage aufriss, zum Garagentor lief und nach einem Mechanismus zum Öffnen suchte.

Hustend und mit Tränen in den Augen setzte sich Sabine ins Auto und tastete nach dem Zündschlüssel. Der Motor rasselte im Leerlauf. Sie fand den Schlüssel und wollte bereits den Motor abwürgen, als sie sah, dass es Tina gelungen war, das Garagentor zu öffnen.

»Achtung! Zur Seite!«, keuchte Sabine, trat kurzerhand auf die Kupplung, legte den Rückwärtsgang ein und raste mit dem Wagen ins Freie.

Mit dem Kotflügel rammte sie ein paar Mülltonnen, woraufhin sie das Lenkrad rasch nach rechts riss, über einen Wiesenstreifen schlitterte und seitlich gegen Timboldts metallicblauen

Van knallte. Sie wurde heftig durchgeschüttelt. Kopf-, Schulter- und Seitenairbag schossen mit einem Knall neben dem Sitz und über dem Fenster heraus. Bevor sie auf die Bremse trat, fuhr sie noch einen Briefkasten um. *So eine Scheiße!*

Sabine drückte die Airbags zusammen und riss die verzogene Tür auf. Röchelnd schnappte sie nach frischer Luft. Durch einen Tränenschleier sah sie, wie Timboldt durch die Garage ins Freie auf das Auto zulief.

Sabine blickte zur Beifahrerseite. Auch dort fielen die Airbags langsam in sich zusammen. Jetzt konnte sie die Person neben sich erkennen und sah, dass es sich um eine etwa fünfzigjährige Frau handelte, angegurtet, im Nachthemd, mit abstehenden blonden Haaren und einer wächsernen Totenblässe im Gesicht. Ihr Kopf lehnte an der Seitenscheibe.

Sabine löste den Gurt der Frau. Da riss Timboldt auch schon die Beifahrertür auf und zerrte gemeinsam mit Tina die Frau aus dem Wagen.

Sabine kroch würgend aus dem Auto und stolperte auf die andere Seite. Ihr war speiübel. Die Frau, offenbar Timboldts Ehefrau, lag leblos im Gras. Timboldt führte eine Mund-zu-Mund-Beatmung bei ihr durch, während Tina, die selbst komplett weiß im Gesicht war, eine Herzdruckmassage vornahm.

Mittlerweile waren einige Nachbarn aus ihren Häusern gekommen und umringten die beiden Autos und die umgefahrenen Tonnen.

Timboldt und Tina arbeiteten wie besessen. Am liebsten hätte Sabine ihnen gesagt, dass eine Wiederbelebung sinnlos war, brachte aber nicht den Mut auf, Timboldt die Hoffnung zu nehmen. Stattdessen starrte sie auf den Schlauch, der vom Auspuff über das Autodach und von der Beifahrerscheibe eingeklemmt ins Wageninnere führte.

Die Frau hatte schon zu lange in dem Auto gesessen. Niemand

konnte eine solche Rauchgasvergiftung überleben – sogar sie und Tina waren während ihrer kurzen Zeit in der Garage selbst fast ohnmächtig geworden.

Von Weitem hörte Sabine eine Sirene. In der Abenddämmerung raste ein Rettungswagen die Straße hinauf. Er hielt vor der Garage, und sogleich sprangen ein Notarzt und zwei Sanitäter aus dem Fahrzeug, liefen über die Wiese und übernahmen die Reanimationsversuche bei der längst toten Frau.

Tina musste Timboldt gewaltsam wegzerren. Tränen liefen ihm über die Wangen, und Tina konnte ihn kaum beruhigen.

Minutenlang beobachtete Sabine die erfolglosen Bemühungen des Rettungsteams, die Frau mithilfe eines Defibrillators wiederzubeleben. Schließlich ließen sie von ihr ab und bedeckten ihren Kopf mit einer Decke.

»Nein!«, brüllte Timboldt. Dann wandte er sich an die Nachbarn, die mittlerweile dicht gedrängt Schulter an Schulter am Zaun standen und in den Garten starrten.

»Was glotzt ihr so blöd?«, schrie er. Seine Stimme überschlug sich, Speichel lief ihm aus dem Mundwinkel.

Sabine ging zu ihm, nahm ihn am Oberarm und führte ihn zum Krankenwagen. »Sie müssen sich beruhigen.«

Er setzte sich in das Heck des Wagens und blickte durch sie hindurch ins Leere.

»Hat Ihre Frau das selbst getan?«, fragte sie.

Er schüttelte nur den Kopf.

»Wer ist dafür verantwortlich?«

Er saß nur da mit versteinerter Miene und sagte nichts.

»Wer könnte das getan haben?«, bohrte sie weiter.

»Ich weiß es nicht.«

Eine Stunde später tauchte die Sonne die Siedlung in ein sattes Abendrot. Ein Bestattungsunternehmen hatte die Leiche von

Timboldts Frau zum Institut für Rechtsmedizin transportiert, und er selbst war mit dem Rettungswagen ins Krankenhaus gebracht worden. Während die Spurensicherung der Wiesbadener Kripo bereits das Grundstück absperrte und den Tatort untersuchte, hatten Sabine und Tina es abgelehnt, sich ärztlich versorgen zu lassen.

Nachdem auch Tina ihre Aussage gemacht hatte, ging sie zu Sabine, die auf der gegenüberliegenden Straßenseite stand und den Kollegen bei der Arbeit zusah, während ihr immer wieder die gleichen Fragen durch den Kopf gingen.

»Du siehst scheiße aus«, stellte Tina fest.

»Dann haben wir etwas gemeinsam.«

Sabines Haare stanken nach Rauch und Abgasen und standen vermutlich genauso verfilzt in alle Richtungen wie die von Tina.

»Ich … O verdammt, nein …« Tina beugte sich vornüber und übergab sich am Wegrand. Der Mageninhalt spritzte Sabine auf die Turnschuhe.

Mein Gott!

Auch ihr eigener Magen drehte sich zum wiederholten Mal um, und am liebsten hätte sie es Tina gleichgetan, riss sich aber zusammen.

Tina war völlig bleich. Sie wischte sich mit dem Handrücken über den Mund. »'tschuldigung.«

»Schon okay.« Im nächsten Augenblick war Sabine schon wieder in Gedanken versunken. »Timboldt wusste über alle Morde und Selbstmorde Bescheid.«

»Kunststück. Er ist der Chef, außerdem hat Sneijder ihn informiert.«

»Ja, aber er hat nicht einmal nachgefragt, wie wir auf das Datum von diesem ersten Juni gekommen sind. Er wollte nicht mal den Zusammenhang wissen.«

Tina hob die Augenbrauen. »Sneijder hat ihm offensichtlich von Rohrbecks SMS erzählt.«

»Möglich, aber da ist noch was … Als Timboldt heimgekommen ist und sein Auto vor der Garage geparkt hat, hätte er den Motorenlärm hören müssen. Hat er aber nicht!«

»Ja, das alles ist schon sehr seltsam«, pflichtete Tina ihr bei. »Außerdem war er schon länger zu Hause, als er uns weismachen wollte. Die Spülmaschine!«

»Ist mir auch aufgefallen. Und nun ist Timboldt der Nächste, der ein Familienmitglied verloren hat.«

»Ich könnte mir denken, wer nach Rohrbeck, Hagena, Hess und Timboldt als Nächstes auf der Liste der Opfer stehen wird.«

Sabine sah sie fragend an.

»Sneijder.«

18. KAPITEL

Samstag, 28. Mai

Am Morgen nach dem Besuch bei Antoine Tomaschewsky hatte Hardy sein blutverschmiertes T-Shirt in seinem Hotelzimmer gewaschen, trocken geföhnt und sich im Shop der Hotellobby Kosmetikartikel und neue Sweatshirts gekauft. Nach dem Frühstück ging er durch die Fußgängerzone von Hofheim am Taunus. In der Nähe des Bahnhofs fand er einen Handyshop, der bis zwölf offen hatte. Das reichte!

Er angelte sich die erste Verkäuferin, die er fand, einen pickelgesichtigen Teenager mit kurzen roten Haaren, der ihm nicht einmal bis zur Schulter reichte. »Ich brauche ein Smartphone, das auch Videos machen kann.«

Sie sah ihn genervt an. »Können alle.«

»Ich brauch aber eines mit einem besonders guten Videoprogramm und einer Zoomfunktion.«

Nachdem ihm die junge Frau lustlos drei Exemplare hingelegt hatte, entschied er sich für das teuerste. »Und nun müssen Sie mir beim Anmelden helfen, beim Installieren und Bedienen des Videoprogramms.«

»Mann, ist das Ihr erstes Handy?«, fragte sie und ließ eine gelbe Kaugummiblase zerplatzen.

»Ja, ist es.«

Sie starrte ihn an. »Sie verscheißern mich doch!«

Hardy senkte die Stimme zu einem knurrenden Ton. »Sie sollten ein wenig mehr Respekt vor mir haben, denn im Gegensatz zu Ihnen habe ich die Schule vor dreißig Jahren ohne Internet, Google und Wikipedia geschafft.«

Die Handyeinweisung hatte über zwei Stunden gedauert, aber nun kannte sich Hardy mit dem Smartphone besser aus als die Göre. Mittlerweile war es 11.30 Uhr. Hardy durchquerte den Sportpark und betrat das Waldstück am Stadtrand von Hofheim. Er ging wie viele andere Spaziergänger auch über die Wanderwege, las sich die Informationstafeln über die Pflanzen und Baumbestände durch – und näherte sich dabei immer weiter Tomaschewskys Villa.

Die letzten hundert Meter bestanden aus dichtem Gestrüpp und fast eineinhalb Meter hohen Brennnesselstauden. Hardy orientierte sich mithilfe einer Navigations-App, die ihm auf seinem Handy den Weg und die Himmelsrichtung zeigte.

Schließlich sah er durch das Blätterwerk die Straße, die Mauer von Tomaschewskys Grundstück und die unmittelbar dahinterliegende Villa. Eine Zeitlang lief Hardy durch das Waldstück vor der Villa auf und ab, um eine passende Stelle für seine Überwachung zu finden. Irgendwie hatte er vermutet, auf irgendwelche Spuren einer Observierung zu stoßen. Niedergetrampelte Pflanzen, Verpackungen von Müsliriegeln, Plastikflaschen, Taschentücher oder einen Scheißhaufen mit Klopapier, auf dem sich Fliegen tummelten. Doch nichts! Durch dieses Waldstück war außer einem Fuchs schon seit Wochen niemand mehr durchgekommen.

Hatte Tomaschewsky gelogen? Wurde er gar nicht observiert? Wenn doch, dann zumindest nicht von dieser Stelle aus. Aber diese war die beste! Sie lag nicht einmal zwanzig Meter vom Haus entfernt.

Hardy fand einen Baum mit einer bequemen Astgabel, in die er sich setzte und von wo aus er einen guten Blick auf den Eingang von Tomaschewskys Haus hatte.

Wenn Antoine nicht schon längst Besuch von seinen Beobachtern bekommen hatte, würden sie noch auftauchen. Bestimmt. Auch wenn Samstag war. Die Typen vom BKA ließen sich nie lange bitten.

Knapp neun Stunden später saß Hardy immer noch in der Astgabel. *So eine Kacke!* Der Arsch tat ihm weh, sein Rücken schmerzte, die Wasserflasche hatte er vor drei Stunden leergetrunken und die Stechmücken hatten ihm an allen möglichen Stellen das Blut ausgesaugt.

Was für eine verrückte Idee!

Niemand würde kommen.

Hardy blickte auf die Uhr. Einundzwanzig Uhr zehn. Vor einiger Zeit hatte es zu dämmern begonnen, und nun wurde es rasch dunkel. Wenn sie bis jetzt nicht aufgetaucht waren, würden sie nicht mehr kommen.

Hardy wollte sich bereits ächzend von der Astgabel herunterhieven, um durch den Wald zurück zu seinem Hotel zu marschieren und endlich eine heiße Dusche zu nehmen, als ein Wagen vor Tomaschewskys Haus hielt.

Es war nicht der schwarze Lada Taiga, der ihn bereits in Bützow verfolgt hatte, sondern ein BMW. Ein Dienstwagen des BKA. Die hochrangigen Mitarbeiter hatten eigene Kennzeichen. Dieses hier lautete *WI-BK0041.*

Hardy hielt den Atem an und kniff die Augen zusammen.

Aus dem Wagen stiegen ein Mann und eine Frau. Den Mann kannte er. *Gerald Rohrbeck.* Von der Frau hatte er bisher nur die kurzen blonden Haare und den Rücken gesehen. Beide trugen dunkle Zivilkleidung. Rohrbeck einen Anzug, die Frau Hose und Blazer.

Sie läuteten am Tor und betraten das Grundstück. Die Party war vorbei, heute gab es keinen Türsteher mehr. Im nächsten Moment standen die beiden vor der Haustür und drückten auf den Klingelknopf. Der Bewegungsmelder hatte das Licht aktiviert, und die Gesichter der beiden Besucher spiegelten sich in den Glaskassetten der Tür.

Hastig kramte Hardy sein Handy aus der Brusttasche und aktivierte die Kamera.

Er klemmte das Telefon in eine kleine Astgabel, riss ein Blatt von einem Zweig ab, damit das Objektiv freie Sicht hatte, und zoomte die Szene heran.

Er justierte die Kamera, dann hatte er ein gestochen scharfes Bild. In der Zwischenzeit war Antoine ins Freie gekommen und hatte die Tür hinter sich geschlossen. Er sprach mit Rohrbeck und der Frau.

Offenbar hatten sie keinen Durchsuchungsbeschluss, sonst hätten sie das Haus betreten und wären nicht vor der Eingangstür stehen geblieben. Leider konnte Hardy kein Wort verstehen, er war zu weit weg – wobei selbst bei einer geringeren Entfernung alles vom Zwitschern der Vögel und Zirpen der Grillen übertönt worden wäre. Aber zumindest sah er Antoines Gesichtsausdruck. Und der war alles andere als freundlich.

Rohrbecks Gesicht und das der Frau waren nur wie durch ein Prisma zerhackt im Spiegel zu sehen. Zu wenig, um zu erkennen, wer diese Frau war, da ihre Augen verdeckt waren. Jedenfalls schien es eine hitzige Diskussion zu geben. Den Gesten nach zu urteilen hätte nicht viel gefehlt und Rohrbeck hätte Antoine gepackt und an die Tür gedrückt.

Keine Spur von professionellem Verhalten und einer dezenten Gesprächskultur bei Vernehmungen.

Und dafür gibt es garantiert einen Grund.

Schließlich trat auch Christiane vor die Tür, worauf sich die Gemüter etwas beruhigten.

Hardy betrachtete die Zeitangabe auf dem Display, die unter

der Aufnahme mitlief. Das Gespräch hatte bisher knapp fünf Minuten gedauert.

Schließlich wandten sich Rohrbeck und die Frau um. Jetzt konnte Hardy ihr Gesicht sehen. Er kannte die Frau.

Es war Anna Hagena.

19. KAPITEL

Nach dem vergeblichen Rettungsversuch von Timboldts Ehefrau wollte Tina duschen und ihre Kleidung wechseln. Daher brachte Sabine ihre Kollegin im Wagen zu deren Wohnung.

Tina warf die Autotür zu und lehnte sich ans offene Fenster. »Vielleicht kommt schon morgen etwas Licht in die Sache, wenn die Wiesbadener Kripo den Einbrecher findet, der Rohrbecks Sohn erschossen hat.«

»Oder wenn ich herausfinde, wer Katharina Hagena die Treppe hinuntergestoßen hat. Ich bin immer mehr davon überzeugt, dass es derselbe Täter ist.«

»Morgen sehen wir uns die endgültigen Berichte der Spurensicherung an. Dann müssen wir abwarten, was die in Timboldts Garage gefunden haben und was der Obduktionsbefund von Diana Hess ergibt.«

»Ja«, seufzte Sabine. Es war noch zu früh, um konkrete Hinweise herauszufiltern. Andererseits war Sneijder immer der Auffassung gewesen, dass ein Verbrechen nur innerhalb der ersten achtundvierzig Stunden aufgeklärt werden konnte. Danach sanken die Chancen rapide. Spuren wurden zunehmend verwischt, und Zeugen konnten sich nicht mehr erinnern. Und diese Zeit war nun beinahe um.

»Ich kenne diesen Blick. Was hast du vor?«, fragte Tina.

Eigentlich hätte Sabine auch heimfahren wollen, immerhin war es schon nach zwanzig Uhr, aber dort hätte sie nur grübelnd im Wohnzimmer gehockt. »Ich fahre noch mal ins Archiv.«

»Jetzt? Und in diesem Zustand?«, fragte Tina.

»Jetzt und so.«

Wenn nicht jetzt, wann dann?, hatte Sneijder immer gepredigt – und Sabine merkte immer öfter, wie sie Sneijders Aussagen und Denkweisen fast automatisch übernahm.

»Mach nicht zu lange. Gute Nacht.« Tina klopfte auf das Autodach, und Sabine fuhr zum Bundeskriminalamt.

Falcone, der italienische Pförtner, hatte nur die Nase gerümpft, als Sabine ihren Ausweis herzeigte, am Metalldetektor und an den Wachen von Lohmanns Haussicherungsdienst vorbeimarschierte und den Fahrstuhl in das unterste Stockwerk nahm.

Im Archiv saßen mehrere Kollegen an den Terminals. Sabine setzte sich wieder an den vor den Deckenkameras geschützten Platz und begann mit ihrer Suche.

Diesmal durchforstete sie den ersten Juni vor elf Jahren nach Zusammenhängen, die Rohrbeck, Hagena, aber diesmal auch Hess und Timboldt miteinander verbanden. Doch auch der erste Juni vor zwölf, dreizehn und vierzehn Jahren ergab nichts Interessantes. Anscheinend war sie völlig auf dem Holzweg, und Rohrbecks Nachricht an Sneijder hatte überhaupt nichts mit den anderen Todesfällen zu tun und betraf eine völlig andere Sache.

Als sie beim neunzehnten Jahr angelangt war, tränten ihre Augen vom konzentrierten Schauen. Sie machte eine Pause und massierte ihre Schläfen. *Das hat doch alles keinen Sinn! Außerdem ist es zum Verrücktwerden!* Rohrbeck war tot – und Sneijder würde um keinen Preis den Mund aufmachen. Dafür kannte sie ihn zu gut.

Das Schrillen ihres Handys ließ sie zusammenfahren. Sie sah sich um. Mittlerweile saß sie allein im Archiv. Die anderen Bereiche waren dunkel. Sie blickte auf ihr Display. Es war wieder die Presse, und sie brach die Verbindung ab.

Machen Sie sich darauf gefasst, dass Sie sich mit ein paar mäch-

tigen Leuten anlegen, spukten ihr Sneijders Worte durch den Kopf.

Falls Sneijder recht hatte – wem konnte sie vertrauen? Ihr fiel nur eine Person ein, die auch lange genug beim BKA war. Ein Mann, der die meisten Kollegen kannte und dem sie *absolut* vertraute.

Lohmann!

Der Chef des Haussicherungsdienstes und Leiter des Mobilen Einsatzkommandos. Er war ein langjähriger Freund Sneijders, und Sabine hatte gleich in der ersten Woche ihres Studiums seine Bekanntschaft gemacht. *Mann, das ist schon drei Jahre her!*

Sie wählte Lohmanns Nummer.

»Ja?«

»Sabine Nemez hier, sind Sie noch im Büro?«

»Auf dem Sprung. Was gibt es?«

»Kann ich zu Ihnen kommen?«

»Jetzt?«

Sabine sah auf die Anzeige des Monitors. Einundzwanzig Uhr fünfzehn. »Ja.«

»Bringen Sie Donuts mit?«

Sie ging im Geiste die Vorräte in den Schubladen ihres Büros durch. »Stracciatellakuchen?«

»Auch gut. Ich setze uns frischen Kaffee auf.«

Zehn Minuten später klopfte sie an Lohmanns Tür und trat ein. Lohmanns früheres Büro hatte im Keller gelegen und war fensterlos gewesen, aber seit einem Dreivierteljahr arbeitete er in Sneijders altem Büro.

Es war mehr als doppelt so groß wie Sabines Arbeitsplatz, mit Aussicht auf den Innenhof des BKA, wo im Sommer hin und wieder Grillfeiern stattfanden. Von hier aus hatte Sneijder die Partys immer fest im Blick gehabt.

Sabine sah zur Seite. Den Nebenraum, den Sneijder als Archiv für tonnenweise gestapelte Akten genutzt hatte, verwendete Lohmann nun als privaten Serverraum und Lager für Festplatten und Monitore. Die Klimaanlage schnurrte wie ein Kätzchen, weshalb von diesem Raum eine angenehme Kühle ausging. Die meisten Geräte summten still und leise vor sich hin. Lohmann lehnte die Tür zu diesem Zimmer an und deutete auf die Sitzecke. Es duftete bereits nach Kaffee. Lohmann hatte schon Teller und Tassen hergerichtet. Sabine nahm Platz.

Lohmann musterte sie einen Augenblick lang skeptisch. »Kommen Sie gerade aus einer Motorradkneipe?«

»Ich …« Sie zögerte. Es war wohl besser, den Tod von Timboldts Frau vorerst nicht zu erwähnen. »Ich hatte in einer Garage zu tun.«

»Aha.« Lohmann zog eine Augenbraue hoch.

Wenn man ihn so sah, konnte man fast meinen, einen ehemaligen Militäroffizier vor sich zu haben. Kantiges Gesicht, kurz geschorenes blondes Haar und scharfe blaue Augen. Zudem hatte sich Lohmann einen schmalen Spitzbart am Kinn wachsen lassen, wodurch er trotz seiner mehr als fünfzig Jahre etwas jugendlicher wirkte.

»Das ist Sneijders ehemaliges Büro«, stellte sie fest.

»Hess hat es mir zugeteilt, nachdem Maarten … na, Sie wissen schon.« Er zuckte mit den Achseln. »Hin und wieder beantragt Maarten einen Besucherausweis für ein paar Stunden. Dann kommt er hoch, und wir trinken eine Tasse Vanilletee.«

Sabine musste schmunzeln, da sie Sneijders Marotten nur zu gut kannte. Der Duft von Vanilletee überdeckte den Geruch von Marihuana. Instinktiv blickte sie zur Decke. Dort prangten immer noch die kreisrunden Spuren des alten Feuermelders, den Sneijder abmontiert hatte, da er in seinem Büro regelmäßig geraucht hatte.

Allerdings blickte sie jetzt überrascht zur Wand. »Sie haben Sneijders Foto von der niederländischen Königsfamilie hängen lassen?«

»Er hat mich darum gebeten. Sehen Sie? Dort unten am Rand. Es ist persönlich für ihn signiert.«

»Ich weiß. Glauben Sie, dass er eines Tages wieder für das BKA arbeiten wird?«

»Nach allem, was vorgefallen ist?« Lohmann blickte sie ungläubig an. »Er hat einen unbewaffneten Mann erschossen.«

»Aber der Mann wollte …«, protestierte Sabine.

Doch Lohmann unterbrach sie mit einer Handbewegung. »Ich kenne Ihre Zeugenaussage. Wer kennt die nicht? Aber ich weiß auch, wie Sneijder tickt, und ich hätte an seiner Stelle das Gleiche getan. Mit Ihrer Aussage haben Sie ihn jedenfalls vor dem Knast bewahrt.«

»Dort wäre er zugrunde gegangen.«

»Er geht auch so zugrunde, ohne die Mörderjagd beim BKA. Es ist das Einzige, was er kann, was ihn erfüllt und was er auch wirklich will. Sich in den Kopf von Serientätern einzuklinken.«

»Glauben Sie, dass seine Suspendierung jemals aufgehoben wird?«, hakte Sabine nach.

Lohmann wiegte den Kopf. »Hess hat zwar mal angedeutet, dass er es versuchen wird. Aber nach dem Tod seiner Frau hat er im Moment garantiert andere Sorgen.«

Bestimmt! Außerdem hatte vor allem Diana Hess immer ein gutes Wort für Sneijder eingelegt.

»Was halten Sie von dem Gerücht, dass Dirk van Nistelrooy eines Tages der Nachfolger von Hess werden könnte?«, fragte Sabine. »Hess ist immerhin schon dreiundsechzig.« Seine ursprünglichen Pläne, in sechs Monaten in den Ruhestand zu gehen, erwähnte sie nicht.

»Dirk van Nistelrooy«, spie Lohmann aus. »Das ist kein Gerücht. Im Moment ist er einer der stellvertretenden Direktoren bei Europol in Den Haag. Viele sagen, er kann nicht BKA-Präsident werden, weil er Niederländer ist, aber er hat die deutsche Staatsbürgerschaft und wird tatsächlich – über kurz oder lang – unser neuer Präsident werden.«

Gar nicht gut! In keinerlei Hinsicht, denn vor einem Dreivierteljahr waren sie und van Nistelrooy aneinandergekracht, und zwar dermaßen heftig, dass er sich bestimmt noch gut daran erinnern konnte. »Und wie sehen Sneijders Chancen *dann* aus?«

Lohmann lachte gequält auf. »Noch schlechter. Die beiden können sich nicht ausstehen.«

Kunststück! Wer kann Sneijder schon ausstehen? Zwar hatte Sneijder auch mit Dietrich Hess eine langjährige Feindschaft verbunden, aber irgendwie schienen die beiden sich miteinander arrangiert zu haben, schon allein wegen Diana und ihrer gemeinsamen Vergangenheit – mit Dirk van Nistelrooy sah das jedoch ganz anders aus. Die Chance, jemals wieder mit Sneijder im Team zu arbeiten, konnte sie sich dann wohl abschminken.

Lohmann nippte an seiner Tasse und brach ein Stück des Kuchens ab. »Aber vermutlich sind Sie nicht deswegen zu mir gekommen«, stellte er mit vollem Mund fest.

»Richtig.« Sie überlegte kurz. »Rohrbeck, Timboldt, Hess und Hagena haben früher gemeinsam in der Abteilung VED der Drogenfahndung gearbeitet.«

Lohmann nickte.

»Wissen Sie, wofür dieses Kürzel steht?«

»VED stand für *Verdeckte Ermittlungen – Drogendelikte.* Damals wurden bei BKA-Einsätzen eine Menge Drogenringe ausgehoben, Bordelle und Glückspielringe dichtgemacht und illegale Firmen zerschlagen. Die Asservatenkammern waren voll mit Zeug, das die Kollegen bei Razzien sichergestellt hatten.«

»Wann war das?«

»Vor …« Lohmann dachte nach. »Zwanzig, einundzwanzig Jahren.«

Etwas Ähnliches hatten Tina und sie auch schon herausgefunden. »Wurde die Abteilung an einem ersten Juni gegründet?«

Lohmann dachte nicht lange nach. »Nein, wie kommen Sie denn darauf? Neue Abteilungen wurden damals nur zu Jahres- oder Quartalsbeginn gegründet. Hatte etwas mit der Gehaltsabrechnung und den Sonderzahlungen zu tun.«

»Sie wissen erstaunlich viel darüber.«

»Ich war auch mal in der VED.«

Sabine richtete sich schlagartig auf. »Sie?«

»Viele von der alten Garde haben damals dort begonnen. Es war eine Art Bewährungsprobe, der berühmte Sprung ins kalte Wasser. Wer diese Zeit überstand, wurde befördert.«

»War Sneijder auch dabei?«

»Nein, Sneijder nie. Der hat mit dreiundzwanzig das Hochschulstudium mit Auszeichnung abgeschlossen, gleich danach fünfzehn Jahre Praxis mit fallanalytischen Delikten zugebracht und nach dem Auswahlverfahren die Ausbildung zum polizeilichen Fallanalytiker, forensischen Kripopsychologen und Spezialisten für Entführungsfälle gemacht.«

Das alles wusste Sabine. Außerdem sprach er mehrere Fremdsprachen und besaß gute Kontakte zu Europol, was ihm aber letztendlich alles nichts genutzt hatte.

»Wer war noch in dieser Abteilung?«, fragte sie.

»Ach, viele. Die kamen und gingen.«

»Ich meine, zu der Zeit, als auch Rohrbeck, Hagena, Hess und Timboldt dort waren.«

»Die Abteilung bestand damals aus …« Lohmann runzelte die Stirn und rechnete nach. »Knapp zwei Dutzend Leuten oder so. War ziemlich klein.« Er nahm ein weiteres Stück vom Kuchen. »Warum interessiert Sie das alles?«

Genau das ist der springende Punkt.

Sie berichtete ihm von den Morden und Selbstmorden, die die Mitglieder der damaligen Abteilung miteinander verband. Doch das alles schien für Lohmann nichts Neues zu sein – alles, bis auf eine Sache.

»Timboldts Frau ist ebenfalls tot?«, wiederholte er.

Nun erzählte Sabine ihm von den Geschehnissen des Nachmittags.

Er zog die Augenbrauen hoch. »Deshalb Ihr …« Er wedelte mit der Hand. »… Geruch.« Dann wurde er nachdenklich. »Und Sie vermuten einen Zusammenhang zur damaligen Arbeit der Abteilung?«

»Zumindest habe ich herausgefunden, dass Hagena und Rohrbeck im Verdacht standen, in illegale Machenschaften verwickelt zu sein.«

»Ach, kommen Sie.« Lohmann stand auf und ging durch sein Büro. »Diese Abteilung stand immer wieder im Verdacht, in illegale Aktionen verstrickt zu sein. Das ist etwas völlig Normales bei einer Gruppe, die verdeckt ermittelt, sich in die Drogenszene einschleust und die Struktur von innen heraus aufbricht. Sind Erfolge da, ist alles prima – bleiben die Erfolge aus, wird man beschuldigt, korrupt zu sein.«

»Gab es korrupte Kollegen?«

»Meines Wissens nach nicht. Es gab zwar mal eine interne Untersuchung, bei der einige Kollegen von der Dienstaufsichtsbehörde vernommen wurden, aber rausgekommen ist dabei nichts.«

»Welche Kollegen?«

»Intern nannte man sie die *Gruppe 6.*«

»Weil es sechs Personen waren?«

»Ja, und soviel ich erfahren habe, waren Rohrbeck, Hagena, Hess und Timboldt darunter.«

Schau an! »Hess also auch?«

»Immerhin leitete er mehrere Jahre lang die Abteilung.«

»Und wer waren die anderen beiden?«

»Sie stellen Fragen.« Lohmann legte die Stirn in Falten. »Ein Typ, der dann recht bald das BKA verlassen hat. Mein Gott, ich kann mich nicht mehr an seinen Namen erinnern, ist schon so lange her. Und den Namen des sechsten kannte ich sowieso nie. Es waren ja *verdeckte* Ermittler.«

»Kein Problem.« Sie konnte diese Namen möglicherweise im Archiv ausgraben. »Und Sie glauben, diese damaligen Anschuldigungen waren völlig grundlos?«

»Andernfalls wären sie bis heute wohl kaum im Dienst geblieben, und Hess wäre nie Präsident geworden.«

Punkt für dich! »Gibt es die Abteilung noch?«

»Nein, die wurde vor vielen Jahren aufgelöst.«

»Worum könnte es sich bei diesen Anschuldigungen gehandelt haben?«, hakte sie nach.

»Konkret weiß ich nichts darüber – ich war nur ein Jahr lang dabei. Den Rest kennt man aus der Gerüchteküche.« Er stand auf, setzte sich auf die Fensterbank und warf durch die Lamellen der Jalousie einen Blick in den Hof.

»Nun holt die Vergangenheit sie alle ein«, murmelte Sabine scheinbar gedankenverloren, »und ihre Familienmitglieder werden der Reihe nach ermordet.« Sie spähte zu Lohmann, um dessen Reaktion zu beobachten, doch er blieb – zumindest äußerlich – ziemlich gelassen.

Warum bricht er *nicht in Panik aus? Weil ihn die damaligen Ereignisse nicht betreffen?* Ging ihm das alles am Arsch vorbei, weil er vielleicht gar keine Familie hatte, oder hatte er tatsächlich nichts zu befürchten?

»Meines Erachtens sollte für Hess, Timboldt, aber auch für Sie und alle anderen ehemaligen Mitarbeiter dieser Abteilung Personenschutz angefordert werden. Zumindest so lange, bis wir wissen, womit wir es zu tun haben.«

»Ich bezweifle, dass die aktuellen Todesfälle etwas mit unserer damaligen Arbeit zu tun haben.«

»Und warum?«

»Nemez, ich bitte Sie! Denken Sie doch mal darüber nach. Das ist über zwanzig Jahre her. Und warum sollten sich die Todesfälle ausgerechnet jetzt ereignen und nicht schon ein paar Wochen, Monate oder Jahre früher?«

Sabine dachte an die SMS, die Sneijder von Rohrbeck erhalten hatte. »Sneijder könnte die Antwort wissen.«

»Dann fragen Sie ihn.«

Sabine lachte gequält auf. »Das habe ich bereits. Haben Sie schon mal versucht, etwas aus Sneijder herauszubekommen? Der sagt kein Wort.«

»Versuchen Sie es noch einmal«, schlug er vor. »Sie geben doch sonst nicht so leicht auf.«

Lohmann hatte recht. Im Moment war das die einzige Spur. »Haben Sie eine Ahnung, wo Sneijder jetzt stecken könnte?«

Lohmann ging zum Telefonapparat, wählte eine Kurzwahl und schaltete auf Lautsprecher. Nach dem siebten Klingelton schaltete sich Sneijders automatischer Anrufbeantworter ein.

»Wenn ich nicht abhebe, habe ich vermutlich keine Lust, mit Ihnen zu sprechen«, sagte Sneijders Tonbandstimme mit seinem unverkennbar niederländischen Akzent. *»Versuchen Sie es also bloß nicht noch einmal …«*

Lohmann beendete die Verbindung. »Zu Hause ist er jedenfalls nicht.«

Da fuhr Sabine hoch. »Er hat doch noch immer sein Diensthandy, oder?«

»Solange die Suspendierung läuft und er nicht offiziell gekündigt wurde …«

»Und in den Diensthandys sind Chips, mit denen die Standorte präzise geortet werden können.« Sabine warf Lohmann einen auffordernden Blick zu.

Seine Augen wurden groß, als er erkannte, was sie von ihm verlangte. »Das kann ich nicht.«

»Wenn nicht der Chef vom Haussicherungsdienst, wer dann?«

Seufzend ging er zu seinem Notebook, startete das Gerät und rief ein Programm auf. Er gab Sneijders Telefondaten ein, und binnen weniger Sekunden hatte die Navigationssoftware Sneijders Handy geortet.

Scheiße, das ging aber flott! Sabine dachte an ihr eigenes Handy, mit dem ihr Aufenthaltsort von Lohmann immer und zu jeder Zeit ausgeforscht werden konnte.

Lohmann vergrößerte den Teil der Landkarte, in dessen Mitte ein roter Punkt leuchtete. »Hier ist er – oder zumindest sein Handy.«

Sabine brauchte einen Augenblick, um sich zu orientieren. Das Programm zeigte eine Stelle am westlichen Stadtrand Wiesbadens, in der Nähe von Sneijders Wohnort.

»Was? Dort ist er?«, rief sie, als sie den Namen las, der in einem Infofenster über dem Standort aufpoppte. »Die Romeo Bar? Klingt nach einem billigen Bordell.«

Lohmann schüttelte den Kopf. »Das Romeo ist nicht billig.«

Sie dachte an Sneijders sexuelle Neigung. Das war zu erwarten gewesen. »Danke, ich versuche dort mein Glück.« Sie ging zur Bürotür. »Und danke für den Kaffee.«

»Im Romeo werden Sie die einzige Frau sein«, rief Lohmann ihr nach.

»Habe ich mir schon gedacht.«

Die Tür fiel zu, und Lohmann hörte, wie Sabine im Korridor zu den Fahrstühlen lief.

Die Kleine würde sich hartnäckig wie ein Bullterrier in den Fall verbeißen und so lange nicht loslassen, bis sie alles herausgefunden hatte. Das wusste er. Immerhin kannte er sie schon lange genug. Und Sneijder hatte sie ausgebildet.

Während Lohmann Kaffeetassen und Kuchen wegräumte, ging die Tür zum Serverraum auf. Das Surren der Geräte wurde lauter.

Lohmann blieb stehen und blickte zu der einen Spaltbreit geöffneten Tür. Im Licht der Monitore sah er die Umrisse eines Mannes.

»Verdammt kalt hier drinnen«, drang eine heisere Stimme aus dem Raum.

»Wir sollten uns alle warm anziehen«, sagte Lohmann.

»Witzig … und warum hast du ihr das alles erzählt?«

»Ich habe ihr nur das gesagt, was sie auch ohne mich herausgefunden hätte.«

20. KAPITEL

Die Nacht war schwül, und Sabines Bluse klebte an ihrem Rücken, als sie aus dem Wagen stieg.

Sie hatte ihren Wagen auf dem Parkplatz nur wenige Meter neben dem *Romeo* abgestellt. Diesen Schuppen hätte Sabine freiwillig niemals betreten. Allein die Neonreklamen wirkten mehr als abschreckend, und so exklusiv und nobel, wie Lohmann gesagt hatte, war der Laden nun auch wieder nicht – zumindest von außen. Aber hier war Sneijder hoffentlich gesprächsbereiter als zu Hause, wo er jeden Besuch verabscheute.

Sabine drückte die Eingangstür auf und gelangte in einen schmalen klimatisierten Vorraum mit gepolsterter Tür, wo sie auf einen Summer drücken musste. An der Decke hing eine Kamera mit ausgefahrener Linse, die rot blinkte.

Sabine lächelte, dann sprang die Tür auf. An der Garderobe bezahlte sie fünfzig Euro Eintritt und erhielt einen Bon für ein Gratisgetränk. *Was servieren die denn hier? Champagner im goldenen Glas?*

Durch eine weitere Tür gelangte sie in den Barbereich. Auch hier war es angenehm kühl. *Wenigstens das!* Gedämpftes rotes Licht lag wie ein Tuch über dem Raum. Leise Musik spielte, Swing aus den Fünfzigerjahren, und an der Bar standen einige Kerle. Nur einer musterte sie, die anderen ignorierten sie großzügig.

»Bist du Transgender?«, fragte er.

»Nein, und du?«, antwortete sie und ging an ihm vorbei.

In einer Nische an einem runden Tisch saß tatsächlich Sneijder. Sie steuerte auf ihn zu und blieb vor ihm stehen.

Sneijder hob den Blick, und es dauerte eine halbe Minute, bis er sie erkannte. Im Aschenbecher vor ihm lag eine Zigarette, die verdächtig nach Marihuana roch, und neben ihm stand ein Getränk.

»Tomatensaft mit Pfeffer, Salz und Tabasco?«, fragte Sabine.

»Und Wodka«, murmelte er. »Die haben hier zwar einen verdammt guten Vanilletee, aber heute war mir nicht danach. Stimmt's, alter Junge?«

Sabine warf einen Blick unter den Tisch. Neben einer halb vollen Wasserschüssel lag Vincent, wohlig ausgestreckt und gut einen Meter lang. Der Kopf des Bassets lag auf den Vorderpfoten, und so wie es aussah, schlief er seelenruhig. Sneijder hielt das Ende der Leine in der Hand und klopfte sich damit selbst auf den Oberschenkel.

»Das tun Sie dem armen Hund an?«

»Vincent hat nichts gegen Schwule. Er kommt schon seit drei Jahren hierher. Regelmäßig, jeden ersten Donnerstag im Monat. Er liebt die Musikauswahl an diesen Abenden.«

»Ach, wie schön.«

»Sie klingen zynisch«, bemerkte Sneijder. »Das ist normalerweise mein Part.«

»Ja, früher, als Sie noch beim BKA waren.«

»Wie haben Sie mich gefunden?«

»Im Gegensatz zu Ihnen bin ich ja noch beim BKA. Wir wissen alles.«

»Diese Klugscheißerei können Sie sich für Ihre Nichten aufheben, und außerdem … höre ich da einen gewissen Unmut in Ihrer Stimme?«

»Wir müssen reden«, sagte sie knapp.

»Ich dachte, das hätten wir bereits an der Uni getan?«

»Es ist mir verdammt ernst!«

»Von mir aus.« Sneijder griff in die Sakkotasche und holte sein Handy hervor.

»Sie …«

Er hob die Hand und ließ sie verstummen. Mit der Klinge eines Klappmessers, das er ebenfalls aus der Tasche geholt hatte, bohrte er in die Hülle des Handys und öffnete es. Dann rieb er seine Augen, starrte auf die Teile und entfernte Akku, SIM-Karte und den integrierten roten Chip aus dem Handy.

»Sie …«

Wiederum hob er die Hand und brachte sie zum Schweigen. »Fünf, vier, drei, zwei, eins …« Er lächelte.

»Sie sollten aufhören, dieses Zeug zu rauchen.«

»Ja, Mutter Teresa. Der Chip funktioniert noch etwa fünf Sekunden lang ohne Akku, dann erstirbt das Signal. Außerdem könnten wir damit abgehört werden. Wer hat mich aufgespürt? Lohmann?«

»Ja, Lohmann.«

»Haben Sie Ihr Handy dabei?«

Sabine hatte keine Lust, dass Sneijder ihr Telefon ebenfalls zerlegte und nachher vielleicht nicht mehr zusammenbauen konnte. »Liegt im Auto«, log sie.

»Gut.«

»Darf ich mich setzen?«

»Wenn es sein muss, aber treten Sie Vincent nicht auf den Schwanz.«

»Ich werde mich bemühen.« Mein Gott, sie hatte Sneijder noch nie so zugekifft erlebt. Anscheinend ging ihm der Tod von Diana Hess doch näher, als er zugeben wollte. Immerhin war diese Frau die Einzige gewesen, die er jemals geliebt hatte.

Sie setzte sich, wollte gerade mit leiser Stimme zu sprechen beginnen, als sie sah, wie ein hochgewachsener schlanker Mann im Anzug die Bar betrat. Im Deckenlicht sah sie sein pockennarbiges Gesicht, die Stahlrahmenbrille und das zu einem Seitenscheitel gekämmte graue Haar.

»Ich werd verrückt!«, entfuhr es ihr. »Das ist doch Dirk van Nistelrooy, oder täusche ich mich?«

»Sie täuschen sich.« Sneijder hatte gar nicht hingesehen.

Sabine beobachtete den Mann, wie er durchs Lokal ging, kurz zu ihnen herübersah und sich auf der gegenüberliegenden Seite an einen freien Tisch setzte. Natürlich täuschte sie sich nicht. Ein exaktes Personengedächtnis war Bestandteil ihres Jobs. »Was macht der in Wiesbaden? Und noch dazu in einer Schwulenbar?«

»Es ist nicht das, wonach es aussieht«, seufzte Sneijder. »Das ist es nie!«

»Wonach sieht es denn aus? Ist er Ihretwegen hier?«

»Kann ich mir nicht vorstellen. Ich hasse ihn – und er hasst mich.«

»Ist er schwul?«

»Zum Glück nicht. Also, was wollen Sie?«

Sabine versuchte, nicht zu Dirk van Nistelrooy hinüberzusehen. »Timboldts Frau wurde ermordet. Es sollte wie ein Selbstmord aussehen.«

»Ein Segen für die Frau«, murmelte Sneijder. »Sie war ein schwerer Pflegefall – Alzheimer im Endstadium.«

Sabine ignorierte Sneijders herzlose Bemerkung. »Das ist nun schon der sechste Todesfall innerhalb weniger Tage.«

»Was kümmert *Sie* das?«

»Ich bin mit den Ermittlungen zum Tod von Doktor Katharina Hagena betraut worden. Und ich habe verdammt noch mal den Eindruck, dass noch viel mehr dahintersteckt und ich gerade mal an der Spitze des Eisbergs kratze.«

Sneijder neigte den Kopf. »Es wundert mich ehrlich gesagt, dass Sie diesen Fall bekommen haben.«

»Anfangs dachte ich, es sei kein Fall für das BKA, zu klein, zu unbedeutend, aber wie es scheint, verbirgt sich viel mehr dahinter.« Sie rutschte näher zu Sneijder.

»So habe ich das nicht gemeint. Ich wollte sagen ...« Er zupfte sich einen Tabakfussel von der Lippe. »Es wundert mich, dass man *Ihnen* den Fall übertragen hat.«

»Hess persönlich hat ihn mir anvertraut.«

»Tatsächlich? Hess?«

»Diana Hess hat es ihm vorgeschlagen. Sie sagte es mir bei unserem letzten Gespräch. Ein paar Stunden vor ihrem Tod.« *Als wäre das ihr Vermächtnis gewesen,* vollendete Sabine den Satz in Gedanken. Sie rückte noch etwas näher zu Sneijder. »Ich ...«

»Wollen Sie sich auf meinen Platz setzen?«, fragte er.

»Nein, warum?«

»Dann wären Sie näher bei Ihrem Ellenbogen.«

»Herrgott!« Sie rückte wieder ein Stück zurück. »Sie sind wohl nicht oft in Damenbegleitung hier?«

»Nie.«

»Kann ich mir denken.« Sie senkte die Stimme. »Was wissen Sie über die Gruppe 6 und über den ersten Juni?«

»Die Gruppe 6, so weit sind Sie also schon.«

»Was wissen Sie darüber?«

»*Vervloekt,* nichts, außer dass Sie die Finger davon lassen sollten.«

»Sneijder, verdammte Scheiße«, zischte sie. »Sagen Sie mir endlich, was Sie wissen!«

»Wollen Sie mich zum Sprechen zwingen?«

»Wenn es sein muss – ja!«

»Tun Sie, was Sie nicht lassen können.«

»Ich will Ihnen doch nur eine Untersuchungshaft ersparen, aber dazu müssten Sie endlich den Mund aufmachen.«

»*Verdomme!*« Er nahm einen Zug von dem Joint, dann drückte er den Glimmstängel im Aschenbecher aus. Als Nächstes schob er sein Getränk beiseite und stützte die Unterarme auf den Tisch. »Sie werden an der Sache dranbleiben?«

»Ja.«

»Auch wenn Hess Sie vom Fall abzieht?«

»Warum sollte er das tun?«

»Auch wenn Hess Sie vom Fall abzieht?«, wiederholte er.

»Ja!«

»Und Sie arbeiten inoffiziell mit Tina Martinelli zusammen?«

»Ja!«

»Und Sie bleiben dran, auch wenn Sie tiefer graben müssen und es keinem gefallen wird, was Sie finden?«

»Ja, verflucht, dann erst recht!«

»Gut. *Meine Ausbildung.*« Er lächelte kurz, dann atmete er tief durch und massierte die Druckpunkte an den Schläfen. Offenbar wurde er gerade wieder nüchtern. »Sagen Sie mir, was Sie wissen, dann könnte ich Ihnen bei den Ermittlungen helfen.«

»O nein! Sie arbeiten nicht mehr beim BKA – und ich darf Ihnen keine Ermittlungsergebnisse verraten.«

Er ignorierte ihre letzte Aussage, breitete die Arme auf dem Tisch aus und zeigte ihr seine leeren Handflächen. »Also, was haben Sie? Was sagen die Obduktionsbefunde, was die Berichte der Spurensicherung?«

»So weit sind wir noch nicht. Außerdem würde ich mich strafbar machen, wenn ich Ergebnisse einer laufenden Ermittlung an eine Zivilperson weitergebe.«

»Eichkätzchen, wollen Sie den Fall nun lösen oder nicht?«

»Natürlich, aber …«

»Gut, dann spucken Sie schon aus, was Sie haben!« Sneijder hob die Hand und spreizte drei Finger ab.

Bei dieser Geste fühlte Sabine sich in eine Zeit zurückversetzt, in der alles noch in Ordnung gewesen war und sie gemeinsam mit Sneijder Mordfälle gelöst hatte. *Die Fakten – in drei knappen und präzisen Sätzen!* Trotzdem hatte sie ein mulmiges Gefühl, da sie nicht genau wusste, wie weit sie Sneijder in seiner derzeitigen Verfassung trauen konnte. »Aber von mir haben Sie das nicht«, sagte sie schließlich, gab sich einen Ruck und erzählte ihm alles, was Tina und sie bisher herausgefunden hatten.

»Das ist nicht besonders viel«, kommentierte Sneijder, nachdem Sabine geendet hatte. »Sie vermuten also, dass Rohrbeck, Hagena, Timboldt und Hess damals in etwas Illegales verstrickt waren.«

»Was könnte das gewesen sein?«

Sneijder hob die Schultern. »Ich weiß nur, dass sie verdammt nahe dran waren, eine Grenze zu überschreiten.«

»Die gesamte Gruppe 6?«

Sneijder wiegte den Kopf. »Vermutlich.«

»Wer gehörte damals noch dazu?«

»Keine Ahnung, finden Sie es heraus.«

So eine Stinktierscheiße! »Als Sie heute Vormittag von einer Handvoll mächtiger Leute gesprochen hatten, da haben Sie doch die Gruppe 6 gemeint.«

Sneijder nickte.

»Gut, ich werde die Namen im Archiv finden.«

»Diese Akte werden Sie nicht finden«, sagte Sneijder. »Sie hat einen Sperrvermerk und ist … *war*«, korrigierte er sich, »nicht einmal mir zugänglich. An Ihrer Stelle würde ich mit Hess reden.«

Da klingelte Sabines Telefon in ihrer Hosentasche.

Sneijder fuhr hoch und starrte sie überrascht an. »Ich dachte, Ihr Handy sei im Wagen!«

»Da habe ich mich wohl geirrt.« Sie zog das Telefon heraus und blickte aufs Display. Es war Tina. »Einen Moment bitte«, entschuldigte sie sich und nahm das Gespräch entgegen. »Was gibt's?«

»Du glaubst nicht, was gerade passiert ist«, sprudelte es aus Tina hervor. »Eben erreichte mich ein Anruf von unserem Abteilungsleiter.«

»Um diese Zeit?«

»Ja, und rat mal, was er gesagt hat. Die Ermittlungen am Todesfall von Gerald Rohrbeck wurden mir mit sofortiger Wirkung entzogen.«

»Das kann er doch nicht!«

»Doch! Die Anweisung kommt direkt von Hess.«

Das war ja so was von klar! Ihr Abteilungsleiter war noch ziemlich jung, knapp zwei Jahre älter als Sabine, hatte im BKA noch nicht viel zu sagen und versuchte stets, niemandem auf die Füße zu treten.

»Ich ...«, begann Sabine, verstummte aber, als sie ein Klopfgeräusch in ihrem Handy hörte. Sie sah auf ihr Display. »Du, ich muss Schluss machen. Ich bekomme gerade einen Anruf von Hess' Sekretariat.«

»Um diese Zeit? Na, mach dich auf etwas gefasst. Ciao.« Tina hatte aufgelegt.

Sabine sah Sneijder an, und der warf ihr einen wissenden Blick zu, als wollte er sagen: *Habe ich es Ihnen nicht gesagt?* Sie nahm das Gespräch entgegen. »Sabine Nemez.«

»Frau Nemez, tut mir leid, dass ich Sie noch so spät störe, aber ...«

»Kein Problem, ich bin noch im Dienst. Mich wundert nur, dass Sie auch noch im Büro sind.«

»Der Tod von Diana Hess hat uns alle sehr getroffen. Seitdem machen wir Überstunden«, seufzte die Sekretärin. »Jedenfalls soll ich Ihnen ausrichten, dass Sie morgen um acht Uhr früh in das Einsatzleiterzimmer zur Besprechung der Mordgruppe kommen sollen. Sie werden neue Aufgaben erhalten.«

»Und die Mordermittlung an Katharina Hagena?«, fragte sie mit trockener Kehle, da sie bereits ahnte, was sie als Nächstes erfahren würde.

»Wurde Ihnen entzogen. Darum kümmert sich eine andere Abteilung.«

»Eine andere Abteilung?«, unterbrach Sabine die Sekretärin ziemlich schroff. »Aber warum?«

»Nun, Präsident Hess hat die Ermittlungen umstrukturiert und macht jetzt ziemlich viel Druck, damit einige Fälle schnell gelöst werden.«

»Und da zieht er *mich* vom Fall ab?«, prustete Sabine los. *Und Tina Martinelli,* fügte sie in Gedanken hinzu.

»Diskutieren Sie die Hintergründe dieser Entscheidung bitte nicht mit mir. Ich kann Ihnen nur das sagen, was …«

»Ja, schon gut. Entschuldigen Sie bitte.« Sabine atmete tief durch. »Wem soll ich meine bisherigen Ermittlungsergebnisse übergeben?«

»Einen Moment.« Die Sekretärin tippte auf der Tastatur. »Kriminalhauptkommissar Timboldt.«

Timboldt! Der Vorgesetzte ihres Abteilungsleiters. Ausgerechnet der! Sabines Kehle wurde eng. Der hatte selbst gerade seine Ehefrau verloren, war möglicherweise sogar befangen, und Hess bürdete ihm jetzt auch noch den Fall Katharina Hagena auf? Wie herzlos konnte man sein! Anscheinend gab es einen wichtigen Grund für diese Entscheidung.

»Auf Wiederhören«, sagte die Sekretärin.

Sneijder, der die ganze Zeit aufmerksam zugehört hatte, deutete mit einer Geste an weiterzureden.

»Warten Sie noch einen Moment!«, rief Sabine ins Handy und dachte kurz nach. »Timboldt hat wegen des Todes seiner Frau vermutlich gerade andere Sorgen, daher möchte ich mich an seinen Stellvertreter wenden.«

Sneijder nickte zustimmend und spreizte den Daumen ab.

»Wer ist noch in Timboldts Ermittlungsgruppe?«, fragte Sabine.

»Soviel ich weiß, hat Präsident Hess dem Kollegen Timboldt freie Hand gegeben.« Sie tippte in die Tastatur und nannte Sabine fünf Namen.

Was? Sabine hörte aufmerksam zu. *Eine Sonderkommission mit diesen Leuten?* »Danke«, sagte sie, beendete das Gespräch und ließ das Telefon sinken. Unwillkürlich blickte sie zu Dirk van Nistelrooy hinüber, der immer noch allein am Tisch saß, eine Flasche Mineralwasser bestellt hatte und mit dem Finger über den Rand des leeren Glases fuhr. Dann sah sie Sneijder an. »Hess hat Tina und mich von den Fällen abgezogen.«

Schweigend nahm Sneijder Sabines Handy, legte es einen Meter weit weg neben die Lautsprecherbox, aus der immer noch Fünfzigerjahremusik drang, rückte zu Sabine herüber und senkte die Stimme. »Ich gehöre nicht zu denen, die ständig sagen, ich habe es von Anfang an gesagt. *Aber ich habe es gesagt!* Mich wundert, dass Hess Sie überhaupt damit beauftragt hat.«

»Warum?«, fragte sie.

»Denken Sie nach.«

»Anscheinend hat er zu diesem Zeitpunkt noch nicht gewusst, was dahintersteckt – und vermutlich beginnt er es jetzt zu ahnen«, fauchte sie. »Und darum hat er auch Timboldt darauf angesetzt. Was halten Sie von ihm?« Eigentlich war es unnötig, Sneijder nach seiner Meinung über jemand anderen zu fragen, da man sowieso nichts Gutes zu hören bekommen würde. Doch diesmal irrte sie sich.

»Der Erfolg hat ihn nicht verändert – er ist schon immer ein hinterhältiges und gefährliches Arschloch gewesen. Passen Sie auf, wenn Sie sich mit ihm anlegen«, murmelte Sneijder. Aus seinem Mund klang das wie ein seltsames Kompliment.

Ihre Augen wurden eng. *Außerdem ist er einer der Dinosaurier beim BKA. Und gewiss kann sich Hess auf Timboldts Diskretion verlassen.*

»Wer ermittelt noch?«, fragte Sneijder.

Sabine nannte ihm die fünf Namen.

»Ich kenne nur die ersten drei. Die haben gemeinsam einen IQ so hoch wie eine Teppichkante. Wer sind die anderen beiden?«

»Kriminalkommissaranwärter – und nicht einmal die besten.« *Im Gegenteil!* »Damit wird doch versucht, irgendetwas zu vertuschen.«

»Ich wiederhole mich nur ungern, aber ich an Ihrer Stelle würde mit Hess reden«, sagte Sneijder nachdrücklich.

Sabine lachte gequält auf. »Ohne Termin komme ich nicht mal in seine Nähe.«

Sneijder ließ die Teile seines Handys in der Tasche verschwinden und legte einen Fünfzig-Euro-Schein auf den Tisch. Dann stand er auf und klopfte einmal mit der zusammengerollten Leine auf seinen Oberschenkel. Wie auf Kommando erhob sich Vincent und trottete unter dem Tisch hervor. Liebevoll schmiegte der Basset seinen Kopf an Sneijders Hosenbein.

Wahre Liebe! Und jetzt, wo Diana Hess tot war und Sneijder nicht mehr im BKA arbeitete, war dieser Hund vermutlich der einzige Halt, der Sneijder geblieben war.

»Finden Sie raus, wo Hess die Nacht verbringt«, sagte Sneijder.

»Wenn er nicht mehr in seinem Büro ist, vermutlich in seiner Dienstwohnung auf dem BKA-Gelände.«

»Nach dem Tod seiner Frau? Wohl kaum.«

»In seinem Wochenendhaus auf dem Land?«

Sneijder zog bestätigend eine Augenbraue hoch.

»Ja, vermutlich«, seufzte sie. »Aber ich habe die Adresse nicht.«

»Die hat niemand. Ist eine Geheimadresse.«

Sabine fixierte Sneijder – doch der stand nur da und blickte von oben auf sie herab.

»Komm Vincent, wir gehen nach Hause – ist ein langer Weg. Gute Nacht.« Er kehrte ihr den Rücken zu.

»Wo ist das Wochenendhaus?«, rief sie ihm nach.

»Waldgasse, Nummer elf«, sagte er leise, ohne sich umzudrehen.

Nachdem Sneijder die Bar verlassen hatte, sah Sabine zu Dirk van Nistelrooys Tisch und bemerkte, dass der Platz leer war. Und von seinem Mineralwasser hatte van Nistelrooy nicht einen Schluck getrunken.

21. KAPITEL

Sonntag, 29. Mai

Hardy stand in einer schmalen Seitengasse in einem typischen Arbeiterviertel im Osten Frankfurts mit vier- bis fünfstöckigen Wohnhäusern und blickte in das Schaufenster des Take-Away-Ladens. *Panda* hieß der Schuppen. *Chinesisches Fastfood.* Daneben lag eine Autowerkstatt mit offenem Garagentor, aus dem Funken flogen. Eine Schleifmaschine kreischte. Und das am Sonntag.

Es war erst zehn Uhr vormittags, aus dem Chinaladen roch es bereits nach Zwiebeln, Soja und gebratenen Bambussprossen. Vor seiner Zeit im Knast hatte er nur dreimal chinesisch gegessen. Damals waren asiatische Restaurants noch nicht *in* gewesen, heute gab es sie an fast jeder Ecke.

Der schwarze Lada Taiga war auch wieder aufgetaucht, in Frankfurt-Ostend, und hatte ihn vom Container-Umschlag-Bahnhof bis hierhin verfolgt. Sein Verehrer ließ einfach nicht locker, und offenbar schien es dem nichts auszumachen, dass Hardy wusste, dass er verfolgt wurde. Solange der Kerl an seiner Arschfalte klebte und jeden seiner Schritte überwachte, würde Hardy nicht herausfinden können, zu welchem Schließfach der Schlüssel passte. War es in einem Bahnhof oder auf einem Flughafen? Das war vorerst aber auch egal! Hatte er den Kerl erst mal abgeschüttelt, würde er seinen Grips anstrengen und sich auf die gezielte Suche nach dem Fach machen.

Hardy betrat den Fast-Food-Laden. Der Geruch nach Bratenfett war hier drinnen noch intensiver als draußen – ein fast greifbarer speckiger Film lag in der Luft. Chinesische Musik drang aus einem Lautsprecher. Das Lokal war so klein, dass es nur zwei Stehtische gab. An einem lehnte ein Mann im schmuddeligen Businessanzug mit Krawatte, trank ein Bier, blätterte in einer Zeitung durch die Wettquoten von Pferderennen und sah zwischendurch immer wieder auf sein Smartphone.

Hardy ging zum Tresen. Die Verkäuferin war schlank, groß und blond – ganz eindeutig keine Chinesin.

»Wir öffnen erst um halb elf, danach …«, sagte sie und verstummte, als sie Hardy sah.

»Hallo, Nora«, murmelte er.

Sie starrte ihn lange wortlos an. Schließlich fingerte sie in ihrem Haar herum und strich eine Strähne hinter das Ohr, als wollte sie es richten. Ihre Frisur war kurz, burschikos und passte gut zu den Sommersprossen und den blauen Augen. Sie hatte immer noch diesen warmen, aber trotzdem messerscharfen Blick, den sie schon als Kind gehabt hatte. *Verarscht mich nicht und legt euch nicht mit mir an,* schienen diese Augen zu sagen. Wenn man taub war, nur Lippenlesen und mit seltsam klingendem Akzent sprechen konnte, durfte man keine Schwäche zeigen.

»Wir haben uns lange nicht gesehen«, sagte Nora.

»Dreißig Jahre.« Er merkte, wie sie gegen die Tränen ankämpfte. Vermutlich dachte sie genauso wie er an ihr letztes Treffen, damals im Hof des Wohnhauses, in dem sie gelebt hatten. Er war zwanzig gewesen und sie achtzehn.

Hardy starrte auf ihr Halskettchen mit dem kleinen silbernen Kreuz. »Bist du immer noch religiös?«

Sie gab keine Antwort, und im nächsten Moment hatte sie wieder diesen harten Gesichtsausdruck. »Du bist ein Arschloch!«, flüsterte sie. »Tauchst einfach so hier auf …«

Er nickte. »Ich war mit Lizzie verheiratet, wir hatten zwei Kinder, danach saß ich – wenn man die U-Haft während der Verhandlung mitrechnet – zwanzig Jahre im Knast.«

»Komm schon, glaubst du, ich weiß das nicht?« Dezent nickte sie zu dem Mann, der hinter Hardy am Stehtisch lehnte.

»Ist mir egal, wenn jemand mithört. Außerdem ist es kein Geheimnis.«

Sie schluckte ihren Ärger hinunter. »Wie hast du mich überhaupt gefunden?«

»Ich habe mit deiner Mutter telefoniert. Sie wollte mir nicht sagen, wo du wohnst, aber sie hat mir verraten, dass du hier arbeitest. Wie geht es ihr? Sie klang etwas verstört.«

»Kein Wunder, nach so langer Zeit. Aber sie ist okay«, antwortete Nora. »Ich habe gehört, deine Familie ist tot. Das tut mir leid.«

»Danke. Angeblich soll ich sie …«

»Daran habe ich nie geglaubt«, fiel sie ihm ins Wort, da sie das Thema in ihrem Laden anscheinend vermeiden wollte.

»Tatsächlich?« Überrascht sah er sie an.

»Ich habe immer noch eine gute Menschenkenntnis, und du hättest das niemals zustande gebracht«, flüsterte sie. »Ich weiß, Menschen ändern sich, und du *hast* dich verändert, aber trotzdem – das hättest du nie übers Herz gebracht.«

Noras Aussprache war immer noch ein wenig seltsam – und wie er sich jetzt eingestehen musste, hatte er diesen besonderen Klang sogar vermisst.

Aus dem Augenwinkel sah er, wie der Mann am Stehtisch die Hand hob. Nora sah zu ihm hinüber.

»Nora, noch ein Bier!«, sagte er laut und deutlich und tippte anschließend eine SMS in sein Handy.

»Kommt sofort.« Sie holte ein Glas aus dem Regal. »Singha-Bier aus Thailand, schmeckt nicht schlecht. Möchtest du eines?«

»Nein danke.«

Sie holte eine Flasche aus dem Eisschrank, öffnete sie und stellte sie ihrem Gast mit einem neuen Glas auf den Tisch. Dabei hatte Hardy Gelegenheit, sie zu beobachten. Nora trug enge schwarze Jeans, ein T-Shirt und eine schwarze Schürze mit einem stilisierten weißen Panda-Aufdruck. Sie sah immer noch verdammt gut aus, war aber etwas dünner als früher, und Hardy konnte an ihren Gesichtszügen sehen, dass sie es in den letzten dreißig Jahren nicht leicht gehabt hatte.

Nachdem sie das leere Bierglas in den Geschirrspüler geräumt hatte, lehnte sie sich neben Hardy an die Theke.

»Seit wann bist du draußen?«, fragte sie.

»Heute ist der vierte Tag.« Er versuchte zu lächeln.

»Was ist mit deiner Nase und deinem Gesicht passiert? Bist du ausgebrochen?«

»Kleine Auseinandersetzung mit ehemaligen Freunden.« Mehr sagte er nicht.

»Ich habe gehört, dein Vater ist vor drei Jahren gestorben. Tut mir leid.«

»Mir nicht. Ich habe für seine Beerdigung einen Tag Ausgang bekommen. Aber ich war nicht dort. Habe den Tag stattdessen in einer Eisdiele am See verbracht und über die Schläge nachgedacht, die er mir bis zu meinem fünfzehnten Lebensjahr verpasst hat.«

»Hardy, du bist immer noch so verbittert.«

»Wundert dich das?«

»Nein, aber es war *deine alleinige* Entscheidung, mit Drogen zu handeln, und ich nehme an, du bist nicht zwanzig Jahre lang *völlig* unschuldig im Gefängnis gewesen.«

Er nickte. »Touché.«

»Was?«

Anscheinend konnte sie Französisch nicht von den Lippen lesen. »Punkt für dich.«

»Jeder macht aus seinem Leben das, was er für richtig hält.«

Nur leider konnte man die Vergangenheit nicht ändern. »Bist

du verheiratet?«, fragte er, obwohl er wusste, dass sie immer noch ihren Mädchennamen trug und Mühlenhof hieß. Andererseits bedeutete das heutzutage nicht mehr viel.

Sie schüttelte den Kopf. »Auch keine Kinder«, kam sie seiner nächsten Frage zuvor.

»Einen Freund?«

»Habe vor einem halben Jahr mit ihm Schluss gemacht. Sonst noch was?« Sie verschränkte die Arme vor der Brust.

»Wo …?«, fragte er, verstummte aber, als der Mann am Stehtisch wieder die Hand hob.

Nora sah zu ihm herüber.

»Belästigt dich der Kerl, Nora?«

»Nein, alles okay«, sagte sie.

Hardy blickte den Mann an. »Kümmere dich um deine Galopprennbahn und lass uns in Frieden, okay?«

Der Mann legte sein Handy beiseite und richtete sich auf. Er war zwar schmal gebaut, aber einen halben Kopf größer als Hardy. »Haben alle, die frisch aus dem Knast kommen, eine so große Klappe wie du?«

»Ich …«

»Thomas Hardkovsky!«, sagte Nora streng und legte ihre Hand auf Hardys Unterarm. »Er ist ein guter Kunde, und wir kennen uns schon lange, also keinen Stress, Cowboy, und vor allem nicht hier drinnen. Ich habe diesen Job seit drei Jahren, und solange ich den Laden für Herrn Chang führe, gibt es hier keine Streitereien. Verstanden?«

Hardy nickte, und der andere Gast lehnte sich wieder an den Tisch und steckte seinen Kopf in die Zeitung.

»Wohnst du in der Nähe?«, fragte Hardy, als sie ihn wieder ansah.

Sie blickte zur Decke des Lokals. »Habe eine kleine Mietwohnung im dritten Stock.«

»In dieser … Gegend?« Beinahe hätte er *Bruchbude* gesagt.

»Miese Ecke, ich weiß, aber ich habe es nicht weit zur Arbeit.« Sie lächelte.

»Du bist doch clever«, sagte er. »Hast du nie versucht, hier rauszukommen?«

»So wie du?«, spottete sie und hob die Schultern. »Es gab mal jemanden, der hat versprochen, mich aus dieser Gegend rauszuholen. Ist aber nichts draus geworden.«

Hardys Magen zog sich zusammen. Er kannte denjenigen nur zu gut.

»Ich habe es dann selbst versucht – allein.« Sie senkte die ohnehin schon leise Stimme. »Am anderen Ende von Frankfurt gibt es ein Gehörloseninstitut. Die unterrichten Lippenlesen und zahlen gut. Ich wollte dort arbeiten, aber außer der Aufnahmeprüfung müsste ich noch eine pädagogische Ausbildung zur Lehrerin machen.«

»Und? Du wärst wie geschaffen für diesen Job.«

»Die Aufnahmeprüfung ist nicht das Problem, die würde ich mit links schaffen«, seufzte sie und unterstrich ihre Worte automatisch mit Gesten der Gebärdensprache, die sie jedoch rasch wieder einstellte, da Hardy sie sowieso nicht verstand. »Aber ich bekomme das Geld für die Ausbildung nicht zusammen. Selbst die Schulungen zur Begleitlehrerin sind zu teuer. Dafür bräuchte ich einen besser bezahlten Job.« Instinktiv spielte sie mit dem Kreuz an ihrem Hals. »Weißt du, wie man Gott zum Lachen bringen kann? Erzähl ihm einfach von deinen Plänen.« Sie lächelte resigniert.

Hardy war nie religiös gewesen – und er wunderte sich, dass Nora bei ihrem Schicksal nicht schon längst mit Gott gebrochen hatte. Wohin man blickte, das Leben war ein beschissener Teufelskreis.

»Aber ich darf mich nicht beklagen und muss froh sein, dass

ich wenigstens diesen Job habe. Und so werde ich vermutlich den Rest meines Lebens hier verbringen«, sagte sie. »Immerhin lebe ich gern hier, die Leute sind nett zu mir, meine Wohnung hat einen Balkon. Ich habe ein paar Pflanzen und eine Katze.«

»Wie heißt sie?«

»Twinky – sie sieht nicht gerade hübsch aus, hat aber Charakter. Ich fand sie eines Tages als Baby ziemlich abgemagert in einem Schuhkarton vor der Haustür, und da musste ich sie retten – obwohl Haustiere hier eigentlich verboten sind.«

»Du hattest immer schon ein Herz für Tiere«, sagte Hardy. »Ist es in deiner Wohnung eigentlich sehr laut? Und hast du auch Radio?«

Sie boxte ihn in die Brust. »Du warst schon immer ein gemeiner Schuft.«

Hardy lächelte. Nun war das Eis gebrochen. Er wollte etwas sagen, merkte jedoch, wie Noras Blick schlagartig ernst wurde.

»Was willst du hier?«, fragte sie.

Ja, wie recht du hast. Ich bin ein Schuft!

Er zog sein neues Handy aus der Tasche und hielt es hoch. »Damit habe ich ein Video von zwei Männern und zwei Frauen aufgenommen, stand aber zu weit von ihnen entfernt, um etwas zu verstehen.«

Sie sah ihn fragend an. »Und?«

»Kannst du mir aufgrund ihrer Lippenbewegungen übersetzen, worüber sie gesprochen haben?«

»Eventuell.« Sie sah ihn lange an, dann ging sie hinter die Theke. »Komm morgen wieder.«

22. KAPITEL

Sabine stand vor der Hausnummer elf am Ende der Waldgasse. Eine Sackgasse mit großer Kehre, keine Nachbarn, keine Autos. Nur ein abgeschiedenes Wochenendhaus, eher unauffällig. Das Licht der Straßenbeleuchtung fiel auf große dunkle Tannen, dahinter befand sich das Gebäude. Das Erdgeschoss bestand aus Stein, der erste Stock war aus Holz und hatte einen großen Balkon. Nie hätte sie vermutet, dass das der Landsitz des BKA-Präsidenten war. Aber vielleicht war es genau aus diesem Grund die perfekte Location, eben weil dieses Wochenendhaus so abgeschieden lag und völlig normal aussah.

Bei näherer Betrachtung bemerkte sie jedoch die Bewegungsmelder an den Hauskanten, die Sensoren für die Wärmebildkameras und einige unter dem Dachgiebel verborgene Kameraobjektive – nur drei, aber vermutlich gab es noch viel mehr. Wenn man wusste, wo man suchen sollte, sah man die Hinweise. Bestimmt waren alle Türen und Fenster mit Funk alarmgesichert. Jedes Eindringen würde sofort an die nächste Polizeidienststelle übermittelt werden, und binnen Minuten wäre ein Wagen hier.

Gewiss hatte auch Diana Hess diese Sicherheitsvorkehrungen so gewollt – aber was hatte ihr das letztendlich gebracht? Jetzt war sie trotzdem tot.

Im Haus brannte kein Licht. Sabine drückte die Klinke des Gartentors hinunter. *Aha, sogar offen!* Die Tür schwang auf und gab den Weg aus Pflastersteinen frei, der zum Haus führte.

Sneijder hatte zwar vermutet, dass Hess die Nacht hier verbringen würde, doch mittlerweile glaubte Sabine das nicht mehr. Im Haus war es einfach zu still, es gab keinerlei Lebenszeichen.

Sabine machte einen Schritt auf das Grundstück. Sogleich ging die Außenbeleuchtung automatisch an und tauchte den Garten in flutlichtartige Helligkeit. Bestimmt saß jetzt irgendwo ein Beamter in einem Kellerbüro und beobachtete auf einem Monitor, wie Sabine auf die Haustür zuging.

Eigentlich wollte sie schon wieder umkehren. Es war elf Uhr nachts, und hier würde sie wohl keine Antworten finden. Doch plötzlich hielt sie inne.

Im Licht der Gartenlampen sah sie, wie Rauch aus dem Kamin aufstieg. *Bei dieser Hitze?* Also musste jemand zu Hause sein. Sie läutete an der Tür. Sekunden später hörte sie an der Rückseite des Hauses das Knarren von Scharnieren.

»Hallo?«, rief sie und klopfte an die Tür.

Keine Antwort.

Sie legte die Hand auf die Klinke und drückte sie hinunter. Auch diese Tür war unversperrt. Kein Alarm ging los. Zumindest kein hörbarer.

Scheiß drauf!

Sie stieß die Tür auf, betrat das Haus und tastete an der Wand nach dem Lichtschalter. »Präsident Hess?«, rief sie.

Dann schaltet sie das Licht ein. »Sabine Nemez hier!«, rief sie noch lauter, um zu verhindern, dass Hess sie für einen Einbrecher hielt und mit seiner Dienstwaffe auf sie schoss.

Sie befand sich in einem Vorraum. Ein Paar schwarz glänzende Schuhe stand unter der Kleiderablage, und ein Aktenkoffer lehnte an einem wandhohen Spiegel.

Hier stimmt doch etwas nicht!

Sabine ging weiter und blickte durch eine angelehnte Tür in ein Arbeitszimmer. Sie betrat es, knipste die Schreibtischlampe an und sah sich um. Ihr Blick fiel auf die Wand. In Augenhöhe stand die Tür eines Wandtresors sperrangelweit offen. Er war leer.

»Präsident Hess?«, rief sie nochmals laut und deutlich, während sie das Arbeitszimmer verließ und durch den Gang ins Wohnzimmer lief. Auch dort schaltete sie das Licht ein. Es roch nach Holz. Im Kamin brannte ein Feuer, und ein Haufen Papiere lag zusammengeknüllt in den Flammen.

Verdammt, was geht hier vor?

Sie zog ihre Glock, lud die erste Patrone in die Kammer und lief durch das Wohnzimmer.

»Präsident Hess?« Als sie an einem Fenster vorbeikam, durch das sie hinten raus in den Garten sehen konnte, hielt sie inne. Neben dem Fensterrahmen befand sich ein batteriebetriebener Glasbruchmelder. Kurzerhand schlug sie mit dem Knauf der Waffe die Fensterscheibe ein. Die Scherben prasselten zu Boden. Spätestens jetzt würde der stille Alarm losgehen und sich eine Polizeistreife auf den Weg zum Haus machen. Falls sie sich irrte und hier alles mit rechten Dingen zuging, wäre das ziemlich peinlich. Allerdings wären dann nur ein Polizeieinsatz und eine kaputte Scheibe zu beklagen, die man ihr vom Gehalt abziehen würde. Dieses Risiko ging sie ein.

Rasch lief sie weiter, warf einen Blick in die leere Bibliothek, in das ebenso leere Schlafzimmer und erreichte schließlich die Toilette und das Bad. Daneben führte die Treppe in das obere Stockwerk. Sie wollte bereits hinauflaufen, als sie hinter der Badezimmertür ein Klackern hörte. Das Geräusch erzeugte eine Gänsehaut auf ihren Armen.

Sie riss die Tür auf, schaltete auch dort das Licht ein und prallte zurück. Ihr Herzschlag setzte für einen Moment aus. In der leeren Wanne lag Hess. Bekleidet mit Hemd, Hose und Socken. Allerdings war das Hemd blutüberströmt. Auch an den weißen Wandfliesen klebte Blut. Es war bis zur Decke gespritzt.

Hess' Hand hing über den Rand der Wanne. Er hielt eine Waffe in der Hand. Der Lauf mit dem Schalldämpfer schlug gegen den Boden. Die Hand zuckte im Reflex. Er war noch am Leben.

Erst jetzt registrierte sie, was passiert sein musste. Hess hatte sich in den Kopf geschossen. *Sieh genauer hin!*, zwang sie sich. *Vielleicht kannst du ihm noch helfen.*

Die Zündungsgase hatten die Wundränder am Kinn verbrannt. Also hatte Hess den Lauf der Waffe unter dem Kinn angesetzt und abgedrückt. Allerdings musste er gezögert oder mit der Hand gezuckt haben, denn das Projektil war zwar durch Mund- und Nasenhöhle gegangen, aber an der Schläfe ausgetreten und steckte nun in den Wandfliesen.

Die Austrittswunde sah gar nicht so schlimm aus. Viel schlimmer war die Eintrittswunde am Unterkiefer, der zur Seite hing.

Sabine würgte. Ihr Magen zog sich augenblicklich zusammen, und ihr Kreislauf stand kurz davor zusammenzubrechen. Beinahe hätte sie sich übergeben. Hess sah völlig verändert aus, und ihr Gehirn konnte diesen Anblick nicht akzeptieren. *Reiß dich zusammen!* Sie wischte sich mit der Hand über den Mund und zwang sich wieder hinzusehen. Hess hyperventilierte, und er blutete stark aus der Kopfwunde. Möglicherweise hatte das Projektil keine lebenswichtigen Teile des Gehirns getroffen und nur unwichtige Teile der Schädelplatte weggesprengt. Wenn er die Augen öffnete, war eine Pupille weiter gestellt als die andere, und der Blick der Augen wich auseinander, was schrecklich aussah.

Sie riss ein Handtuch von der Halterung neben dem Waschbecken, setzte sich an den Badewannenrand und drückte es auf die offene Wunde, um die Blutung zu stoppen.

Mit der anderen Hand fingerte sie ihr Handy aus der Tasche und wählte den Notruf. Nachdem endlich jemand abgehoben hatte, versuchte sie sich zu konzentrieren, um keine Zeit zu verlieren.

»Hier spricht Kommissarin Sabine Nemez, Bundeskriminalamt Wiesbaden. Ich habe hier einen Mann mit einem Kopfschuss, brauche dringend einen Notarzt im Rettungswagen in der Waldgasse elf in Wiesbaden, noch besser einen Hubschrauber …«

»Einen Hubschrauber? Aber …«

»Ja, verdammte Scheiße! Rede ich undeutlich?«

»Aber die fliegen wegen der Hochspannungsleitungen normalerweise nicht in der Nacht. Außerdem hat das der Notarzt zu entscheiden.«

Herrgott! »BKA-Präsident Hess liegt im Sterben. Kümmern Sie sich darum, dass wenigstens ein OP-Saal mit Team bereitsteht. Und jetzt machen Sie schon!« Sabine beendete das Gespräch.

Das Handtuch hatte sich in der Zwischenzeit vollständig mit Blut vollgesogen und tauchte in die Wunde ein. Sabine wurde wieder übel, und alles schien sich um sie herum zu drehen. Mit Mühe blieb sie am Wannenrand sitzen.

Hess' Augenlider flatterten, seine Pupillen rollten nach oben. Aus ihr unerklärlichen Gründen war er noch bei Bewusstsein. Sabine merkte, dass er etwas sagen wollte, doch sie unterbrach ihn. »Kein Wort! Keine Anstrengung! Und bleiben Sie um Himmels willen bei Bewusstsein!«

Die Waffe in seiner Hand schlug immer noch gegen den Fliesenboden, aber Sabine hatte keine freie Hand, um sie ihm aus den Fingern zu nehmen. Sie stieg mit dem Fuß auf den Lauf der Waffe und konnte nur hoffen, dass sich kein weiterer Schuss löste.

Als Nächstes wählte sie die Notrufnummer des Bundeskriminalamts. Nachdem sie auch dort den Beamten vom Nachtdienst über alles informiert und einen BKA-Hubschrauber angefordert hatte, wurde sie weiterverbunden.

»Wir haben keinen Alarm im Wochenendhaus von Präsident Hess gemeldet bekommen«, sagte ein Mann mit tiefer Stimme.

»Nein?«, entfuhr es Sabine. Beinahe wäre ihr das Handy aus den blutverschmierten Fingern gerutscht. Sie dachte an die eingeschlagene Scheibe. »Dann muss Hess den Alarm ausgeschaltet haben.«

»Hat er nicht«, sagte der Mann. »Ist aber jetzt auch unwichtig. Ich verbinde Sie weiter zu einer Ärztin, die Ihnen sagt, was Sie machen, bis der Notarzt eintrifft.«

Sabine hörte es in der Leitung knacken.

»Sabine Nemez?«, fragte eine Frau mit ruhiger Stimme.

»Ja.«

»Beschreiben Sie mir, wie es Direktor Hess geht.«

»Da gibt es nicht viel zu beschreiben!«, keuchte Sabine. »Teile seines Schädels und vermutlich auch seines Gehirns kleben an der Wand, überall sind Knochensplitter und Blut, und ich weiß nicht, was ich verdammt noch mal machen soll!« Ihre Hände zitterten.

Außerdem falle ich gleich um!

»Ich kann mir vorstellen, dass Sie mit dieser Situation überfordert sind, aber hören Sie mir jetzt genau zu. Ich sage Ihnen, was Sie tun sollen.«

Sabine atmete tief durch.

»Wir übernehmen jetzt gemeinsam die Verantwortung, Präsident Hess das Leben zu retten. Kann ich mich auf Sie verlassen?«

»Ja«, presste Sabine hervor. Ihre Stimme zitterte.

»Gut. Als Erstes aktivieren Sie die Lautsprecherfunktion Ihres Handys und legen es beiseite, damit Sie frei agieren können.«

Sabine befolgte die Anweisungen.

»Gut, und jetzt möchte ich, dass Sie den Präsidenten in eine aufrechte Sitzposition bringen.«

»Ist er schon.«

»Keine Seitenlage!«

»Ja.«

»Gut, achten Sie darauf, dass seine Füße unten sind, damit das Blut nicht zum Kopf läuft.«

»Ja.«

»Beschreiben Sie mir genau, wo die Kugel ausgetreten ist.«

Sabine zählte alles auf, was sie erkennen konnte, und schilderte, wie stark die Wunde blutete.

»Der Hirnstamm ist also nicht verletzt worden, das ist gut«, sagte die Ärztin. »Nur der Frontalhirnbereich, und so, wie es aussieht, auch keine größeren Gefäße.«

Sabine wollte das Handtuch wechseln. »Soll ich versuchen, die Blutung zu stoppen?«

»Nein! Versuchen Sie das auf keinen Fall. Sie müssen das Blut auslaufen lassen, sonst kommt es im Kopf zu einem Rückstau.«

»Scheiße«, presste Sabine hervor und warf das blutgetränkte Handtuch in die Badewanne. Ihre Finger waren völlig verklebt.

»Halten Sie den Kopf des Präsidenten so, dass das Blut durch Nase und Mund auslaufen kann.«

Sabine hielt Hess' Kopf nach vorn. »Was noch?«

»Halten Sie die Atemwege frei.«

Je länger die Frau sprach, umso panischer wurde Sabine. »Was kann ich sonst noch machen?«

»Nichts«, lautete die Antwort. »Sobald der Notarzt da ist, wird er den Patienten intubieren und beatmen.«

Sabine versuchte ruhig zu atmen und zählte instinktiv die Sekunden, in denen Hess immer mehr Blut verlor.

Endlich hörte sie die Sirene des Krankenwagens. Der Wagen hielt mit laufendem Motor vor dem Haus. Türen schlugen zu, und das irisierende Blaulicht wurde von den Bäumen reflektiert und fiel durch das Badezimmerfenster.

In Gedanken hatte Sabine bereits bis hundertzwanzig gezählt. Als ein Arzt und zwei Sanitäter mit einer Trage durch das Haus ins Bad gestürmt kamen, stand Sabine auf und taumelte aus dem Raum. Sie betrat die Toilette und wusch sich die von Blut verklebten Hände im Waschbecken. Das Notarztteam versuchte indessen Hess' Kreislauf zu stabilisieren und ihn am Leben zu halten.

Trotz der lauen Nacht fröstelte Sabine. Instinktiv ging sie ins Wohnzimmer zum offenen Feuer des Kamins. Wie hypnotisiert starrte sie in die Flammen. Im Hintergrund hörte sie den Arzt und die Sanitäter. Jemand lief durchs Wohnzimmer zum Krankenwagen, um etwas zu holen. Schließlich blendete Sabine alle Geräusche aus ihrem Bewusstsein aus.

Warum zum Teufel wollte Hess sich das Leben nehmen? Aus Schmerz über den Tod seiner Frau? Andere Männer hätten vielleicht so reagiert, aber nicht Hess. Sie kannte ihn lange genug. Er war nicht nur Präsident des Bundeskriminalamts, sondern auch ein gestandener Bulle. *Falls es am Tod seiner Ehefrau etwas Merkwürdiges gäbe, würde er dafür sorgen, dass man es aufklärte. Und er würde Dianas Mörder bis an sein Lebensende jagen. Immerhin hat er erst vor Kurzem Timboldt mit sämtlichen Ermittlungen beauftragt. Und wenn er sich schon eine Kugel in den Kopf jagen will – warum hat er damit nicht wenigstens das Begräbnis seiner Frau abgewartet? Außerdem haben Diana und er einen fast sechzehnjährigen Sohn.* Das alles ergab keinen Sinn.

Sabine erinnerte sich an das knarrende Geräusch von der Rückseite des Hauses, das sie gehört hatte, als sie vor der Eingangstür stand. Dann dachte sie an den offenen Safe.

Eigentlich hatte sie nichts mehr im Haus zu suchen, aber keiner vom Notarztteam kümmerte sich um sie. Instinktiv beugte sie sich zum Kamin hinunter und griff nach den versengten Papieren am Rand des Ofens, die die Flammen noch nicht endgültig vernichtet hatten. Rasch löschte sie die Glut der angesengten zerknüllten Blätter.

Während die Männer um Hess' Leben kämpften, stand sie im Wohnzimmer und betrachtete die Unterlagen, die Hess offensichtlich hatte verbrennen wollen. Es waren Fotos von Diana Hess, handgeschriebene Briefe sowie Unterlagen aus dem BKA-Archiv. *DAB 768/II.* Und neben dieser Nummer am oberen Rand prangte der rote Stempel eines Sperrvermerks.

23. KAPITEL

Sabine bückte sich und holte weitere verkohlte Reste einiger Blätter aus dem Feuer. Sie schüttelte die Asche ab, löschte das glosende Papier an ihren Jeans und wollte gerade einen Blick darauf werfen, als der Arzt das Wohnzimmer betrat.

Er nahm zwar nur am Rand Notiz von ihr, doch sie ließ die Papiere unter ihrer Bluse verschwinden. Sicherheitshalber. Da hörte sie in der Ferne die Sirene eines Einsatzwagens. Vermutlich kamen die Kollegen von der Polizei. Rasch verließ sie das Haus und trat ins Freie. Die kühle Nachtluft sorgte dafür, dass sie allmählich wieder einen klaren Kopf bekam.

Hess hat die Unterlagen ins Feuer geworfen – aber warum hat er mit seinem Selbstmord nicht gewartet, bis alles verbrannt ist? Warum hat er einen Schalldämpfer benutzt? Und warum hat er sich nicht in den offenen Mund geschossen? Außerdem hätte der Rückstoß ihm die Waffe aus der Hand reißen müssen – aber das hat er nicht!

Je mehr sie darüber nachdachte, umso weniger plausibel erschien ihr der Zeitablauf. Entsprechend der Blutmenge musste Hess zu dem Zeitpunkt, als Sabine ihn gefunden hatte, bereits einige Minuten in der Wanne gelegen haben. Während dieser Zeit hätten doch alle Papiere längst verbrannt sein müssen? *Sind sie aber nicht!*

Blaulicht blitzte vor dem Umkehrplatz auf. Sabine hörte die Sirenen weiterer Einsatzfahrzeuge. Wieder dachte sie an das Geräusch, das sie hinter dem Haus gehört hatte. Kurz entschlossen lief sie zur Rückseite des Hauses.

Nacheinander erstarben die Sirenen. Die Autos standen vor dem Umkehrplatz, und das flackernde Blaulicht tauchte den Garten und die dahinterliegenden Tannen in gespenstische Farbtöne.

Solange die Beamten sie noch nicht entdeckt hatten, um sie zu vernehmen, würde sie die Zeit nützen, um sich hier umzusehen. Das Badezimmer lag auf der Rückseite des Hauses. Durch das Fenster sah sie in den hell erleuchteten Raum.

Hess lag bereits auf einer Trage. Um seinen Kopf und sein Genick befand sich eine Stütze, und einige Gestänge mit Infusionen standen um ihn herum.

Sabine ging zum nächsten Fenster. Dahinter lag das Schlafzimmer. Der Raum war dunkel. Bei näherer Betrachtung merkte Sabine, dass das Fenster nur angelehnt war und nach innen aufschwang. Dabei knarrte das Scharnier. Jemand hatte also dieses Fenster an der Rückseite des Hauses geöffnet, und das hatte sie gehört. Alles sprach dafür, dass jemand Hess ermorden und es wie einen Selbstmord aussehen lassen wollte. Ähnlich wie bei Timboldts Frau.

Nun ergab auch der Zeitablauf einen Sinn. Sabine versuchte sich in die Lage des Täters zu versetzen: *Du hast das Haus durchsucht und die Unterlagen im Safe gefunden. Natürlich hättest du sie mitnehmen und später vernichten können, wärst dabei aber das Risiko eingegangen, von einer Polizeistreife erwischt zu werden, nicht wahr? Also hast du ein Feuer im Kamin entfacht, die Dokumente in die Flammen geworfen und gleich vor Ort vernichtet, während Hess blutend in der Wanne lag und du darauf gewartet hast, dass er stirbt. Dabei wurdest du jedoch von mir überrascht und musstest fliehen.*

Sabine schüttelte die Vision ab. Sie holte die Unterlagen unter ihrer Bluse hervor, machte einen Schritt zum beleuchteten Badezimmerfenster und warf einen Blick auf die angekohlte BKA-Akte mit dem Sperrvermerk.

Es waren von der Dienstaufsichtsbehörde unterzeichnete Protokolle mit Terminen für einzelne Vernehmungen – und zwar von den Mitgliedern der Gruppe 6.

Die Gruppe 6.

Sabine blätterte zur nächsten Seite und fand die ersten Namen. Mit angehaltenem Atem überflog sie die Zeilen. Dietrich Hess wurde erwähnt. Ebenso Gerald Rohrbeck, Anna Hagena und Klaus Timboldt.

Lange starrte sie auf einen weiteren Namen.

Das darf doch nicht wahr sein!

Harald Lohmann!

Der war also auch als ein Mitglied der Gruppe 6 verhört worden. Und ausgerechnet Lohmann hatte sie sich anvertraut, woraufhin dieser Mistkerl sie eiskalt angelogen hatte. Auch als er behauptet hatte, er wisse nicht, worum es damals gegangen war, und er kenne den Namen des sechsten Mitglieds nicht. Wen wollte er schützen? Den sechsten Mann?

Etwa Sneijder? Immerhin waren sie befreundet.

Vor dem Haus hörte sie die Stimmen einiger Männer.

»Wo ist Sabine Nemez?«

»Die Frau, die uns alarmiert hat? Keine Ahnung. Die war gerade noch hier.«

Im nächsten Moment erklang das Knattern von Rotorblättern am Himmel. Ein BKA-Helikopter mit Suchscheinwerfer hielt auf das Grundstück zu. Der würde vermutlich am Ende der Gasse auf dem Autoumkehrplatz landen und Hess an Bord nehmen.

Durch das Badezimmerfenster hörte sie den Ruf des Arztes. »Der Heli ist da. Okay, raus mit ihm!«

Die Sanitäter packten an und schoben die Trage aus dem Zimmer.

Sabine ließ die Unterlagen wieder unter der Bluse verschwinden, diesmal hinter ihrem Rücken im Hosenbund, vollendete ihre Runde ums Haus und gelangte wieder zur Vorderseite. Drei Wagen von Kripo und Polizei parkten vor dem Haus.

Sie wollte zu dem erstbesten Polizeibeamten gehen, um sich auszuweisen, als sie Timboldt erkannte. *Der ist doch erst morgen wieder im Dienst!* Trotzdem stand er vor dem Haus und telefonierte mit dem Handy. Anscheinend leitete er den Einsatz, obwohl er erst vor wenigen Stunden den Tod seiner Frau zu beklagen gehabt hatte.

Mit einem flauen Gefühl im Magen dachte sie an die Unterlagen in ihrem Hosenbund, in denen auch sein Name erwähnt wurde.

Plötzlich wirbelten Zweige, Staub und Blätter auf. Der Hubschrauber drehte eine Runde und knatterte lautstark über dem Haus. Dann tauchte ein Scheinwerfer den Platz in grelles Licht.

Timboldt erkannte Sabine und beendete sein Gespräch. Sogleich kam er auf sie zu. »Was haben Sie um diese Zeit bei Präsident Hess zu suchen?«, rief er. »Und woher haben Sie überhaupt diese Adresse?«

»Ist das im Moment nicht unwichtig?«, konterte sie. »Ich bezweifle, dass Hess sich das Leben nehmen wollte. Ich vermute, dass jemand im Haus war, ihn töten wollte und danach das Haus hinten durch das Schlafzimmerfenster verlassen hat.«

Timboldt reagierte sofort, gab einige Befehle an seine Kollegen, woraufhin diese ausschwärmten und das Grundstück durchkämmten.

In diesem Moment wurde Hess auf der Trage aus dem Haus geschafft. Trotz aller Differenzen, die Sabine mit Hess gehabt hatte, drückte es ihr das Herz zusammen, als sie ihn so elend daliegen sah, mit fixiertem Kopf und an Schläuchen und Kabeln hängend. Er war narkotisiert, intubiert und wurde beatmet.

»... und bereiten Sie im Krankenhaus einen Schockraum

vor!«, rief der Arzt, unterbrach die Verbindung und steckte das Handy weg.

Sabine dachte an Anna Hagena, deren Selbstmord sie auf den Bahngleisen nicht hatte verhindern können, an Timboldts Frau in der Garage, deren Leben sie ebenso wenig hatte retten können, und nun an Hess. Der Mörder schien ihr immer einen Schritt voraus zu sein – doch diesmal war sie vielleicht nicht zu spät gekommen.

Die Trage wurde kurz neben ihr abgestellt. Während die Sanitäter am Gestänge mit den Infusionsflaschen hantierten, warf Sabine dem Arzt einen Blick zu. »Und?«

Der Arzt presste die Lippen aufeinander und schüttelte kaum merklich den Kopf.

Scheiße!

Da merkte Sabine, wie sie instinktiv nach Hess' Hand griff. Durch die Narkose und das Schmerzmittel war er völlig ausgeschaltet und bekam nicht einmal mit, dass ihn jemand berührte.

Womöglich würde Hess noch in derselben Nacht sterben. Sabine blickte zu Timboldt. Der stand mittlerweile einige Meter von ihr entfernt und instruierte einige Beamte.

»Gleich ist es so weit«, rief der Arzt.

Ein Windzug fegte über das Grundstück, und die Tannenwipfel bogen sich, als die Triple Two auf dem Umkehrplatz landete.

Gern hätte Sabine sich zu Hess hinuntergebeugt und ihn gefragt, wer in seinem Haus gewesen war, wer seine Frau getötet und was die Gruppe 6 getan hatte. Doch er konnte sie nicht verstehen, geschweige denn reden, da der Tubus in seinem Hals steckte. Hess' Augenlider zuckten, und Sabine nahm an, dass er lediglich auf ihre Bewegung reagierte, mehr nicht.

»Zur Seite!«, rief ein Sanitäter.

Sabine ließ Hess los. Die Trage wurde hochgehoben und über

die Pflastersteine des Grundstücks auf die Straße getragen, dort abgesetzt und zügig zum Helikopter gerollt.

Im nächsten Moment verschwand Hess im Hubschrauber. Arzt und Sanitäter stiegen ein, die Tür knallte zu, und die Rotorblätter begannen sich rasend schnell zu drehen.

Plötzlich stand Timboldt wieder neben Sabine. »Meine Leute haben keine Spuren eines Einbruchs feststellen können. Bis auf eine Scheibe im Wohnzimmer, aber die wurde von innen eingeschlagen.«

»Das war ich. Aber das Schlafzimmerfenster steht offen.«

Timboldt nickte. »Es wurde von innen geöffnet. Allerdings steht auch der Wandtresor im Arbeitszimmer offen. Haben Sie Unterlagen daraus entnommen?«

Sabine dachte an die Akte mit dem Sperrvermerk. »Nein, das habe ich nicht«, sagte sie bestimmt. Ein unangenehmes Kribbeln lief ihr über den Rücken und ließ sie erschaudern. »Aber mir ist aufgefallen, dass ein Feuer im Kamin brennt.«

»Wir versuchen gerade die Unterlagen zu retten, um zu rekonstruieren, was Hess verbrennen wollte.«

»Vielleicht war es gar nicht Hess, der etwas verbrennen wollte«, gab sie zu bedenken.

»Wer sonst?«

»Ich weiß es nicht.«

»Woher kennen Sie nun diese Adresse?«, fragte Timboldt erneut.

»Ich war mit Diana Hess befreundet«, sagte sie, um Sneijder zu schützen.

»Und die hat Ihnen die Adresse ihres Landsitzes verraten?«

»Ja«, log Sabine.

»Und warum waren Sie hier?«

»Ich wollte Hess zur Rede stellen, warum er mich von den Ermittlungen an Katharina und Anna Hagenas Tod abgezogen hat.«

Timboldt kaute an der Unterlippe. »Diese Frage kann *ich* Ihnen beantworten. Erstens waren Sie nie in die Ermittlungen von Anna Hagenas Selbstmord involviert, sondern sollten nur die Umstände vom Tod ihrer Schwester klären …«

»Und zweitens?«

Timboldt kniff die Augen zusammen. »Und zweitens haben sich die Ermittlungen durch Anna Hagenas Selbstmord zu einer größeren Sache entwickelt.«

»Der ich nicht gewachsen bin?«

»Sie sollten Hess' Entscheidung nicht infrage stellen. Halten Sie sich morgen zur Verfügung, damit wir Ihre Aussage zu Protokoll nehmen können.« Er wandte sich um und ging ins Haus.

Verlogener Dreckskerl!

Sabine verließ das Grundstück, ging ein Stück die Straße hinunter und setzte sich in ihren Wagen. Sie blickte sich um, da sie wissen wollte, ob jemand zu ihr herübersah, doch alle waren viel zu beschäftigt. Trotzdem startete sie den Wagen und fuhr in eine Seitengasse, um an einer Stelle zu halten, wo sie absolut ungestört war. Dann schaltete sie die Leselampe ein, zog die Papiere aus dem Hosenbund, glättete sie auf ihrem Oberschenkel und warf einen Blick auf den gerade noch lesbaren Text.

Jemand hatte verhindern wollen, dass dieses Protokoll an die Öffentlichkeit gelangte, und sie würde den Grund dafür herausfinden.

Schließlich stieß sie auf der letzten Seite auf den sechsten Namen, an den sich Lohmann angeblich nicht mehr erinnern konnte. Es war nicht Sneijder.

Der Name lautete: *Frank Eisner.*

Sie grub in ihrer Erinnerung. Persönlich war sie Eisner nie begegnet, aber sie kannte den Namen von Erzählungen.

Er war früher mal Ermittler beim BKA gewesen, aber dann vor etwa neun Jahren freiwillig aus dem BKA-Dienst ausgeschieden. Jetzt musste sie möglichst schnell herausfinden, wo er steckte – denn garantiert war auch sein Leben und das seiner Angehörigen in Gefahr. Vermutlich ebenso wie das von Timboldt.

30 Jahre zuvor – Tag der Lügen

Hardy saß auf der Bank im Innenhof des Wohnhauses, nahm einen Zug von der Zigarette und blinzelte in die Sonne.

Die Wohnanlage, in der er früher mit seinen Eltern gelebt hatte, sah aus wie immer. *Eigentlich nicht mehr ganz,* wenn er ehrlich war. Alles war älter und abgewohnter, und die Rutsche, auf der sie als Kinder gespielt hatten, gab es nicht mehr. Nur noch die Metallplatten mit den rostigen Rohren ragten aus der Wiese. Und die Sandkiste war so verdreckt, dass sich kein Kind mehr freiwillig dort hineinsetzen würde.

Als Hardy hörte, wie jemand mit einem Schlüssel am Haustor klimperte, zertrat er die Zigarette auf dem Boden und blickte auf die Armbanduhr. Siebzehn Uhr. Die Zeit, zu der Nora normalerweise von der Arbeit heimkam. Sie jobbte als Kellnerin in derselben Konditorei, in der seine Mutter früher ohne Urlaub und Krankenstand bis zu dem Tag gearbeitet hatte, als sie mit einem Tablett in der Hand einfach tot umgefallen war. Herzversagen. Nora hatte kurz darauf die freie Stelle erhalten.

Das Haustor schwang auf, und Nora kam herein. Sie sah gar nicht herüber durch den Torbogen zum Innenhof, sondern ging zu der Tür, die ins Treppenhaus zu den Wohnungen führte.

Hardy erhob sich und trat auf sie zu. Mein Gott, sie war immer noch so hübsch wie vor fünf Monaten, als er sie zuletzt gesehen hatte. Jetzt war sie achtzehn. Er hatte ihr letzte Woche zu ihrem Geburtstag eine Karte aus der Kaserne geschickt.

Nora trug Turnschuhe und ein dünnes blaues Sommerkleid. Das passte eigentlich überhaupt nicht zusammen, aber Nora war immer schon etwas Besonders gewesen. Einfach einzigartig. Ihr blondes Haar war zu einem Zopf geflochten, der ihr bis über den Rücken hinunterreichte. Bevor sie im Haus verschwand, blickte sie zufällig in seine Richtung. Ihre Blicke trafen sich, und plötzlich strahlte sie übers ganze Gesicht.

»Hardy!«, rief sie.

Er kam auf sie zu, nahm sie in die Arme und gab ihr einen Kuss auf die Wange. Es tat so gut, sie im Arm zu halten, und am liebsten hätte er sie ganz eng an sich gepresst; gleichzeitig fürchtete er, ihr wehzutun.

»Du bist …« Er ließ sie los und ging einen Schritt zurück, sodass sie sein Gesicht sehen konnte. »Du bist kräftig geworden … Ich meine, groß …«

Stirnrunzelnd blickte sie auf seine Lippen.

»Ich meine, du bist *fraulich* geworden«, sagte er rasch.

Sie lächelte. »Du bist auch kräftig geworden.« Sie drückte seine Oberarmmuskeln.

»Meine Dienstzeit beim Militär ist zu Ende.« *Fünfzehn Monate sich nur anschnauzen lassen und durch den Dreck robben.*

»Bleibst du nun hier?«

Er zögerte, dann schüttelte er den Kopf.

Sie nickte zum Treppenhaus. »Willst du raufkommen?«

»Keine Zeit, ich …«

»Du gehst … gleich wieder fort?« Ihre Augen weiteten sich. Ein wenig Panik zeichnete sich in ihrem Gesicht ab. *Nach all der Zeit, die ich auf dich gewartet habe,* schien ihr Blick zu sagen. Instinktiv fasste sie nach dem kleinen silbernen Kreuz an ihrer Kette.

»Ich muss weg. Aber ich komme wieder«, versprach er ihr.

»Wohin? Und wie lange?«

»Nach Brühl, in der Nähe von Köln. Ich habe die Aufnahmeprüfung an der Fachhochschule des Bundes für öffentliche Verwaltung geschafft. Auch die ärztliche Untersuchung, die Sportprüfung, das Allgemeinwissen und den psychodiagnostischen Teil sogar mit Auszeichnung. Das Grundstudium dauert sechs Monate.« Seine Stimme wurde immer leiser, als er Noras Gesicht sah. »Fachbereich Kriminalpolizei«, fügte er hinzu.

»Gratuliere.« Sie ließ ihr Kettchen los und umarmte ihn. »Ich freue mich wirklich für dich. Das wolltest du immer.«

Natürlich freute sie sich für ihn – seit ihrer gemeinsamen Kindheit, in der er die Jerry-Cotton-Hefte verschlungen hatte, hatte er über nichts anderes gesprochen als über die Ausbildung bei der Kripo, die er nach dem Abitur machen wollte –, aber trotzdem klang in ihrem Glückwunsch eine gewisse Trauer mit.

»Das bedeutet, dass wir uns jetzt wieder längere Zeit nicht sehen«, stellte sie fest, nachdem sie ihn losgelassen hatte.

»Ich ...« Er verstummte, da sich die Haustür öffnete und eine ältere Dame den Hof betrat.

Hardy sah Nora an, bewegte die Lippen und sprach lautlos weiter. »Ich werde die Ausbildung schaffen – nach dem Grundstudium drei Teile Hauptstudium und ein Jahr Länderpraktikum, danach der Abschluss zum Kriminalkommissar. Anschließend bekomme ich einen Job beim Bundeskriminalamt. Ich werde gut verdienen. Dann komme ich zurück und ...« Er blickte kurz zu der Dame, doch die beachtete ihn kaum. »... hole dich raus aus diesem elenden Bau.«

»Wann? In zehn Jahren?«, fragte sie.

»In drei Jahren. Versprochen« Er gab ihr einen Kuss. Zum ersten Mal direkt auf die Lippen.

»Willst du nicht doch kurz raufkommen?«, fragte sie. »Meine Eltern kommen erst in einer Stunde nach Hause.«

Er schüttelte den Kopf. »Ich muss los. Draußen wartet jemand im Auto auf mich.«

Ein Schatten legte sich über ihr Gesicht. »Ich habe das Auto gesehen. Lizzie sitzt drin, nicht wahr?«

Er nickte. Elisabeth war genauso alt wie Hardy, zwanzig, und sie war die Tochter seiner Nachbarn. Im Gegensatz zu ihm hatte sie noch kein Auto. »Sie geht mit mir gemeinsam zur Fachhochschule in Brühl«, sagte er, diesmal wieder hörbar, da die Dame bereits im Haus verschwunden war. »Wir haben gemeinsam für den Aufnahmetest gelernt.«

Hardy sah, wie sich Tränen in Noras Augen bildeten. Sogleich drückte er ihre Hand. »Da ist nichts. Da wird nie etwas sein! Nach der Ausbildung komme ich zurück. Versprochen!«

»Ich kenne doch Lizzie«, widersprach sie. »Sie ist ganz schön raffiniert – raffinierter, als ich es je sein könnte –, und sie hat ein Auge auf dich geworfen.«

»Mag sein, aber sie interessiert mich nicht.« Er gab ihr wieder einen Kuss.

»Das bezweifle ich, Thomas Hardkovsky«, sagte sie streng. »Du warst schon immer leicht zu beeinflussen, und Lizzie manipuliert jeden.«

Er wusste, dass Nora eine gute Menschenkenntnis hatte – doch diesmal irrte sie sich.

»Und du solltest mit dem Rauchen aufhören.« Sie griff in die Tasche ihres Kleides und drückte ihm eine Packung englische Rockie-Drops in die Hand. »Komm einfach wieder, wenn du bereit dazu bist.«

3. TEIL

- D I E A K T E -

FREITAG, 3. JUNI

24. KAPITEL

Der nächste Morgen begann mit einer zweistündigen Besprechung bei Timboldt im Büro.

Sabine erzählte ihm, was sie bisher herausgefunden hatte, verschwieg aber drei Dinge: Ihr Gespräch mit Maarten Sneijder in der *Romeo Bar,* dass sie dort auch Dirk van Nistelrooy gesehen hatte und dass es ihr gelungen war, Unterlagen mit einem Sperrvermerk aus Hess' offenem Kamin zu retten. Ihr Instinkt sagte ihr, dass es sich bei der Akte um exakt jenes Glied handelte, das alle Todesfälle miteinander verband – und offensichtlich steckte Timboldt irgendwie in dieser Sache mit drin. Solange sie noch nicht wusste, mit wem sie gefahrlos darüber reden konnte, würde sie ihm gegenüber die Klappe halten, da sie weder angeschossen in einer Badewanne noch als *Selbstmörderin* auf den Bahngleisen oder rauchvergiftet in ihrem Auto in einer Garage enden wollte.

Gereizt schaltete Timboldt das Diktiergerät aus und schob die Unterlagen zusammen. »Gut, wir sind fertig. Und kein Wort zur Presse, die sitzt uns seit gestern gewaltig im Nacken.«

»Natürlich.« Wofür hielt Timboldt sie? Sabine erhob sich und sah auf die Wanduhr. Es war kurz nach zehn. »Der Tod Ihrer Frau tut mir leid«, sagte sie abschließend und bemühte sich um einen mitfühlenden Ton. »Falls ich irgendetwas tun kann, sagen Sie es bitte.«

»Danke.« Timboldt musterte sie lange. »Es kommt Ihnen vermutlich merkwürdig vor, dass ich nach einem Tag wie gestern in meinem Büro sitze.«

Mehr als merkwürdig, dachte Sabine, schwieg jedoch.

»Arbeit ist angeblich die beste Medizin gegen Trauer … bis jetzt funktioniert es ganz gut.«

Auch wenn man befangen ist und eigentlich von den Ermittlungen abgezogen werden sollte?

»Können Sie das verstehen?«, hakte er nach.

»Doch, doch«, sagte sie. »Gibt es schon einen vorläufigen Obduktionsbefund?«

Timboldt biss die Zähne zusammen. »Meine Frau hatte Spuren eines Schlafmittels im Blut.«

»Gab es Blessuren am Körper, insbesondere Hämatome an den Armen?«, fragte sie.

»Nein. Ich weiß, worauf Sie hinauswollen, aber es gibt keine Einbruchspuren im Haus.«

»Trotzdem hätte ihr die Tabletten jemand gewaltsam verabreichen und sie anschließend in den Wagen zerren können.«

»So wie Sie vermuten, dass es sich im Fall von Präsident Hess um einen Mordversuch handelt?«

»Es wäre denkbar.«

»Wir gehen im Moment allen Möglichkeiten nach.«

»Gibt es an Dietrich Hess' Körper Spuren eines Kampfes oder von Gewalteinwirkung?«, fragte sie.

»Bis auf das Projektil, das sein halbes Gesicht weggerissen hat?«, fragte Timboldt trocken. »Nein. Und die toxikologische Untersuchung seines Blutes steht noch aus.«

Sie versuchte sich ihre Anspannung nicht anmerken zu lassen und ließ die Schultern sinken. »Wie geht es ihm?«

»Seine Lage ist kritisch. Soviel ich weiß, hat die Operation die ganze Nacht gedauert. Wie weit Teile seines Gehirns beschädigt wurden, ob er überhaupt überleben wird und falls ja, mit welchen Folgeschäden, werden die nächsten Stunden zeigen.«

»Wer übernimmt …?«

»Einer der beiden Vizepräsidenten des BKA übernimmt interimsmäßig seine Aufgaben, und im Moment ist da jemand im Gespräch, der nach Wiesbaden kommen soll.«

»Ein Externer? Dirk van Nistelrooy?«, vermutete Sabine.

Timboldt sah überrascht auf. »Sie wissen davon?«

»Ich habe ein Gerücht gehört«, sagte sie nur und dachte an das Gespräch mit Lohmann.

»Ja, Dirk van Nistelrooy wird ziemlich sicher der neue Präsident werden.«

Also doch! So eine Kuhscheiße! Damit lösten sich Sneijders Chancen, jemals wieder in den Dienst des BKA treten zu können, endgültig in Luft auf – und ausgerechnet ihn brauchte sie jetzt mehr denn je, wollte sie sich in diesem Dickicht an verworrenen Spuren zurechtfinden. »Wann kommt van Nistelrooy?«, fragte sie scheinheilig.

»Vermutlich morgen. Er ist noch in Den Haag.«

Wenn du wüsstest! »Gestatten Sie mir noch eine Frage?«

Timboldt sah genervt auf. »Bitte.«

»Was hat der Obduktionsbefund von Diana Hess ergeben?«

»Nun … im Gegensatz zu meiner Frau hatte Diana Hess tatsächlich blaue Flecken, und zwar am Hals.«

»Wurde sie über die Brücke auf die Bahngleise gestoßen?«

»Das können wir im Moment nicht ausschließen. Wir gehen auch dieser Spur nach.«

»Ich werde das Gefühl nicht los, dass Dietrich Hess etwas darüber weiß.«

»Mag sein, doch der kämpft im Moment um sein Leben und kann nicht vernommen werden. Sonst noch was?«

Sie schüttelte den Kopf.

»Gut, denn ich habe noch eine Sache, die wir kurz besprechen müssen.« Er stand auf, ging um seinen Schreibtisch herum und setzte sich leger auf die Kante. »Die Ereignisse der letzten Tage scheinen Sie stark mitgenommen zu haben. Darum habe ich bereits heute Morgen mit Ihrem Abteilungsleiter gesprochen und ein gutes Wort für Sie eingelegt.«

Sabine hob fragend den Blick. »Und?«

»Hess wollte ja auch, dass Sie sich stärker als Ausbilderin an der Akademie engagieren, zumal er Ihre pädagogischen Fähigkeiten zu schätzen weiß.«

O nein! Was für ein Quatsch! Sie ahnte, worauf dieses Gespräch hinauslaufen würde. »Ich habe lediglich ein paar Stunden am Ende des Semesters übernommen«, protestierte sie. »Und …«

»Das befürworte ich«, unterbrach Timboldt sie. »Ich werde dafür sorgen, dass Sie Ihre Stunden im aktiven Dienst ein wenig reduzieren können, um sich intensiver in der Akademie einzubringen.«

»Aber wie soll das so kurzfristig …?«

Timboldt tat den Einwand mit einer Handbewegung ab. »Mein Vorschlag ist, dass Sie ab morgen nicht nur die Einheiten von Anna Hagena übernehmen, sondern zusätzlich auch noch ein paar andere Module. Da müssen Sie sich zwar einarbeiten, aber das schaffen Sie bestimmt.«

Sabines Puls schnellte hoch. »Aber morgen ist Samstag.«

»Wie Sie von Ihrer Zeit an der Akademie wissen, wird dort auch samstags unterrichtet. Einverstanden?«

Du willst mich also so rasch wie möglich vom Außendienst in die Akademie verbannen! Wo waren die Zeiten, als sie noch mit Sneijder auf Mörderjagd gewesen war? Sneijder hätte sie in keinem Hörsaal versauern lassen. Im Gegenteil, er hatte sie an den Tatorten stets ins kalte Wasser gestoßen und sogar provoziert, damit sie auf eigene Faust ermittelte.

Auf eigene Faust!

Das war das, was sie am besten konnte. Und genau das würde sie wieder tun!

»Wie lautet Ihre Antwort?«, fragte Timboldt.

Sie zögerte. Ihr Instinkt sagte ihr, dass Timboldt sie aus der Schusslinie haben wollte. Aber warum? *Da brauchst du nicht lange darüber nachzudenken, Mädchen. Das liegt doch auf der Hand. Er will verhindern, dass du mehr über die Gruppe 6 herausfindest.*

»Einverstanden«, antwortete sie lächelnd. »Sie haben recht. Mir waren die Ereignisse der letzten Tage wirklich ein wenig zu viel.«

Timboldt lächelte ebenfalls. »Ich sehe das genauso; wer sich für kleine Aufgaben zu wichtig fühlt, ist letztendlich für die wichtigen Aufgaben zu klein.« Er rieb sich die Hände. »Gut, melden Sie sich beim Rektor der Akademie – und ich kläre das inzwischen mit Ihrem Abteilungsleiter.«

»Danke.« Sabine kochte innerlich vor Wut, sagte aber nichts. Nur so konnte sie Timboldt in Sicherheit wiegen, um unbemerkt unter seinem Radar zu agieren.

Sie wandte sich um und verließ das Büro. Bereits auf dem Weg zu den Fahrstühlen tippte sie eine SMS an Tina.

Brauche deine Hilfe. Treffen?

Prompt kam die Antwort.

In der Fuzo. In einer Stunde.

An einem heißen Tag wie diesem roch es in der Wiesbadener Fußgängerzone besonders intensiv nach Schwefel. An vielen Ecken sprudelten heiße Quellen aus den Brunnen.

Sabine und Tina trafen sich kurz nach elf in einer schmalen Seitengasse in ihrem Stammlokal. Sie saßen im Schatten einer mächtigen Platane in Korbstühlen und blickten auf das Römertor, ein Überbleibsel der alten römischen Stadtmauer. An dieser

Stelle wand sich die Steintreppe unter einem Rundbogen durch zu der mit Zinnen bewehrten Mauer und einem Türmchen mit Holzdach darauf. Ein schönes Plätzchen, und dennoch saß fast nie jemand an den benachbarten Tischen, auch jetzt nicht.

»Wollen wir das einfach so hinnehmen, dass Hess uns von unseren Fällen abgezogen hat?«, begann Sabine das Gespräch. »Vor allem jetzt, wo einem nach dem anderen das Licht ausgeknipst wird?«

Tina beugte sich über den Tisch zu ihr. »Natürlich nicht. Die Sache stinkt doch. Und darum habe ich heute Morgen im zentralen Einsatzleitsystem nachgesehen, wie weit die Ermittlungen in den Fällen Hagena und Rohrbeck sind.«

Sabine rückte näher. »Und?«

Tina ließ die Schultern sinken. »Weder die Zeugenbefragungen oder die Spurensicherung noch die Auswertung der Verkehrskameras hat irgendetwas Interessantes ergeben. Außerdem habe ich mir die offenen Ermittlungsfälle angesehen, an denen Rohrbeck und Hagena gearbeitet haben. Völlig harmlos. Zwischen ihnen besteht absolut kein Zusammenhang.«

Plötzlich leuchteten Sabines Augen auf, da ihr ein längst vergessenes Detail wieder eingefallen war. »Hagena hat Sneijders letzten ungelösten Fall übernommen, aber Sneijder meinte, der sei bloß nebensächlich.«

»Stimmt.« Tina winkte ab. »Hab ich mir auch angesehen. Vergiss es. Eine Mutter hat in einer Wohnhaussiedlung am Stadtrand von Nürnberg ihre kleine Tochter vermutlich getötet und die Leiche im Wald vergraben.«

Sabines Mund klappte auf. *Das ist es also gewesen!* »Sneijder hat an der Uni darüber gesprochen. Er wollte die Frau unbedingt überführen.«

»Sie hat sich mit einem Anwalt seiner Befragung entzogen und behauptet, Sneijder hätte sie zu einem Geständnis zwingen wollen. Aber es ist nie zur Anklage gekommen, weil keine Leiche gefunden wurde und es keine lückenlose Indizienkette gab. Das Mädchen ist bis heute verschwunden geblieben.«

Damit hatte sich Hagena also beschäftigt!

Tinas Handy klingelte, und sie warf einen genervten Blick auf das Display. »Ein Journalist, mittlerweile kenn ich die Nummern auswendig.« Sie würgte den Anruf ab und schaltete das Telefon auf lautlos. »Und was hast du herausgefunden?«

Sabine erzählte ihr, was vergangene Nacht passiert war, angefangen von ihrem Treffen mit Sneijder in der *Romeo Bar* bis hin zu den Ereignissen in Hess' Wochenendhaus und ihrem heutigen Gespräch mit Timboldt. Dann holte sie die verkohlten Unterlagen hervor, die sie aus dem Feuer gerettet hatte, und schob sie zu Tina über den Tisch.

»O Mann!«, lautete Tinas einziger Kommentar. Sie studierte zunächst den Brief, dann die Fotos von Diana Hess und schließlich die Akte. »Ich glaube nicht, dass der Brief und die Fotos von Diana wichtig sind.«

»Glaube ich auch nicht«, pflichtete Sabine ihr bei, da es sich bei dem Brief, soweit sich noch erkennen ließ, um ein Geburtstagsschreiben von Diana Hess an ihren Mann handelte.

»Vermutlich hat der Kerl, der in das Haus eingedrungen ist, einfach alles aus dem Safe genommen und wahllos ins Feuer geworfen.«

»Aber er ist nicht wirklich *eingedrungen*«, wies Sabine sie auf ein wichtiges Detail hin. »Die Alarmanlage gab kein Signal, aber der Sicherheitsdienst behauptete, dass sie nicht ausgeschaltet worden sei. Sehr mysteriös. Jedenfalls glaube ich, dass Hess seinen Besucher gekannt hat.« Sie beugte sich näher zu Tina, die immer noch die Akte studierte. »Ich vermute, es ging einfach nur um diese Unterlagen mit dem Sperrvermerk, die vernichtet werden sollten.«

»Aber selbst damit fangen wir nicht viel an. Es sind bloß zwanzig Jahre alte Termine für Vernehmungen der Kollegen durch die Dienstaufsichtsbehörde, ohne Beisein eines Anwalts. Leider sehen wir nicht, wer die Befragung durchgeführt hat. Und die wirklich interessanten Seiten sind wohl leider verbrannt. Noch dazu ist es ...« Tina drehte das Papier stirnrunzelnd zwischen den Fingern und betrachtete es von allen Seiten. »... ein offizielles BKA-Dokument.«

Sabine wies auf den Stempel. »Natürlich ist es das.«

»Ich meinte, es ist das *Original,* keine Kopie! Und wegen des Sperrvermerks ist es weder der Öffentlichkeit noch den meisten BKA-Beamten zugänglich. Eigentlich müsste es im Archiv des BKA-Hauptgebäudes liegen und nicht im Safe von Hess. Die Frage lautet ...«

»Warum hat Hess diese vermutlich auch für ihn belastenden Unterlagen in seinem privaten Tresor aufgehoben?« Sabine dachte nach, fand aber nur eine plausible Antwort. »Vermutlich deshalb, damit sie niemand findet.«

Tina nickte. »Aber warum sollte der Einbrecher sie dann verbrennen und Hess töten wollen?«

»Vielleicht hat Hess jemanden erpresst.«

»Hess?« Tina schien von dieser Theorie nicht gerade überzeugt zu sein. »Oder ...« Sie hob den Kopf. »Nicht Dietrich Hess, sondern *Diana Hess* hat diese Unterlagen aufgehoben.«

»Und wie soll sie da rangekommen sein? Und abgesehen davon: Warum sollte sie das tun? Um ihren Mann zu schützen?«, vermutete Sabine. »Möglicherweise wurde sie deshalb auf die Gleise gestoßen, weil sie die Dokumente nicht herauszurücken bereit war und ihr Mörder herausfinden wollte, wo sie sind. So könnte es gewesen sein.«

»Das sind alles nur Spekulationen«, seufzte Tina. »Jedenfalls geht es ziemlich sicher um die Gruppe 6. Was wissen wir darüber?« Sie zog ihr Notebook aus dem Rucksack, fuhr das Gerät hoch und öffnete eine leere Datei. Im nächsten Moment begann sie bereits zu tippen. »Vor zwanzig Jahren bestand die Abteilung aus beinahe zwei Dutzend Personen, und sechs davon wurden wegen Korruptionsverdachts vernommen. Und zwar diese …«, murmelte sie, während sie schrieb und Sabine einige Minuten später das Ergebnis präsentierte.

Gerald Rohrbeck
Sein fünfjähriger Sohn wird in der Nacht des 31. Mai in Wiesbaden von einem mutmaßlichen Einbrecher im Haus erschossen. Warum hat Rohrbeck überlebt? Warum ist er geflohen? Am nächsten Tag begeht er frühmorgens auf der A5 als Geisterfahrer Selbstmord.
SMS an Sneijder: *Du hattest recht. Die Vergangenheit holt uns ein. Der 1. Juni wird uns alle ins Verderben stürzen. Leb wohl!*

Anna Hagena
Telefoniert in der Nacht des 31. Mai mit ihrer älteren Schwester, der Anwältin Katharina Hagena. Kurz danach wird die Schwester in ihrem Haus in Mainz die Treppe hinuntergestoßen und stirbt. Am nächsten Tag telefoniert Anna am Abend mit Sneijder und begeht kurz darauf in ihrem Wagen auf den Bahngleisen ebenfalls Selbstmord.

Dietrich Hess
Seine Frau wird in der Nacht des 1. Juni von der Eisenbahnbrücke auf die Gleise vor einen fahrenden Zug gestoßen / oder nimmt sich selbst das Leben.
Hess schießt sich am 2. Juni in seiner Badewanne in den Kopf / oder wird Opfer eines Mordversuchs.

Hess oder sein Mörder versuchen zuvor die Unterlagen über die Gruppe 6 zu vernichten.

Klaus Timboldt
Seine Frau wird am 2. Juni Opfer eines Mörders / oder nimmt sich in ihrem Wagen in der Garage selbst das Leben.

Harald Lohmann
Leitet seit vielen Jahren den Haussicherungsdienst und das Mobile Einsatzkommando des BKA. Welche Verwandten hat er?

Frank Eisner
?

Unter dem letzten Namen befand sich ein großes Fragezeichen. Sabine starrte lange Zeit auf die Liste. »Und wenn es sich bei keinem einzigen Todesfall um Selbstmord handelt?«

»Einen so raffinierten Mörder gibt es nicht.«

»Ich meine, wenn sie in den Tod getrieben wurden?«

Tina nahm das Dokument in die Hand. »Etwa wegen dieses Blatts Papier? Diese sechs Personen wurden zu einem Sachverhalt befragt, der sich vor *zwanzig Jahren* ereignet hat. Warum passieren die Todesfälle ausgerechnet jetzt?«

»Richtig, dieses Dokument ist zwanzig Jahre alt«, erinnerte Sabine sich. »Darum habe ich im Archiv auch nichts darüber finden können, da ich mit meiner Suche erst neunzehn Jahre weit gekommen bin.«

»Du hast mit deinem Spürsinn von Anfang an richtiggelegen«, gab Tina zu. »Wir müssen weitersuchen, denn bis auf ein paar Termine zu einer Befragung gibt dieses Blatt nicht viel her. Außerdem müssen wir etwas über diesen Frank Eisner herausfinden.«

Sabine biss sich auf die Lippen. »Wenn wir nach ihm suchen, hinterlassen wir für jeden BKA-Beamten offensichtliche Spuren. Das ist vielleicht nicht so günstig.«

Tina grinste. »Verstehe, du bist ja ab morgen zur Akademietante degradiert und in den Innendienst abgeschoben worden. Aber *ich* werde suchen.«

»Auch dir wurde der Fall Rohrbeck entzogen«, erinnerte Sabine sie.

»Mag sein, aber dieses Baby hier …«, sagte sie und klopfte auf das Notebook, »ist mein privater Computer, und über das WLAN dieses Lokals werden wir im Internet etwas über Frank Eisner erfahren.«

Tina tippte rasch in die Tastatur, aber je länger sie suchte, desto länger wurde auch ihr Gesicht. »Kein Facebook-Eintrag, keine Ergebnisse bei Google, aber hier …« Plötzlich besserte sich ihre Laune.

Sabine rutschte näher und sah auf den Monitor. »Da ist ein Link auf die Webseite einer privaten Security-Firma.«

»Und zwar *Eisner-Security-Electronics.*« Tina klickte die Webseite an und öffnete das Impressum. »Hier steht es – Frank Eisner. Die Firma hat ihren Sitz in Wiesbaden. Hier geht es zu seiner Biografie.«

Gemeinsam starrten sie auf ein Foto. Frank Eisner war zweiundfünfzig Jahre alt, trug einen Anzug, hatte einen Bürstenhaarschnitt, schmale Gesichtszüge, rauchgraue Augen und einen stoppeligen grauen Dreitagebart. Dennoch war unter seiner Kehle die lange und schlecht verheilte Narbe eines Luftröhrenschnitts zu erkennen.

»Der sieht gut aus«, bemerkte Tina. »Marke braun gebrannter, cooler Manager. Und hier steht, dass er bis vor zehn Jahren noch beim BKA gearbeitet hat. Das ist unser Mann.«

Sabine überflog die Biografie, aber dort stand bis auf Eisners

Werdegang bei Polizei, Kripo und BKA nichts Privates über ihn. Seine Firma hatte fünf Mitarbeiter, und unter »Referenzen« wurden die Namen einiger seiner Kunden angeführt, für die er als Sicherheitsberater arbeitete. »Banken, Versicherungen, Autohäuser, Museen und jede Menge Konzerne …«, murmelte sie. »Scheint dick im Geschäft zu sein. Außerdem ist er der Einzige der Gruppe, der nicht mehr beim BKA arbeitet und vermutlich keinen Kontakt mehr zu seinen ehemaligen Kollegen hat.«

»Das bedeutet?«, fragte Tina.

»Von ihm erhoffe ich mir einige Informationen.«

»Gut, dann kümmere ich mich in der Zwischenzeit um die Akte mit dem Sperrvermerk. Vielleicht gibt es noch etwas im Archiv darüber. Und dann versuche ich mehr über Lohmanns Hintergrund herauszufinden, auch was eventuelle Angehörige betrifft.«

Sabine nickte. »Und ich knöpfe mir Eisner persönlich vor.«

»Pass nur auf, dass du nicht wieder in einen weiteren Tatort stolperst.«

25. KAPITEL

Sabine hatte von Frank Eisners Sekretärin erfahren, dass er den ganzen Tag einen Kundentermin im Bürogebäude der Clementoni-Bank hatte. Ein hohes Gebäude aus Beton, Stahl und riesigen Glasflächen, das mitten im Zentrum Wiesbadens lag.

Und da sie morgen wieder an der Akademie unterrichten musste und sogar ein paar Fächer dazubekommen hatte, blieb ihr nur noch heute Zeit für ein Gespräch mit Frank Eisner. Sie beschloss also, es in der Bank zu versuchen und einfach ihr Notebook mitzunehmen, um jede freie Minute für Recherchen nutzen zu können. Vor Ort zeigte sie ihren Dienstausweis, sprach mit der Assistentin der Geschäftsführung und bat um einen kurzen Termin mit Eisner.

Sabine erfuhr, dass er mit seinen Kunden in einer halben Stunde eine Kaffeepause machen würde, woraufhin die Sekretärin ihn in die Empfangshalle holen lassen wollte. Aber Sabine bot stattdessen an, selbst in den fünften Stock hinaufzufahren.

Also brachte ein Angestellter Sabine in das Foyer vor dem Konferenzraum, wo sich eine Sitzecke mit Tisch befand, auf dem jede Menge Zeitschriften lagen. Dort sollte sie auf Eisner warten. Als der Angestellte endlich verschwand, holte sich Sabine einen Cappuccino aus dem Kaffeeautomaten, der neben der Couch stand, setzte sich hin, trommelte mit den Fingern auf ihr Notebook und betrachtete die Magazine und Tageszeitungen. Die Schlagzeile des *Wiesbadener Echos* lautete: *Mysteriöse Todesfälle von BKA-Führungskräften!* Etwas kleiner darunter: *Treibt ein irrer Mörder sein Unwesen? BKA verhängt Nachrichtensperre.*

Daneben lag ein Revolverblatt. *Polizistenmörder schlägt wieder zu!*, hieß es da.

In der Haut des Pressesprechers des Bundeskriminalamts wollte sie in den nächsten Tagen nicht stecken. Sabine las die Artikel erst gar nicht, sondern öffnete ihr Notebook und starrte auf das BKA-Logo des Onlinearchivs. Timboldt konnte sie kreuzweise! Er würde ohnehin erfahren, dass sie mit Eisner gesprochen hatte. *Also was soll's? Außerdem recherchierst du doch nur für deinen Unterricht an der Akademie, oder?*

Sie öffnete das Archiv und startete eine Abfrage, indem sie einundzwanzig Jahre lang zurückging und die Namen Hess, Rohrbeck, Hagena, Timboldt, Lohmann und Eisner in das System eingab.

Damals war das BKA ständig in den Medien gewesen. Anscheinend war jene Zeit die Hochblüte für polizeiliche Erfolge. Bei BKA-Einsätzen wurden zahlreiche Drogenringe ausgehoben, Dealer festgenommen, Bordelle und Glückspielringe dichtgemacht, Waffenlager entdeckt und illegale Firmen für Schwarzgeldtransfers zerschlagen. Vor allem die legendäre Abteilung VED griff hart durch und verbuchte einen Erfolg nach dem anderen.

Wie es schien, hielt die Welle des Erfolges an. Im Jahr darauf stieß Sabine schließlich auf diesen einen Tag, nach dem sie so lange gesucht hatte: *der 1. Juni vor zwanzig Jahren.*

Der harte Kern der VED, die verdeckten Ermittler einer Fachabteilung namens Gruppe 6, hatten den Drogenring eines gewissen Thomas »Hardy« Hardkovsky ausgehoben. Anscheinend hatte es einige Tage vor dieser Aktion in Frankfurt eine Auseinandersetzung zwischen zwei rivalisierenden Drogenhändlern gegeben. Eine Gasexplosion vernichtete Hardys Warenlager und einige Tage danach brannten bei einem Anschlag seine Drogenlabors nieder. Daraufhin hatte Hardkovsky mit einem

Brandbeschleuniger in seinem Wohnhaus selbst Feuer gelegt, um belastendes Material gegen ihn zu vernichten. Als die Feuerwehr und die Beamten des BKA auftauchten, war bereits alles niedergebrannt. Auch Hardys Frau und seine beiden Kinder waren bei dem Feuer ums Leben gekommen. Er selbst behauptete zwar immer wieder, das Feuer nicht gelegt und damit auch seine Familie nicht getötet zu haben – was ein freiwilliger Lügendetektortest bestätigte –, aber ein gerichtspsychologisches Gutachten, das der Staatsanwalt in Auftrag gegeben hatte, entkräftete Hardys Aussage.

Die Expertise kam zu dem Schluss, dass Hardy unter einer posttraumatischen Belastungsstörung litt. Aus der Not heraus musste er den Tod seiner Frau und seiner Kinder in Kauf nehmen, was aber seine Psyche nicht aushielt. Angst, Depression, Schlaflosigkeit, Albträume, tiefe Verzweiflung und aggressives Verhalten waren die Folgen. Der Sachverständige und sein dreiköpfiges Expertenteam waren sich einig: Thomas Hardkovsky war ein Mörder, hatte die Erinnerung an die Tat jedoch bis in die tiefsten Schichten seines Unterbewusstseins verdrängt – und somit lautete das Fazit des Gutachtens: *Hardkovsky hat die Tat begangen, kann sich aber nicht daran erinnern!*

Hardys Sargnagel war jedoch eine belastende Zeugenaussage. Jemand hatte gesehen, wie er aus dem brennenden Haus gekommen war. Zum Schutz dieses Kronzeugen, der in dem Mord- und Rauschgiftprozess den Kopf eines Drogenrings belastete, wurden Name und Adresse in der Akte nicht genannt, und über seine Aussage wurde ein Sperrvermerk verhängt.

Nun fiel Sabine ein, dass sie vor vielen Jahren etwas über diesen Fall in den Medien gehört hatte. Sie scrollte weiter in der Akte. Dort wurde zwar das Gegengutachten einer jungen Psychologin erwähnt, jedoch keine nennenswerten Details genannt. Thomas Hardkovsky und seine Partner, drei Kleinkriminelle aus der Drogenszene namens Nadine Pollack, Otto Gedecker und Antoine Tomaschewsky, kamen wegen Drogenhandels vor Gericht und wanderten in den Bau. Nach der Verhandlung wurde Hardkovsky medikamentös behandelt. Mehr Infos gab es nicht darüber.

Sabine blickte kurz auf, sah in den leeren Gang, hörte irgendwo Gemurmel, das *Ping* eines Fahrstuhls und das Schlagen einer Tür und vertiefte sich wieder in das Archiv.

Als Nächstes sah sie sich Hardys Onlineakte an. Als Erstes stieß sie auf ein aktuelles Foto von ihm. Ein Mann im mittleren Alter. Irre wirkte er nicht. Im Gegenteil. Er sah gut aus, hatte einen drahtigen, trainierten Körper und wache, intelligent funkelnde Augen. Dass so jemand mit Drogen dealte, konnte sie auf den ersten Blick gar nicht glauben – und schon gar nicht, dass er seine Familie opferte, um belastende Beweise zu vernichten.

Jetzt war er fünfzig. Nach dem Abitur und der Bundeswehr war er … *Was? Kriminalkommissaranwärter gewesen und hat eine dreijährige Ausbildung gemacht? Das gibt es doch nicht! Beim BKA?* Sabine blieb die Spucke weg. Hardy war ein ehemaliger Kollege! Er hatte während seiner Ausbildung ein sechsmonatiges Praktikum im Bereich Organisierte Kriminalität und Rauschgift absolviert und war nach der Ausbildung in den Bereich *Internationale Drogenbekämpfung – Schwerpunkt Kokain* gewechselt, wo er ins kalte Wasser geworfen wurde und die Grundlagen der internationalen Rauschgiftbekämpfung kennenlernte. *Verdammte Kuhscheiße!* Von seinem dreiundzwanzigsten bis fünfundzwanzigsten Lebensjahr hatte er sogar als internationaler Drogenfahnder beim BKA gearbeitet.

Und so jemand kündigte den Job, um innerhalb von fünf Jahren selbst einen Drogenring aufzuziehen? Immerhin wusste er, wie er den Drogenfahndern durchs Netz schlüpfen konnte. Außerdem hatte er die Szene und dort vermutlich auch Pollack, Gedecker und Tomaschewsky kennengelernt.

Aber dann kam der Hammer. Als Kopf einer kriminellen Vereinigung saß er wegen Brandstiftung, Mordes und gewerbsmäßigen Drogenhandels zwanzig Jahre in der Justizvollzugsanstalt Bützow, aus der er vor acht Tagen entlassen wurde.

Vor acht Tagen!

Sabines Gaumen wurde trocken. All die Morde und Selbstmorde könnten mit seiner Entlassung zu tun haben. Die Frage lautete: *Ist er wirklich irre und falls ja, wo steckt er jetzt?*

Sabine wollte eine neue Abfrage starten, als das Bild am Monitor einfror. Der Mauscursor ließ sich zwar bewegen, aber sie konnte nichts mehr auf der Seite des Archivs anklicken.

»Komm schon!«, murmelte sie.

Plötzlich tauchte das rote Rechteck mit Ausrufezeichen auf, das sie aus ihrer Studienzeit nur allzu gut kannte.

Sie haben keine Zutrittsberechtigung.

»Das darf doch nicht wahr sein.« Sie fuhr das System herunter, startete das Archiv neu und versuchte sich einzuloggen. Wieder kam dieselbe Fehlermeldung.

»Diese Mistkröten!«, zischte sie. Zornig griff sie zum Handy und tippte eine SMS an Tina.

Mir wurde gerade die Zutrittsberechtigung zum Archiv entzogen. Die Gruppe 6 hat am 1. Juni vor zwanzig Jahren den Drogenring von Thomas »Hardy« Hardkovsky ausgehoben. Er wanderte für zwanzig Jahre in den Knast und kam vor acht Tagen frei. Ich werde …

Sie hielt inne. Vor ihr ging eine Tür auf, und einige Managertypen und top gestylte Damen strömten aus dem Besprechungszimmer zu den Stehtischen ins Foyer, auf denen Kaffeekannen und Teller mit Keksen standen. Unter ihnen erkannte Sabine auch Frank Eisner im eleganten maßgeschneiderten Anzug. Sie schickte die SMS an Tina ab, steckte das Telefon weg, klappte das Notebook zu, erhob sich und ging auf Eisner zu.

Eisner lächelte selbstgefällig, während seine Hand lässig in der Hosentasche steckte. »Wir können die neuen Upgrades für die Firewall nächste Woche installieren, aber dann …« Er unterbrach das Gespräch, als ahnte er, dass Sabine seinetwegen hier war, und sah sie an, während sie die letzten Schritte auf ihn zuging.

»Guten Tag, Bundeskriminalamt Wiesbaden«, sagte sie und zeigte ihren Ausweis her. »Haben Sie kurz Zeit?«

Die Gespräche der Banker verstummten. Eisner sah Sabine intensiv und zugleich neugierig an. Sie erkannte trotz seiner grauen Bartstoppeln die lange Narbe unter seiner Kehle. Er lächelte, und in diesem Moment wusste sie, dass er auf dieses Gespräch vorbereitet war. Es würde schwierig werden, diese Nuss zu knacken.

26. KAPITEL

Montag, 30. Mai

Nora hatte Hardy auf morgen vertröstet. Also betrat er am nächsten Tag um drei Uhr nachmittags erneut das *Panda.* Das Lokal schloss gerade, Nora hatte Pause und musste erst wieder um sechs Uhr hinter der Theke stehen.

Während Nora die Tische putzte, räumte Hardy Teller, Besteck und Gläser in den Geschirrspüler und schaltete ihn ein. Gemeinsam wischten sie die Theke ab und kehrten den Boden. Indessen säuberte Herr Chang die Küche.

»Bis um sechs«, rief Nora in die Küche.

»Xiè xie«, antwortete Herr Chang.

Sie sah zu Hardy. »Gehen wir.«

Hardy folgte ihr durch den Hinterausgang, der in einen schmalen Hof führte, in dem die Mülltonnen standen. Von dort gab es eine Tür in das Treppenhaus.

Sie stiegen in den dritten Stock hoch, und während Nora mit dem Schlüssel im Schloss hantierte, den Fuß gegen den unteren Teil der Tür stemmte und ein *»Diese Scheißtür klemmt dauernd«* murmelte, kam vom oberen Stockwerk ein Mann herunter.

Ein Fettsack im Hawaiihemd mit Schweißflecken so groß wie ein Gemälde von Jackson Pollock. Er war etwa sechzig, hatte das schüttere Haar wachsen lassen und seitlich über die Glatze gekämmt. Mit einem Grinsen starrte er Nora auf den Arsch.

»Glotz woanders hin!«, sagte Hardy.

»Brauchst dich gar nicht bemühen, hart zu wirken, um die Kleine zu beeindrucken«, sagte der Alte. »Die hört dich nicht. Ist taub wie ein Maulwurf.«

Taub wie ein Maulwurf? O Gott, der Alte war auch noch dämlich.

Der Mann grinste. »Hat aber ein gutes Fahrgestell.«

»Verzieh dich!«, sagte Hardy genervt.

Der Mann blieb kurz neben dem Treppenabgang stehen und wippte auf den Zehenballen. »Pass auf. Die Kleine kratzt.« Er schob den Kragen seines Hawaiihemds zur Seite und zeigte Hardy ein paar Kratzer. »Am besten ist, du zahlst erst nachher.«

Hardys Hand ballte sich zur Faust. »Hau bloß ab.«

Unbeeindruckt grinste der Fettsack und stieg weiter die Treppe hinunter. »Beißt und kratzt wie eine Wildkatze …«, murmelte er.

Hardy wollte ihm bereits hinterher, als Nora ihn am Arm packte und in die Wohnung schob.

»Beruhige dich«, sagte sie. »Ich weiß nicht, was er gesagt hat, aber er redet den ganzen Tag nur Schwachsinn!«

»Ich könnte ihm das Maul polieren, dann lässt er dich in Ruhe.«

»Keine gute Idee. Er ist der Hauseigentümer, und ich möchte nicht, dass er mit der Miete raufgeht.«

Ach, du Kacke! »Weiß er, dass du in der Wohnung eine Katze hast?«

»Nein.«

Hardy presste die Lippen aufeinander. »Schläfst du mit ihm?«

Nora bekam einen roten Kopf. »Hat er das etwa behauptet?«

Hardy hob die Schultern, sagte aber nichts.

»So ein Arsch!« Sie atmete tief durch. »Komm, gib mir dein Handy, bringen wir es hinter uns.«

Er gab ihr sein Telefon.

»Hast du ein Datenkabel?«

Er kramte es aus seiner Tasche hervor. »Kann ich mir etwas zu trinken nehmen? Möchtest du auch was?«

»Ja, in der Küche steht eine Flasche Weißwein.«

Während Nora ins Wohnzimmer ging, betrat Hardy die Küche. Nicht groß, aber sehr sauber. Auch was er bisher vom Wohnzimmer gesehen hatte, wirkte gemütlich. Nora hatte aus dieser winzigen Wohnung mit ihrem kleinen Gehalt wirklich das Beste gemacht. Er fand die Flasche Weißwein im Kühlschrank, öffnete die Schränke, nahm Gläser heraus und goss Nora ein Glas Wein ein. Auf dem Fensterbrett saß eine Katze. Nora hatte nicht übertrieben, das Tier sah tatsächlich ziemlich hässlich aus. Dünn, zerzaustes weißes Fell, abstehende Ohren und hervorquellende Augen. *Hässlich* war sogar noch untertrieben.

»Twinky«, flüsterte Hardy sanft.

Die Katze sah ihn argwöhnisch an. Er näherte sich ihr mit der Hand und wollte ihr über den Kopf streicheln, doch sie fauchte ihn an.

»Okay, dann nicht.« Für sich selbst mischte er Baileys mit Milch und Eiswürfeln in einem Glas. Damit und mit dem Weinglas betrat er das Wohnzimmer.

Nora hatte inzwischen sein Handy an ihr Notebook angesteckt und bereits das Video gefunden. Sie saß auf der Couch. »Ist es das?«

Hardy sah die beiden BKA-Beamten vor Antoine Tomaschewskys Haus. »Ja.«

»Die Bildqualität ist gut, woher hast du das? Haben alle so ein Telefon im Knast?«

Hardy erklärte es ihr. »Erstaunlich, was die alles können, nicht wahr?«, fügte er hinzu und setzte sich in einen Lehnstuhl.

»Ja«, gab Nora ihm recht, »aber nimm heutzutage mal einem Jugendlichen das Handy weg! Hat er kein Smartphone mehr, muss er wieder selber denken. Kannst echt froh sein, dass dir im Gefängnis der ganze Social-Media-Kram der letzten Jahre erspart geblieben ist.«

»So weltfremd sind wir im Knast nun auch wieder nicht. Ich hatte dreimal pro Woche für eine Stunde einen PC und kenne sogar Facebook.«

»Oh, wie fortschrittlich.« Erstaunt lachte sie auf. »Hast du eine eigene Fanseite, die ich liken kann?«

Er blieb ernst. »Nein.«

»Sei froh. Facebook hilft vielen nur, die eigene Blödheit bekannt zu machen. Es ist wie ein Kühlschrank. Man guckt alle zehn Minuten rein, obwohl man genau weiß, dass nichts Neues drinsteht.«

»Gehörst du zu denen, die dauernd jammern, dass früher alles besser war?«, fragte er.

»Stimmt genau! Vorgestern zum Beispiel war Samstag und mein freier Tag!« Sie grinste.

Er lächelte ebenfalls. »Die kurzen Haare stehen dir gut.«

»Danke.«

Sie sah sich das Video auf ihrem Notebook an, zoomte das Bild heran und betrachtete Antoines Lippenbewegungen. Bei dieser Vergrößerung wurde das Bild zwar unscharf, aber Nora ließ es dreimal hintereinander wortlos ablaufen. Danach betrachtete sie die Spiegelung der BKA-Beamten im Glaselement der Tür und sah sich auch diese Stelle mehrmals an. Währenddessen hörte Hardy immer wieder nur das gleiche Vogelgezwitscher und das Brummen der vorbeifahrenden Autos.

Hardy ließ Nora noch etwas Zeit, dann berührte er sie am Arm, sodass sie aufschaute. »Konntest du etwas erkennen?«

Sie legte das Notebook weg, griff zum Weinglas, zog die Beine an und klemmte sich selbst ein Kissen unter den Arm. Lässig kauerte sie auf der Couch. »Ein wenig, der Rest lässt sich erahnen.«

»Worüber reden diese Leute?«

»Zuerst erzählst du mir bitte schön mehr darüber.«

Er sah sie fragend an.

»Wer sind diese Leute? Woher kennst du sie? Warum hast du sie gefilmt?« Sie wedelte auffordernd mit dem Arm. »Steckst du in Schwierigkeiten? Hat es mit deinem *Aufenthalt* im Knast zu tun? Was hast du als Nächstes vor?«

»Das alles willst du wissen?«

»Ich habe Zeit.« Sie griff zum Weinglas.

»Also gut.« Er machte es sich auf dem Sessel bequem. »Ich war drei Jahre lang beim BKA bei der Drogenfahndung, teilweise undercover. Hatte als Beamter des Bundeskriminalamts Einblick in die Szene. Hab den Job schließlich gekündigt und selbst ein kleines Drogengeschäft aufgezogen.«

»Und Lizzie hat das zugelassen?«

»Es war ihre Idee. Sie wurde schwanger, wir bekamen Zwillinge und brauchten das Geld.«

»Ihr brauchtet das Geld?«, wiederholte Nora zynisch. »Und da habt ihr …« Sie schnippte mit den Fingern. »… einfach ein kleines Drogenlabor eröffnet?«

»So in etwa.«

»Ich wusste schon immer, dass Lizzie nicht zu trauen ist, vom ersten Tag an, als ich sie gemeinsam mit dir gesehen habe.«

»Sie ist tot.«

Nora hob entschuldigend die Hand. »Oh, tut mir leid«, sagte sie zynisch. »Ein paar drogensüchtige Jugendliche sind das jetzt vermutlich auch. Und weiter?«

Hardy ignorierte den Vorwurf. »Das Geschäft lief knapp sechs Jahre lang gut, dann wurde es zu groß. Es gab die ersten Auseinandersetzungen mit der Konkurrenz.«

»Physikstudenten, die selbst in ihrem Keller Drogen herstellten?«

»Wenn, dann wären es *Chemie*studenten gewesen.« Er schüttelte den Kopf. Nora musste nicht die ganze Wahrheit erfahren, also sagte er nur: »Albaner, Russen, Armenier und Tschetschenen.«

»Und danach?«

»Sie brannten mein Lager und meine Labors nieder, schlugen meine Mitarbeiter zusammen und fackelten schließlich auch mein Wohnhaus ab. Lizzie und die Zwillinge sind in dieser Nacht zu Hause gewesen. Sie hatten sich neben dem Schlafzimmer in einer Kammer versteckt, doch als das Feuer ausbrach, schafften sie es nicht mehr rechtzeitig raus. Sie verbrannten. Alle drei. In einer Kammer, halb so groß wie deine Küche.«

»Angeblich sollst *du* für ihren Tod verantwortlich sein.«

Hardy zuckte zusammen.

»Was hast du?«

»Nichts.« Er kniff für einen Moment die Augen zusammen und griff sich an die Schläfen. *Diese verdammten Schmerzen!*

»Möchtest du eine Kopfschmerztablette?«

»Nein danke.« Er massierte seine Stirn, dann öffnete er wieder die Augen. »Ich war zu diesem Zeitpunkt gar nicht zu Hause. Aber ich hatte nur ein schwaches Alibi. Der Staatsanwalt hat es nach Strich und Faden zerlegt. Außerdem hat mich ein Zeuge angeblich gesehen, wie ich zur Tatzeit aus dem brennenden Haus gekommen bin.«

»Wer ist dieser Zeuge? Du könntest doch …«

»Es war ein pensionierter Polizist, der vor vielen Jahren gestorben ist«, erklärte Hardy. Natürlich hatte er auch schon daran gedacht, aber diese Spur war mittlerweile kalt.

»Aus welchem Grund solltest du dein eigenes Haus anzünden?«

»Um belastendes Material zu vernichten.«

»Wie bitte?«

»Nach den Anschlägen auf meine Labors wimmelte es von Polizei, Kripo, BKA, Rettung und Feuerwehrleuten. Es war Gefahr im Verzug. Die Kripo hätte keinen richterlichen Durchsuchungsbeschluss gebraucht, um mein Haus auf den Kopf zu stellen. Also soll ich den Brand selbst gelegt haben.«

»Ohne Rücksicht auf deine Familie?«

»Angeblich wollte ich alle Beweise vernichten, und Lizzie wusste zu viel über meine Geschäfte.«

Nora schwieg. Keine weiteren zynischen Kommentare mehr. Sie drehte das Weinglas in der Hand. »Und was hast du nun vor?«

»Ich will den Mord an meiner Frau und meinen Kindern aufklären.«

»Wäre das nicht die Aufgabe der Polizei gewesen?«

»Ein Brandsachermittler hat festgestellt, dass jemand versucht hat, es so aussehen zu lassen, als wäre der Brand im Wohnhaus aufgrund eines überhitzten Modems ausgebrochen. Tatsächlich soll aber ein Brandbeschleuniger verwendet worden sein, von dem sie aber keine eindeutigen Spuren gefunden haben. Jedenfalls hat mich der Staatsanwalt wegen Drogenhandels und Brandstiftung angeklagt. Außerdem hat er mir Versicherungsbetrug angehängt, weil es mein eigenes Haus gewesen ist, und sich gar nicht erst mit fahrlässiger Tötung zufriedengegeben, sondern auf vorsätzlichen Mord plädiert. Er ist mit allen vier Anklagepunkten durchgekommen.«

»Glaubst du nicht, dass es vielleicht doch ein Unfall gewesen sein könnte?«

»Der Brand *wurde* gelegt.«

»Warum bist du dir da so sicher?«

»Wir hatten zwar ein Modem im Haus, aber nicht im Schlafzimmer. Trotzdem wurde dort ein geschmolzenes Teil entdeckt. Jemand muss es da deponiert haben.«

»Hardy, ich weiß, es klingt hart, aber das ist zwanzig Jahre her. Die Vergangenheit frisst dich auf.«

»Ich muss herausfinden, wer dahintersteckt, falls es tatsächlich vorsätzlicher Mord war.«

»Okay.« Sie streckte die Beine aus. »Es müsste ja jede Menge Unterlagen darüber geben. Die Berichte des Brandsachermittlers, der Polizei und der Feuerwehr. Und diese Zeugenaussage. Als Geschädigter müsstest du doch über einen Rechtsanwalt Akteneinsicht erhalten können.«

Hardy lächelte gequält auf. »Glaubst du, das hätte ich während meiner Zeit im Knast nicht alles versucht? Ich habe sogar das Grundstück mit meinem abgebrannten Haus verkauft, um den Anwalt bezahlen zu können. Aber an wen ich mich auch gewandt habe – das Resultat lautete immer: *Ich* habe den Brand selbst gelegt, und meine Familie hat es nicht mehr rechtzeitig aus dem Haus geschafft. Es gibt sogar das Gutachten eines Gerichtspsychologen darüber, dass ich zu dieser Tat fähig bin, sie begangen und bloß verdrängt habe.«

Nora stöhnte auf. »Lass die Vergangenheit ruhen.«

Er schüttelte den Kopf. »Erst wenn ich Gewissheit habe.«

»Und wie willst du die finden?«

Aus dem Augenwinkel sah Hardy, wie sich Twinky aus der Küche langsam ins Wohnzimmer schlich. »Angeblich gibt es über die Ereignisse dieser Nacht eine BKA-interne Akte mit Sperrvermerk. An die muss ich irgendwie rankommen.«

»Wie willst du das schaffen?«

Hardy steckte die Hand in die Hosentasche und holte den Schlüssel für das Schließfach heraus. »Ich weiß noch nicht, wofür der ist, aber ich werde es herausfinden. Und ich denke, dass ich diesen Bericht dort finden werde.« *Und zwar in einer Sporttasche.*

»Und wenn sich alles tatsächlich nur als unglücklicher Unfall herausstellt?«

»Dann lasse ich die Sache ruhen. Aber das glaube ich nicht.

Denn ich werde von jemandem in einem schwarzen Wagen verfolgt, und es sieht verdammt danach aus, als versuchte dieser Jemand zu verhindern, dass ich etwas herausfinde.« Er deutete auf das Notebook. »Ich muss erfahren, worüber diese Leute gesprochen haben. Darum brauche ich deine Hilfe.«

In diesem Moment sprang Twinky mit einem Satz auf Hardys Schoß, drehte sich einmal im Kreis, rollte sich zusammen und legte sich schnurrend hin. »Okay«, murmelte er und legte die Hand auf das zerzauste Fell. Darunter spürte er, wie der Körper der ausgemergelten Katze vibrierte.

»Das macht Twinky normalerweise nie«, sagte Nora erstaunt.

Er sah auf. »Also, wirst du mir nun helfen?«

Sie blickte auf das Notebook mit dem Video, dann schaute sie ihn an. »Okay, ich werde dir helfen. Aber zuerst beantwortest du mir eine Frage: Wer oder was ist die Gruppe 6?«

27. KAPITEL

Frank Eisner musterte Sabine von oben herab. »Was will denn das Bundeskriminalamt von mir?« Seine Stimme klang rau, was vermutlich von dem Luftröhrenschnitt stammte. Anscheinend waren dabei die Stimmbänder verletzt worden.

»Kann ich …«

»Braucht das BKA ein neues Sicherheitssystem?« Eisner lächelte. Mit seiner schlanken, hochgewachsenen Statur und den breiten Schultern war er gut eineinhalb Köpfe größer als sie. Er blickte zu dem Manager, der neben ihm am Stehtisch stand und gerade Milch und Süßstoff in den Kaffee rührte.

»Kann ich unter vier Augen mit Ihnen sprechen?«, fragte Sabine.

»Wie Sie sehen, halte ich gerade eine Produktpräsentation vor Kunden.«

»Es dauert nicht lange.«

»Kaffee und Kekse?«, fragte Eisner und schob ihr einen Teller hin.

»Nein danke. Ich möchte Sie fragen, ob …«

»Entschuldigen Sie bitte.« Er hob den Finger und senkte die Stimme. »Offenbar haben Sie gerade nicht richtig zugehört. Ich führe hier ein Verkaufsgespräch.«

»Und ich suche einen Mörder.«

»Hier?«

»Womöglich.« Dieser selbstgefällige Mistkerl würde sie heute sicher nicht auf die Palme bringen. Wäre sie mit einem offiziellen Ermittlungsauftrag hier, hätte sie einen anderen Ton angeschlagen, aber so musste sie froh sein, wenn Eisner sich nicht bei ihrem Abteilungsleiter nach ihr erkundigte. Immerhin hatte er lange genug beim BKA gearbeitet, um zu wissen, wie der Hase lief.

»Ich mache Ihnen einen Vorschlag – aber auch nur deshalb, weil Sie mich so nett gefragt haben«, sagte er. »Wir beenden diese Pause wie geplant, und wenn alle Beteiligten wieder im Konferenzraum sind, sprechen wir. Drei Minuten lang. Mehr kann ich nicht für Sie tun.«

Vielleicht war das ein Test, um herauszufinden, wie hartnäckig sie war. Aber wenn sie sich auf ein Spielchen einließ und zu bluffen versuchte, würde sie diesen Machtkampf verlieren.

»Einverstanden.«

»Gut. Bis später.« Eisner wandte sich an die Manager, die an seinem Tisch standen, und setzte das Gespräch fort, während Sabine sich zurückzog.

Sie wartete eine Viertelstunde lang, in der sie Eisner beobachtete. Ohne zu verstehen, worum es ging, da sie zu weit entfernt stand, merkte sie dennoch, wie er das Gespräch dominierte. Er flirtete mit den Damen, brachte die Herren zum Schmunzeln, agierte dezent mit Mimik und Gestik und wirkte wie eine Mischung aus Versicherungsmakler und Autohändler, der seine Kunden um den Finger wickelte.

Endlich lösten sich die Ersten von den Stehtischen und betraten wieder den Seminarraum. Die anderen folgten recht bald. Nur Eisner blieb am Tisch stehen und goss sich noch eine Tasse Kaffee ein.

Als sie allein im Foyer waren, ging Sabine auf ihn zu. »Danke, dass Sie sich kurz Zeit nehmen. Ich …«

Eisner sah sie scharf an. Aus seinem Gesicht war jede Freundlichkeit gewichen. »Frau Nemez, hören Sie mir gut zu, ich sage das nur ein Mal: Sprechen Sie mich nie wieder – *nie wieder* – vor Kunden in diesem Ton an. Haben Sie verstanden?«

Sie schnappte nach Luft. »Ich …«

»Bei diesen Gesprächen geht es um Beträge, die Sie in zwanzig Jahren nicht verdienen. Das nächste Mal machen Sie mit meiner Sekretärin einen Termin aus. Ist das klar?«

Sabine bemühte sich um einen ruhigen Ton. »Anscheinend sind Sie der irrigen Meinung, ich wäre beeindruckt, nur weil Sie früher beim BKA vielleicht mal eine große Nummer gewesen sind und jetzt in der High Society verkehren.«

»Jetzt kommt auch noch Respektlosigkeit zu Ihren Eigenschaften hinzu«, stellte er fest.

»Grundsätzlich habe ich Respekt vor älteren Menschen, aber in Ihrem Fall würde ich sogar eine Ausnahme machen.«

Eisners Augenlid zuckte. »Sie wissen anscheinend nicht, dass Direktor Hess und ich eng befreundet sind.«

»Direktor Hess hat sich gestern Nacht in den Kopf geschossen und schwebt in Lebensgefahr.«

Eisner sah sie lange an. »Bitte? Davon weiß ich nichts.«

»Die Medien haben noch nichts darüber berichtet.«

»Proaktive Ermittlungsmethoden werden nicht angewandt, wenn es sich um Selbstmord handelt.«

»War es Selbstmord?«

»Vermuten Sie einen Mordversuch?«

»Über den derzeitigen Stand der Ermittlungen kann ich nicht mit Ihnen sprechen, aber ich habe diesbezüglich einige Fragen an Sie.«

»Einen Moment.« Eisner griff zum Handy und wählte eine Kurzwahl. Er hielt das Telefon ans Ohr und wartete.

»Wen rufen Sie an?«, fragte Sabine.

»Hess.«

»Der liegt auf der Intensivstation und wird wohl kaum rangehen.«

»Das kann jeder behaupten. Ich …« Er hob die Hand und

brachte Sabine zum Verstummen, bevor sie etwas sagen konnte. »Ist Präsident Hess zu sprechen? … Aha … Das tut mir leid zu hören, danke. Wiederhören.« Er unterbrach die Verbindung und steckte das Telefon weg.

»Glauben Sie mir jetzt?«

Eisner fingerte an seiner Krawatte. »Gut. Eine Minute. Dann muss ich wieder rein.«

»Gerald Rohrbeck und Anna Hagena haben sich vor wenigen Tagen das Leben genommen, und Dietrich Hess hat einen mehr als fragwürdigen Selbstmordversuch begangen. Noch dazu wurden Rohrbecks Sohn, Hagenas Schwester, Diana Hess und Timboldts Frau ermordet.«

»Klaus Timboldts Frau?«, unterbrach Eisner sie.

Sabine nickte. »Sie, Lohmann und die anderen, die ich gerade erwähnt habe, waren im Rahmen eines Einsatzes der Gruppe 6 vor über …«

»Woher kennen Sie die Namen der damaligen Mitglieder?«, unterbrach Eisner sie scharf.

»Was ist daran so ungewöhnlich?«

»Das kann ich Ihnen verraten.« Er senkte die Stimme. »Es sind die Namen von ehemals verdeckt ermittelnden Beamten, und diese Information ist nicht jedem zugänglich. Also, woher haben Sie diese Namen?«

»Das ist vertraulich«, antwortete Sabine. »Jedenfalls waren Sie an der Zerschlagung eines Drogenrings beteiligt.«

»Das war unsere Aufgabe – und es war nicht nur einer.«

»Zu jener Zeit, am ersten Juni, brannte das Wohnhaus von Thomas Hardkovsky nieder.«

»Er war Drogendealer.«

»Nicht nur das. Davor ist er beim BKA gewesen.«

»Kann sein, aber wenn, dann ist das schon verdammt lange her«, sagte Eisner.«

»Er war bei der Drogenfahndung. Eigentlich müssten Sie ihn von früher noch als Kollegen kennen.«

Eisner schüttelte den Kopf. »Dunkel. Was haben die aktuellen Ereignisse mit Hardkovsky zu tun?«

»Das wüsste ich gern von Ihnen.«

»Von mir? Sie überschätzen meine Kontakte und Beziehungen.«

»Ich dachte, Sie wären so dick mit den Kollegen und dem Vorstand des BKA befreundet.«

Eisner knirschte mit den Zähnen.

Habe ich dich erwischt, du Arschloch! »Was ist an diesem ersten Juni passiert?«

»Fragen Sie Ihre Kollegen, ich bin seit zehn Jahren nicht mehr bei der Truppe, und an das, was zehn Jahre davor passiert ist, kann ich mich nicht mehr erinnern.«

Sabine hatte absichtlich keine Jahreszahl genannt. Trotzdem wusste Eisner genau, *wie lange* die Ereignisse her waren, über die sie gerade sprachen. »Was steht in der diesbezüglichen Akte der Dienstaufsichtsbehörde?«

»Sehen Sie sich die Akte an.«

»Sie hat einen Sperrvermerk.«

»Ach, einen Sperrvermerk?«, wiederholte Eisner spöttisch. »Dann muss es wohl einen Grund dafür geben, dass sich diese Unterlagen nicht jede kleine BKA-Pipimaus ansehen kann.« Sein Ton wurde zunehmend schärfer.

Sabine ignorierte die Beleidigung. »Wer von der Dienstaufsichtsbehörde hat die Untersuchung damals geleitet?«

»Kann mich nicht mehr daran erinnern.«

»Können Sie sich noch an den Namen des zuständigen Staatsanwalts erinnern?«

»Nein.«

»Herr Eisner.« Sabine bemühte sich um einen ruhigen Ton.

»Bis auf Lohmann und Sie hat jeder von der damaligen Gruppe 6 ein Familienmitglied verloren. Wenn Sie nicht mit mir zusammenarbeiten wollen, sind Sie vielleicht als Nächster dran.«

»Danke, aber ich kann gut auf mich allein aufpassen. Besser als ein Mädchen, das seine Kompetenz überschätzt.«

Arroganter Mistkerl!

»Ich möchte Ihnen doch nur helfen! Thomas Hardkovsky wurde vor acht Tagen entlassen«, sagte sie und beobachtete Eisners Reaktion, doch sein Gesicht blieb wie versteinert. »Vielleicht kommt es als Nächstes in Ihrer Familie zu einem Mord.«

»Meine Familie? Da haben Sie schlecht recherchiert. Ich habe nichts zu verlieren«, sagte er. »Meine Frau ist vor langer Zeit gestorben, und es gibt niemanden, um den ich mir Sorgen machen müsste.« Er wandte sich ab. »Ich muss wieder rein.«

Sabine blickte ihm nach, als er den Seminarraum betrat. Er sah wirklich so aus, als könnte ihn nichts erschüttern.

Warten wir es ab.

28. KAPITEL

Tina betrat das Archiv im untersten Kellergeschoss des Bundeskriminalamts.

Mittlerweile gab es alle Akten online, und Tina war nur manchmal während ihrer Studentenzeit im Archiv gewesen, um sich die Akten alter ungelöster Mordfälle anzusehen. Und obwohl diese Zeit eine gefühlte Ewigkeit zurücklag, konnte sie sich noch sehr genau an Frau Klement erinnern, ein grauhaariges Zankeisen mit Lesebrille und gewaltigem Busen, das schon seit Jahrzehnten das Archiv leitete und eigentlich längst in Rente sein müsste, aber irgendwie nicht kleinzukriegen war.

Tina baute sich vor dem Schreibtisch von Frau Klement auf, die in ihren Monitor starrte und sogar lächelte, was ziemlich selten vorkam. Offenbar hatte sie soeben eine witzige E-Mail von einem Kollegen erhalten.

Tina legte ihren Dienstausweis auf den Schreibtisch und räusperte sich. »Guten Tag, ich würde gern Einsicht in diese Akte nehmen.« Sie beugte sich runter und schrieb eine Nummer auf ein Blatt Papier.

Frau Klement sah auf. »DAB 768/II«, las sie vor. »Das ist eine Akte der Dienstaufsichtsbehörde.«

»Und?«

»Der Nummer nach müsste die schon uralt sein.«

»Möglich.«

Frau Klement tippte auf ihrer Tastatur, während Tina gespannt den Atem anhielt. Die Chancen waren gering, dass Klement den Sperrvermerk übersah und Tina die Unterlagen aushändigte, die vielleicht noch da waren. Aber einen Versuch war es wert.

»Die Akte ist in Gang sieben.«

Tina sah auf und blickte hinter dem Schreibtisch in das Labyrinth aus Gängen, in denen sich die raumhohen orangefarbenen Aktenschränke befanden.

Frau Klement folgte Tinas Blicken. »Nicht hier in diesem Archiv, sondern noch eine Halbetage tiefer, im alten Archivkeller.«

Fuck, dorthin hatte sie sowieso keinen Zutritt.

»Und zwar …« Die Frau setzte sich die Lesebrille auf, die an einer Kette vor ihrem Busen gebaumelt hatte. »Und zwar in der Abteilung … Moment mal.« Sie kniff die Augen zusammen. »Oh, oh!«

Porca puttana, fluchte Tina in Gedanken. Das war es also gewesen!

»Tut mir leid, Schätzchen.« Frau Klement sah auf. »Die Akte hat einen Sperrvermerk. Darf ich Ihre Einsichtsberechtigung sehen?«

»Der Fall müsste nach zwanzig Jahren doch schon längst verjährt sein«, bluffte Tina.

»Netter Versuch, aber wenn Sie mir keine entsprechende Befugnis vorlegen können, darf ich Ihnen nichts aushändigen, und ich kann mich wieder meiner eigentlichen Arbeit widmen.«

Und private E-Mails lesen.

»Welche Kollegen von der Dienstaufsicht haben den Fall damals bearbeitet?«, fragte Tina.

Frau Klement grunzte amüsiert. »Eigentlich sollten Sie wissen, dass diese Ermittlungseinheit eine Spezialzuständigkeit für Korruptionsdelikte hat, die sich ausschließlich mit Straftaten von Polizeibeamten beschäftigt. Sie sind keiner Abteilung unterstellt und daher über alle Zweifel erhaben. Deshalb werden *Sie* diese Namen nie erfahren! Und selbst wenn ich sie hier sehen würde, dürfte ich es Ihnen nicht …«

»Ja, schon gut, ich hab's kapiert.« Tina dachte an die verbrannten Originaldokumente, die Sabine in Hess' Kamin gefunden hatte. »Können Sie mir wenigstens sagen, ob sich die Dokumente jemand ausgeborgt hat? Und falls ja, wer und wann?«

Seufzend blickte die Frau in den Monitor. »Ja, die wurden mal ausgehoben. Ist schon viele Jahre her.«

»Wie viele?«

»Zwölf. Aber mehr werden Sie von mir nicht erfahren.«

»In der Zeit wurde Dietrich Hess Präsident«, sagte Tina.

Ein zartrosa Hauch überzog Frau Klements Gesicht. »Ich darf Ihnen nicht sagen, wer die Unterlagen ausgehoben hat. Außerdem schlage ich vor, dass Sie mit Ihrem Abteilungsleiter darüber reden.«

Ja klar, prima Idee!

»Andernfalls werde *ich* das tun«, fügte Frau Klement hinzu. Sie wollte die Bildschirmansicht schon wieder wegklicken, als sie in der Bewegung innehielt. Ihre Augenbrauen verengten sich. »Schau an«, murmelte sie. »Die Unterlagen wurden seitdem nicht mehr zurückgegeben.«

»Das heißt, das entsprechende Fach in Gang sieben ist leer?«

»Laut Computer schon.« Frau Klement sah auf. »Jedenfalls frage ich mich, was Sie das angeht. Der Fall ist zwanzig Jahre alt und wurde vor neunzehn Jahren ordnungsgemäß vom Gericht geprüft, bearbeitet und mit einem Sperrvermerk versehen. Somit hat alles seine Richtigkeit.«

Vom Gericht geprüft. Tina war hellhörig geworden. *Der Fall ist sogar bis zum Gericht gekommen! Aber an die Gerichtsakten kommst du erst recht nicht heran. Andererseits jedoch …* »Sehen Sie wann?«

»Ja, vor neunzehn Jahren, im November. War es das?«

»Vielen Dank.« Tina wandte sich um und ging.

Allerdings verließ sie nicht die Etage, sondern ging nur zu den Fahrstühlen und bog kurz davor links ab.

Vor drei Jahren war Sabine Nemez auf einen interessanten Gedanken gekommen, den sie Tina erzählt hatte. Sobald die Ermittlungen eines Falls abgeschlossen waren, wurden die entsprechenden Unterlagen ausgedruckt, paginiert und zum Gericht geschickt – und eine Kopie von jeder paginierten Akte lagerte in der Archivierungsabteilung. Und die befand sich in derselben Etage wie das Archiv, in dem sie soeben gewesen war.

Tina betrat den Raum, in dem sie noch nie zuvor gewesen war, zeigte ihren Dienstausweis einer jungen Kollegin, ging weiter und prallte im nächsten Moment zurück. Die Gänge wurden von gut einem Dutzend Neonröhren beleuchtet. Der typische Bibliotheksgeruch nach vergilbtem Papier hing in der Luft. Vor Tina bildeten die raumhohen orangefarbenen Aktenschränke ein Labyrinth aus scheinbar unendlich vielen Korridoren. Tina war von dem Anblick wie erschlagen. Bei 320 000 neuen Kriminalakten jährlich war diese unglaubliche Sammlung in all den massiven Schränken gar nicht anders möglich. Nun ging es darum, die richtige Akte zu finden.

Sie setzte sich an ein Terminal und durchsuchte sämtliche Akten, die im November vor neunzehn Jahren vom BKA ans Gericht geschickt worden waren. *Das sind Tausende!* Aber sie konnte sich am Aktennamen des ursprünglichen Falls orientieren: DAB 768/II.

Nach einer halben Stunde hatte sie endlich den Ablageort der paginierten Unterlagen für das Gericht gefunden. Die Kopien lagerten tatsächlich in diesem Raum und nicht im noch tiefer gelegenen Keller.

Tina beendete das Programm, schaltete den Monitor aus, stand auf und suchte den richtigen Gang. Die massiven Rollregale reichten bis zur Decke und standen so dicht nebeneinander, dass sich dazwischen nicht einmal eine Nagelfeile hineinzwängen ließ. Tina fand den entsprechenden Aktenschrank und kurbelte an den Hebeln der anderen Regale, die auf Schienen über den Boden glitten, bis ein Korridor im richtigen Nummernkreisblock entstand.

Dann schlüpfte sie hinein, öffnete das entsprechende Fach und blätterte durch die Hängeordner. Es war die Nummer 89, die sie suchte.

Siebzig …

Sie schob die Ordner weiter.

Fünfundsiebzig …

In dem engen Gang staute sich die Hitze. Schweiß lief ihr über die Stirn in die Augen.

Achtzig …

Weiter!

Siebenundachtzig …

Da hörte sie eine Stimme, die sie zusammenzucken ließ.

Timboldt!

Tina erstarrte in der Bewegung. *Was macht der denn hier?*

»Und hier war sie nicht?«, fragte er jemanden.

»Nein, soviel ich weiß, war sie nur im Archiv«, antwortete eine Frau.

Porca puttana! Das war die Stimme von Frau Klement. Sie hatte ihre Drohung also wahr gemacht und Tinas Abteilungsleiter verständigt, der vermutlich gleich mit Timboldt darüber gesprochen hatte. *So ein Mist!*

»Gut, sollte sie wieder auftauchen, in welchem Archiv auch immer, will ich das wissen, haben Sie verstanden?«

»Natürlich. Habe ich richtig gehandelt?«, fragte Frau Klement.

Du niederträchtige Arschkriecherin! Tinas Finger steckten zwischen den Akten, und sie wagte nicht, sich zu bewegen.

»Ja, gut mitgedacht«, murmelte Timboldt. »Sperrvermerke werden nicht umsonst verhängt.«

»Danke.«

»Und sagen Sie das auch Ihren Kolleginnen, damit die darüber Bescheid wissen, falls sie noch einmal auftauchen sollte.«

Noch einmal auftauchen sollte … Wie das klang! Als wäre sie eine Verbrecherin. Außerdem hätte Timboldt das der alten Schreckschraube auch am Telefon sagen können, ohne extra hinunterzugehen. Aber das zeigte nur, wie wichtig ihm die Angelegenheit war. Fragte sich nur, warum.

»Mach ich, Herr Timboldt.«

Mach ich, Herr Timboldt, äffte Tina die Stimme der Frau in Gedanken nach. *Wird Zeit, dass du in Rente gehst!*

Plötzlich vibrierte Tinas Handy in der Hosentasche. *O Gott, auch das noch!* Sogleich zog sie das Telefon heraus und drückte das Vibrieren weg. Eine SMS. *Von Sabine!* Zum Glück hatte die nicht angerufen.

Während Frau Klement noch weiterredete, öffnete Tina die SMS.

Mir wurde gerade die Zutrittsberechtigung zum Archiv entzogen.

Tina hielt kurz inne. *Na, wer da wohl dahintersteckt!* Sie lauschte, dann scrollte sie weiter.

Die Gruppe 6 hat am 1. Juni vor zwanzig Jahren den Drogenring von Thomas »Hardy« Hardkovsky ausgehoben. Er wanderte für zwanzig Jahre in den Knast und kam vor acht Tagen frei. Ich werde …

Hier brach die Nachricht ab. Keine weitere kam. Sicherheitshalber schaltete Tina das Telefon ganz aus und ließ es wieder in der Tasche verschwinden.

Hardkovsky! Den Namen hatte sie noch nie gehört. Sie sah auf und blickte zum Ende des Rollgangs, den sie geöffnet hatte. Frau Klement redete immer noch.

»Ja, danke«, würgte Timboldt sie schließlich ab.

Danach hörte Tina, wie die beiden das Archiv verließen und die Tür schlossen. Sie wischte sich den Schweiß von der Stirn und atmete tief durch. *Okay, weiter!* Sie schob die nächste Akte zur Seite.

Achtundachtzig.

Und dann wollte sie bereits den nächsten paginierten Ordner herausziehen, starrte aber verdutzt auf die Nummer.

Neunzig.

Das konnte es doch nicht geben! Wo war die Nummer 89? Hektisch blätterte sie noch einmal alle Ordner durch, in der Hoffnung, dass die gesuchte Akte falsch eingereiht worden war. Doch sie wusste, dass das nicht der Fall war.

Jemand hatte die Akte auch aus diesem Archiv verschwinden lassen. Und damit hatte Hess die einzige Originalakte besessen. Und die war großteils im Kamin verbrannt.

Das nannte man eine klassische Sackgasse.

Doch der Ausflug war nicht ganz umsonst gewesen. Immerhin wusste sie jetzt, dass Timboldt mit allen Mitteln erfahren wollte, wofür sie und Sabine sich interessierten, und gleichzeitig verhindern wollte, dass sie mehr herausfanden.

29. KAPITEL

Montag, 30. Mai

Nora war aufgestanden und hatte die Balkontür geöffnet. Der Wind bauschte den Vorhang auf, sodass er wie ein blaues Segel ins Zimmer wehte, begleitet von der allgegenwärtigen schwülen Hitze.

»Und nach dem Anstieg der Zahl der Drogentoten wurde die Gruppe 6 gegründet«, beendete Hardy seine Erklärung. Mittlerweile hatte er sich ein zweites Glas Baileys eingegossen und saß neben Nora auf der Couch. Nachdem Twinky eine Minute lang mit den Vorderpfoten auf seinem Oberschenkel herumgetreten hatte, rollte sie sich wieder schnurrend auf seinem Schoß zusammen.

»Und wer gehörte zu dieser Gruppe?«

»Die Namen sind immer geheim gehalten worden.« Er deutete zu dem Notebook auf Noras Schoß. »Können wir nun beginnen?«

»Moment noch. Wer ist der Mann in dem Haus?«

»Antoine Tomaschewsky. Ein alter Freund von mir.«

»Hat *er* dir die Nase blutig geschlagen?«, fragte Nora lächelnd und streifte mit dem Finger über Hardys Mund.

Es sollte wohl ein Scherz sein, doch Hardy lächelte nicht. »Ja, das war er.«

»Echt?« Sie zog die Hand zurück. »Großartige Freunde hast du.«

»Es war notwendig. Von ihm habe ich den Schlüssel zu dem Schließfach bekommen.«

»Warum fragst du ihn nicht, wozu er passt?«

»Sein Haus wird abgehört. Sein Telefon vermutlich auch, und ich möchte verhindern, dass jemand das Schließfach vor mir findet.«

»Verstehe.« Sie nickte. »Und wer sind der Mann und die Frau vor seinem Haus?«

»Gerald Rohrbeck und Anna Hagena. Zwei Beamte des Bundeskriminalamts.«

»Woher weißt du das?«

»Ich kenne sie von früher.«

»Ehemalige Arbeitskollegen?«

Hardy nickte.

»Suchen sie dich?«

Hardy schüttelte den Kopf. »Ich habe meine Strafe abgesessen und bin ein freier Mann.«

»Okay.« Mehr sagte Nora nicht.

Anscheinend hatte sie nun alles erfahren, was sie wissen wollte. »Wie viel konntest du übersetzen?«, fragte er.

»Den Großteil. Mittlerweile kann ich den Frankfurter Dialekt ganz gut lesen. Den Rest – wenn die Gesichter nicht frontal zu sehen sind – musste ich mir zusammenreimen.« Sie startete die Videoaufnahme und sprach die Wörter dazu, die sie aufgrund der Lippenbewegungen enträtseln konnte. »Hallo, Antoine, wie geht es Ihnen …?«

»… und wie war Ihre Party gestern Abend?«, fragte Rohrbeck und blickte hinter Tomaschewsky ins Haus.

»Danke gut, meine Frau hatte ihren fünfzigsten Geburtstag. Warum sind Sie nicht vorbeigekommen?«

»Sparen Sie sich Ihr Süßholzgeraspel!«, fuhr Hagena ihn an. »Sie wissen, warum wir hier sind.«

Tomaschewsky versuchte zu lächeln. »Nein, weshalb?«

Rohrbeck trat einen Schritt näher. »Hardkovsky war gestern Abend bei Ihnen. Was wollte er?«

Tomaschewsky zog die Schultern hoch. »Keine Ahnung, ich habe mit ihm nichts mehr zu schaffen.«

»Was wollte er?«, wiederholte Hagena scharf.

»Er hat etwas von einer Tasche gefaselt. Vermutlich wollte er Geld. Ich habe keine Ahnung, wovon er sprach.«

»Welche Tasche?«

»Anscheinend ist er erst kürzlich aus dem Knast gekommen. Ich nehme an, er wollte seine Sachen. Aber ich habe schon seit Jahren keinen Kontakt mehr zu ihm.«

»Hat er die Gruppe 6 erwähnt?«, fragte Rohrbeck.

»Was? Welche Gruppe? Nein.«

Nun kam auch Tomaschewskys Frau nach draußen und trat an die Seite ihres Mannes. »Was wollen Sie?«

»Was wollte Thomas Hardkovsky gestern Abend von Ihnen?«

»Mein Mann hat früher für Hardy gearbeitet, diesen miesen Drecksack.«

»Das wissen wir, aber ...«

»Ich bin noch nicht fertig!«, unterbrach Christiane Tomaschewsky die Beamtin. »Aber seit mein Mann seine Strafe abgesessen hat, haben wir nichts mehr mit ihm und seinen Geschäften zu tun. Er ist ein geisteskranker Frauen- und Kindermörder, auch wenn er seine Strafe genauso abgesessen hat wie mein Mann – für uns wird er das immer bleiben. Antoine hat ihn aus dem Haus geworfen, und ich bezweifle, dass er jemals wieder hier auftauchen wird.« Sie hakte sich am Arm ihres Mannes unter. »Dieser Abschaum hat hier nichts mehr verloren. Also, was wollen Sie von uns?«

»Sollten Sie ihn wiedersehen, rufen Sie uns sofort an.«

Tomaschewskys Frau nahm eine Visitenkarte entgegen. »Das werde ich. Und Sie können sich in Zukunft sparen, unser Haus zu überwachen.«

»Wir überwachen Ihr Haus nicht«, sagte Hagena.

»Ach«, mischte sich Tomaschewsky nun in das Gespräch. »Dann

ist es wohl Zufall, dass Ihre Kollegen Timboldt und Lohmann gelegentlich die Straße auf und ab fahren, seitdem Hardy entlassen wurde?«

»Davon wissen wir nichts«, sagte Rohrbeck.

»Erzählen Sie das Ihrer Großmutter.«

»He, wir stellen hier die Fragen!«, unterbrach Hagena das Gespräch. »Rufen Sie uns an, sobald Hardy auftaucht.«

»Und warum?«

»Weil wir es wissen wollen!«

Hagena und Rohrbeck wandten sich um und gingen zu ihrem Wagen.

Tomaschewsky und seine Frau blieben noch vor dem Eingang stehen und sahen ihnen nach.

»Werden sie uns in Ruhe lassen?«, fragte sie.

»Glaube ich nicht.«

»Dann sollten sie sich zumindest besser mit ihren Kollegen absprechen.«

»Das tun sie, keine Sorge.«

Tomaschewsky und seine Frau gingen ins Haus und warfen die Tür zu.

Hardy blickte Nora enttäuscht an. »Das ist alles?«

»Sieht so aus. Dieser Tomaschewsky und seine Frau klangen aber nicht danach, als wären sie noch deine Freunde.«

»Die müssen sich von mir distanzieren. Andernfalls lässt sie das BKA nicht mehr aus den Augen.«

»Aber warum?«

»Genau das weiß ich eben nicht.«

»Okay, und was sagst du nun zu diesem Gespräch?«

»Rohrbeck und Hagena sind verzweifelt«, murmelte Hardy. »Den Grund dafür kann ich dir sagen, sobald ich meine Tasche aus dem Schließfach habe.«

»Also weißt du jetzt genauso viel wie vorher«, stellte sie fest.

»Nicht ganz.« Er runzelte die Stirn. »Jetzt weiß ich, dass nicht nur die beiden in der Sache drinstecken, sondern auch Timboldt und Lohmann.«

»Kennst du die auch?«

Hardy nickte. »Von früher.«

»Okay.« Nora legte das Notebook weg und schlug die Beine übereinander. »Weißt du was? Ich helfe dir.«

»Das hast du schon, mehr brauchst du nicht zu tun.«

»Wenn sie dich beschatten, wissen Sie garantiert, dass du jetzt bei mir bist. Also stecke ich sowieso schon in der Sache mit drin – ob ich will oder nicht.«

Hardy sah kurz weg. *»Typisch Nora«,* murmelte er.

Nora tippte ihn auf die Schulter. »Was hast du gesagt?«

Er sah sie an. »Dass ich das sehr zu schätzen weiß.«

»Lügner!«

»Du musst das nicht tun.«

»Ich will es. Aber unter einer Bedingung.«

»Ich höre.«

»Ich helfe dir – aus Sympathie – und auch deshalb, weil ich dir glaube, dass Lizzie und deine Töchter ermordet wurden und du der Sündenbock warst. Aber ich muss dich noch was fragen …« Sie machte eine Pause. »Willst du Rache oder Gerechtigkeit?«

Er dachte lange über diese Frage nach. »Gerechtigkeit«, sagte er schließlich.

»Das ist gut. Rache würde dich nur verzehren.«

»Stimmt«, antwortete Hardy. *Rache würde mich verzehren.*

»Versprochen?«

»Versprochen«, sagte er. Doch es kam darauf an, *welche* Wahrheit er ans Tageslicht brachte.

30. KAPITEL

Nach dem Gespräch mit Frank Eisner in der Clementoni-Bank war Sabine schnurstracks zum Alten Friedhof in Wiesbaden gefahren, hatte dort allerdings nicht das gefunden, wonach sie gesucht hatte.

Nun befand sie sich auf dem Weg zum Biebricher Friedhof, dem drittgrößten in Wiesbaden, der im Süden der Stadt auf einer Anhöhe lag. Ohne Zugang zu den Systemen des BKA und Zugriff auf das Personenstandsregister war sie mittlerweile von sämtlichen Informationen abgeschnitten, die ihr weitergeholfen hätten. Telefonische Auskünfte würde sie ebenso wenig erhalten, aber sie hatte eine Idee, wie sie zumindest noch ein paar Dinge erfahren könnte, bevor sie ab morgen ganztags den Nachwuchs an der Akademie unterrichten durfte – und zwar so lange, bis Timboldt ihr andere Aufgaben zukommen ließ. Vermutlich im Archiv. Wobei – bestimmt nicht einmal dort, denn da hätte sie vielleicht Zugriff auf etwas, das sie nicht wissen sollte. *Hühnerkacke!* Darauf konnte sie gern verzichten, denn dafür hatte sie sich nicht zwei Jahre lang den Hintern an der Akademie aufgerissen!

Als sie mit ihrem Wagen auf dem Parkplatz hielt, läutete ihr Handy. *Maarten S. Sneijder* zeigte das Display, und sie nahm das Gespräch entgegen.

»Sie haben Ihr Handy wieder zusammengebaut?«, bemerkte sie spitz, während sie ausstieg.

Sneijder gab keine Antwort.

»Schon wieder clean?«, fragte sie.

»Ich habe gestern Abend nur drei Joints geraucht.«

»Hoffentlich überleben Sie den Entzug.« Sie sperrte den Wagen ab. »Was wollen Sie? Ich bin in Eile.«

»Wo sind Sie?«

Sie hielt auf das Eingangstor zu. »Auf dem Friedhof in Biebrich.«

»Suchen Sie ein passendes Grab für Dietrich Hess?«

Sabine schluckte. Obwohl Sneijder und Hess seit Jahrzehnten auf Kriegsfuß standen, hätte er sich diese geschmacklose Bemerkung sparen können.

»Sie haben so viel Gefühl wie ein Fleischerhund. Noch lebt Hess! Woher wissen Sie von seinem Selbstmordversuch?«

»Nachdem ich Ihnen gestern Abend seine Adresse gegeben habe, wollte ich einfach wissen, was bei dem Gespräch herausgekommen ist«, sagte Sneijder. »Hess ist nicht der Typ, der sich eine Kugel in den Kopf jagt.«

»Das weiß ich selbst.« Sie erreichte die ersten Gräber und zog einen relativ frischen Blumenstrauß aus einer der Vasen. *Nur geborgt!*

»Was vermuten Sie?«, fragte er, nachdem sie eine Zeitlang geschwiegen hatte.

»Das ist ein starkes Stück«, prustete sie los. »Sie halten sich bedeckt, verraten mir nichts, aber ich soll meine Vermutungen mit Ihnen teilen.«

»Genau, *Eichkätzchen.*«

»So läuft das nicht, Maarten *Somerset* Sneijder.« Sabine kam an einer Kapelle vorbei, einigen Mausoleen und Denkmälern für Kriegsgefallene und lief weiter zur Mitte des Friedhofs.

»Warum keuchen Sie so?«

»Weil mich das Telefonat mit Ihnen so erregt.«

»Dachte ich mir.« Er schwieg eine Weile. »Quid pro quo?«, fragte er schließlich.

Inzwischen hatte Sabine die zentral gelegene Trauerhalle erreicht. Daneben lag das Büro des Friedhofsvorstehers. Von Weitem sah sie bereits durchs Fenster, dass jemand hinter dem Schreibtisch saß. »Einverstanden. Quid pro quo«, bestätigte sie, da es mittlerweile ihre einzige Chance war, etwas herauszufinden. »Aber wenn Sie mich wieder blöd sterben lassen, war es das.«

»Was wollen Sie wissen?«

»Erzählen Sie mir mehr über Frank Eisner und Thomas Hardkovsky.«

»Nicht am Telefon. Ich sitze gerade in einem Taxi und komme zum Friedhof. Ich kann mir denken, wohin Sie wollen.«

»Gut, ich warte hier auf Sie.« Sabine unterbrach die Verbindung, steckte das Handy weg und klopfte an die Bürotür.

Nach einer Weile öffnete sich die Tür und eine kleine, dicke Dame trat heraus.

»Guten Tag«, sagte Sabine mit einem zuckersüßen Ton. »Ich möchte einen Blumenstrauß auf das Familiengrab von Frank Eisner legen, habe aber dummerweise vergessen, in welchem Gang es sich befindet.«

»Frank Eisner?«, wiederholte die Frau. »So wie *Eisen*?«

»Genau, wie Eisen.«

»Einen Moment.« Sie lief zurück in ihr Büro. »Nein, aus!« An ihrem Rock sprang ein Rauhaardackel hoch, den sie mit der Hand wegschob.

Sabine hörte das Quietschen eines alten Drehstuhls, danach das Klappern einer Tastatur.

»Eisner sagten Sie?«, rief die Frau aus dem Büro.

»Ja, E-I-S-N-E-R«, buchstabierte Sabine. *Mein Gott!* In der Zwischenzeit wurden ja die Blumen welk.

»Bereich D, Weg Nummer elf, ganz hinten auf der Seite.«

»Ach ja, ich erinnere mich wieder«, rief Sabine. »Das ist rechts hinten?«

»Links hinten!«

»Ach ja, ich hatte immer schon eine Orientierungsschwäche.«

»Nein, Sie haben recht, es ist rechts hinten.«

Also, was jetzt?

»Soll ich Sie hinbringen? Nein, aus jetzt! Pfui!«

»Danke, nicht nötig.« Sabine machte sich auf den Weg in den Bereich D, kam an mehreren Gruften vorbei, in denen bekannte Persönlichkeiten lagen, und suchte den Weg Nummer elf. Normalerweise wäre dieser Friedhof, der eher einer gut gepflegten Parkanlage glich, ideal für einen Spaziergang gewesen. Doch nicht an einem so drückend heißen Tag wie heute.

Nachdem sie den ganzen Kiesweg einmal auf und ab gelaufen war, fand sie das Grab unter einer alten Föhre. Möglicherweise gab es mehrere Frank Eisners in Wiesbaden, trotzdem glaubte sie, dass sie hier richtig war.

Vor ihr lag ein mit Ornamenten verzierter rechteckiger Marmordeckel mit frischen Blumen in der Vase und einem schweren Eisenring in der Mitte. Nicht verwittert, sondern gepflegt. Auf dem Grabstein war nur ein Name eingraviert.

Irene Eisner
Geliebte Ehefrau und Mutter
Tot sind nur jene,
an die sich niemand mehr erinnert.

Mutter? Wie seltsam. Eisner hatte keine Kinder erwähnt. Sabine legte die Blumen auf das Grab, stellte sich einen Schritt davon entfernt in den Schatten des Baumes und betrachtete das Geburtsdatum auf der Marmortafel. Sie rechnete nach. Irene wäre jetzt achtundvierzig Jahre alt gewesen. Dieses Alter passte zu Frank Eisner.

Sie betrachtete das Foto der Frau. Sie war jung, hatte ein

freundliches und gütiges Lächeln und trug pechschwarzes schulterlanges Haar. Die Frisur sah aus wie aus den späten Neunzigerjahren. Und dann erst registrierte Sabine das Todesdatum.

Ihr Atem stockte. Irene Eisner war seit über zwanzig Jahren tot. Sie war im selben Jahr gestorben, in dem Thomas Hardkovskys Familie im Feuer ums Leben gekommen war. Diese am ersten Juni, und Irene Eisner am dritten Mai, nur knapp einen Monat vorher.

Da hörte sie das Knirschen von näher kommenden Schritten auf dem Kies. Sie wusste auch ohne sich umzudrehen, wer sich näherte – sie konnte den süßlichen Geruch von Gras riechen, der zu ihr herüberwehte.

Aus dem Augenwinkel sah sie, wie sich ein Mann neben sie stellte. »Hallo, Eichkätzchen.«

»Hallo, Sneijder«, sagte sie und sah kurz hinüber. Sneijder trug eine Anzughose und trotz der Hitze ein weißes, langärmeliges Hemd mit Krawatte. Seine Augen lagen tief, und sein Gesicht hatte trotz des sommerlichen Wetters wie immer eine ungesunde Blässe.

»Das ging aber schnell.«

»Ich war in der Nähe.«

So ein Zufall! »Wo ist Ihr Hund?«, fragte sie.

»Vincent ist nicht *mein* Hund.«

»Ich weiß, er ist nur lebenslanger Gast in Ihrem Haus. Wo ist er?«

»Wollte nicht mit ins Taxi, muss immer kotzen, wenn es zu viel schaukelt.« Sneijder zog an seiner selbst gedrehten Zigarette.

»Haben Sie eigentlich ein Problem mit Drogen?«, fragte sie.

»Nein, aber ich habe eines *ohne* Drogen.«

Etwas noch Abgegriffeneres fällt ihm nicht ein? Klasse! Und dieser Mann hat dich ausgebildet.

Sneijder warf einen Blick zum Grab. »Warum sind Sie ausgerechnet hierhergekommen?«

»Mein Instinkt hat mich hergeführt.«

Er lächelte. »Ihr Instinkt?« Beinahe klang es wie eine Verarschung.

»Frank Eisner hat den Tod seiner Frau erwähnt. Ich wollte mehr darüber erfahren.«

Er deutete zur Marmortafel. »Das Todesdatum?«

»Genau.« Sie nickte. Außerdem wollte sie den Zustand des Grabes sehen, da er einiges über Eisner verriet. Man konnte an Tatorten in die Psyche von Tätern eintauchen, aber das Gleiche galt auch für andere Orte – und andere Menschen. Und dieses Grab sagte ihr, dass Eisner seine Frau geliebt hatte und es immer noch tat. »Hatten sie Kinder?«

Sneijder nickte. »Einen ungeborenen Sohn. Bei der Obduktion kam raus, dass sie zum Zeitpunkt des Todes im vierten Monat schwanger war.«

Sabine schluckte. »Wie ist sie gestorben? Hat sie Selbstmord begangen?«

Sneijder schüttelte den Kopf.

»Ist sie an einer Überdosis Drogen gestorben?«

»Nicht ganz«, antwortete Sneijder. »Sie wurde umgebracht. Ich habe den Mord damals aufgeklärt. Eine böse Sache. Ein gewisser Krzysztof – ein polnischer Exsoldat – war dafür in Bützow im Bau.«

»Wusste er von Irenes Schwangerschaft?«

»Nein.«

»Er *war* im Bau?«, wiederholte sie. »Ist er jetzt wieder draußen?«

Sneijder nickte.

»Ist er vielleicht zufällig zur gleichen Zeit wie Thomas Hardkovsky entlassen worden?«

»Nein, Krzysztof hat nur fünfzehn Jahre gekriegt.«

»Er ist also vor fünf Jahren rausgekommen.« *Verdammt!* Dieses Timing passte nicht zu den aktuellen Fällen. »Kannten Hardy und Krzysztof sich?«

Sneijder zog an seinem Joint und verzog das Gesicht. »Ich denke schon.«

»Hat der Tod von Eisners Frau etwas mit den Ermittlungen der Gruppe 6 zu tun?«

Sneijder hob die Schultern. »Ich weiß es nicht.«

Sabine fixierte ihn mit ihrem Blick. »Ich weiß, wenn Sie mich anlügen.« Sneijder schwieg. »Ich konnte einen Blick auf einen kleinen Teil der Akte mit dem Sperrvermerk werfen, bevor sie in Hess' Kamin verbrannt ist«, sagte sie weiter. »Was stand drin?«

Plötzlich zog Sneijder überrascht eine Augenbraue hoch. »Hess hat die Akte verbrannt? Ich wüsste selbst gern, was da drinstand.«

»Das soll ich Ihnen glauben? Ich dachte, wir würden unser Wissen austauschen.«

»Ich habe Ihnen alles gesagt, was ich weiß«, konterte er.

»Was haben Sie gestern Nacht mit Dirk van Nistelrooy in der Bar besprochen?«

»Er wollte meine private Telefonnummer. So, und nun bin ich dran.« Er neigte den Kopf und sah sie von oben herab eindringlich mit seinem Adlerblick an, dem nichts entging. »Sie waren gestern Nacht bei Dietrich Hess. Was wissen Sie über den Selbstmordversuch, und was haben Sie in der Akte gelesen?«

Sabine starrte ihn an. »Sie können mich mal! Solange Sie nicht fair spielen und mir alles verraten, was Sie wissen, erfahren Sie von mir kein Wort.«

»Offiziell arbeiten Sie gar nicht mehr an dem Fall.«

»Das ist richtig. Sonst würde ich Sie jetzt in Untersuchungshaft nehmen und in der Zelle schmoren lassen, bis Sie Entzugserscheinungen bekommen und die Cluster-Kopfschmerzen Ihren Schädel sprengen.«

»Sie sind nicht mehr das kleine Eichkätzchen von früher. Sie sind eine Wildkatze geworden, die Krallen zeigt.«

»Das war ich schon immer. Also – letzte Chance!« Sie sah ihn auffordernd an.

»Ich weiß selbst nicht, was in der Akte stand.«

»Wie Sie wollen.« Sie nahm den geborgten Blumenstrauß von der Marmorplatte, ließ Sneijder grußlos stehen und ging in Richtung Ausgang, wo sie die Blumen wieder auf das ursprüngliche Grab legen wollte. Sie war sicher, dass Sneijder ihr jetzt mit einem fragenden Blick nachstarrte. Allerdings hoffte sie, dass er ihr etwas hinterherrufen und endlich den Mund aufmachen würde. Doch er blieb stumm. Stand einfach nur da und sah ihr nach.

Dieser sture Hund!

Sneijder würde niemandem hinterherlaufen.

Oder weiß er vielleicht tatsächlich nichts darüber? Unwahrscheinlich.

Jedenfalls war ihr Bluff in die Hose gegangen. *Dann eben Plan B!* Sie musste noch einmal mit Eisner sprechen.

Sneijder starrte Sabine nach, wie sie mit dem Blumenstrauß in der Hand verschwand.

Da vibrierte sein Handy. Er zog es aus der Tasche und blickte auf das Display. Eine SMS. Auf diese Nachricht hatte er seit gestern gewartet. Sie bestand nur aus drei Wörtern.

Okay. Leg los!

Trotz der Hitze erfasste ihn ein Schauer.

Als Nächstes würde er die Universität anrufen.

31. KAPITEL

Die untergehende Sonne tauchte die Gegend fünfzehn Kilometer südlich von Frankfurt in dunkle Orangetöne. Sabines Navi hatte sie zum Langener Waldsee gelotst, an dem Frank Eisner wohnte.

Auf der Webseite seiner Security-Firma war nur die Anschrift des Büros zu finden gewesen, und Sabine wollte vermeiden, einen ihrer Kollegen nach Eisners Privatadresse zu fragen. Also hatte sie der Dame bei der Friedhofsverwaltung noch einmal einen Besuch abgestattet. Die wurde jedoch skeptisch, und Sabine hatte ihren Dienstausweis hergezeigt und so herausgefunden, auf welchen Namen und welche Adresse das Grab der Familie Eisner lief: Langener Waldsee, Ostufer, Forststraße 5.

Waldsee klang so idyllisch und einsam, tatsächlich war es aber ein knapp sechzig Hektar großer Badesee mit weißen Sandstränden und Bootsanlegestellen. Es gab einen Campingplatz, einen FKK-Bereich und jede Menge Stege für Angler. Um diese Zeit tummelte sich immer noch ein gutes Dutzend Tretboote und Segelboote auf dem blitzblauen Wasser.

Das Sonnenlicht ließ die Oberfläche glitzern, und Sabine musste sich die Sonnenbrille aufsetzen. Sie fuhr zum Ostufer, wo der dichte Wald bis zum Ufer reichte. Und da sollte Eisner wohnen?

Tatsächlich dirigierte sie das Navi in einen schmalen Waldweg, der zum Ufer führte. Dort gab es einen von Bäumen umrahmten Parkstreifen für Autos. Daneben lag Eisners Grundstück. Dass es das einzige Haus in dieser Gegend war, ließ vermuten, dass er sich die Baubewilligung einiges hatte kosten lassen. Der hohe Preis für Ruhe und Abgeschiedenheit.

Sabine stand am Gartentor. Das Licht der Abendsonne spiegelte sich in dem modernen einstöckigen Einfamilienhaus mit Pultdach, breiten Fensterfronten und einem großen Wintergarten, in dem zimmerhohe Topfpflanzen standen. Sie brauchte sich nur ein wenig über das Gartentor zu beugen, um über das Grundstück zum Ufer zu sehen, wo ein Holzsteg aufs Wasser hinausführte. An der Mole lag ein kleines Segelboot. Daneben befand sich eine längliche Gartenhütte aus Holz, die Tür war offen, und Sabine konnte darin einen Jetski erkennen. Hingen dort nicht auch Pressluftflaschen und eine schwarze Tauchausrüstung?

Der Wind brachte das Schilf am Ufer zum Rascheln, und Enten liefen quakend über die Wiese. Aber von Eisner oder seinem Wagen fehlte jede Spur.

Obwohl Sabine mehrmals am Gartentor läutete, kam niemand zur Tür. Von Eisners Sekretärin wusste sie jedoch, dass sein Verkaufsgespräch bei der Bank um achtzehn Uhr geendet und Eisner danach nicht mehr vorhatte, ins Büro zu kommen. Also musste er irgendwann hier aufkreuzen.

Sabine setzte sich wieder in ihren Wagen, in dem sie eine geschlagene Dreiviertelstunde geduldig die nur wenige Meter entfernte Zufahrtsstraße, das Grundstück, die Garage und das Haus beobachtete.

Die Seitenscheiben ihres Wagens waren heruntergefahren, und ihr Arm hing aus dem Auto. Hin und wieder strich ein warmer Luftzug durch den Wagen und vertrieb für einen Augenblick die drückend schwüle Hitze. Gelegentlich hörte sie auf der Hauptstraße einen vorbeifahrenden Wagen, sonst geschah nichts. Mit der Abenddämmerung kamen schließlich die Stechmücken, die Sabine mit der Hand verscheuchte. Da sah sie eine Bewegung hinter einem der Vorhänge.

Das gibt es doch nicht! Sofort saß sie aufrecht im Wagen und kniff die Augen konzentriert zusammen. Am Wohnzimmerfenster war jemand vorbeigelaufen. Der Vorhang hatte sich bewegt.

Dieser Mistkerl ist also doch zu Hause!

Sabine stieg aus dem Wagen und ging noch einmal zum Haus. Diesmal läutete sie nicht am Gartentor, sondern betrat gleich das Grundstück. Von dem Schild *Achtung bissiger Hund* ließ sie sich ebenso wenig abschrecken wie von dem Wassernapf, der auf der Wiese stand und für einen ausgewachsenen Rottweiler gereicht hätte. Sie hatte während ihres Wartens kein einziges Mal Hundegebell gehört. Vermutlich dienten Schild und Napf nur zur Abschreckung, was zu einem Sicherheitsexperten wie Eisner passen würde.

Sabine erreichte die Haustür und wollte gerade den Finger auf die Türklingel setzen, als sie ein Geräusch im Haus hörte. Es klang wie das Schlagen auf Metall und hörte sich so dumpf an, als würde es aus dem Keller kommen.

Neugierig ging sie zur Hausecke, um den Wintergarten herum und stand nun an der Vorderseite des Grundstücks, wo die Wiese zum Seeufer und zum Holzsteg abfiel. Am Rand des Rasens bemerkte Sabine eine versteckte automatische Sprinkleranlage, die im Moment noch inaktiv war. Angenehm kühle Luft wehte vom Ufer herauf. Die Tannen an der Grundstücksgrenze waren auf beiden Seiten hoch und so dicht, dass der Bereich von außen nicht eingesehen werden konnte, sondern nur vom Gartentor oder vom See aus.

Als Sabine die andere Seite des Hauses erreichte, hatte sie die Villa fast einmal umrundet. *Immer noch kein Hund, der mich anfällt!* Auf dieser Seite standen ein Rasenroboter sowie ein nagelneues Mountainbike im Schatten der Bäume, und an der Hausmauer befand sich eine Wassertonne, die von der Regenrinne gespeist wurde. Sogleich wurde Sabine von einer Wolke sirrender Stechmücken umschwirrt. Sie schlug die Insekten beiseite und ging weiter. Da sah sie zwischen den Bäumen das Heck eines weißen VW-Busses durchschimmern. Anscheinend gab es einen zweiten Weg, der durch den Wald zum Haus führte. Hatte das Grundstück hier einen Seiteneingang? Dann hätte sie auf dem Parkstreifen lange darauf warten können, dass jemand heimkam.

Wieder hörte sie ein metallenes Geräusch aus dem Keller. Sie ging an dem Fahrrad vorbei zu dem überdachten Abgang, der seitlich vom Haus zum Keller hinunterführte. Nachdem sie sich noch einmal umgesehen hatte, stieg sie die Betontreppe hinunter. Am Fußende standen eine Metallleiter und ein Plastikeimer in einer Wasserpfütze, der mit hart gewordenem Montageschaum gefüllt war. Sabine betrachtete den Eimer. Etwas darin blinkte rot. Außerdem drang ein leises, aber irritierendes schrilles Geräusch daraus hervor, so wie von einer Alarmanlage. *Verdammt!*

Gleichzeitig bemerkte sie zwei Meter über der Tür eine kleine rechteckige Vertiefung in der Wand, in der Verputz, Styropor und Dämmwolle zu erkennen waren. Das schmale Stemmeisen lehnte sogar noch am Türstock. Jemand hatte mit dem Brecheisen die Außensirene gewaltsam aus der Wand gerissen, woraufhin der unterbrochene Abrisskontakt die Alarmanlage aktiviert haben musste. Danach war die Sirene im Eimer versenkt worden.

Zusätzlich ragten zwei dünne Metallteile aus dem Schloss der Kellertür. *Ein funkelnagelneuer Dietrich.* Er steckte tief im Schloss. Die Tür stand einen Spaltbreit offen.

Scheiße!

Während Sabine vorn gewartet hatte, war jemand in Frank Eisners Haus eingebrochen. Sogleich zog sie die Dienstwaffe aus dem Gürtelholster und lud sie durch. Mit der anderen Hand zog sie ihr Handy aus der Tasche.

Vorsichtig schob sie die Kellertür auf und betrat den Raum. Es war kühl und roch nach Ziegeln. Sie brauchte einige Sekunden, bis sich ihre Augen an die Dunkelheit gewöhnt hatten. Aus einem der Kellerräume hörte sie ein Geräusch wie das Rascheln von Papier. Danach folgte das Zippen eines Reißverschlusses. Sie blickte auf ihr Handydisplay. Hier unten war der Empfang alles andere als gut, aber für ein Gespräch reichte es. Allerdings würde sie der Einbrecher hören, wenn sie jetzt telefonierte. So leise konnte sie gar nicht flüstern. Also suchte sie in der Adressdatei nach dem gespeicherten Kürzel für Tina Martinelli, um ihr eine SMS zu schicken. Dieselbe Nachricht würde sie gleichzeitig an die Notfallzentrale des BKA und aus alter Gewohnheit sicherheitshalber auch an Sneijder schicken.

Sie fand Tinas und Sneijders Adresse, drückte auf Bestätigen und begann mit der SMS.

Bin bei Frank Eisner, Langener Waldsee …

Sie hörte das Klimpern eines metallischen Gegenstandes und sah kurz auf, dann schrieb sie weiter.

Einbrecher im Haus …

Sie hörte Schritte auf dem Betonboden des Kellers, presste sich an die Wand und hielt den Atem an. Noch hatte sie keine Ahnung, ob es nur ein einzelner Einbrecher war, ob sich im oberen Stockwerk noch eine Person aufhielt oder sogar noch eine dritte zusätzlich in dem Lieferwagen im Wald wartete.

Weiser VWBus nebne dem Haus … tippte sie rasch.

Da hörte sie, wie jemand über die Treppe im Haus nach oben ging. Rasch durchschritt sie den Gang und spähte über die Stufen zum oberen Stockwerk. Dort sah sie gerade noch rechtzeitig einen Mann in Jeans mit kurzen hellen Haaren verschwinden. Frank Eisner war das jedenfalls nicht.

So wie es aussah, befand sie sich jetzt allein im Keller. Sie wollte ebenfalls nach oben laufen, als ihr Blick in die beiden Räume neben der Treppe fiel. Der Heizungskeller. Daneben lag ein Wellnessbereich, in dessen Ecke sich eine kleine Holzsauna mit einer trüben Scheibe in der Tür befand. Aus einem der beiden Räume musste der Mann gekommen sein. Neben der Sauna war ein Metallregal von der Wand geschoben worden, das jetzt mitten im Raum stand. Und dahinter ragte in Bodennähe eine offene Tresortür aus der Wand. Ähnlich wie in Dietrich Hess' Wochenendhaus. Die Erinnerungen an Timboldts Garage und an den Schock, als sie Hess blutüberströmt in der Wanne gefunden hatte, saßen ihr noch so tief in den Knochen, dass sie fürchtete, auch in diesem Haus auf eine Leiche zu stoßen. Vielleicht war Frank Eisner längst zu Hause eingetroffen und lag nun tot oder schwer verletzt in einem der Zimmer.

Sabine betrat den Raum, ging in die Hocke und warf einen Blick in den Safe. *Leer!* Auf dem Boden stand eine große Sporttasche. Sabine stieß mit der Spitze ihres Turnschuhs dagegen. Die Tasche war prall gefüllt. Aber Sabine hatte keine Zeit, um sie zu öffnen und einen Blick hineinzuwerfen. Der Einbrecher konnte jeden Augenblick wieder herunterkommen, da er höchstwahrscheinlich durch den Keller abhauen würde. Und zwar *mit* der Tasche.

Verständige Krnakenwagen … tippte sie sicherheitshalber, da sie nicht wusste, wie sich die Situation weiter entwickeln würde.

Danach verließ sie den Raum und blickte wieder die Treppe zum oberen Stockwerk hinauf. Rasch fügte sie der SMS noch Eisners genaue Adresse hinzu, während sie Stufe für Stufe nach oben stieg. Abwechselnd sah sie auf das Display und dann wieder die Treppe hinauf.

Sie hielt den Atem an und lauschte, ob sie aus dem oberen

Stockwerk etwas hörte. Die Tür stand zur Hälfte offen, und der Einbrecher befand sich womöglich noch im Vorraum.

Mit der Waffe in einer Hand zielte Sabine auf den Türspalt, mit der anderen Hand beendete sie die Nachricht, wollte auf *Senden* drücken, erwischte aber die falsche Taste. *Scheiße!* Mittlerweile stand sie am oberen Treppenabsatz. Das Display tauchte die Wände in ein bläuliches Licht. Sie wollte gerade die richtige Taste drücken, als ein Schatten in den Türspalt fiel. Instinktiv riss sie die Waffe hoch, doch eine Metallstange traf sie im gleichen Moment am Handgelenk, prallte davon ab und knallte an die Mauer. Staub und Verputz rieselten von der Wand.

Sabine schrie vor Schmerzen auf. Ihre Finger wurden augenblicklich taub. Die Pistole war ihr aus der Hand gefallen und sprang klappernd über die Stufen nach unten. Sogleich riss Sabine die andere Hand mit dem Telefon hoch, doch die Stange traf sie erneut – diesmal an der Schläfe.

Sie taumelte zurück und spürte die Stufe des Treppenabgangs hinter sich. Da trat der Einbrecher durch den Türspalt, packte sie an der Bluse, zerrte sie zu sich in den Raum und warf sie zu Boden, sodass sie über die Fliesen rutschte. Blut lief ihr übers Gesicht. *Eine Platzwunde. Pfeif drauf!*

Du musst die Nachricht abschicken!

Sie versuchte die richtige Taste zu drücken, doch der Mann war bereits über ihr und trat ihr das Telefon aus der Hand. Es schlitterte über den Boden und knallte an den Sockel einer Glasvitrine. Daneben befand sich ein gusseiserner Ständer mit Schürhaken. Automatisch nahm sie wahr, dass ein Haken in der Halterung fehlte.

Gar nicht gut!

Blitzschnell rappelte Sabine sich auf die Knie auf und rammte dem Mann den Ellenbogen in die Hoden. Der stöhnte auf. Trotzdem stand er im nächsten Moment hinter ihr, legte ihr einen Schürhaken an die Kehle, zerrte sie hoch und drückte mit unglaublicher Kraft zu.

Sofort schnitt es ihr die Sauerstoffzufuhr ab. *Du hast nur noch wenige Sekunden!* Mit der tauben Hand konnte sie nicht kämpfen, aber mit der Linken griff sie nach hinten und bekam seine Haare zu packen. Sie krallte sich in ein Haarbüschel fest und riss daran. Aber der Mann gab keinen Ton von sich.

Der Druck auf ihren Kehlkopf verstärkte sich. Ihr wurde schwindlig. Mit den Beinen stemmte sie sich von der Wand ab, und zu zweit taumelten sie durch den Vorraum. Sie schlug ihm den Ellenbogen in die Rippen, doch der Mann ließ nicht los.

Aus dem Augenwinkel sah sie einen Rundbogen und das dahinterliegende Wohnzimmer. Der Raum wurde schräg und dehnte sich merkwürdig in die Breite. Das Bild verschwamm und färbte sich blutrot. Sabine spürte, wie sie kraftlos in die Knie sank. Sie hörte ihr eigenes Röcheln, und das Blut rauschte wie verrückt in ihren Ohren.

Das Pfefferspray!

Natürlich! Es hing an ihrem Gürtel. Aber an der Seite, und sie konnte es nur mit der rechten Hand erreichen. Mit den tauben Fingern versuchte sie danach zu greifen, spürte die Schmerzen im Gelenk, konnte die Hand aber nicht bewegen.

Das darf doch nicht wahr sein!

Erfolglos riss sie den Mund auf und versuchte ein letztes Mal nach Luft zu schnappen, doch nur ein dünnes Rinnsal aus Speichel lief ihr aus dem Mundwinkel. Da war sie endgültig auf den Knien. Vor ihr befand sich die Glasvitrine mit einem Spiegel. Auf dem Boden lag ihr Handy. *Nur einen Meter entfernt!* Mit tränenverschleiertem Blick sah sie sich selbst mit hochrotem Kopf. Hinter ihr stand der Mann, breitbeinig mit schwarzen Jeans und dunklem Pullover, und drückte ihr die Luft ab.

Wer ist das?

Sie wollte hinsehen, doch ihr Hirn setzte aus. Ihr wurde schwarz vor Augen. Nun würde es rasch zu Ende gehen. Ihr Herz raste, und dumpfe Kopfschmerzen breiteten sich in ihrem Schädel aus. Von irgendwoher hörte sie das Bimmeln von Glöckchen. *Bin ich schon bewusstlos? Nein, das sind keine Glöckchen! Das ist ein Schlüssel, der in einem Schloss klimpert.*

Mit einem Ruck wurde sie zur Seite geschleudert und schlitterte über den Boden. Der Schürhaken war weg. Sie schnappte nach Luft, konnte aber trotzdem nicht atmen, als wäre ihr gesamter Hals mitsamt der Luftröhre zerquetscht worden.

Sie tastete nach ihrem Hals und röchelte verzweifelt.

Hilfe!

Nun kam richtige Panik in ihr auf. Hilflos versuchte sie zu atmen, kniete auf allen vieren und krallte sich mit den Fingerkuppen in den Fliesenboden.

Hinter sich hörte sie das Öffnen einer Tür. Für einen Moment sah sie den Mann mit dem Pullover, wie er zur Kellertür stürzte. Und bevor ihr endgültig schwarz vor den Augen wurde, sah sie zum ersten Mal sein Gesicht.

Thomas Hardkovsky!

Aber jemand anderer muss auch noch das Haus betreten haben.

Dann brach sie benommen auf dem Fliesenboden zusammen.

32. KAPITEL

Montag, 30. Mai

Hardy saß immer noch in Noras Wohnzimmer. Es war kurz vor achtzehn Uhr, und Nora musste los zu ihrer Abendschicht ins *Panda*.

Inzwischen hatte Hardy fast die gesamte Flasche Baileys geleert und goss sich ein weiteres Glas ein. Twinky lag nun in der prallen Sonne auf der Fensterbank und schlief.

»Du wirst dir den Magen verkleben.«

»Das hat meine Mutter auch immer behauptet.«

Sie lachte. »Du hast als Kind Baileys getrunken?«

»Wusstest du das nicht?« Er lächelte ebenfalls, und wie zufällig berührte er ihren Unterarm. Sie ließ es sich gefallen. »Zucker hilft beim Denken«, fügte er hinzu.

»Stimmt, darum ist Hercule Poirot auch so dick.« Plötzlich wurde sie wieder ernst.

Gleichzeitig starrten sie auf den Schlüssel, der vor ihnen auf dem Tisch lag. Das kleine gezackte Metallteil bot nicht die geringsten Ansatzpunkte, wozu es passen könnte, und genau das war ja auch der Sinn eines solchen Schließfachschlüssels.

»Also, zu welchem Fach könnte er gehören?«, fragte sie.

»Es muss jedenfalls groß genug sein, damit eine Sporttasche hineinpasst. Und bestimmt hat Antoine den Ort so gewählt, dass ich von allein dahinterkomme, wo er ist. Andernfalls hätte er mir einen Hinweis gegeben.« *Aber das hat er nicht!* Hardy dachte weiter nach. »Und es muss an einem Ort sein, der nicht beobachtet werden kann.«

Nora runzelte die Stirn. »Warum?«

»Antoine glaubt, dass er abgehört und beschattet wird. Und bestimmt hat er geahnt, dass auch ich überwacht werde.«

»Vom BKA?«

»Ja. Und deshalb muss er die Tasche an einem Ort versteckt haben, den ich unbeobachtet betreten kann.«

»Demnach würden also Bahnhöfe, Flughäfen und U-Bahn-Stationen wegfallen. Auch Kabinen in Freibädern oder Garderoben in Museen.«

Er stützte sich auf die Hand. »Eigentlich fast alles«, murmelte er.

»Wie bitte?«

»Entschuldige.« Er nahm die Hand vom Mund. »Eigentlich fast alles«, wiederholte er.

»Wie wäre es mit einem Schließfach in einer Bank?«

Er hob den Blick. »Eine Bank …« Seine Gesichtszüge hellten sich auf. »Bevor Antoines Frau sich als Immobilienmaklerin selbstständig gemacht hat, war sie Wertpapierhändlerin in einer Bank.«

»In welcher?«

»Keine Ahnung.« Hardy leerte sein Glas. »Hat dein PC einen Internetanschluss?«

»Klar.« Nora schob Hardy das Notebook hinüber, woraufhin er ein »Okay« murmelte und die Internetverbindung herstellte.

»Du weißt ja tatsächlich, wie man damit umgeht«, zog sie ihn auf.

»Eigentlich nicht. Wir Typen im Knast sind nur rohe Klötze, die Gewichte stemmen, sich gegenseitig tätowieren und Tüten für Supermärkte zusammenkleben.«

»Jetzt verarscht du mich aber?«

»Ein bisschen!« Er schob den Ärmel seines T-Shirts hoch und zeigte ihr auf dem Oberarm sein Tattoo. Ein Amboss, *Anvil* stand darunter. Grinsend tippte er auf die Tastatur, dann schob er ihr das Notebook hin. »Schau mal, diese Webseite habe ich im Knast gemacht.«

»Du hast Webseiten erstellt?« Erstaunt starrte sie auf die Seite. »Eine Basketballseite. *Bützower Granaten?*«

»Das war unsere Mannschaft. Fünf Jahre lang haben wir gegen die Wärter gespielt. Hier findest du alle Spielergebnisse.«

»Und ich dachte, ihr Typen im Knast bringt euch nur gegenseitig bei, wie ihr Autos, Türschlösser und Tresore knackt.«

»*Das* tun wir auch.« Hardy zog das Notebook wieder zu sich und suchte nach der Webseite von Christiane Tomaschewskys Immobilienfirma. Mit ein paar raschen Mausklicks hatte er ihre Vita geöffnet, doch in ihrem Lebenslauf stand nur, dass sie als Devisenhändlerin für Großbanken gearbeitet hatte. Namen standen dort keine. Wäre auch zu schön gewesen.

»Dann such eben nach sämtlichen Bankfilialen in Frankfurt und Umgebung, die Schließfächer haben«, schlug sie vor.

»Mach ich gerade.«

Sie stand auf und gab ihm einen Kuss auf die Wange. »Viel Glück, ich muss los. Im Kühlschrank findest du etwas zu trinken, aber verkleb dir nicht noch mehr den Magen. Und wenn du Hunger hast, komm runter ins Panda.«

Er sah kurz auf. »Danke.« Sie sah so hinreißend aus.

»Wenn du möchtest …«, druckste sie herum, »kannst du heute Nacht …«

»Danke, aber ich habe ein Hotelzimmer beim Hauptbahnhof.«

»Okay.« Sie strich sich das Haar hinters Ohr. »Bis später.«

Hardy hörte, wie sie sich im Bad frisch machte, und fünf Minuten später knallte die Wohnungstür zu.

»Also gut, Antoine, du alter Fuchs«, murmelte er. »Wo hast du meine Sachen versteckt?«

Twinky hob einmal kurz den Kopf und blinzelte herüber,

dann schloss sie wieder schnurrend die Augen und schlief weiter.

Auf einer Webseite fand er eine Übersicht über sämtliche Bankfilialen in Wiesbaden, Mainz, Rüsselsheim, Hofheim und Frankfurt. In Zeiten wie diesen, wo es wichtiger war, Banken statt Menschen zu retten, war es kein Wunder, dass es so viele Filialen gab. Einige davon hatten zwar schmale Sparbuch-Schließfächer, aber die wenigsten boten die Möglichkeit, etwas von der Größe einer Sporttasche in einem Banksafe zu hinterlegen.

Systematisch las Hardy die Beschreibung auf den einzelnen Webseiten. *Verdammter Mist,* das konnte Tage dauern, bis er mit jeder einzelnen Filiale durch war, um zu sehen, ob sie die gleichen Schlüssel verwendeten wie den, der neben ihm auf dem Tisch lag.

Schließlich stieß er auf die Clementoni-Bank. Eine italienische Bank, die sich laut ihrem Webauftritt erst gar nicht mit Kleinkunden abgab, die nur ein Sparbuch anlegen wollten, sondern den Börsenhandel für Konzerne abwickelte.

Hardy las sich Serviceleistungen, Impressum und die Kontaktseite durch und stieß auf einen Satz, der ihn stocken ließ.

Die gesamte Clementoni-Bankengruppe ist durch Systeme von Eisner-Security-Electronics gesichert und bietet ihren Kunden somit optimalen Schutz.

Hardy starrte lange Zeit auf diesen Satz. *Eisner-Security-Electronics.* Auch über Frank Eisners Werdegang war er gut informiert und wusste, dass der sich vor vielen Jahren als Sicherheitsberater selbstständig gemacht hatte. Dass er allerdings auch Banken mit kompletten Sicherheitssystemen belieferte, war ihm neu.

Das ist es!

Hardy kannte Antoines doppelzüngigen Humor. Und wenn

der etwas für Hardy verstecken wollte, dann war es dem alten Fuchs zuzutrauen, dass er es dort verbarg, wo ausgerechnet Eisner es vor dem Zugriff anderer bewahrte.

Was für eine Ironie!

Kurz vor einundzwanzig Uhr betrat Hardy das *Panda*. Nora arbeitete hinter der Theke, sortierte soeben einige Warmhaltekartons in einer Nylontüte und packte reichlich Servietten, Stäbchen und eine Flasche Reiswein dazu, während im Hintergrund die ständig gleich klingende chinesische Musik aus den Lautsprechern drang.

Was für ein armseliges Leben!

Hardy stand lange neben der Tür und beobachtete Nora. In diesem Moment wusste er, dass er sie hier rausbringen musste. So, wie er es vor langer Zeit versprochen hatte. Irgendwie! Aber nicht irgendwann, sondern so bald wie möglich. Gleich, nachdem er diese Scheiße mit dem Mörder seiner Familie hinter sich gebracht hatte.

Nora reichte die Tüten zwei Jugendlichen, kassierte, sah auf, bemerkte Hardy und lächelte.

Die Burschen nahmen das Wechselgeld und drängten sich neben Hardy durch die Tür auf die Straße, wo sie auf ihr Moped stiegen und davonfuhren. Indessen ging Hardy zum Tresen.

»Na, erfolgreich gewesen?«

»Ja, danke.« Er legte ihr den Wohnungsschlüssel auf die Theke.

»Und wo ist es?«

»Sag ich dir morgen. Ich bin ziemlich sicher, dass wir meine Tasche dort finden werden.«

»*Wir?*«

»Ich habe eine Idee, wie ich unbemerkt an meine Sachen herankomme. Aber dazu brauche ich deine Hilfe.«

Sie lächelte zaghaft. »Okay.«

»Gute Nacht, und danke für alles.« Er strich ihr über die Wange und glaubte, dass sie ihren Kopf einen Moment lang gegen seine Hand gedrückt hatte.

Dann wandte er sich um und ging. Im Spiegelbild der Glastür sah er, dass sie ihm nachblickte.

Kurz darauf empfing ihn die brütende Hitze der Nacht. Er würde ein Taxi finden, das ihn zum Bahnhof ins Mercure City Center brachte. Es war noch zu früh, um bei Nora zu übernachten. Wer zwanzig Jahre lang im Knast gewesen war, hatte alle Zeit der Welt, es langsam anzugehen.

Jedenfalls würde Nora, wenn sie nach der Arbeit in ihre Wohnung kam, drei Sonnenblumen finden, die er kurz zuvor in einem Blumenladen an der Straßenecke besorgt und ihr in einer Vase auf den Wohnzimmertisch gestellt hatte. Und ein Schälchen Putenbrust für Twinky.

Er ging zum Taxistand und zog das zerfledderte Exemplar von *Der Fänger im Roggen* aus der Hosentasche. Die letzten zehn Seiten fehlten ihm noch.

33. KAPITEL

Ein scharfer Schmerz durchfuhr Sabine. Langsam öffnete sie die Augen. Grelles Licht blendete sie. Da spürte sie das neuerliche Brennen auf der Wange. Gleichzeitig hörte sie ein Klatschen.

»Was ist?«, murmelte sie und tastete nach ihrer glühenden Wange. Jemand hatte ihr eine Ohrfeige gegeben. Ihre Stirn war feucht. Sie lag auf einer Couch. Als sie sich aufsetzte, fiel ein nasses Handtuch von ihrer Stirn auf ihren Schoß.

Sabine sah sich langsam um. Mann, ihr Schädel dröhnte. Sie befand sich in Frank Eisners Wohnzimmer. Er saß ihr gegenüber auf einem Stuhl.

»Wie lang war ich weg?«

»Eine Minute«, antwortete er. »Warum sind Sie in mein Haus eingebrochen?«

Sabine versuchte die Kopfschmerzen auszublenden und sich zu konzentrieren. »Was?« Sie räusperte sich und schluckte. Ihre Kehle brannte. »Ich bin nicht in Ihr Haus eingebrochen«, krächzte sie.

»Die Alarmanlage ist aus der Wand gehebelt und in einem Eimer mit Montageschaum versenkt worden. Außerdem stand die Kellertür offen.«

»Steckte der Dietrich noch im Schloss?«

»Nein. Haben *Sie* die Tür mit einem Dietrich geöffnet?«

»Nein, verdammt! Ich wollte den Einbrecher in Ihrem Haus festnehmen und habe ihn dabei vertrieben.«

Eisner betrachtete mitleidig das nasse Handtuch auf Sabines Schoß. Spuren von Blut befanden sich auf dem Stoff. »Vertrieben?«, wiederholte er amüsiert. »Ich habe einen stillen Alarm auf mein Handy erhalten und bin gleich hergefahren. Und wen finde ich in meinem Haus? *Sie!* Ich könnte Sie jetzt in Notwehr erschießen und käme sogar ohne Strafe davon.«

Notwehr? Sabine blickte Eisner an. Er hielt ihre Waffe in der Hand, die vorhin die Kellertreppe hinuntergeflogen war. Auf dem Tisch standen Gläser und ein Krug Wasser, in dem sich Steine und Limettenspalten befanden. Daneben lag Sabines Handy.

»Darf ich telefonieren?« Sie wollte zum Handy greifen.

Doch Eisner hob im gleichen Augenblick die Waffe. »Nein, dürfen Sie nicht.«

»Was soll das? Sie behindern …«

»Halten Sie den Mund!«, fuhr er sie an. »Im Moment sind Sie für mich eine Einbrecherin, die gewaltsam in mein Haus eingedrungen ist.«

Sabine tastete mit den Fingern nach ihrem lädierten Handgelenk, das geschwollen und mittlerweile blau angelaufen war. »Glauben Sie allen Ernstes, ich habe die Alarmanlage aus der Wand gerissen? Und was ist *damit*?« Sie hob den Arm. »Soll ich mir das selbst zugefügt haben?«

»Das Gelenk ist nicht gebrochen.«

»Ach wie schön, darf ich trotzdem einen Eisbeutel haben?«

»Nein.«

»Vielen Dank. Und was nun?«

»Der Öffnungsmelder der Kellertür hat eine Zeitverzögerung von dreißig Sekunden eingebaut, in der man den Code eingeben kann. Während dieser Zeit haben Sie oder Ihr Komplize die Außensirene aus der Wand gebrochen, im Eimer versenkt und anschließend im Haus das Telefonkabel des Festnetzanschlusses aus der Buchse gerissen. Allerdings zu spät! Der Öffnungsmelder hat bereits die Alarmzentrale im Haus angefunkt, und das Festnetz hat schon gewählt.«

»Warum erzählen Sie mir das?«

»Weil die Polizei den stillen Alarm ebenfalls erhalten hat. Eigentlich müsste sie schon längst da sein.«

»Ich *bin* die Polizei!«

»Dann wissen Sie ja selbst, dass Sie in der Klemme stecken.«

O Gott! Sabine atmete tief durch. Ihr Schädel drohte jeden Moment zu zerspringen. »Darf ich einen Schluck Wasser trinken?«

»Nein!«

Sie ignorierte seine Antwort und beugte sich nach vorn zum Glas.

Eisner hob die Waffe. »Rede ich undeutlich? Sie sollen ruhig hier sitzen bleiben und sich nicht bewegen!«

Sabine konnte es nicht fassen. *Was für ein Arsch!* »Ja, schon gut«, sagte sie schließlich, da sie keine Kraft mit langwierigen Diskussionen vergeuden wollte. »Nehmen Sie die Waffe runter.«

Eisner spielte mit ihrer Pistole und legte sie von einer Hand in die andere. »Eine Glock 17. Ein schönes Modell. Damals, als ich noch im Dienst war, hatten wir auch eine Glock.« Er betrachtete den Schlitten.

Sabine wusste, dass die Waffe immer noch geladen war. »Können Sie den Lauf bitte nicht auf mich richten.«

»Ich bin kein Anfänger.« Die Waffe lag schwer in seiner Hand, und der Lauf zeigte nach wie vor auf sie. »Wir werden jetzt gemeinsam auf die Polizei warten.«

Scheiße! Sie war ohne Dienstbefugnis zu Frank Eisner gefahren und in sein Haus eingedrungen. Außerdem hatte sie nicht einmal einen offiziellen Auftrag, einen der Fälle, in denen sie mit Tina Martinelli ermittelt hatte, weiterzuverfolgen. Timboldt würde ihr den Arsch aufreißen.

»Sie sollten endlich damit beginnen, meine Fragen zu beantworten«, ging Sabine in die Offensive.

»Ich werde Ihnen gar nichts beantworten. Sie dachten wohl,

nachdem Ihr Besuch in der Bank nichts gebracht hat, könnten Sie sich einfach hier ein wenig umsehen.«

»Ihr Tresor wurde geöffnet.«

»Ich weiß.«

»Der Einbrecher ist mit einer Sporttasche abgehauen. Haben Sie ihn gesehen?«

»Nein.«

»Steht der weiße VW-Bus noch neben dem Haus im Wald?«

»Nein.«

Sabine rückte nach vorn an die Kante der Couch. »Hören Sie, ich habe ihn gesehen. Ich weiß, wer er ist.«

»Und wer?«

»Sagen Sie mir, was in Ihrem Tresor war.«

Eisner schwieg.

»Warum hat Krzysztof Ihre Frau ermordet?«

Eisner sah sie überrascht an. Dann holte er tief Atem. »Das wüsste ich selbst gern – wissen Sie etwas darüber?«

»Nein. Woran haben Sie vor zwanzig Jahren mit der Gruppe 6 gearbeitet?«, bohrte sie weiter. »Warum wurde gegen die Gruppe 6 ermittelt, und worum ging es bei den Verhören durch die Dienstaufsicht?«

Eisner starrte sie lange an. »Was wissen Sie über die Akte mit dem Sperrvermerk?«

Sabine dachte an den vermeintlichen Selbstmordversuch in Dietrich Hess' Wochenendhaus und den geöffneten Safe. »Das kann ich Ihnen nicht verraten.«

»Warum nicht?«

»Sie sind nicht mehr beim BKA, also warum sollte ich Ihnen etwas erzählen? Im Moment sind Sie für mich genauso ein Tatverdächtiger wie alle anderen der Gruppe 6.«

»Dann reden Sie doch mit den anderen, das sind immerhin Ihre Kollegen.«

»Zwei davon sind tot, einer schwer verletzt, und die anderen beiden … na ja, so einfach geht das nicht. Also?« Sabine wartete.

Doch Eisner schwieg.

»Verdammte Kuhscheiße!«, schimpfte Sabine. *Wie kann man nur so stur sein?* »Hören Sie mir zu«, sagte sie scharf, musste aber hüsteln, da ihre verletzte Kehle immer noch kratzte. »Als ich bei Ihnen in der Bank war, habe ich Sie davor gewarnt, dass Ihnen etwas zustoßen könnte. Das ist nun passiert. Wir hätten es aber verhindern können.«

Eisner dachte nach. »Was schlagen Sie vor?«

»Arbeiten Sie mit mir zusammen. Gemeinsam können wir Licht in die Sache bringen und den Täter fassen.«

»Wer war es?«

Sabine streckte die Hand aus. »Zuerst meine Waffe, bitte!«

Eisner lockerte seinen Krawattenknoten, dann fuhr er sich durch den grauen Stoppelbart. Schließlich drehte er Sabines Waffe herum, nahm sie am Lauf und reichte sie ihr.

»Danke.« Sie nahm das Magazin heraus, zog den Schlitten zurück und warf die Patrone im Lauf aus. Nachdem sie das Magazin überprüft hatte, drückte sie die Patrone rein. Nun war es voll, mit allen siebzehn Schuss. Sie steckte die Waffe in ihr Holster. »Darf ich jetzt etwas trinken?«

»Bitte.«

Sie goss sich ein Glas Wasser ein und trank.

»Nicht so hastig«, warnte er sie. »Sie haben einen schlimmen Bluterguss an der Kehle.«

Sie setzte das Glas ab und bemerkte erst jetzt, wie stark die Schwellung an ihrem Hals wirklich war. »Der Einbrecher war Thomas Hardkovsky.«

»Hardy?«, wiederholte Eisner.

»Sie kennen ihn also doch.«

»Ja«, murrte er. »Ende der 80er- und Anfang der 90er-Jahre

waren wir Kollegen, aber unsere Arbeit hat sich nie überschnitten. Damals hatte die Abteilung Internationale Rauschgiftbekämpfung im BKA eine Personalstärke von fast tausend Mann.«

»Er hat Ihren Safe ausgeräumt und vermutlich auch den von Dietrich Hess. Wonach hat er gesucht?«

Eisner zog die Schultern hoch. »Keine Ahnung.«

»Verdammt! Denken Sie nach!«

»Mache ich ja«, beruhigte er sie. »Aber ich weiß nicht, wonach er gesucht haben könnte. Er ist irre, verstehen Sie? Er lebt in einer Fantasiewelt, die er sich zusammenreimt, und dabei ist er so überzeugend, dass er damit auch andere manipuliert. Deswegen – und auch wegen seiner Aggressionen – hat das BKA ihn entlassen.«

»Er wurde entlassen? Ich dachte, er hat das Dienstverhältnis selbst gelöst.«

»Nein.« Eisner lachte heiser auf. »Die Arbeit in der Internationalen Drogenfahndung – Schwerpunkt Kokain – hat ihm massiv zugesetzt. Nicht jeder ist für dieses Milieu geschaffen. Er hat ein paar schräge Vögel kennengelernt, und die haben ihn runtergezogen. Hardy hat den jährlichen Psychotest nicht bestanden und wurde in eine andere Abteilung versetzt. Dort wurde er gewalttätig, hat Kollegen bedroht, woraufhin sie ihn suspendiert und danach entlassen haben. Er brauchte dringend Geld, immerhin hatte er eine junge Familie. Eines Tages hörte ich, dass er angeblich sein eigenes Drogengeschäft aufziehen wollte, was er dann auch getan hat.«

»Gut, und wie ging es weiter?«

Eisner lehnte sich zurück. »Vor zwanzig Jahren waren Hess, Timboldt, Lohmann, Rohrbeck, Hagena und ich in der Abteilung für Drogenfahndung. Gruppe 6, verdeckte Ermittlungen im Großraum Hessen. Wir waren noch relativ jung, hoch motiviert und hatten ein erfolgreiches Jahr mit harten Einsätzen.

Danach haben ein paar rivalisierende Drogenbanden einen Anschlag auf Hardys Warenlager verübt. Bei der angeblichen Gasexplosion wurde eine halbe Tonne Stoff vernichtet.«

»Hat Hardy für eine dieser Gruppen gearbeitet?«

Eisner schüttelte den Kopf. »Der hat sein eigenes Ding durchgezogen. Allerdings wurde er rasch zu groß, und das hat einigen nicht gefallen. Nach der Explosion brannten am ersten Juni dann auch seine Drogenlabors nieder.«

»Und dabei starb seine Familie«, ergänzte Sabine.

Eisner schüttelte den Kopf. »Erst bei dem Brand in seinem Haus, den er angeblich selbst gelegt hat.«

»Glauben Sie das?«

Eisner zog die Luft geräuschvoll in die Lunge. »Um ehrlich zu sein: Ich weiß es nicht. Der Lügendetektortest, den wir mit ihm gemacht haben, sagt *Nein.* Auf der anderen Seite gibt es einen Zeugen, der ihn zu dieser Zeit aus seinem Haus kommen sah, und ein gerichtspsychologisches Gutachten besagt, dass er die Tat begangen haben könnte, aber alle Details daran verdrängt hat.«

Sabine kannte den Bericht zwar, stellte sich aber unwissend. »Der Tod seiner Familie war gar nicht geplant, sondern ein Kollateralschaden?«

Eisner nickte. »Er hatte wohl nicht damit gerechnet, dass jemand zu Hause war, und als die Flammen hochschlugen, schafften es seine Frau und seine Töchter nicht mehr rechtzeitig raus. Andere behaupten wiederum, er hätte seine Frau absichtlich ermordet, weil sie zu viel wusste, und nur der Tod seiner Kinder war ein Unfall. Die hätten eigentlich bei Freunden sein sollen.«

»Kannten Sie seine Frau?«

Eisner kratzte sich am Bart, fuhr sich dabei gedankenverloren über die Narbe am Kehlkopf und schüttelte anschließend den Kopf. »Nein, habe sie nie kennengelernt.«

»Worum ging es bei den anschließenden Verhören durch die Dienstaufsichtsbehörde?«

»Da Hardy bei der Drogenfahndung und noch dazu mal ein ehemaliger Arbeitskollege von Hess gewesen ist, wurde der Gruppe 6 ein Naheverhältnis zu Hardys Drogengeschäften nachgesagt. Diese Gerüchte und Verdächtigungen hielten sich lange. Stellen Sie sich nur vor: Jemand vom BKA steigt aus und zieht sein eigenes Ding auf.« Er verstellte die Stimme. *»Bestimmt hat er noch Kontakte zu den alten Kollegen. Bestimmt hängen ein paar Beamte da auch mit drin. Na klar, es muss so sein.* So ein Mist wurde erzählt. Darum ging es bei den Verhören.«

»Gab es Konsequenzen?«

Eisner schüttelte den Kopf. »Letztendlich nicht. Aber wir standen unter Korruptionsverdacht, und vorsichtshalber wurde deshalb ein Disziplinarverfahren eingeleitet, wodurch uns die KK an den Eiern hatte.«

»Die KK?«, wiederholte Sabine.

»Kollegenkiller. So nannten wir die Dienstaufsichtsbehörde damals. Die Untersuchung ging ein Jahr lang. Wir wurden observiert, immer wieder verhört, und es gab Hausdurchsuchungen in unseren Privatwohnungen und an den Arbeitsplätzen. Während dieser Zeit waren alle an uns dran. Der Staatsanwalt, die Interne Revision, die Dienstaufsichtsbehörde und sogar die eigenen Kollegen.«

»Sneijder auch?«, fragte Sabine.

»Der nicht.«

»Das wundert mich, schon allein wegen seiner jahrelangen Rivalität zu Hess. Wenn Sneijder eine Chance gewittert hätte, Hess zu belasten, hätte er sich wie ein Bullterrier in dessen Waden verbissen und nicht mehr lockergelassen.«

»Vielleicht hat er deshalb auf seinen privaten Rachefeldzug

verzichtet, weil er andere mit hineingezogen hätte und er und Lohmann ja ziemlich dicke Freunde sind.«

Sabine überlegte. »Möglich.«

»Jedenfalls haben wir uns bei den Vernehmungen weder auf unsere Schweigepflicht berufen noch die Verhöre im Beisein von Anwälten geführt. Schließlich haben die Indizien und Ermittlungsergebnisse nicht ausgereicht. Niemand von uns wurde je suspendiert, vom Dienst entlassen oder angeklagt.«

»Das heißt, niemand von der Gruppe 6 hatte etwas mit den Anschlägen auf Hardys Haus zu tun?«

»Natürlich nicht. Wir sind keine Schläger oder Brandstifter, und schon gar keine Kindermörder. Und trotzdem – obwohl nicht die geringsten Beweise gefunden wurden – hielten sich die Gerüchte noch jahrelang.«

»Und warum wurde die Akte mit einem Sperrvermerk versehen?«

»Eben deshalb! Damit die Gerüchte endlich aufhören und nicht jeder den Fall immer wieder neu ausgräbt. Außerdem sollten die Namen der verdeckten Ermittler nicht veröffentlicht werden.«

»Aber wer hat nun Hardys Haus tatsächlich angezündet?«

»Die Russen oder Tschetschenen? Die Albaner oder Armenier? Er selbst?« Eisner hob die Schultern. »Keine Ahnung.«

Oder doch jemand von der Gruppe 6?

Sabine legte die Stirn in Falten. Das schien der Knackpunkt an der ganzen Geschichte zu sein. »Das heißt, Hardy ging für diese Tat zwar in den Knast, aber trotzdem ist der Fall nie mit hundertprozentiger Sicherheit aufgeklärt worden?«

»Könnte man so sagen, und so lange werden sich auch die Gerüchte halten, das BKA hätte etwas damit zu tun gehabt.« Eisner seufzte. »Da reißt man sich jahrelang den Arsch auf, damit die Straßen von Drogen sauber werden, erhält als verdeckter Ermittler eine veränderte Identität, hat keine festen Dienstzeiten, keine freien Abende und Wochenenden, ist jederzeit abrufbereit, aber unterm Strich zählen all die Erfolge nichts. Ein Traumjob sieht anders aus.« Gedankenverloren hob er den Blick zur Kommode, auf der einige gerahmte Fotos standen.

Sabine sah ebenfalls kurz hinüber. »Haben Sie deshalb den Dienst quittiert?«

»Deshalb nicht. Ich komme aus einer Polizistenfamilie; drei Generationen Kripo. Da wirft man nicht so leicht das Handtuch.«

Sabine sah noch einmal zur Kommode, aber diesmal betrachtete sie die Fotos länger. Auf einem Bild stand Eisner neben einem älteren Polizisten mit Mütze und blauer Uniform.

»Ich habe noch zehn Jahre lang in einer anderen Abteilung gearbeitet«, fuhr Eisner fort, »aber der Job war genauso frustrierend. Sie sind noch jung, aber eines Tages werden auch Sie erkennen: Je höher Sie kommen, umso mehr müssen Sie gegen bürokratische Windmühlen ankämpfen.«

Danke, die kenne ich bereits zur Genüge!

»Das ist alles andere als befriedigend«, murmelte er. »Schließlich habe ich meine eigene Firma gegründet.«

Eine Security-Firma, die Sicherheitssysteme an Banken, Versicherungen und Museen verkaufte, rief Sabine sich in Erinnerung. Es war schon paradox, dass ein Dieb ausgerechnet in *sein* Haus einbrach.

»Was haben Sie?«, fragte er.

»Nichts«, log sie. *Etwas stimmt hier nicht!* Bis eben hatte sie noch geglaubt, in Eisner endlich einen Verbündeten gefunden zu haben, mit dem sie gemeinsam Licht in die Sache bringen konnte. Aber plötzlich passten ein paar Dinge zusammen, die eigentlich gar nicht zusammenpassen durften. *So jemand wie Eisner weiß, wie man Häuser sichert und Alarmanlagen lahmlegt.*

Sie dachte an den Einbruch in das Wochenendhaus von Dietrich Hess. Bei dem Telefonat mit der Sicherheitsabteilung hatte sie erfahren, dass der Alarm in Hess' Wochenendhaus gar nicht abgeschaltet worden war, er aber trotzdem nicht losgegangen war, obwohl sie die Scheibe eingeschlagen hatte …

Plötzlich wurde ihr übel.

»Was haben Sie?«, wiederholte Eisner.

»Nichts. Es geht schon.« Sie wischte sich den Schweiß von der Stirn. »Wonach hat Hardy in Ihrem Haus gesucht?«

»Das hatten wir doch schon. Ich weiß es nicht!«

Da zog sie ihre Waffe aus dem Holster und richtete den Lauf auf ihn.

Eisner hob die Arme. »Was soll das jetzt?«

»Sie waren gestern Abend im Haus von Dietrich Hess!«, stellte sie fest. »*Sie* haben die Alarmanlage manipuliert.« Ihr wurde plötzlich schwindlig. *Mann!* Am liebsten hätte sie sich jetzt hingelegt, die Füße hochgelagert oder sich gleich übergeben. Waren das die Folgen einer Gehirnerschütterung?

Frank Eisner stand auf.

»Bleiben Sie sitzen!«, befahl sie ihm.

Doch er ignorierte sie. Im gleichen Moment ertönte von Weitem eine Polizeisirene. »Ah, die Kollegen kommen endlich. Wurde auch schon Zeit.«

»Prima, dann können wir die Befragung …«, stammelte sie, doch ihre Zunge wurde plötzlich dick. *Verflucht noch mal!* Sie starrte zu dem Wasserkrug. »Haben Sie mir etwas ins Wasser gegeben?«

Eisner ging zum Ende der Couch, schob ein Kissen beiseite und holte Kabelbinder, Stofftuch und eine breite Rolle Klebeband hervor. »Ich muss Sie jetzt leider in den Keller bringen.« Er kam mit dem Klebeband auf sie zu.

Sabine rutschte von ihm weg ans Ende der Couch, wollte sich

erheben, doch ihre Füße gaben nach. Sie fiel auf den Boden und robbte auf dem Rücken von Eisner weg, der vor ihr stand. »Keine Bewegung!«

»Sonst was?«

Sie richtete die Waffe auf ihn und hörte, wie die Polizeisirene näher kam und lauter wurde.

»Nehmen Sie die Waffe runter. Das Mittel, das Sie mit dem Wasser getrunken haben, lähmt Ihre Muskulatur, verursacht Migräne, und wenn Sie noch etwas mehr davon getrunken hätten, wären Sie jetzt vermutlich schon entweder an Atemstillstand, Herz- oder Kreislaufversagen gestorben.«

»Treten Sie einen Schritt zurück!«, befahl sie ihm.

Eisner näherte sich ihr mit dem Klebeband. »Sie wagen es ja doch nicht, auf mich zu schießen.«

Sabine zog den Schlitten zurück, eine Patrone sprang in die Kammer, und die Waffe war geladen und scharf. »Ich würde es nicht darauf ankommen lassen.«

»Ich bin unbewaffnet, und Sie sind unsicher, ob Sie tatsächlich etwas gegen mich in der Hand haben.«

»Zurück.«

Die Polizeisirene erstarb vor Eisners Haus. Sabine hörte das Schlagen von Autotüren.

Eisner ging weiter auf sie zu. Sabine zielte auf seine Schulter und drückte ab. Aber der Schlagbolzen löste keinen Schuss aus. Es gab weder einen Knall noch einen Rückstoß. Im Reflex zog sie den Schlitten zurück, die Patrone wurde ausgeworfen, und eine neue glitt automatisch in den Lauf. Sabine drückte erneut ab, aber wieder passierte nichts. *Verdammt!* Sie hatte doch das Magazin überprüft.

»Ich hätte nicht gedacht, dass Sie tatsächlich abdrücken«, sagte Eisner und trat ihr ins Gesicht.

Ihr Kopf flog zur Seite, und sie knallte mit der Schläfe auf den Boden. Augenblicklich spürte sie den Geschmack von Blut im Mund.

Eisner beugte sich zu ihr herunter und wand ihr die Waffe aus der Hand. »Ich habe die Feder vom Schlagbolzen entfernt.«

Sabine hatte die Waffe halten wollen, besaß jedoch keine Kraft mehr in den Fingern. Sie spuckte Blut aus. »Hilfe!«

Sogleich presste Eisner ihr die Hand auf den Mund und lächelte dabei kalt. »Für die Glock braucht man nicht einmal ein spezielles Werkzeug – ein gewöhnlicher Schraubenzieher genügt. Und so etwas wie Sie hat man am BKA unterrichtet!« Er kniete neben ihr, stopfte ihr das Stofftuch in den Mund und wickelte das Klebeband mehrmals über ihren Mund und um den Kopf herum. So fest, dass es ihr Haare, Ohren und Wangen einschnürte.

Sie versuchte nach ihm zu schlagen, konnte mittlerweile jedoch weder Arme noch Beine bewegen. Reglos musste sie zusehen, wie er ihre Hand- und Fußgelenke mit Kabelbindern fixierte.

Es läutete an der Tür. »Polizei Langen, wir haben einen Alarm aus Ihrem Haus erhalten!«

»Ich bin zu Hause, es ist alles in Ordnung!« Eisner nahm ihre Waffe, packte Sabine am Kragen und schleifte sie hinter sich her zur Kellertreppe.

»Öffnen Sie die Tür!«

»Ich komme sofort.«

Brutal zerrte er sie über die Treppe nach unten.

34. KAPITEL

Den Aufprall auf die einzelnen Stufenkanten spürte sie kaum, obwohl Eisner sie mit einem rücksichtslosen Tempo in den Keller zerrte. Offenbar lähmte das Mittel nicht nur die Muskulatur, sondern auch das Schmerzempfinden.

Sabine bekam nur noch schwer Luft. Alles drehte sich um sie herum, dennoch registrierte sie, wie er sie in den Wellnessraum neben dem Heizungskeller schleifte und die Tür zur Sauna öffnete.

Die Türglocke läutete erneut.

Eisner schob sie mit einer beängstigenden Ruhe in die Sauna, überprüfte noch einmal Knebel und Fesseln, danach zog er die Tür zu. Sabine hörte, wie er den Tresor schloss und das Regal an die Wand schob. Dann ging er nach oben.

Absolute Stille folgte!

Plötzlich hörte sie einen schwachen hohen Ton. Wenn sie sich konzentrierte, glaubte sie das Geräusch der Sirene zu hören, die sie im Eimer gefunden hatte. Völlig erstickt im Wasser unter dem Montageschaum klang es so, als würde die Batterie langsam den Geist aufgeben. Aber noch gab das Gerät quäkende Töne von sich. Eigentlich durfte jede Sirene nur maximal drei Minuten lang heulen, dann schaltete sie sich ab, aber Eisner hatte vermutlich einen speziellen Modus programmiert, sodass sich der Alarm nach einer gewissen Zeit wieder einschaltete.

Sabine würgte. Ihr Magen rebellierte. Erbrochenes stieg in ihrer Speiseröhre hoch, und Sabine spürte, wie sich ihr Rachen füllte. Nur schwer bekam sie durch die Nase Luft.

Jetzt nur keine Panik!

Der Inhalt ihres Magens durfte ihr nicht in Nase oder Luftröhre steigen, dann würde sie jämmerlich ersticken. Sie musste sich beruhigen, zählte langsam bis drei, und dann schluckte sie alles wieder hinunter. Der Geschmack war ekelhaft, trotzdem atmete sie gierig durch die Nase ein und versuchte ihren Körper zu entspannen.

Nur die Ruhe! Was hatte ihr der Scheißkerl verabreicht? Es musste ein hoch dosiertes Medikament sein. Anders konnte sie sich ihre Bewegungsunfähigkeit nicht erklären.

Nachdem sie wieder ruhig atmen konnte und ihren Magen unter Kontrolle hatte, versuchte sie die Füße zu bewegen. Sie musste ein Klopfzeichen geben, solange die Polizisten noch vor dem Haus standen. Aber ihre Beine waren völlig taub.

Da hörte sie Stimmen. *Sie sind im Haus!* Der Klang drang durch die geschlossene Tür über die Kellertreppe zu ihr herunter. Sie konzentrierte sich, um etwas zu verstehen.

»Und diese Tür?«

Die Tür ging auf, und die Stimmen wurden lauter.

»Führt in den Keller«, antwortete Eisner.

»Dürfen wir uns auch da umsehen?«

»Natürlich.«

Die Polizisten kamen nun die Treppe herunter.

»Wir müssen nur sichergehen, dass alles in Ordnung ist.«

»Kein Problem, aber ich sagte Ihnen ja bereits, dass die Anlage immer wieder Fehlalarme produziert.«

»Wir müssen jedem stillen Alarm nachgehen.«

»Natürlich.«

»Und die Kosten des Einsatzes müssen Sie tragen.«

»Ich weiß. Hundertzehn Euro. Dieses Mistding hat mich schon ein Vermögen gekostet.«

Sabine hörte, wie Eisner und die Polizeibeamten – den Schritten nach zu urteilen waren es zwei – den Keller betraten.

He, hört ihr den Alarm nicht? Der Eimer muss doch ganz in der Nähe stehen.

In diesem Moment verstummte die Sirene.

Nein!

»Hier ist der Heizkeller, dort der Werkraum, eine Abstellkammer, die Vorratskammer und der Wellnessbereich mit der Sauna.«

Die Männer betraten den Wellnessraum. Die Schuhe quietschten auf dem Fliesenboden.

»Durch den Alarm wurde auch ich verständigt«, erklärte Eisner. »Ich bekam eine SMS auf mein Handy und bin gleich hergefahren. Hier war alles in Ordnung. Wieder mal.«

»Seien Sie froh.«

»Ja, allerdings habe ich gut fünfundzwanzig Minuten gewartet, bis Sie endlich aufgekreuzt sind. Warum hat das so lange gedauert?«

Du mieses Arschloch! Bist gerade noch rechtzeitig davongekommen und reißt jetzt groß die Klappe auf! Sabine versuchte den Fuß zu bewegen und mit der Schuhspitze die Holzwand zu erreichen. Aber es ging nicht. *Noch nicht!*

Die Männer spazierten durch den Wellnessraum.

»Kurz vor Ihrem Alarm haben wir zwei Anrufe erhalten. Uns wurde ein Autounfall gemeldet und ein Einbruch in eine Bank«, rechtfertigte sich einer der Polizisten.

»Und?«, fragte Eisner.

»Wir und unsere Kollegen sind ausgerückt. Aber die Anrufer haben sich wohl einen Scherz erlaubt. Weder gab es einen Unfall noch einen Einbruch. Und danach sind wir gleich zu Ihnen gefahren.«

Danach gleich zu Ihnen gefahren?

Plötzlich dämmerte es ihr. Hardy musste die Polizei angerufen und sie mit falschen Hinweisen aus der Dienststelle gelockt haben, um sie anderweitig zu beschäftigen. Denn er wusste, er konnte zwar die Sirene an der Hausmauer deaktivieren, aber den stummen Alarm vielleicht nicht mehr rechtzeitig abschalten. Also hatte er telefoniert, war ins Haus eingebrochen, hatte so rasch wie möglich das Telefonkabel aus der Wand gerissen, den Safe gefunden und leer geräumt.

So muss es gewesen sein! Sabine schloss die Augen und konzentrierte sich.

Beweg den Fuß!

Außerdem versuchte sie einen Laut von sich zu geben, brachte aber keinen Ton heraus. Ihre Zunge war dick angeschwollen, und sie hatte einen so säuerlichen Geschmack im Mund, dass sie ständig schlucken musste. In diesem Moment setzte das erstickte Geräusch der Sirene wieder ein.

Endlich!

Aber die Polizisten reagierten nicht.

Seid ihr taub? Hört ihr das denn nicht?

»Was ist das für ein Geräusch?«, fragte einer der Beamten.

Sabines Herz machte einen Satz.

»Das ist der Warmwasserboiler«, antwortete Eisner. »Surrt immer so, wenn zu wenig Wasserdruck drauf ist.«

Aber nein! Hört doch genau hin!

»Aha, und wohin geht es durch diese Tür?«

»Das ist der Kelleraufgang nach draußen.«

»Und die Tür? Irgendwelche Spuren?«

»Nein, ist auch in Ordnung.«

Die fehlende Außensirene!

Das Loch in der Wand!

Der Eimer mit dem Montageschaum!

Sabines Herz schlug schneller! *Seht euch doch draußen um!*

»Sehen wir uns die Kellertür an«, schlug der Polizist vor.

Sabine atmete erleichtert durch die Nase aus. *Meine letzte*

Chance! Sie hörte, wie Eisner die Tür aufsperrte, und danach waren die Stimmen der Beamten nur noch leise zu verstehen.

»Hier oben an der Wand fehlt ein Stück«, bemerkte einer der Beamten. »Sieht aus, als wäre es herausgebrochen worden.«

»Das ist für die Sirene. Darum steht auch die Leiter hier. Ich musste sie austauschen, eben weil die Fehlalarme ständig losgingen. Seit gestern liegen die Stromleitungen in der Mauer frei. Vermutlich hat das den neuerlichen Alarm ausgelöst.«

»Lassen Sie das bald reparieren.«

»Mach ich.«

Seid doch nicht so blöd! Sucht den Eimer!

»Ist das Ihr Wagen auf dem Parkplatz neben dem Haus?«

»Nein. Es kommen immer wieder Jugendliche hierher, die am See schwimmen gehen und sich den Eintritt an der Kasse sparen wollen.«

Notiert euch meine Autonummer!

»Gut, wir sehen uns noch kurz im Garten um.«

Dann verstummten die Stimmen, und die Tür fiel zu. Trotzdem war das leise Quäken der Sirene genauso laut zu hören wie vorher. *Wie kann das sein?* Sabine merkte, wie die Lähmung langsam nachließ.

Sie zwang sich, den Kopf zu drehen. Und da sah sie es plötzlich. *Der Eimer mit dem Montageschaum!* Er stand in der Sauna, nur einen Meter von ihr entfernt, unter der Holzbank.

O nein! Verdammt!

Vor Wut biss sie die Zähne zusammen. Die Polizisten würden gehen, ohne etwas Verdächtiges bemerkt zu haben.

Spätestens morgen, wenn Sabine nicht pünktlich an der Akademie erschien, würde jemand versuchen, sie zu erreichen, nach ihr suchen, ihr Handy orten oder den GPS-Tracker ihres Wagens anpeilen. Man würde sie finden. Es war nur eine Frage der Zeit.

Das Gefühl in ihren Beinen kam plötzlich wieder. Noch etwas

zögerlich, aber immerhin. Langsam begann die Haut zu kribbeln – wie bei einem eingeschlafenen Bein. Mühsam schob sie sich zur Wand. Schließlich konnte sie mit der Schuhspitze die Holzleiste berühren und klopfte dagegen. *Einmal, zweimal, dreimal …*

Mach weiter!

Sie zwang sich zu jeder Bewegung, obwohl es sie sämtliche Kraftreserven kostete.

Da hörte sie Schritte auf der Kellertreppe. Sie klopfte weiter. Im nächsten Moment wurde die Tür aufgerissen, und ihr Bein fiel ins Leere. Sie blickte hoch und sah die Hosenbeine von Frank Eisner.

»Gib dir keine Mühe, Mädchen. Die Polizisten sind weg.« Er betrat die Sauna, stieg über Sabine hinweg und bückte sich. Unter der Holzbank holte er den Eimer hervor. Dann griff er in die Hosentasche und holte Sabines Handy hervor. Es war bereits in sämtliche Einzelteile zerlegt. Achtlos warf er Akku, SIM-Karte, Handy, Chip und Hülle in den Eimer.

Als Nächstes tastete er ihren Körper ab und durchsuchte ihre Taschen. In der Hosentasche fand er schließlich ihren Autoschlüssel. Mit einer unheimlichen Ruhe ließ er den Schlüssel um seinen Zeigefinger kreisen.

»Ich komme gleich wieder«, sagte er. »Ich muss nur deinen Wagen woanders hinbringen, wo ihn niemand findet.« Er betrachtete den Autoschlüssel. »Sieht neu aus. War er teuer?«

Sabine starrte ihn mit aufgerissenen Augen an.

»Vermutlich.« Eisner zuckte mit den Schultern. »Ich werde ihn im See versenken – genauso wie dich.«

Sie sah ihn entsetzt an.

Er betrachtete sie, und anscheinend konnte er ihre Gedanken erraten. »Warum ich es nicht gleich tue?«, fragte er. »Weil ich dich noch brauche.«

Er nahm den Eimer und verschwand.

2 Jahre zuvor – Tag der Klarheit

»Hardy, Pass!«, hallte der Ruf über den Gefängnishof der Justizvollzugsanstalt Bützow.

Hardy sprang, fing den Ball, dribbelte aber nur zwei Meter in Richtung des gegnerischen Korbs. Weiter kam er nicht. Sogleich waren zwei Wärter da, die ihn bedrängten.

Hardy bekam einen Ellenbogen in die Nieren gerammt und einen Schuh in die Kniekehle. Er biss die Zähne zusammen, wollte weiterlaufen, aber beim nächsten Schritt war der Ball weg.

»War das ein Foul?«, rief der Schiedsrichter.

»Nein«, keuchte Hardy. »Alles okay.«

Das Spiel ging weiter.

Hardy stützte sich mit den Händen auf den Knien ab, dann wischte er sich den Schweiß von der Stirn. Zehn Sekunden später hatten die Wärter einen Korb geworfen.

Scheißspiel! Mit seinen achtundvierzig Jahren war er gut in Form, aber die Wärter waren im Durchschnitt zwanzig Jahre jünger als die Mitglieder seiner Basketballmannschaft, die sich aus den Reihen der Häftlinge zusammensetzte. Sie hatten sich den Namen *Bützower Granaten* gegeben. Die Wärter spielten und trainierten in ihrer Freizeit und nannten sich *Bützower Tornado.* Ziemlich einfallslos, aber sie waren tatsächlich wie ein Tornado und fegten alles weg, was ihnen im Weg stand.

Das Spiel dauerte noch zehn Minuten, danach hatten sie 58 zu 69 gegen den *Bützower Tornado* verloren. Wie immer! Nur dass sie diesmal ein paar gute Chancen auf ein Unentschieden gehabt hatten. Aber am Ende des Tages war es egal, wer gewonnen und wer verloren hatte. Sie waren eine Stunde beschäftigt gewesen, hatten sich im Freien in der Abendsonne ausgepowert und würden heute Nacht besser schlafen als sonst. Das war der einzige Sinn, der in diesen Matches lag – und deshalb hatte Hardy sie ins Leben gerufen.

Als einer derjenigen, der in diesem Trakt der Haftanstalt bereits die meisten Jahre abgesessen hatte – insgesamt achtzehn –, kannte er dementsprechend viele Männer gut genug, um nur sagen zu müssen, dass er ein Volleyballteam, einen Boxclub oder eine Tischtennismannschaft auf die Beine stellen wollte, und schon hatte er die Leute beisammen. Sport war seine zweite große Leidenschaft hinter diesen Mauern, die ihn bis jetzt am Leben erhalten hatte. Seine erste war das Lesen. Nach den Jerry-Cotton-Heften in seiner Jugend hatte Lizzie ihn erst richtig zum Lesen gebracht – Fitzgerald, Steinbeck, Faulkner, Updike und Burroughs. Sein Schrank in der Zelle war voll mit Büchern, so voll, dass er damit sogar eine eigene Bibliothek in ihrem Trakt hätte eröffnen können. Vielleicht würde er das ja auch kurz vor seiner Entlassung tun. Er hatte nur noch ein halbes Jahr … sechs Monate … hundertachtzig lausige Tage. Die saß er auf einer Arschbacke ab.

Hardy fing den Ball, klemmte ihn sich unter den Arm und humpelte zum Ausgang.

»War ein gutes Match«, sagte einer der Wärter und klatschte mit Hardy ab.

»Ja, war es.« Hardy nahm einen Schluck aus seiner Wasserflasche und spülte den trockenen Sand in seiner Kehle hinunter.

Die Abendsonne brannte auf den rissigen Asphalt, aus dem ausgedörrtes Unkraut wucherte.

Hardy wollte weitergehen, doch einer der Wärter stoppte ihn. »*Du* sollst diesmal den Platz fegen, die Körbe abmontieren und ins Lager bringen.«

»Ich?« Hardy grinste. Wollte ihn der Mann verarschen?

»Du.«

»Das machen normalerweise …«

»Diesmal machst *du* es. Anweisung von Major Kieslinger.«

Hardy sah zum Ausgang. Dort standen Justizvollzugsbeamte mit Einsatzstock, Taser und Pfefferspray am Gürtel und überwachten den Abgang der Häftlinge. Einige seiner Teamkameraden waren bereits durch den Metalldetektor ins Gebäude verschwunden.

Neben den Wärtern stand Major Kieslinger. Hatte ein Bein auf eine Holzpalette gestellt, den Arm auf dem Oberschenkel abgestützt und blinzelte in die Sonne. Lässig sah er aus. Und garantiert hatte er jeden einzelnen Bodycheck gegen einen der Häftlinge still und heimlich genossen.

»Okay«, murrte Hardy und warf den Ball einem seiner Kollegen zu. »Ich komme später rein.«

Die Arbeit dauerte schon allein deshalb mehr als eine halbe Stunde, weil Hardy alles allein machen musste, und als er schließlich die Dusche betrat, waren die anderen schon längst weg.

Essensausgabe war in zehn Minuten, und auch da würde er zu spät kommen. Mannschaftskapitän hin oder her – bestimmt ließen ihm die Kollegen nur die Reste übrig: Karotten, Spinat und Kohl.

Alter, denk immer daran: Ein halbes Jahr noch, dann hast du diese Scheiße hinter dir!

Als er mit dem Duschen fertig war, ging er zu seinem Spind. Das Wasser tropfte ihm noch von den Haaren, und er hatte sich das Handtuch um die Hüften gebunden.

Früher hatte es noch regelmäßig Vergewaltigungen in den Duschkabinen gegeben, meistens an Pädophilen. Hardy hatte es miterlebt. Doch inzwischen hatte sich dieses Bild komplett gewandelt. Mehr als die Hälfte der Häftlinge kam mittlerweile aus Osteuropa oder den Ländern des Nahen Ostens, und damit herrschte eine andere Kultur im Knast. Es gab andere Konflikte als früher, politische und religiöse, aber keine Vergewaltigungen mehr.

Hardy spürte den kalten Fliesenboden unter den Füßen. Er nahm seine Hose aus dem Spind und schlüpfte hinein.

»Bist spät dran, Hardy.«

Hardy schloss die Spindtür und sah zum Ausgang. Dort stand Kieslinger. Langsam kam er auf Hardy zu und musterte ihn eindringlich.

Okay, darum ging es also bei der Aktion auf dem Hof. Kieslinger wollte ihn allein erwischen.

»Was gibt's, Major?«

»Ich wollte dich eigentlich nur loben, dir sagen, dass du mit deiner Mannschaft gute Arbeit geleistet und ein gutes Match abgeliefert hast. Dir sagen, dass ich es großartig finde, dass du den ganzen Hof freiwillig gefegt und den ganzen Kram allein weggeräumt hast. Aber offenbar hast du das irgendwie in die falsche Kehle gekriegt.«

Hardy starrte Kieslinger an. *Was soll der Mist?*

»Offenbar hast du gedacht, ich wollte dich provozieren. Hast ein wenig überreagiert, und dann das …« Kieslinger beugte sich nach vorn, räusperte sich tief und spuckte langsam und gezielt auf die eigene Schuhspitze. Danach wischte er sich den Mund ab. »Hardy, du hast mir auf den Schuh gespuckt!«

Aus irgendeinem Grund wollte Kieslinger ihn rankriegen. Hardy schüttelte nur den Kopf und räumte seine restlichen Sachen aus dem Spind. »Sorry, Major, aber diese Nummer können Sie mit einem Neuen spielen, der noch grün hinter den Ohren ist, aber nicht mit mir.«

»Hardy!«, brüllte Kieslinger. »Du verdammtes Dreckschwein hast mir auf den Schuh gespuckt! Wisch das weg!«

Hardy ignorierte den Ton und schlüpfte in sein T-Shirt.

»Hardy, ich rede mit dir! Sieh mich gefälligst an!«

Hardy wandte sich um und sah Kieslinger an. »Major, wir beide müssen das nicht tun. Was wollen Sie wirklich?«

»Ja, wir müssen das nicht tun, aber du hast dich offensichtlich nicht unter Kontrolle.« Kieslinger nahm seinen Einsatzstock vom Gürtel und bohrte Hardy das Ende in die Brust. »Zum letzten Mal: Wisch das weg!«

»Sie können mich mal!«

In diesem Moment sah Hardy neben dem Ausgang einen Schatten. Dort stand jemand. Vermutlich ein weiterer Justizvollzugsbeamter. Jemand, den Kieslinger als Zeugen mitgenommen hatte, falls Wort gegen Wort stehen sollte. Und das würde es! Denn Hardy hatte keine Lust, sich verarschen zu lassen.

Hardy ignorierte den Schlagstock. »Major, ich habe den Hof gefegt und bin fertig geduscht. Und jetzt möchte ich *bitte* gehen!«

»Erst wenn du dich bei mir entschuldigt und diese Sauerei weggewischt hast.«

Hardy sah zum Ausgang. Offenbar standen dort sogar zwei Männer, von denen er jetzt Teile der Uniform sah. Bestimmt standen sie zufällig dort, unterhielten sich und würden auch *rein zufällig* Zeuge dieses Gesprächs werden. *Gut eingefädelt.*

Hardys Kiefer und Backenkochen mahlten. »Herr Major, ich entschuldige mich für mein unangemessenes Verhalten«, presste er laut und deutlich hervor, ging in die Hocke und wischte Kieslingers Schuh mit seinem Handtuch ab. Danach erhob er sich wieder und kleidete sich fertig an. »Darf ich jetzt gehen?«

Kieslingers Augenlid zuckte. Damit hatte die Arschgeige wohl nicht gerechnet. »Findest du es richtig, dass du nach achtzehneinhalb Jahren hier rauskommen wirst?«

»Das entscheiden die Richter, nicht ich.«

»Was hast du danach vor? Wirst du wieder Drogen an Schulkinder verkaufen, gerade mal so alt wie deine Zwillingstöchter? Oder Häuser anzünden, in denen Frauen und Kinder verbrennen?«

Hardy ging auf die Diskussion nicht ein. Er schloss die Augen und atmete tief durch. Was immer jetzt kommen würde, er würde es sich anhören, runterschlucken, nicht weiter kommentieren und danach vergessen. *Für immer!*

»Haben deine beiden Mädchen auch Drogen von dir bekommen? Wahrscheinlich. Familienrabatt. Saßen ja direkt an der Quelle. Wie ihre Mutter, die liebe Lizzie. Sie musste dafür aber nicht auf den Strich gehen wie andere, oder doch? Ich sehe da eine Reaktion in deinem Blick. Hat deine Frau etwa mit anderen gebumst, während du in deinem Labor gearbeitet hast?«

Hardy legte sich das Handtuch über die Schulter, sperrte den Spind ab und steckte den Schlüssel in die Hosentasche. Er blickte Kieslinger emotionslos an. Kieslinger war nie besonders gut auf ihn zu sprechen gewesen, vom ersten Tag an, aber so eine Scheiße hatte sich Hardy noch nie anhören müssen.

»Hardy, hat sie mit anderen gebumst?«

Hardy zuckte mit den Achseln. »Schon möglich.«

»Das glaube ich nämlich auch.« Kieslinger grinste. »Sie war ja früher auch mal bei der Drogenfahndung. Hatte da bis zuletzt gute Kontakte zu den Kollegen. Auch noch später, als sie mit den Kindern zu Hause war. Und was man so hört, hat sie am liebsten geblasen. War bekannt dafür, dass sie alles geschluckt hat. Hat dich das nie gestört, dass sie den Saft deiner ehemaligen Kollegen so einfach runterschluckt?« Er stieß Hardy mit dem Schlagstock an.

»Nein, hat es nie.«

»Vielleicht aber doch. Möglicherweise hast du ja deshalb das Haus angezündet und sie verbrennen lassen?«

Hardy ballte die Hand in der Hosentasche zur Faust … einmal … zweimal … und lockerte sie wieder. *Reiß dich zusammen! Keinen Wutanfall! Diese Zeiten sind vorbei!* »Das hat mich der Staatsanwalt alles schon mal gefragt – ist aber zu lange her, kann mich nicht mehr genau daran erinnern.«

Kieslinger schien die Antwort nicht gerade zu befriedigen. Hardy glaubte zu erkennen, wie die kleinen Zahnräder in seinem Kopf zu rattern begannen, als grübelte er, welche Gehässigkeiten er sich als Nächstes einfallen lassen könnte. Aber was immer kommen würde, bei ihm würde Kieslinger auf Granit beißen. Hardy hatte sich im Lauf der Zeit schon viel schlimmere Dinge im Knast anhören müssen.

»Der Arzt hat gesagt, du seist schizophren und nicht ganz richtig im Kopf. Streitest ab, dass *du* es gewesen bist. Soll ich dir was sagen?« Kieslinger ließ sich mit der Antwort Zeit. »Ich glaube dir.« Er senkte die Stimme. »Du warst es nicht. Deine Alte war wohl ziemlich zugekifft an dem Tag, als sie gestorben ist. Weißt du, was die anderen über sie erzählen? In Wahrheit hast du das Haus gar nicht angezündet. *Sie* war es!«

Da schlug Hardys Herz unwillkürlich schneller.

»In Wahrheit hat sie eine Kippe im Bett fallen lassen, die das ganze Haus in Brand gesetzt hat. War aber so zugedröhnt, dass sie sich nicht einmal um ihre Töchter kümmern konnte. Die lagen neben ihr im Bett und haben den ganzen Rauch eingeatmet. Sie hatte sie mit Schlaftabletten ruhiggestellt. Deshalb sind sie verbrannt, Hardy! Aber das war ihr scheißegal. Als sie wach wurden, haben sie nach ihrer Mutter geschrien, aber die hat keinen Finger gerührt.«

Hör nicht hin, Lizzie war keine Rabenmutter! Sie hat die Mädchen geliebt, wie ich.

»Die Alte lag zugedröhnt im Bett und hat es sich, wie man so hört, mit einem Dildo besorgt.«

Hardys Augenlid zuckte.

»Aber das alles scheint dir ja offenbar scheißegal zu sein. Und das verstehe ich – es waren ja nicht einmal *deine* Kinder ...«

Da schlug Hardy zu.

»Thomas Hardkovsky, das Gericht hat über Ihren Fall eingehend beraten, hat die gute Führung der letzten achtzehn Jahre berücksichtigt, ebenso Ihre kooperative Einvernahme nach dem Vergehen in der Justizvollzugsanstalt und ist daher zu folgendem Ergebnis gekommen.« Die Richterin verstummte und blätterte in ihren Unterlagen.

Hardy saß im Gerichtssaal. Zum ersten Mal seit achtzehn Jahren im Anzug mit Krawatte. Nur sein Pflichtverteidiger saß neben ihm. Jetzt beugte der sich zu ihm.

»Ich schätze, wir werden ein halbes Jahr kriegen«, flüsterte der Mann.

Wir! Die Aussage kostete Hardy nur ein müdes Lächeln. Die Gefängnisdirektion hatte Anzeige bei der Staatsanwaltschaft erstattet, und es war zu einem Ordnungsstrafverfahren und einer Gerichtsverhandlung gekommen. Nun wartete er auf das Urteil, und er wusste, es würde nicht gerade milde ausfallen.

»In Anbetracht des schweren Vergehens des tätlichen Angriffs und der schweren Körperverletzung an Major Kieslinger, dem Sie den Kiefer gebrochen haben, und entsprechend der Empfehlung in dem gerichtspsychologischen Gutachten bezüglich Ihres aggressiven Verhaltens, wird Ihre Haftstrafe um achtzehn Monate verlängert.«

Achtzehn Monate!

Hardys Herz schlug bis zum Hals. Er selbst hatte die Lage nicht so optimistisch wie sein Pflichtverteidiger gesehen und mit etwa neun Monaten gerechnet. *Aber eineinhalb Jahre!*

Damit hatte Kieslinger erreicht, was er wollte – und das Gutachten hatte für die entsprechende Draufgabe gesorgt. Aber warum? Kieslinger selbst war zu dumm für so eine Inszenierung. Jemand anderer steckte dahinter, und der hatte Kieslinger persönlich damit beauftragt. Der tätliche Angriff auf einen Major wog einfach mehr.

»Hören Sie mir zu?«

Hardy sah auf. »Wie bitte?«

»Ich sagte: Dadurch wird Ihre Strafzeit neu berechnet, und es kommt zu einem Entlassungstermin am 26. Mai des übernächsten Jahres«, wiederholte die Richterin. »Darüber hinaus werden Sie zu einem Kostenersatz von dreitausend Euro verurteilt. Im Gegenzug verzichtet Major Kieslinger auf eine Schadenersatzklage. Nehmen Sie das Urteil an?«

Sogleich beugte sich sein Anwalt zu ihm herüber und flüsterte ihm ins Ohr. »Herr Hardkovsky, wir können in die Berufung gehen.«

Hardy schüttelte den Kopf und sagte laut: »Ich nehme das Urteil an, vielen Dank.«

»Nein!«, zischte sein Anwalt. »Wir könnten …«

»Nichts könnten wir! Es ist okay.« Er blickte seinem Anwalt tief in die Augen. »Es sind jetzt nur noch zwei Jahre, dann ist es vorbei.«

»Aber …«

»Ich muss telefonieren. In einer Zelle ohne Vollzugsbeamte. Können Sie das arrangieren?«

Zwei Tage später betrat Hardy einen fensterlosen weißen Raum mit einem Tisch und einem Stuhl. An der Wand hing ein altes schwarzes Telefon mit Wählscheibe.

Er wählte die Nummer eines Wertkartenhandys, die ihm sein Anwalt genannt und die er auswendig gelernt hatte.

Nach dem fünften Klingelton hob jemand ab.

»Hallo?«

Hardy lehnte den Kopf an die Wand und atmete erleichtert auf. Es tat gut, Antoine Tomaschewskys Stimme zu hören. »Hallo, ich bin eineinhalb Jahre länger im Knast.«

»Dein Anwalt hat mir gesagt, dass du Mist gebaut hast.«

»Jemand will nicht, dass ich rauskomme.«

»Hardy, das ist doch …«

»Hör mir zu! Ich weiß nicht, wer dahintersteckt, aber dieser jemand will, dass ich so lange wie möglich hierbleibe.«

»Und warum?«

»Damit ich nichts herausfinde.«

Antoine schwieg eine Weile. »Was willst du denn herausfinden?«

»Das weißt du genau.«

»Hardy, du hast doch schon jahrelang versucht die Sache aufzuklären. Denk an die psychiatrischen Gutachten.«

»Gerichtspsychologischen Gutachten«, korrigierte er Tomaschewsky.

»Wie auch immer, jedenfalls haben die alles nur noch schlimmer gemacht.«

»Ja, weil mir im Knast die Hände gebunden sind. Aber jetzt ist mir klar geworden, dass derjenige, der sie getötet hat, will, dass ich so lange wie möglich hierbleibe.«

»Dann pack aus und erzähl alles. *Einfach alles!* Verstehst du?«

»Du weißt genau, dass sie mir gedroht haben, mich zu töten, wenn ich das tue. Ich habe hier schon einige Kumpel sterben sehen – und das waren nicht immer saubere Unfälle. Also habe ich achtzehn Jahre lang das Maul gehalten.«

Antoine seufzte. »Dann solltest du das weiterhin tun. Und außerdem solltest du die Finger von irgendwelchen Wahrheiten lassen. Schließ mit der Vergangenheit ab.«

»Du wirst es nicht glauben, aber genau das hatte ich vor. Trotz allem! Doch seit diesem Vorfall ist alles anders. Wenn ich in zwei Jahren rauskomme, werde ich denjenigen finden, der für all das verantwortlich ist.«

»Sie werden dich wieder provozieren und ...«

»Diesmal nicht. In zwei Jahren bin ich draußen.«

»Okay, und warum erzählst du mir das alles? Glaubst du, dass Christiane und ich uns dadurch besser fühlen?«

»Du musst etwas für mich tun.«

»Hardy, ich ...«

»Nur eine Sache! Danach wirfst du dieses Wertkartenhandy weg, und wir werden nie wieder in Kontakt zueinander treten. Versprochen!«

»Also gut, worum geht es?«

»Angeblich gibt es über die Brandnacht eine BKA-Akte mit einem Sperrvermerk. Darin werden die Namen all derjenigen genannt, die noch in die Sache involviert waren. Du musst mir diese Akte besorgen.«

»Wie soll ich das schaffen?«

»Bestich einen Beamten jener Behörde, die an der Untersuchung beteiligt war, oder lass dir etwas anderes einfallen.«

»Okay, ich werde versuchen, dir diese Unterlagen zu besorgen, aber ich werde sie nicht lesen, hast du verstanden? Ich will nichts mit dieser Sache zu tun haben! Wenn du rauskommst, werde ich alles für dich in einer Sporttasche hinterlegen. Dann sind wir quitt.«

»Wie komme ich zu dieser Tasche?«

»Einer von uns wird sie haben, nur für den Fall, dass mir etwas zustößt. Ich muss Schluss machen, leb wohl.«

4. TEIL

- K R Z Y S Z T O F -

SAMSTAG, 4. JUNI – FRÜHER MORGEN

35. KAPITEL

Gestern Abend hatte Tina noch herausgefunden, dass Lohmann allein lebte und es keine Verwandten mehr gab. Das hatte sie Sabine mitteilen wollen, doch seit der SMS, die Tina gestern Nachmittag erhalten hatte, hatte sich Sabine nicht mehr bei ihr gemeldet.

Mehrmals hatte Tina gestern Abend und noch einmal später in der Nacht versucht, sie zu erreichen, doch Sabines Handy war tot. Die Mobilbox hatte sich sofort aktiviert, und Tina hatte eine kurze Nachricht hinterlassen.

Es war merkwürdig, dass Sabine nicht einmal in der Früh zurückgerufen hatte. Möglicherweise hatte sie die Aussicht, ab heute Vollzeit an der Akademie arbeiten zu müssen und vorerst nicht mehr in den Außendienst zu dürfen, so fertiggemacht, dass sie nichts mehr von der Welt wissen wollte. *Untypisch für Sabine!* Aber Tina würde es später noch einmal versuchen.

In der Zwischenzeit wollte sie Sabines letzte Spur weiterverfolgen, und die hieß *Thomas Hardkovsky.* Wenn tatsächlich eine Verbindung zwischen Hardys Entlassung und den Morden bestand und es etwas gab, das mehr Licht in die Akte mit dem Sperrvermerk bringen könnte, dann waren es die Ereignisse vor zwanzig Jahren.

Um acht Uhr früh hatte die Leiterin der Wiesbadener Mauritius-Mediathek Tina den Eingang zur Stadtbibliothek geöffnet. Fünf Minuten später blätterte Tina bereits durch die alten Ausgaben der *FAZ* und des *Wiesbadener Echos.* Die Mikrofiches waren zwanzig Jahre alt, und dort fand sie tatsächlich etwas über Hardkovsky. Natürlich hätte sie sich auch Hardys Akte im BKA-Archiv ansehen können, genauso wie Sabine es getan hatte, doch die offiziellen Daten interessierten sie nicht so sehr wie die Verdächtigungen aus der Gerüchteküche. *Wenn du Gerüchte wissen willst, musst du einen Blick in die Zeitung werfen oder deinen Nachbarn fragen.* Eine sizilianische Weisheit. Und hier wurde sie fündig.

Hardy war als Ex-BKA-Drogenfahnder früher einmal Frank Eisners Partner gewesen, bis er das BKA verlassen und einen eigenen Drogenring aufgezogen hatte. Seine Geschäftsidee war simpel: Er schmuggelte keine Drogen aus Südamerika ins Land, sondern erhielt Lieferungen von Cannabispflanzen aus dem Inland – und zwar von Hanfplantagen in Nordrhein-Westfalen. Damit stellte er in seinen eigenen Labors Haschisch und Marihuana her. Zusätzlich produzierte er aber auch chemische Drogen. Zuerst halbsynthetische Stoffe wie LSD und Heroin, später dann synthetische Drogen wie Ecstasy, Speed und Meskalin. *Puuh, das volle Programm!*

Sie stieß auf zahlreiche Meldungen über erfolgreiche Razzien des BKA. Interessant war jedoch, was *nicht* in der Zeitung stand: Hardys Geschäft blieb stets unangetastet, fünf Jahre lang, wodurch es gewiss reichlich florieren und Jahr für Jahr expandieren konnte. Das führte Tina zu der Schlussfolgerung, dass einige BKA-Beamte vom Drogendezernat möglicherweise als Gegenleistung Schweigegeld erhalten hatten. Vielleicht ging es in der Akte der Dienstaufsichtsbehörde genau darum. Es wäre nicht das erste Mal gewesen, dass korrupte Bullen die Hand aufhielten.

Aber falls diese Verdächtigungen stimmten, warum hatte Hardy dann nach seiner Verhaftung nicht alle Kontakte zum BKA auffliegen lassen, um Hafterleichterung zu erhalten? Womöglich gab es keine Beweise für diesen Deal. Und selbst wenn – keiner hätte Hardy geglaubt, wenn er behauptet hätte, jemand von der Gruppe 6 wäre in einen fünfjährigen Drogendeal involviert gewesen. Oder womöglich hatte jemand dafür gesorgt, dass er im Knast das Maul hielt.

Eigentlich war die Antwort darauf gar nicht so schwierig zu bekommen: Man müsste nur Thomas Hardkovsky finden! Doch wo beginnen? Vielleicht hatte Sabine eine Spur gefunden.

Erneut griff Tina zum Handy und rief Sabines Mobiltelefon an. *Nicht verfügbar!* Sie versuchte die Durchwahl in Sabines Büro und telefonierte anschließend mit dem Pförtner des BKA-Hauptgebäudes. Beides erfolglos! Sabine hatte das Areal nicht betreten. Bei einem weiteren Telefonat erfuhr sie, dass Sabine auch nicht an der Akademie aufgetaucht war, obwohl ihre erste Einheit schon begonnen hatte – ohne sie!

Porca puttana! Langsam wurde die Sache unheimlich.

Da läutete ihr Handy. Es war ihr Abteilungsleiter. *Shit!* Es war zwar Samstag, aber sie hatte an diesem Tag Dienst, und er wollte wissen, wo sie steckte. Tina erklärte ihm, dass sie noch zu Hause sei.

»Und wann kommen Sie ins Büro?«

Tina schaltete den Monitor des Mikrofiche-Lesegeräts aus und blickte auf die Armbanduhr. *Puuh,* es war schon neun! »Ich habe noch etwas Privates zu erledigen.«

»Und wie lange dauert das, bitte schön?«

»Bis zehn.«

Bis dahin müsste sie fertig sein. Die letzte Möglichkeit, die ihr einfiel, wo sie Sabine suchen konnte, war bei Maarten Sneijder.

36. KAPITEL

Sneijder saß auf seiner Terrasse und köpfte das Frühstücksei. Daneben dampfte eine Tasse Vanilletee, und im Aschenbecher qualmte eine Zigarette. Der Tag hatte beschissen begonnen, wieder einmal mit Albträumen im Morgengrauen, und Vincent hatte die Nacht irgendwo anders verbracht und war immer noch nicht aufgetaucht. Das war nichts Neues. Manchmal war der Basset tagelang weg, und dann stand er plötzlich wieder völlig ausgehungert vor Sneijders Tür. Jedenfalls spürte Sneijder, dass der Tag Unheil bringen würde – und deshalb hatte er auch keinen Appetit auf die Zigarette, die sich im Aschenbecher selbst zu Ende rauchte.

Als er den näher kommenden Motor eines Wagens hörte, hob er müde den Blick. Automatisch blickte er zu seiner Waffe, die unter der Zeitung lag. *Nein, das ist nicht Hardy, der da kommt!* Sneijder kannte das Geräusch, außerdem sah er die Farbe des Autos zwischen den Bäumen. Das war Tina Martinellis Wagen. Was wollte die schon wieder? Würde sie diesmal in Begleitung kommen, um ihn in U-Haft zu nehmen? Er konnte es ihr nicht verdenken. An ihrer Stelle hätte er das schon längst getan.

In aller Ruhe löffelte er das Ei, aß ein Stück Toastbrot, wischte sich den Mund mit der Serviette ab und blickte zu der schmalen Holzbrücke. Tina parkte ihren Wagen davor und stieg aus. Sie war allein. Mit forschem Schritt kam sie auf seine Terrasse zu. Ihre Augen funkelten. Zuerst blickte sie ihn an, dann sah sie zu dem kleinen Glashaus hinter der Mühle, in dem sich die Morgensonne spiegelte. Dort hatte Sneijder früher das Zeug angebaut, das er rauchte. Mittlerweile ließ er es sich liefern, weil es dann eine bessere Qualität hatte, und nun stand vor dem Glashaus eine Regentonne, an der ein Drahtesel lehnte.

Tina baute sich vor ihm auf. »Morgen.«

Sneijder nippte am Tee und hob kurz den Kopf. »Ich finde es traurig, wenn Leute nicht lesen können.«

Sie sah ihn fragend an, und zur Erklärung deutete er zu dem Schild auf dem Holzfass. *Besucher unerwünscht!*

Tina ignorierte die Anspielung. »Darf ich mich setzen?«

»Nein! Was wollen Sie?«

»Sie kriegen wohl nicht oft Besuch hier draußen?«, stellte sie fest.

Sneijder legte die Zeitung beiseite. »Von allen Besuchern sind mir die am liebsten, die unterwegs zu mir eine Autopanne haben und gar nicht erst hier ankommen.«

»Wie nett.«

Er nippte an seinem Tee. »Was haben Sie erwartet? Eine Führung durch mein Haus?«

Tina nickte zum Forstweg hinunter. »Dort vorn auf der Hauptstraße steht übrigens ein Taxi. Erwarten Sie Besuch?«

»Möglich. Meine monatliche Lieferung Marihuana steht aus.«

»O Gott, was tue ich nur hier?« Tina stemmte die Fäuste in die Hüften. »Sabine Nemez ist verschwunden.«

»Wird unterwegs sein, um zu recherchieren.«

»Sie ist nicht im Büro, nicht an der Akademie und nicht zu Hause. Ihr Wagen steht auf keinem der Parkplätze, und sie geht nicht ans Telefon.«

»Was wollen Sie von mir?«

»Dass Sie mir helfen!«

»*Godverdomme, nee!*«, fluchte er. »Ich habe Sie zwei Jahre lang ausgebildet, damit Sie dort draußen mit Ihrem scharfen Verstand überleben. Ich bin nicht Ihre Amme.« Er senkte die Stimme. »Nemez wird schon nichts passiert sein.«

»Ich spüre, dass ihr etwas zugestoßen ist.«

»Ihr Bauchgefühl in allen Ehren, aber Sie sollten sich auf Fakten konzentrieren.«

»Sabine würde nie unentschuldigt fernbleiben oder nicht zurückrufen, das sieht ihr nicht ähnlich – und das *sind* Fakten. In ihrer letzten SMS an mich schreibt sie, dass …«

»Martinelli!«, unterbrach er sie. »Das interessiert mich nicht!«

»Das interessiert Sie nicht?«, rief sie ungläubig. »Sabine hat bei Ihrer Gerichtsverhandlung für Sie gelogen«, warf sie ihm an den Kopf. »Sie hat einen Meineid geleistet, nur damit Sie freigesprochen werden. Ich denke, Sie schulden ihr etwas.«

Sneijder schwieg. Woher wusste die Göre davon?

»Ich fasse es nicht!«, rief sie, diesmal lauter, und warf dabei die Arme in die Luft. »Es war *wirklich* ein Meineid!«

Sneijder sah auf. »Sie haben nur geblufft?«

»Ja, aber an Ihrer Reaktion sehe ich, dass ich mit meiner Vermutung recht hatte. Sabine hat ihren Kopf für Sie hingehalten, und jetzt rühren Sie nicht einmal den kleinen Finger, um ihr zu helfen?«

»Ich habe Ihnen beiden bereits geholfen«, widersprach er.

»Tatsächlich?«

»Ja, ich habe Ihnen den Rat gegeben, die Finger von dem Fall zu lassen. Nun sehen Sie, was passiert ist.«

»Sie sind ein Kotzbrocken und widern mich nur noch an«, spie Tina aus.

Sneijder zog die Augenbrauen hoch. »Mein Heiligenschein ist gerade zur Inspektion.«

»Ja, immer einen Spruch auf Lager.« Tina trat einen Schritt zurück. »Wissen Sie, wie viel Überwindung es mich gekostet hat, noch einmal herzufahren und ausgerechnet Sie um Hilfe zu bitten?«

Seufzend erhob Sneijder sich und ging ins Haus.

»Was ist jetzt?«, rief sie ihm nach.

»Ich bringe Ihnen etwas.«

Während Tina draußen wartete, ging er in die Küche und holte einen Pappbecher, den er mit lauwarmem Kaffee aus der Kanne füllte. Als er wieder rauskam, drückte er ihr den Becher in die Hand.

»Was ist das?«, fragte sie entgeistert.

»Ein Coffee-to-go.«

»Ein Coffee-to-go?«, fragte sie und drehte den Becher zwischen den Fingern. Auf der Seite stand tatsächlich *Coffee to go.*

»Richtig«, sagte Sneijder. »Und jetzt verschwinden Sie von hier.«

Tina knallte den Becher zornig auf den Tisch, sodass der Kaffee überschwappte. »Sehr witzig! Und nun gebe *ich* Ihnen einen Rat: Sie sollten weniger kiffen.«

Sneijder funkelte sie mit eiskaltem Blick an, woraufhin sie sich wortlos umdrehte und zu ihrem Auto stapfte.

Mit gemischten Gefühlen sah er ihr nach. Von Tina hätte er mehr Härte und Konsequenz, aber auch mehr routinierte Cleverness erwartet. Zumindest hätte sie auf seinen Ratschlag hören sollen, denn würde sie ihn auch nur ein kleines bisschen kennen, wüsste sie, dass er nie etwas ohne Grund sagte. Aber manche Leute wollten einfach nicht hören oder zwischen den Zeilen lesen.

Sneijder beobachtete Tina, wie sie neben ihrem Wagen stehen blieb, doch nicht einstieg, sondern zum Forstweg blickte, der zur Hauptstraße führte. Nun hörte er es auch. Ein weiterer Wagen näherte sich. Sneijder machte einen Schritt näher zum Tisch, auf dem seine Waffe lag. Doch im nächsten Moment entspannte er sich, als er das Knallen des Motors hörte. Es war kein Wagen, sondern ein Moped. Eine alte knatternde Puch DS 50. Das war der junge Mann, der ihm seine monatliche Ration »Tabak« brachte.

Tina sah dem Burschen zu, wie er die blaue Daisy vor der Brücke abstellte, abstieg, die Sitzbank hochklappte und ein Päckchen herauskramte.

Godverdomme! Konnte der Junge nicht eine Sekunde lang warten? Im nächsten Moment hörte er Tina schon laut rufen.

»Bundeskriminalamt Wiesbaden!« Sie griff in ihre Hosentasche und zeigte ihren Ausweis her. »Was haben Sie da?«

Verdattert reichte ihr der Junge das Päckchen. *Mann, was für ein Idiot!* Das war seine Spezialmischung, die das Denken schärfte.

»Ich muss das konfiszieren«, sagte Tina so laut, dass Sneijder es hören konnte. »Wollen Sie für zwei Monate in den Knast?«

»Was? Nein«, stammelte er.

»Gut, dann verschwinden Sie und lassen Sie sich mit diesem Zeug nie wieder hier blicken.«

Während der Junge auf sein Moped sprang, es zurückschob und startete, riss Tina bereits ein kleines Loch in das Päckchen. Sneijder stand auf der Terrasse an den Holzpfeiler gelehnt, die Hände in den Hosentaschen und beobachtete Tina. Sie beugte sich über das Brückengeländer und ließ den Inhalt langsam in den Bach rieseln. Dabei blickte sie zu Sneijder, doch der bemühte sich, keine Miene zu verziehen.

»Spickaal und Speigatten«, knurrte er schließlich. Die Kleine war tougher, als er gedacht hatte.

Da gingen fünfhundert Euro im wahrsten Sinn des Wortes den Bach hinunter. *Wenn schon!* Er hatte noch eine Reserve im Schrank. Die musste reichen. Denn für das, was er in den nächsten Tagen vorhatte, musste sein Geist auf Hochtouren arbeiten.

Nachdem Tina alles vernichtet hatte, stopfte sie den leeren Plastikbeutel in die Hosentasche, sah noch einmal zu ihm, stieg in den Wagen, wendete und fuhr davon. Im gleichen Moment läutete Sneijders Handy.

Verdikkeme!

Vielleicht war das Tina. Zuzutrauen wäre es ihr, dass sie ihm einen zynischen Kommentar an den Kopf warf à la *Viel Spaß beim Entzug.* Doch der Anruf kam nicht von ihr, sondern von der Wiesbadener Universität für Wirtschaft und Recht. Es war die Sekretärin des Rektors.

»Guten Morgen, Herr Sneijder. Ich wollte Ihnen nur bestätigen, dass wir Ihre sämtlichen Seminare als Gastdozent absagen konnten.«

»Danke.«

»Wissen Sie schon, ob wir übernächste Woche wieder mit Ihnen rechnen dürfen, um die Reihe fortzusetzen?«

»Kann ich noch nicht sagen. Ich hoffe es. Ich melde mich bei Ihnen und … danke für Ihr Verständnis.« Sneijder unterbrach die Verbindung. Lange Zeit starrte er auf sein Handy. Schließlich rief er die SMS auf, die Rohrbeck ihm kurz vor seinem Tod geschickt hatte.

Du hattest recht. Die Vergangenheit holt uns ein. Der 1. Juni wird uns alle ins Verderben stürzen. Leb wohl!

»Leb wohl«, murmelte Sneijder und löschte die SMS. Warum hatte Rohrbeck diese Nachricht ausgerechnet ihm geschickt und niemandem von der Gruppe 6? Anscheinend wollte Rohrbeck keinen Hinweis auf einen der anderen hinterlassen, um niemanden zu belasten. Und vermutlich war diese Nachricht auch zugleich eine Bitte an ihn. Rohrbecks letzter Auftrag. Dass Sneijder nach zwanzig Jahren die Wahrheit ans Licht bringen und alles aufklären sollte. Zumindest fasste Sneijder es so auf.

Keine Sorge, das werde ich!

Er öffnete sein Handy, entfernte den BKA-Chip und baute es anschließend wieder zusammen. Diesmal warf er das rote Plättchen achtlos auf den Boden und zertrat es. Dann ging er ins Haus, legte sein leeres Schulterholster an, nahm sein Sakko aus dem Schrank und stopfte sich Zigaretten, Streichhölzer, Handy, ein Pick-Set, reichlich Bargeld und sein Reise-Etui mit den Akupunkturnadeln in die Taschen. Schließlich öffnete er zwei Dosen Hundefutter und leerte den Inhalt in einen großen Napf, den er vor die Eingangstür stellte. Sicherheitshalber, falls Vincent heimkam. Andernfalls würden sich Marder, Füchse oder wilde Katzen darum kümmern.

Er dachte an sein Treffen mit Dirk van Nistelrooy im *Romeo.* Mittlerweile war van Nistelrooy offiziell im BKA eingetroffen und würde sich hüten, ein weiteres Mal diese Bar zu betreten. Sneijder nahm die Glock vom Terrassentisch. Seine Privatwaffe war das gleiche Modell wie seine Dienstpistole, die er bei der Suspendierung hatte abgeben müssen. Er überprüfte das Magazin und steckte die Waffe in sein Holster.

Natürlich würde er alles daransetzen, Sabine zu finden. Aber von der Art, wie er das tun wollte, sollte Tina besser nie etwas erfahren. Am besten war, sie wusste überhaupt von nichts.

Er knöpfte sein Sakko zu und ging über den Forstweg zur Hauptstraße, wo das Taxi bereits seit fünfzehn Minuten auf ihn wartete.

37. KAPITEL
Dienstag, 31. Mai

Nora stieg am Beginn der Frankfurter Fußgängerzone aus dem Taxi, vergewisserte sich, dass kein Auto kam, und überquerte die Straße Richtung Clementoni-Bank.

Ihre Füße schmerzten bereits nach ein paar Metern in den engen Stöckelschuhen, aber für diesen Anlass hatte sie sich extra schick gemacht. Sie trug außerdem einen kurzen Rock, eine dünne blaue Bluse, hatte die Sonnenbrille ins Haar gesteckt und sicherheitshalber eine von Hardy unterzeichnete Vollmacht sowie eine Kopie seines alten Reisepasses mitgenommen, obwohl sie bezweifelte, dass es damit funktionieren würde.

Die Hauptfiliale der Bank war ein wuchtiges dreistöckiges Backsteingebäude mit Giebeln, Rundbogen und verzierter Fassade, die garantiert unter Denkmalschutz stand. Passend für ein altes italienisches Unternehmen, dachte Nora. Außerdem hatte es zwei zusätzliche Etagen im Keller, und in eine davon begleitete sie ein Mitarbeiter der Bank.

In dieser Filiale gab es tatsächlich Schließfächer, für die ein Schlüssel, wie Hardy ihn besaß, verwendet wurde, und der Zutritt war nur gegen Vorlage des Schlüssels möglich. Der Beamte zeigte ihr den richtigen Korridor und zog sich danach dezent zurück.

Halleluja! Der Schlüssel mit der Nummer 0508 passte in das entsprechende Schloss. Allerdings war es kein gewöhnliches Schließfach, sondern ein Tresor. Den musste sich dieser Antoine Tomaschewsky ein hübsches Sümmchen haben kosten lassen, denn soviel Nora und Hardy herausgefunden hatten, waren anonyme Tresore äußerst unüblich und nur gegen entsprechend hohe Jahresmieten – tausend Euro aufwärts – verfügbar.

Während der Bankbeamte hinter dem Gittertor wartete, öffnete Nora den Safe. Wie Hardy vermutet hatte, befand sich eine Sporttasche darin. Länglich, klein und schwarz. Sie war nicht besonders schwer, wog gerade mal ein paar Kilo.

Nora nahm sich nicht die Zeit, die Tasche zu öffnen, sondern zog sie nur heraus und sperrte den Tresor wieder ab. Rasch tippte sie mit ihrem Handy eine SMS an ein Taxiunternehmen. Ein Wagen sollte sie in fünf Minuten vor dem Eingang der Bankfiliale abholen.

»Ich bin fertig!«, sagte Nora laut, nachdem sie ihr Telefon weggesteckt hatte.

Der Bankbeamte begleitete sie von der Kelleretage in das Foyer der Bank, wo er sich von ihr mit einem offenbar ziemlich lauten »Auf Wiedersehen, Frau Mühlenhof« verabschiedete, wie sie an den ausgeprägten Bewegungen seiner Lippen und den Halsmuskeln erkannte.

»Danke«, sagte sie lächelnd, »aber Sie müssen nicht so schreien. Ich kann ganz gut Lippenlesen.«

Natürlich hatte er zuvor an ihrer Aussprache und ihrem Blick, der immer seine Lippen gesucht hatte, bemerkt, dass sie taub war. Nun wurde er rot im Gesicht.

»Schon gut.« Sie lächelte. »Ich finde den Weg allein hinaus. Auf Wiedersehen.«

Sie drehte sich um und ging mit der Tasche durch das Foyer an der Zone mit den Geld- und Kontoauszugsautomaten vorbei. Durch die Glastür sah sie, dass das Taxi noch nicht da war. Also ging sie zu einem Wasserspender und trank einen Becher. Dann überprüfte sie mit dem Schminkspiegel aus ihrer Handtasche ihren Lidschatten und zog die Lippen mit rotem Lippenstift nach.

Endlich fuhr ein weißes Taxi mit gelbem Logo an der Seite vor die Filiale und blieb im Halteverbot stehen. Das Taxischild war aus und zeigte, dass der Wagen *besetzt* war. Rasch ging Nora durch die Drehtür, überquerte den Bürgersteig und öffnete die hintere Tür. Zuerst schob sie die Tasche auf die Sitzbank, dann stieg sie ein.

»Ich habe dieses Taxi per SMS bestellt«, erklärte sie dem Fahrer und sprach gleich weiter, noch bevor er sich zu ihr umdrehen konnte. »Ich bin taub und kann Sie nicht verstehen. Aber das ist auch gar nicht nötig. Bringen Sie mich bitte zum Römerberg. Dort sind ein Reisebüro und eine Touristeninformation. Davor halten Sie. Die Fahrt dauert etwa zehn Minuten. Sind zwanzig Euro okay?«

Der Fahrer tippte die Adresse in sein Navi, dann blickte er in den Rückspiegel und zeigte Nora seinen erhobenen Daumen.

»Danke. Quittung brauche ich keine.« Sie beugte sich nach vorn und legte ihm einen Zwanzig-Euro-Schein in die Zwischenablage.

Er setzte den Blinker, scherte aus und reihte sich in den Verkehr ein. Um die Mittagszeit gab es auf den Straßen keinen Stau mehr, und sie kamen zügig voran.

Nach einer Weile drehte der Taxifahrer an den Schaltern des Radios. Er hatte die Musik lauter gemacht, wie sie nun am Wummern der Bässe und dem Vibrieren der Seitenwand spürte. Außerdem sah sie, wie er mitsang und den Kopf im Rhythmus bewegte. Gehörlos zu sein konnte auch Vorteile haben!

Hin und wieder warf er ihr einen Blick über den Rückspiegel zu. Einmal sah sie sogar, wie er die Lippen bewegte.

»Wirklich, du bist heiß auf mich? Okay, wir können es bei dir zu Hause machen oder gleich hier im Wagen. Wie du willst.«

O Gott! Nora hielt den Atem an und starrte auf das Navi.

Noch fünf Minuten. Sie blickte aus dem Fenster, dachte an die Tasche und unterdrückte den Drang, dem Fahrer die Meinung zu sagen.

Hardy stand vor dem Reisebüro und betrachtete im Schaufenster die Angebote für Fernreisen. Uruguay war auch darunter; eines der kleinsten Länder Südamerikas. Er sprach zwar kein Spanisch, aber das könnte er lernen.

In der Spiegelung der Scheibe sah er, wie sich ein weißes Taxi näherte. Es hielt vor der Touristeninformation. Hardy wandte sich um, ging auf das Taxi zu und hob die Hand. Der Fahrer nickte. Für einen Moment leuchtete das Taxischild auf, dann erlosch es wieder.

Soeben stieg eine Frau mit blonden Haaren, kurzem Rock und blauer Bluse aus. Hardy sah sie nur von hinten, wie sie Richtung U-Bahn-Station lief.

Hardy erreichte das Taxi und sprang auf den Rücksitz. »Zum Mercure City Center am Hauptbahnhof. Und fahren Sie bitte in die Tiefgarage.«

Das Taxi setzte sich in Bewegung, und Hardy verzichtete darauf, sich anzugurten. Im Fußbereich hinter dem Fahrersitz befand sich eine schwarze Sporttasche. Hardy streifte sie mit dem Schuh, nur um zu spüren, ob sie auch keine Illusion darstellte. *Sie ist echt!* So lange hatte er darauf gewartet, und da stand sie nun. *Ist da auch wirklich alles drin, Antoine?*

Acht Minuten später fuhr das Taxi in die Tiefgarage und hielt beim Treppenaufgang zum Hotel. Hardy bezahlte den Fahrer, nahm die Tasche, stieg aus und sah dem Taxi nach, wie es über die Auffahrt hinauf zur Straße verschwand. Dann stieg er die Treppe direkt in das Foyer des Hotels hinauf.

Dort nahm er den Fahrstuhl in den dritten Stock, in dem sein Zimmer lag. Die ganze Zeit über hatte er sich unbeobachtet gefühlt. Vielleicht waren die ganzen Vorsichtsmaßnahmen auch unnötig gewesen, denn seit heute Morgen hatte er weder Hagena oder Rohrbeck noch den schwarzen Lada Taiga gesehen. Aber falls er doch beobachtet worden wäre, ohne es zu bemerken, hätte er nicht gewollt, dass derjenige sah, wie er mit einer Sporttasche die Bank verließ.

Hardy verriegelte die Tür, stellte die Sporttasche auf den schmalen Glastisch vor der Couch und setzte sich hin. Die Tasche war kleiner und leichter, als er vermutet hatte. Er zog sie auf und kramte als Erstes Bargeld hervor. Neue, strahlend grüne Einhundert-Euro-Noten mit einer Banderole. Er schätzte das Bündel auf vierzehn- bis fünfzehntausend Euro. Rasch legte er es zur Seite; nachzählen konnte er später.

Als Nächstes zog er ein handliches Springmesser und ein halbes Dutzend stabiler Kabelbinder aus der Tasche. Anscheinend dachte Antoine, dass er in die Situation kommen könnte, jemanden fesseln zu müssen. *Möglicherweise!* Ein schmales Stemmeisen und zwei nagelneue Dietriche lagen auch darin. Danach nahm er eine Waffe heraus. Eine kleine handliche Walther PPK und ein volles Magazin mit Munition. Sechs Schuss, Kaliber 9 mm. *Einbrechen, fesseln und erschießen? Antoine, ist das dein Ernst?*

Hardy hatte schon seit über zwanzig Jahren keine Waffe mehr in der Hand gehalten. Vorsichtig nahm er das Magazin, schob es in den Griff, ließ es einschnappen, zog aber den Schlitten nicht zurück. Eine geladene Waffe im Hotelzimmer zu haben bereitete ihm ein mulmiges Gefühl. Außerdem hoffte er, dass er die Pistole nicht brauchen würde. Aber Antoine musste sich etwas dabei gedacht haben, sonst hätte er die Walther nicht dazugelegt.

Zuletzt zog Hardy ein dickes, eng bedrucktes und paginiertes Aktenbündel heraus. Es waren Kopien von Originaldokumenten. An den drei Stempeln auf dem kartonierten Deckel erkannte er, dass die Originalunterlagen mit der Nummer 89 im November vor neunzehn Jahren zur Prüfung an das Amtsgericht Wiesbaden geschickt worden waren. Einen weiteren Instanzenweg an das Landgericht Wiesbaden oder das Oberlandesgericht Frankfurt hatte es nie gegeben. Das hier war ein Duplikat, das direkt aus dem Kopienarchiv des BKA für Gerichtsakten stammte!

Antoine, du cleverer Fuchs!

Er musste jemanden bestochen haben, der Zugang zum BKA-Archiv hatte. Hardy blätterte die Mappe auf. Der Fall bezog sich auf eine gesperrte Akte mit der Kennzeichnung DAB 768/II. *Schau an!* Es waren Vernehmungsprotokolle der Dienstaufsichtsbehörde zu den Ereignissen des ersten Juni vor zwanzig Jahren. *Die Dienstaufsichtsbehörde?* Es waren also weder Russen noch Tschetschenen, Albaner, Armenier oder Dealer anderer Drogenringe verhört worden, sondern nur BKA-Beamte aus der Abteilung VED – wie Hardy es all die Jahre vermutet hatte. Und da standen sie nun, die Namen, auf die er so lange gewartet hatte: Timboldt, Lohmann, Rohrbeck, Hagena, Hess – und natürlich Frank Eisner.

Die komplette Gruppe 6 war von der Dienstaufsichtsbehörde zu den Vorwürfen der Brandstiftung und des dreifachen vorsätzlichen Mordes verhört worden, woraufhin das Gericht die Sache geprüft hatte. Allerdings war das Ermittlungsverfahren eingestellt, der Fortführungsantrag abgewiesen und alles zur Verschlussakte erklärt worden. Dadurch war eine mögliche Anklage für immer fallen gelassen worden.

Nachdem Hardy fertig war, las er Teile der Aussagen immer wieder, bis er sich schließlich zurücklehnte, in die Couch sank und durch das Fenster des Hotelzimmers ins Nichts starrte. *Die Gruppe 6 ist durch Gericht und Dienstaufsichtsbehörde entlas-*

tet worden. Durch die Scheibe hörte er das Hupen der Autos. Eine Sache wurde ihm klar: Keine Schläger eines rivalisierenden Drogenrings hatten sein Haus angezündet und seine Familie auf dem Gewissen, sondern es war ein Mitglied der Gruppe 6 gewesen … mehrere davon … oder sogar die gesamte Gruppe! *Sie waren die Schuldigen!*

Bei wem sollte er mit seiner Suche anfangen? An Hess war am schwierigsten von allen heranzukommen. Rohrbeck und Hagena kannte er zwar von seiner eigenen aktiven Zeit bei der Drogenfahndung am wenigsten, aber ausgerechnet diese beiden waren vor Tomaschewskys Haus aufgetaucht. Also würde er bei diesen beiden beginnen.

Hardy warf noch einmal einen Blick in die Sporttasche. Sie war fast leer, aber auf dem Boden stieß er auf eine weitere dünne Mappe. Darin befanden sich Dossiers über seine ehemaligen Kollegen, Unterlagen aus den Personalakten – sowie ein eigenes Dossier über Eisner – und alles sogar halbwegs aktuell, da die Einträge erst vor eineinhalb Jahren endeten. Bei vier Personen waren auch die Adressen angegeben, nur bei Dietrich Hess und Anna Hagena fehlten sie.

Er packte alles wieder in die Tasche und ließ nur die Waffe auf dem Glastisch liegen. Lange Zeit starrte er auf sein Handy. Sollte er Krzysztof noch einmal anrufen?

Das würde wohl wenig Sinn haben. Schon drei Tage vor Hardys Entlassung hatte ihm der Pole am Telefon klargemacht, dass er seine eigene Strafe abgesessen hatte, im Knast religiös geworden war und ihm nicht helfen konnte.

Also musst du es allein durchziehen. Knöpf sie dir der Reihe nach vor und finde die Wahrheit heraus. Und wenn es sein muss, nimmst du Rache! Für Lizzie und die Kinder.

In diesem Moment klopfte es an der Tür. Er fuhr hoch und bemerkte, dass er automatisch nach der Waffe gegriffen hatte.

Irritiert starrte er auf die gerippten Griffschalen der Walther, die er fest mit den Fingern umklammerte.

Er wusste nicht, was ihm mehr Sorgen bereiten sollte. Dass sein Unterbewusstsein ihn überhaupt erst zur Waffe hatte greifen lassen, obwohl es nur an der Tür geklopft hatte – oder dass er sie in der Bewegung automatisch durchgeladen hatte? Nun war sie scharf.

Es klopfte erneut.

Hardy stand auf und ging mit der Waffe in der Hand zur Tür. »Ja?«

Keine Antwort.

»Hallo?«, rief er.

Wieder keine Antwort.

Da sah er, wie die Türklinke hinuntergedrückt wurde. In diesen Hotelzimmern gab es keinen Türspion, sonst hätte er längst durchgeschaut. Vorsichtig sperrte er die Tür auf, zog sie auf und blickte durch den Spalt. Im Flur stand eine Frau.

»Ach, du bist es«, sagte er erleichtert.

Es war Nora. Natürlich hatte sie auf seine Frage nicht antworten können.

»Hat alles geklappt?«, fragte sie.

Er streckte den Kopf zur Tür hinaus und blickte in den Flur. Sie waren allein. »Ja«, antwortete er tonlos.

»Und was ist in der Tasche?«

»Etwas Bargeld und die Informationen, nach denen ich so lange gesucht habe«, sagte er stumm.

»Darf ich?« Nora betrat das Zimmer und ging schnurstracks zu dem Glastisch, zog die Personalakten heraus und blätterte durch die Seiten.

Hardy schloss die Tür und verriegelte sie wieder.

»Und damit kannst du alles aufklären?«, fragte sie, während sie ihm den Rücken zukehrte.

»Oder wenn es sein muss, den Schuldigen zur Strecke bringen«, murmelte er.

Willst du Rache oder Gerechtigkeit?

Er dachte an Noras Worte, während er die Waffe unter seinem Hemd im Hosenbund verschwinden ließ.

38. KAPITEL

Sneijder stieg aus dem Taxi und bezahlte den Fahrer. Die Gegend hier am Ufer des Mains sah ziemlich verlassen und heruntergekommen aus. Wilde Büsche, deren Zweige in den Fluss ragten, wucherten auf der Böschung, wo mehrere Holzstege mit vermoderten Stelzen der Strömung trotzten.

»Soll ich hier auf Sie warten?«, fragte der Fahrer.

»Wenn ich das wollte, hätte ich es Ihnen gesagt.«

»Soll ich Sie später wieder abholen?«

Sneijder antwortete nicht, sondern sah den Taxifahrer nur an.

»Okay, gut, habe verstanden«, sagte der Fahrer.

Das Taxi fuhr davon, und Sneijder ging über den rissigen Asphalt zu dem stillgelegten Fährhafen. Die nutzlos gewordenen Drahtseile der alten Personenfähre hingen tief über dem Fluss, schwangen im Wind und glitzerten im Sonnenlicht. Soeben segelte ein großer langhalsiger Storch über das Wasser und zog einen Kreis über die Hafenanlage.

Hinter dem Gebäude schob sich gerade die Sonne vorbei und spiegelte sich in den Fensterscheiben eines neuen roten Ford Transit, der neben einer Wellblechhütte stand. Krzysztof war demnach zu Hause – zumindest an dem Ort, den er als sein Zuhause bezeichnete. Krzysztof hatte schon immer mystische Symbolik geliebt, und es war kein Zufall, dass er immer noch in der alten Dienstwohnung des ehemaligen Fährmannes wohnte, die Sneijder ihm vor fünf Jahren verschafft hatte. In gewisser Weise war Krzysztof auch ein Fährmann gewesen, der die Seelen auf die andere Seite befördert hatte – damals, vor langer Zeit.

Sneijder betrachtete den roten Lieferwagen. An der Seitenwand prangte ein frisch lackierter Slogan. *Im Dienste Ihrer Gesundheit.* Sneijder rang sich ein müdes Lächeln ab. Wer immer dafür verantwortlich war, konnte keine Ahnung haben, womit Krzysztof früher sein Geld verdient hatte.

Sneijder ging zur Eingangstür der Wohnung, einem fünfzig Quadratmeter großen Wellblechcontainer. Aber mit Satellitenschüssel auf dem Flachdach, Krzysztof hatte in dieser Bruchbude immerhin Sat-TV. Die Tür war verschlossen, und Sneijder schlug mehrmals mit der Faust gegen das Blech. Keine Antwort!

Okay! Sneijder holte den Dietrich aus seinem Pick-Set heraus. Er hatte noch nie besonders gut damit umgehen können, darum kostete es ihn auch zwei Minuten, bis er den Riegel beiseitegeschoben und das alte Schloss geöffnet hatte. Er zog die Tür auf und machte sich mit einem lautstarken Klopfen bemerkbar.

»*Goedendag!*«, rief er. Schließlich wollte er von Krzysztof nicht angeschossen werden, denn der alte Knabe versteckte bestimmt noch immer eine Waffe unter seinem Kopfkissen, auch wenn er damit gegen seine Bewährungsauflagen verstieß. So jemand wie Krzysztof würde nie ein Risiko eingehen.

Sneijder betrat den Wohnraum und sah sich im Dämmerlicht um. Die Jalousien waren zugezogen, aber Krzysztof war nicht zu übersehen. Er lag auf der Couch und schnarchte. Sneijder zog die Jalousie auf, öffnete das Fenster und ließ die frische, nach feuchtem Schilf riechende Luft vom Flussufer hinein.

Krzysztof begann sich zu rekeln. Er war etwa fünfzehn Jahre älter als Sneijder, hatte langes graues, zerzaustes Haar, einen grauen Stoppelbart und war von kleiner hagerer, aber drahtiger Statur. Kaum zu glauben, dass dieser Mann früher Soldat der polnischen Armee gewesen war und danach als Leibwächter für gewisse »Geschäftsleute« gearbeitet hatte. Er sah harmlos aus, aber Sneijder wusste, dass er das niemals gewesen war und auch trotz seines Alters nie sein würde. Krzysztof hatte wegen Mordes an Frank Eisners Frau gesessen und war vor fünf Jahren entlassen worden.

Sneijder zog einen Metallstuhl heran, setzte sich neben die Couch, die Arme auf die Lehne gestützt. Neben ihm stand ein Tisch mit einer Thermoskanne und einer halb vollen Tasse mit kaltem Kaffee. Krzysztof massierte sich die Augen und versuchte erfolglos sie zu öffnen.

Sneijder betrachtete die Kreuz-Tattoos auf Krzysztofs Fingern, die der Pole bei seinem letzten Besuch noch nicht gehabt hatte. »Bist du religiös geworden?«

Krzysztof drehte sich herum und blickte Sneijder mit kleinen schmalen Augen an, die Sneijder an die Münzschlitze eines Zigarettenautomaten erinnerten.

»Ach, du bist es. Schon wieder ein Jahr um?«, brummte er, und es klang wenig erfreut. Obwohl er schon so lange in Deutschland lebte, hatte er immer noch einen starken polnischen Akzent. »Was willst du hier? Ich trinke nicht mehr, rauche nicht, deale nicht und habe dem Leben eines Verbrechers abgeschworen. Lass mich schlafen, verdammt!«

»Ich brauche deine Hilfe.«

Krzysztof grinste mit geschlossenen Augen. »Bevor ich keinen starken Kaffee intus habe, geht gar nichts. Ist mein Starthilfekabel in den Tag.«

»Okay.« Sneijder griff zur Tasse und schüttete Krzysztof den kalten Kaffee ins Gesicht.

Der fuhr wie von der Tarantel gestochen hoch und wischte sich die Flüssigkeit aus dem Gesicht. »O Scheiße, Mann! Bist du geisteskrank?«

»Fluch nicht so«, tadelte Sneijder ihn. »Ich dachte, du bist religiös geworden.«

»Scheiße!« Krzysztof griff zu einem T-Shirt, das über der

Couch hing, und wischte sich das Gesicht ab. »So handgreiflich und unkontrolliert kenne ich dich gar nicht.«

»Das war nicht unkontrolliert – ich habe bloß nicht die Zeit, darauf zu warten, dass du wach wirst«, sagte Sneijder. »Hast du etwas Alkoholfreies da?«

»Schau mal im Wasserhahn nach, da müsste noch etwas sein«, brummte Krzysztof.

Sneijder blieb jedoch sitzen und sah sich um. Die abgewohnten Möbel stammten noch vom alten Fährmann, und Krzysztof hatte sie nie ausgetauscht. »Du hast es immer noch hübsch hässlich hier. Arbeitest du noch als Koch in dem Kontaktladen, den ich dir empfohlen habe?«

»Nein, war mir zu stressig.«

»Zu stressig?«, wiederholte Sneijder. »Und wovon lebst du jetzt?«

»Hab mich raufgearbeitet. Beliefere jetzt Ärzte, Apotheken und Krankenhäuser mit Medikamenten, Spritzen und Mullbinden.«

»Und das Geschäft läuft gut?«

»Boomt wie nie zuvor.« Krzysztof warf das feuchte T-Shirt beiseite. »Die heutige Medizin ist so weit fortgeschritten, dass es so gut wie keine gesunden Menschen mehr gibt.«

Das ist wahr! »Ist das dein Auto vor der Tür?«

»Ja, mein Dienstwagen. Ein moderner Kühltransporter. Ich habe einen Vertrag mit Apotheken und einer Pharmafirma.«

»Schau an.« Sneijder nickte beeindruckt.

»Wird das ein Verhör?«, fragte Krzysztof. »Ich habe gehört, du arbeitest nicht mehr für das BKA. Bist du auf Jobsuche? Ich könnte einen Praktikanten brauchen.«

»Danke, das muss ich mir unbedingt überlegen.«

»Oder arbeitest du jetzt für einen anderen Verein?«

Sneijder schüttelte den Kopf. »Ich würde niemals einem

Verein beitreten, der jemanden wie mich als Mitglied akzeptiert.«

Krzysztof grinste und entblößte einen halben Schneidezahn. »Ganz der alte Sneijder.«

»Bis auf deine Zähne bist du noch gut in Form«, stellte Sneijder fest, nachdem er Krzysztofs drahtige Muskulatur betrachtet hatte, die sich unter dem schwarzen T-Shirt abzeichnete.

Der Pole nickte und fuhr sich mit der Zunge über die Schneidezähne. »Drei Jugendliche dachten mal, sie könnten hier einbrechen und ein paar Medikamente klauen – schwerer Fehler.« Er öffnete die Thermoskanne, goss Kaffee in eine Tasse und nahm einen Schluck. »Na ja, aber man merkt trotzdem, dass man alt wird, wenn man nur noch in stabiler Seitenlage vögeln kann.«

»Ich weiß«, seufzte Sneijder. »Sex in deinem Alter ist wie wenn man versucht, Billard mit einem Seil zu spielen.«

Krzysztof grinste wieder. »Bist du noch schwul?«

Sneijder nickte. »Aber im Moment nur in der Theorie.«

»O Scheiße.« Krzysztof lachte laut auf; es klang ein wenig schadenfroh. »Das tut mir nicht einmal leid. Warum bist du eigentlich schwul? Du hältst wohl nicht viel von Frauen, was?«

Sneijder blieb ihm die Antwort schuldig.

»In gewisser Weise verstehe ich dich«, brummte Krzysztof. »Hast du dir schon einmal überlegt, warum Meteorologen Wirbelstürmen immer Frauennamen geben? Eben! Da hast du die Antwort.«

»Können wir den Smalltalk jetzt beenden?«

Krzysztof nahm einen weiteren Schluck und stellte die Tasse ab. »Okay, bin munter. Was willst du?«

»Ich muss eine Frau finden.«

Krzysztof starrte ihn an. »Ehrlich? Du?«

»Meine ehemalige Kollegin. Sie ist verschwunden.«

»Du hattest eine Kollegin? Hier ist sie jedenfalls nicht.« Krzysztof grinste, doch sein Lächeln verschwand gleich wieder. »Okay, anscheinend ist es dir ernst. Und da kommst du ausgerechnet zu mir? Du hast mich doch vor zwanzig Jahren in den Knast gebracht.«

Sneijder antwortete nicht.

»Verstehe, du kannst sonst niemanden um Hilfe bitten«, fuhr Krzysztof fort. »Kann es sein, dass du ganz schön tief in der Scheiße steckst?«

»Es geht um Hardy.«

Krzysztof nickte langsam. »Hardy hat mich drei Tage vor seiner Entlassung angerufen, wollte meine Hilfe, habe ihm aber gesagt, dass ich aus dem Geschäft bin. Diese Zeiten sind vorbei. Wenn er einen Mann fürs Grobe braucht, soll er sich jemand anderen suchen.«

»Hardy ist auf großem Rachefeldzug und macht alles nieder, was sich ihm in den Weg stellt. Ich muss ihn stoppen, bevor noch mehr passiert.«

»Viel Glück dabei.«

»Sechs Menschen sind bereits tot, einer lebensgefährlich verletzt, und meine Kollegin ist verschwunden.«

»Dann ist sie vermutlich auch schon tot.«

»Es ist mir ernst!«

Krzysztof überlegte. »Du kannst ihn nur auf eine Art und Weise aufhalten: indem du die Wahrheit ans Licht bringst.«

»Das habe ich vor.«

»Und du denkst, nur weil du mich regelmäßig besuchst und mir eine Unterkunft und einen Job besorgt hast, werde ich dir dabei helfen?«

»Nicht deswegen«, knurrte Sneijder. »Ich habe dich seit deiner Entlassung nur deshalb besucht, weil ich die Gesellschaft vor dir schützen wollte.«

»Sehr nett formuliert – und weshalb bist du jetzt hier?«

»Weil ich annehme, dass auch du einiges wiedergutzumachen hast. Denk an Eisner, seine Frau und alles, was danach passiert ist.«

»Ja, scheiße, daran denke ich oft genug – und danke, dass du mich wieder daran erinnert hast.« Krzysztof hob den Kopf, kratzte sich an seinem Stoppelbart und nickte schließlich. »Vermutlich hast du recht.«

»Natürlich habe ich das.« Sneijder dachte an Krzysztofs Kreuz-Tattoos. »Betrachte es als Buße.«

»Ja, hör schon auf zu quasseln, ich helfe dir ja.«

»Gut. Zuerst brauche ich Munition für meine Glock«, sagte Sneijder. »Ich habe nur noch drei Patronen im Magazin.«

Krzysztof strich sich die langen grauen Strähnen hinters Ohr. »Und die sind zu wenig?«

»Für das, was wir vorhaben, bestimmt.«

39. KAPITEL

Sneijder und Krzysztof traten aus der ehemaligen Fährmannswohnung ins Freie.

»Verdammt, ist das schwül«, fluchte Krzysztof, wischte sich den Schweiß aus dem Nacken und sah über den Fluss zum Horizont, wo sich dunkle Wolkenmassen aus dem Osten übers Land schoben. »Wird Zeit, dass es mal regnet. Was meinst du?«

»Ich bin nicht hergekommen, um mit dir übers Wetter zu reden.« Sneijder drückte die Patronen, die er von Krzysztof erhalten hatte, in sein Magazin und ließ es in die Waffe gleiten. »Wann belieferst du normalerweise die Krankenhäuser?«

»Montags, mittwochs und …«

»Ich meinte, um wie viel Uhr?«

»Zu Mittag.«

Sneijder blickte auf die Uhr. Es war kurz vor elf. »Fahren wir!«

Krzysztof trug Lederstiefeletten, schwarze Jeans, ein schwarzes enges Ripp-Shirt und um seine Handgelenke breite schwarze Lederbänder. Aus der Tasche seiner Jeans ragte der Griff einer Kleinkaliberpistole. Sneijder sagte nichts dazu. Krzysztof musste selbst wissen, was er tat.

Lässig ließ Krzysztof den Schlüsselbund mit dem Autoschlüssel an seinem Finger baumeln. »Wie bist du eigentlich in mein Haus gekommen?«

»Dietrich.«

»Dietrich *was*?«, fragte Krzysztof. »Dietrich Hess?«

»Nein, *vervloekt,* mit einem Dietrich.«

»Das kannst du?«

»Nicht besonders gut. Ich hätte deine Tür auch aufschießen können, hatte aber nur noch drei Patronen.«

»O Mann, die Gespräche mit dir sind ganz schön anstrengend.« Krzysztof warf seine Windjacke hinter den Sitz und setzte sich in den Lieferwagen. Sneijder nahm auf dem Beifahrersitz Platz.

»Hast du immer noch keinen Führerschein?«, fragte Krzysztof.

»Nein«, log Sneijder. »Als Erstes fahren wir nach Wiesbaden in die Asklepios Paulinen Klinik.«

»Wen besuchen wir dort?«

»Dietrich Hess. Er liegt mit einer Kugel im Kopf auf der Intensivstation.«

Überrascht sah Krzysztof zu ihm herüber. »Jetzt hast du es aber mit deinem Hass auf ihn übertrieben!«

Während Krzysztof einen mit Medikamenten vollgepackten Rollwagen durch den Seiteneingang Ost in die Paulinen Klinik schob, ging Sneijder zehn Schritte hinter ihm her.

Krzysztof marschierte an dem Trakt vorbei, der zu den OP-Sälen führte, bog in Richtung Intensivstation ab und betrat einen Gang, an dessen Ende zwei Polizisten links und rechts vor einer Tür Wache hielten. Da wusste Sneijder, dass sie den richtigen Trakt gefunden hatten.

Krzysztof war das auch sofort klar, da er langsamer wurde. Sneijder machte sogleich kehrt, nahm einen Umweg durch die Überwachungsstation und betrat die Intensivstation von der Rückseite. Von einem Kleiderständer schnappte er sich einen weißen Kittel, in den er während des Gehens schlüpfte. Der Bewegungsmelder öffnete die Tür, und Sneijder kam im Kittel in den Trakt, in dem die Polizisten standen. Sie sahen nur kurz zu ihm herüber, dann drehten sie ihm wieder den Rücken zu, denn Krzysztof hatte mittlerweile für ausreichend Tumult gesorgt.

Der diskutierte lautstark mit einer Krankenschwester, die ihm erklärte, dass er mit seiner Lieferung erstens am falschen Tag hier war, zweitens die falschen Medikamente dabei hatte und dass das hier außerdem nicht der Lieferanteneingang war.

»Das weiß ich selber auch, aber ich wurde hierhergeschickt!«, protestierte Krzysztof, und als er sah, dass Sneijder durch die Schiebetür den Korridor betreten hatte, streute er absichtlich seine Dokumentenmappe mit den Lieferscheinen aus. Die Blätter segelten durch den Gang. »Scheiße, auch das noch!«, fluchte er.

Die beiden Polizisten waren erfolgreich abgelenkt. Sie machten ein paar Schritte auf Krzysztof zu. Einer bückte sich sogar, um Krzysztof dabei zu helfen, die Lieferscheine einzusammeln. Bevor sich einer der beiden erneut umdrehen konnte, war Sneijder bereits hinter ihrem Rücken in das Patientenzimmer geschlüpft.

Durch die geschlossene Tür hörte er weiterhin die Diskussion im Gang. Krzysztof machte noch einmal ordentlich Zoff. Im nächsten Moment blendete Sneijder das Gezeter aus und sah sich um. Es war tatsächlich Hess, der in dem abgedunkelten Einzelzimmer lag und an einem halben Dutzend gleichmäßig piepender Geräte angeschlossen war.

Rasch zog Sneijder einen Paravent vor das Bett und setzte sich neben Hess auf einen Stuhl. Sollte jemand einen flüchtigen Blick in das Zimmer werfen, war Sneijder hinter der Stoffwand nicht zu sehen.

»*Godverdomme!*«, entfuhr es ihm, als er in Hess' Gesicht blickte.

Die vordere Gesichtshälfte war tief eingesunken. Teile fehlten. Der Kiefer war geschient, der Schädel kahl rasiert und bandagiert. In Hess' Hals steckte ein Venenkatheter, an dem mehrere dünne Schläuche hingen, durch die die Spritzpumpen Sedativa und Schmerzmittel in den Körper beförderten. Hess war nicht bei Bewusstsein. Und vermutlich war das auch das Beste für ihn.

In einer Mappe auf dem Beistelltisch lagen Röntgenbilder. Sneijder nahm sie der Reihe nach hoch und hielt sie zum Fenster. Durch die Lamellen der Jalousie fiel genügend Sonnenlicht, um etwas erkennen zu können.

Das Projektil war auf der linken Stirnseite ausgetreten und hatte den Frontalhirnbereich verletzt. Eine solche Verletzung konnte niemand auf Dauer überleben. Es war ein Wunder, dass Hess überhaupt noch atmete. Sneijder schraubte die Schläuche am Katheter ab, ließ die Flüssigkeiten unter dem Bett auf den Boden tropfen und wartete.

In der Zwischenzeit hatte sich der Tumult vor der Tür gelegt. Nach einer Minute begannen Hess' Augenlider zu flattern, und er erwachte aus seiner Reglosigkeit.

»Wir wissen beide, du wirst sterben«, flüsterte Sneijder und griff nach Hess' Hand. Für einen Moment glaubte er eine Reaktion zu spüren. Hess versuchte, seine Hand zu drücken, was eigentlich gar nicht sein konnte.

»Wer viel unter den Teppich kehrt, darf sich nicht wundern, wenn er darüber stolpert und auf die Fresse fällt«, murmelte Sneijder. »Was immer ihr getan habt, ich habe euch davor gewarnt, es zu vertuschen.«

Im Hintergrund pumpte die Beatmungsmaschine. In Hess' Hals steckte ein Tubus. Dadurch konnte sich nicht einmal ein dumpfer Laut aus seiner Kehle entringen. Sneijder bezweifelte, dass Hess seine Worte tatsächlich hörte. Und falls doch, ob er überhaupt deren Sinn erfassen konnte. Trotzdem sprach er weiter.

»Allerdings bin ich nicht gekommen, um jetzt den Klugscheißer raushängen zu lassen, auch wenn du das von mir erwarten würdest. Es ist leicht zu urteilen, wenn man nicht in eurer Situation war, darum wirst du von mir auch keine weiteren Vorwürfe mehr hören.«

Sneijder schwieg eine Weile. »Warum ich hier bin? Kannst du dir das nicht denken?«, murmelte er. »Krzysztof hat mich hergefahren. Ja, er! Ich hätte auch nicht gedacht, dass er mir hilft. Aber anscheinend nagt immer noch das schlechte Gewissen an ihm, weil er Irene Eisner und ihrem Baby das angetan hat. Wir müssen Hardy stoppen. Und wir werden herausfinden, was ihr getan habt und wer alles involviert war. Und egal was wir erfahren, wir werden es nicht verschweigen. Diana ist tot, und es gibt für mich keinen Grund mehr, länger so zu tun, als wüsste ich von nichts.« Er hob den Kopf und betrachtete die Anzeigen auf den Monitoren.

Der Medikamentenentzug wirkte bereits. Die Werte veränderten sich, und die Kurven schlugen nach oben aus.

»Warum warst du nur so unvorsichtig? Wer hat dir eine Kugel in den Kopf gejagt?«

Hess schwieg. Nur seine Finger zuckten.

»War es Hardy?«

Keine Reaktion.

»Ich nehme an, du weißt auch nicht, wo Sabine Nemez ist?«

Hess bewegte nur ein Augenlid.

»Dachte ich mir. Aber ich bin nicht nur deswegen hier.« Sneijder atmete tief durch. »Ich wollte Abschied von dir nehmen. Du weißt selbst wie kein anderer, dass die Arbeit beim BKA grausam und grässlich ist, an die Substanz geht und frustrierend ist. Man beginnt entweder zu kiffen, zu saufen oder geht ins Bordell, weil die Nutten die Einzigen sind, die zuhören und einen verstehen können. Die Ehe zerbricht, man verliert seine Kinder, seine Freunde, oder man sieht gute Kollegen elend verrecken – aber das BKA hat auch seine schlechten Seiten.« Er lächelte müde über seinen eigenen Scherz.

In Hess' Gesicht zuckte ein Muskel.

»Die Beleidigungen von all den Idioten haben mich nie geärgert. Deine schon! Du warst mir immer ein ebenbürtiger Gegner.« Sneijder nagte an seiner Unterlippe. »Weißt du eigentlich, dass ich damals wegen dir und Diana mit dem Kiffen angefangen habe? Ich hatte nie Gelegenheit dazu, dir dafür zu danken. Es hat meinen Horizont erweitert.«

Die Kurven auf den Monitoren schlugen erneut aus, diesmal hektischer.

»Euer Sohn muss bald sechzehn sein. Ich nehme an, im Moment kümmert sich deine jüngere Schwester um ihn. Ich weiß nicht, ob er Wert darauf legt, aber ich werde ihn besuchen, wenn all das hier vorbei ist.«

Nun machten sich die Monitore mit einem schrillen Piepen bemerkbar.

»Es kann so rasch zu Ende gehen, und wenn wir die Dinge auf den nächsten Tag verschieben, kann es sein, dass dieser Tag nicht mehr kommt. *Deswegen* bin ich hier.« Er holte tief Luft und drückte die Hand seines Freundes, Kollegen und Vorgesetzten. »Danke, dass du dich so lange um Diana gekümmert hast.«

Hess' Lippe bebte, als wollte er etwas sagen.

»Keine Angst, wir kommen nicht in die Hölle«, beruhigte Sneijder ihn. »Wir leben schon mittendrin!«

Sneijder verwischte die Flüssigkeit mit dem Schuh unter dem Bett und steckte die Schläuche wieder an den Katheter. Allerdings knickte er die Schläuche und unterbrach damit die Zufuhr der Medikamente. Es bildete sich ein Rückstau, und die Spritzpumpe gab einen Alarm. Noch dazu löste Hess' hoher Pulsschlag am EKG einen weiteren Alarm aus, weil er langsam wach wurde und gegen die Maschine anzuatmen versuchte.

Das Piepen der Apparaturen wurde nun von Sekunde zu Sekunde hektischer.

Sneijder erhob sich von seinem Stuhl. »Ich muss los, ich habe gehört, in der Kantine haben sie einen verdammt guten Vanilletee. Eines Tages sehen wir uns wieder. Richte Diana meine Grüße aus, wenn du ihr begegnest.«

Sneijder ließ die geknickten Schläuche los und verschwand durch die Tür in den Waschraum. Im nächsten Moment wurde die Zimmertür aufgerissen, und Sneijder sah durch den schmalen Spalt, wie ein Arzt, ein Pfleger, zwei Krankenschwestern und einer der Polizisten ins Zimmer stürzten.

Diesen Augenblick nützte Sneijder und schlüpfte durch die Tür in den Gang, in dem Krzysztof immer noch mit seinem Wagen stand, seine Lieferscheine sortierte, gleichzeitig telefonierte und mit seinem Gezeter den anderen Polizisten ablenkte.

Sneijder ging an dem Polizisten vorbei, steuerte direkt auf Krzysztof zu und herrschte ihn an. »So, ich habe jetzt genug von Ihnen. Sie verschwinden augenblicklich von hier. Das ist die Intensivstation und keine Medikamentenannahme. Außerdem ist in diesem Bereich Telefonieren verboten.«

Krzysztof steckte bereitwillig das Handy weg. »Warst du erfolgreich?«, flüsterte er.

»Sei still!«, zischte Sneijder, packte Krzysztof am Arm und schob ihn mit seinem Wagen zum Ausgang.

40. KAPITEL
Dienstag, 31. Mai

»Das sind genau fünfzehntausend Euro!«, rief Nora, schob die Geldscheine zu einem Stapel zusammen und zwängte die Papierbanderole darüber.

Hardy stand am Fenster und blickte auf die Straße. »Nicht schlecht«, sagte er zu sich selbst. »Mit so viel habe ich gar nicht ge…« Er verstummte. Gleichzeitig wischte er den Vorhang beiseite und presste das Gesicht ans Glas. Sein Magen zog sich zusammen, als er den schwarzen Lada Taiga sah, der langsam am Hotel vorbeifuhr, den Blinker setzte und in die Tiefgarage rollte.

Hardy drehte sich um und suchte Noras Blick. »Wir müssen von hier verschwinden!«, sagte er.

Sie sah ihn mit großen Augen an. Im nächsten Moment hatte sie verstanden. »Wie lange brauchst du zum Packen?«

»Zehn Sekunden.«

Hardy trug die Waffe unter seiner Jacke im Hosenbund. Während Nora mit der Sporttasche, in der sich Hardys gesamter Besitz befand, neben einer raumhohen Topfpflanze in der Hotellobby auf ihn wartete, ging er zur Rezeption.

Der junge Mann kümmerte sich sogleich um ihn. Nachdem Hardy ausgecheckt und bezahlt hatte, schrieb er seinen Namen und die Adresse der Motel One Niederlassung in der Nähe des Frankfurter Flughafens auf ein Blatt Papier, das er dem Jungen reichte.

»Waren Sie mit unserem Service nicht zufrieden?«

»Doch, war alles prima. Aber ich muss geschäftlich weg. Leider erwarte ich noch Unterlagen, die auf meinen Namen hierhergeschickt werden.« Hardy deutete auf den Zettel. »Das ist die Nachsendeadresse. Wären Sie so freundlich, und würden Sie ...?«

»Selbstverständlich.«

»Danke.« Hardy schob eine Hundert-Euro-Note über den Tisch. »Und noch etwas ...« Er senkte die Stimme. »Meine neue Adresse behandeln Sie bitte diskret.«

Der Junge bekam große Augen. »Natürlich.« Rasch steckte er den Geldschein ein.

»Danke.« Hardy wandte sich ab und ging zu Nora, die sich ständig umsah. »Ich muss noch in die Tief...«

»Hardy!«, unterbrach sie ihn. »Die beiden Kripoermittler sind hier.«

»Welche?«, formte er mit den Lippen. »Die von dem Video, das ich gemacht habe?«

Sie schüttelte den Kopf. »Andere. Ich glaube, dieser Timboldt. Und der andere muss Lohmann sein.«

Scheiße! »Bist du dir sicher?«

»Ja, ziemlich. Ich habe doch die Fotos in den Personalakten gesehen.«

»Wo sind sie?«

»Am Ende der Lobby, bei den Fahrstühlen, hinter den Palmen.«

In dem Moment fuhr ein Page mit einem mit Koffern beladenen Rollwagen an ihnen vorbei. Hardy nutzte die Chance und wandte kurz den Blick. *Tatsächlich!* Dort saßen Klaus Timboldt und Harald Lohmann. Einer telefonierte, und der andere tat so, als läse er in einer Zeitung.

Unwillkürlich dachte Hardy an den schwarzen Lada Taiga. Allerdings war der für einen typischen Dienstwagen des BKA viel zu auffällig. Falls er also nicht den beiden gehörte, befand sich dessen Fahrer vielleicht noch in der Garage.

»Ich muss noch in die Tiefgarage«, wiederholte Hardy. »Ruf ein Taxi und warte draußen auf mich. Falls dir jemand die Tasche aus der Hand reißen will, schreist du laut!«

»Ich versteh das alles nicht.«

»Ich erkläre es dir später.« Er zwinkerte ihr zu und versuchte zu lächeln, obwohl er wusste, dass sie ihm das nicht wirklich abnehmen würde.

»Okay«, sagte sie besorgt.

Während Nora zum Handy griff und eine SMS schrieb, durchquerte Hardy im Schutz einer Menschentraube die Lobby. Dabei zwang er sich, nicht zu Timboldt und Lohmann hinüberzusehen, obwohl es sich vermutlich sowieso nicht verhindern ließ, dass sie ihn entdeckten. Nachdem er die Tür zum Treppenhaus erreicht hatte, glitt er hindurch und lief die Stufen zur Tiefgarage hinunter.

Als er die Feuertür aufstieß, aktivierte der Bewegungsmelder automatisch das Licht. Hier war es kühl, und es roch nach Beton. Das Taxi würde höchstens fünf Minuten benötigen, um herzukommen. So lange hatte er Zeit, um herauszufinden, wer ihn seit seiner Entlassung in Bützow verfolgte. Oder sich zumindest das Kennzeichen des schwarzen Geländewagens zu notieren. Rasch lief er an den Reihen der Autos vorbei und sah sich um. Aber von dem Lada war weit und breit nichts zu sehen.

Schließlich kam er in die Nähe der Auffahrt. Die automatische Schranke war unten. Daneben führte ein Fußweg zur Straße hinauf. Sonnenlicht fiel herunter und blendete ihn einen Augenblick lang. Hardy schirmte die Augen mit der Hand ab. Seitlich von ihm lag eine lange dunkle Nische, in der sich zwischen den Betonsäulen ebenfalls Parkplätze befanden. Sie waren allesamt leer, doch am Ende der Nische stand ein schwarzes Fahrzeug. Der Form nach zu urteilen ein Lada Taiga. *Dort also!*

Hardy ging langsam darauf zu. Kurz sah er sich um. Keine

Menschenseele war in der Nähe. Sicherheitshalber zog er die Waffe aus dem Hosenbund und hielt sie hinter seinem Rücken versteckt. Sie war immer noch geladen.

In diesem Bereich der Tiefgarage ging die Deckenbeleuchtung nicht automatisch an – offenbar war sie kaputt –, und es war zu dunkel, um auf diese Entfernung das Nummernschild des Geländewagens zu erkennen. Hardy konnte auch nicht sehen, ob jemand im Wagen saß.

Als er sich einen weiteren Schritt näherte, hörte er das Husten eines anspringenden Motors. Hinter dem Lada stieg eine Abgaswolke auf. Im nächsten Moment gingen die Scheinwerfer an, und Hardy stand völlig geblendet im gleißenden Licht. Der Wagen setzte sich in Bewegung und rollte langsam auf ihn zu.

Hardy wollte gerade die Waffe auf die Windschutzscheibe des Wagens richten, um ihn zum Halten zu zwingen, als er am anderen Ende der Garage das Knallen der zufallenden Feuertür hörte. Instinktiv blickte er sich um. Timboldt hatte soeben die Tiefgarage betreten und sah suchend umher.

Scheiße!

Wenn Timboldt ihn hier mit einer geladenen Waffe erwischte, frisch aus dem Knast und ohne Waffenschein, würde ihn der Haftrichter, ohne mit der Wimper zu zucken, wieder einbuchten – und Nora wäre allein mit den aus dem BKA-Archiv entwendeten Unterlagen. Rasch ließ Hardy die Waffe unter der Jacke verschwinden und ging gleichzeitig einige Schritte zurück.

Der Lada Taiga kam näher, aber Hardy konnte im grellen Licht weder die Autonummer noch den Fahrer erkennen. Schließlich erreichte Hardy die Schranke bei der Ausfahrt. Da bemerkte Timboldt ihn und kam ebenfalls auf ihn zu. *Gerade jetzt!* Verzweifelt sah Hardy zur Straße hinauf. Dort oben wartete ein Taxi.

Spiel nicht den Helden! Häng sie ab – das ist im Moment das einzig Wichtige!

Er lief am Balken vorbei und rannte den Fußweg zur Straße hinauf. Wenige Meter bevor er das Straßenniveau erreichte, öffnete sich die hintere Tür des Taxis. Nora saß im Wagen.

Hardy sprintete zum Auto, sprang hinein und zog die Tür zu. Bestimmt hatte Nora den Fahrer bereits instruiert, denn das Taxi setzte sich im gleichen Moment in Bewegung und fädelte sich in den zähflüssigen Verkehr ein.

»Können *Sie* mir sagen, wohin es geht?«, fragte der Fahrer.

»Zum Motel One, Flughafen Frankfurt.«

Lohmann wartete eine Minute, beobachtete weiterhin die Lobby und die Straße vor dem Hotel, dann klappte er die Zeitung zusammen, erhob sich und ging zum Rezeptionstisch, wo er auf die Klingel schlug.

»Ja, bitte?«, fragte ihn eine junge Frau.

»Ich möchte mit Ihrem Kollegen sprechen.«

»Der ist im Moment …«

»Interessiert mich nicht, holen Sie ihn her.«

Irritiert wandte sich die Frau ab und verschwand durch eine Tür in ein hinteres Büro. Kurz darauf erschien der Rezeptionist und trat zu Lohmann an den Tresen. »Ja, bitte?«

»Gerade vorhin hat ein Mann aus Ihrem Hotel ausgecheckt, die Rechnung bezahlt und Ihnen einen Zettel gegeben.«

Der junge Mann sah Lohmann unsicher an. »Und wenn das so wäre?«

»Darf ich den Zettel sehen?«

»Ich … habe keinen Zettel erhalten.«

Lohmann verdrehte die Augen, dann senkte er die Stimme. »Verarschen Sie jemand anderen. Ich bin dort drüben gesessen und habe Sie beobachtet.«

»Sind Sie mit dem Mann verwandt oder befreundet?«

»Ja, ich bin seine Mutter, und jetzt los – zeigen Sie mir den Zettel.«

Der junge Mann schnaubte echauffiert. »Sind Sie überhaupt Gast unseres Hotels?« Er schüttelte den Kopf. »Das bezweifle ich, und selbst wenn, ist das ein Eingriff in die Privatsphäre unserer Gäste und …«

Lohmann holte seinen Dienstausweis aus der Tasche und schob ihn über den Tresen. »Ich bin vom Bundeskriminalamt, und der Mann, den Sie beherbergt haben, ist gerade aus dem Knast entlassen worden.«

»Und?« Der junge Mann hob die Schultern. »Haben Sie eine richterliche Verfügung, einen Haftbeschluss oder einen Hausdurchsuchungsbefehl?«

»Es heißt richterlicher *Beschluss,* Haft*befehl* und Hausdurchsuchungs*beschluss«,* murrte Lohmann genervt. Da hatte er einen ganz besonders gewieften Grünschnabel erwischt. »Und nein, das habe ich nicht, aber ich habe gesehen, wie Sie Geld von Ihrem Gast entgegengenommen haben. Entweder haben Sie eine finanzielle Zuwendung erhalten, die ein normales Trinkgeld übersteigt, oder Sie haben – was ich für viel wahrscheinlicher halte – einen Anteil von einer illegalen Transaktion erhalten.«

»Illegal?«, wiederholte der Junge. Plötzlich trat Farbe in sein Gesicht. »Darf ich das Geld behalten, wenn ich Ihnen den Zettel zeige?«

»Natürlich«, sagte Lohmann großzügig. »Schließlich sind wir vom BKA nicht katholischer als der Papst.«

Der Junge zog den Notizzettel aus der Hosentasche und legte ihn auf den Tisch. »Das ist die Nachsendeadresse für eine Dokumentenlieferung, die möglicherweise noch hierherkommen wird. Ich weiß aber nicht, worum es …«

»Schon gut!« Lohmann überflog die Zeilen.

Roman Schleifer
Motel One
Colmarer Str. 2
60528 Frankfurt am Main
Tel. Nr. 069 6605360
Zimmer Nr. 406
Reserviert vom 31. Mai bis 4. Juni

»Danke.« Lohmann steckte den Zettel ein. »Der Mann ist unter dem Namen *Roman Schleifer* bei Ihnen abgestiegen?«

»Ja. Heißt er in Wirklichkeit anders?«

Lohmann beantwortete die Frage nicht, sondern schob seine Visitenkarte über den Tisch. »Wenn etwas für diesen Roman Schleifer hierherkommen sollte, ganz egal was es ist, will ich das wissen. Wenn es ein Anruf ist, notieren Sie die Nummer. Wenn Sie eine Karte, einen Brief, ein Kuvert oder ein Paket erhalten, rufen Sie mich an. Was immer passiert …«

»Ich rufe Sie an!« Der Bursche schluckte und steckte die Visitenkarte ein.

»Braver Junge.« Lohmann wandte sich ab und ging durch die Lobby. *Das Motel One beim Flughafen! Was hast du dort vor? Willst du uns abhängen?* Er griff zum Handy und wählte Timboldts Nummer. Dieser nahm das Gespräch sofort entgegen, und an den Nebengeräuschen erkannte Lohmann, dass sein Kollege nicht mehr in der Tiefgarage war. »Fährst du im Wagen?«, fragte er.

»Hardy ist aus der Garage gelaufen und in ein Taxi gesprungen. Ich bin ihm mit dem Auto gefolgt. Habe ihn zwar kurz aus den Augen verloren, dann aber wieder eingeholt, allerdings nur deshalb, weil eine Baustelle einen Stau verursacht hat. Sonst wäre er weg gewesen.«

»Wohin fährt er?«

»Richtung Südwesten.«

»Zum Motel One am Flughafen«, murmelte Lohmann. »Bleib trotzdem an ihm dran.« Er unterbrach die Verbindung und wählte die Nummer des Motels von Hardys Zettel.

»Flughafenhotel Motel One, wie kann ich Ihnen helfen?«, säuselte eine junge Frauenstimme.

»Guten Tag, hier spricht Kriminalhauptkommissar Harald Lohmann vom Bundeskriminalamt Wiesbaden.« Er ging zur Drehtür Richtung Ausgang. »Unseren Informationen zufolge steigt heute ein Gast unter dem Namen Roman Schleifer bei Ihnen ab, der das Zimmer mit der Nummer 406 reserviert hat.«

»Ich darf Ihnen keine telefonischen …«

»Ich bin noch nicht fertig«, sagte Lohmann und hörte, wie die Frau, mit der er sprach, im Hintergrund auf ihrer Tastatur tippte. »Falls Sie eine Postlieferung für diesen Mann mit einem Nachsendeauftrag vom Mercure City Center erhalten, möchte ich Sie bitten, dass Sie sich mit mir in Verbindung setzen und …«

»Es tut mir leid«, unterbrach ihn die Frau. »Normalerweise darf ich Ihnen keine Auskünfte geben, aber in diesem Fall haben wir ohnehin keine Reservierung auf den Namen Roman Schleifer.«

Lohmann rief sich die Informationen des Zettels in Erinnerung. »Zimmer Nummer 406?«, wiederholte er.

»Weder auf diese noch auf eine andere Zimmernummer.«

»Vom einunddreißigsten Mai bis zum vierten Juni?«

»Nein, tut mir leid.«

»Haben Sie eine Reservierung auf den Namen Thomas Hardkovsky?«, fragte er und buchstabierte den Namen.

»Einen Moment … nein, tut mir leid.«

Lohmanns Halsschlagadern schwollen an. »Hatten Sie in den letzten Tagen einen Gast bei Ihnen, etwa fünfzig Jahre alt mit grauem Bürstenhaarschnitt?«, fragte Lohmann und gab eine detaillierte Personenbeschreibung von Hardy durch, obwohl er bereits wusste, dass das nichts brachte.

»Nein, nicht als ich Dienst hatte.«

»Danke.« Lohmann legte auf. *Verfluchte Scheiße!* In diesem Moment läutete sein Handy. Timboldts Nummer leuchtete auf. Er ging sofort ran und brüllte ins Telefon: »Lass Hardy auf keinen Fall entwischen!«

»Ja, das sagst du so leicht«, murrte Timboldt, und Lohmann merkte schon am Klang der Stimme, dass Timboldt fuchsteufelswild war. »Ich habe das Taxi endlich eingeholt und jetzt gerade gesehen, dass kein Fahrgast mehr drin sitzt, obwohl das Taxischild immer noch aus ist.«

»Fährst du überhaupt hinter dem richtigen Taxi her?«

»Ich bin kein Anfänger!«, schnaubte Timboldt.

»Dann benimm dich nicht so!«

»Hardy muss vor der Baustelle rausgesprungen sein, bei einer der U-Bahn-Stationen.«

Fuck!

Lohmann legte auf.

Hardy und Nora liefen zur U-Bahn hinunter und sprangen in den nächstbesten Zug, der gerade im Begriff war abzufahren.

»Das ist die falsche Richtung«, keuchte Nora.

Hardy langte zum Haltegriff an der Decke. »Ich weiß.«

»Wir wollen nicht wirklich zum Motel One, stimmt's?«

»Nein. Wir suchen uns ein anderes Hotel im Norden der Stadt.«

»Ich verstehe das alles nicht.«

»Ich erkläre es dir, wenn wir dort sind.«

41. KAPITEL

Krzysztof hielt mit dem Lieferwagen vor dem Hauptgebäude des BKA. »Da willst du rein?«

»Wenn ich etwas erfahren will, ja«, antwortete Sneijder.

»Soll ich wieder für Tumult sorgen?«

»Das würde hier nicht funktionieren, und ich hätte nicht mal die Möglichkeit, dich nachher aus der U-Haft herauszuholen.« Sneijder rollte den Gurt des Schulterholsters um die Waffe und stopfte alles in das Handschuhfach. »Pass in der Zwischenzeit gut darauf auf.«

»Wohin fahren wir danach, wenn du hier fertig bist?«

»Kommt darauf an, was ich erfahre«, sagte Sneijder.

»Hast du keinen Plan?«

»Diesmal nicht.« Sneijder stieg aus und überquerte die Straße.

Natürlich hatte er einen Plan, aber Krzysztof musste nicht alles erfahren.

Sneijder stieg die Treppen zum BKA-Haupteingang hinauf, betrat das Gebäude durch die Drehtür und kam zum Schalter des Pförtners. Falcone hatte Dienst.

»Auch mal wieder im Lande?«, stellte der Italiener fest.

»Ersparen Sie mir den Smalltalk, Falcone. Ich brauche einen Besucherausweis.«

»Wen besuchen Sie denn diesmal? Lohmann ist nicht im Haus.«

»Ich weiß«, sagte Sneijder. *Verdomme!* Damit hatte er nicht gerechnet. »Mein Bild von der niederländischen Königsfamilie hängt immer noch in seinem Büro«, sagte er rasch. »Lohmann weiß, dass ich es abhole.«

»Und wie kommen Sie in sein Büro?«

»Seine Sekretärin wird es mir geben.«

»In Ordnung.«

Sneijder klemmte sich das Besucherschild an das Revers seines Sakkos, schob seinen Ausweis durch den Schlitz zu Falcone, ging durch den Metalldetektor, ließ sich von der Beamtin des Haussicherungsdienstes durchsuchen und ging anschließend zu den Fahrstühlen.

Sneijder fuhr jedoch nicht in die Etage, in der sein früheres Büro lag, sondern stieg ein Stockwerk darunter aus. Sein Weg führte ihn in die Abteilung des Erkennungsdienstes, wo die Anfragen zu Fingerabdrücken und Gesichtserkennung eingingen.

Dort arbeitete Erika. Eine Kollegin, von der Sneijder mal vor vielen Jahren tierisch angebaggert worden war, bis sie erfahren hatte, dass er mit einem Mann liiert war. Und weil er sie – aus einem Grund, den er bis heute selbst nicht verstanden hatte – nicht vor allen gedemütigt und bloßgestellt hatte, wie er es sonst bei jedem anderen getan hätte, war sie ihm immer freundlich gesinnt geblieben. Seitdem konnte er von ihr jederzeit alles haben – sofern es bei Beruflichem blieb!

Sneijder lief durch das Großraumbüro an vielen Kollegen vorbei, die ihre Arbeit unterbrachen und ihn wie einen Geist anstarrten. Einige von ihnen hatte er an der Akademie unterrichtet, andere kannte er von gemeinsamen Fällen.

»Welch hoher Besuch«, murmelte jemand mit süffisantem Ton vom hinteren Ende des Raums.

Sneijder reagierte nicht.

Erika hob den Kopf, sah zum Eingang und erkannte Sneijder. Als er vor ihrem Schreibtisch ankam, ordnete sie ihre rote Mähne. Eigentlich war sie hübsch, und er fasste es sogar als Kompliment auf, dass sie sich einmal für ihn interessiert hatte.

»Immer noch suspendiert, Mister Superschlau?«, flüsterte ein anderer hinter Sneijders Rücken.

»Passt auf, dass euch der Schlächter von Rotterdam nicht über den Haufen schießt«, zischte ein anderer.

»Hallo Maarten«, sagte Erika. »Lass dir von den Idioten kein Gespräch aufzwingen.«

»Hab ich noch nie! Abgesehen davon tut es mir leid, dass ich Zeit meines Lebens so gemein zu denen war. Könnte ich die Zeit zurückdrehen«, sagte er und setzte sein Leichenhallenlächeln auf, »wäre ich noch viel schlimmer zu ihnen gewesen.«

»So gefällst du mir. Setz dich.« Sie schob ihm einen Stuhl hin. »Tee?«

»Danke, so viel Zeit habe ich nicht. Bist du mit Daedalos verbunden?«

»Seit sechs Monaten.«

Perfekt! Daedalos war ein komplexes Datenbanksystem und hieß nicht zufällig so wie der Baumeister des Labyrinths aus der griechischen Mythologie. Die Abkürzung stand für *Durchsuchung aller europaweiten Datenbestände und aller landesweit organisierten Systemdatenbanken.* Daedalos war seit vier Jahren im Einsatz und erleichterte die Arbeit des BKA erheblich.

Erika klickte herum, woraufhin das Logo einer blauen Pyramide erschien. Sie loggte sich ein. »Yep! Was brauchst du denn?«

Sneijder senkte die Stimme. »Ich möchte wissen, welche Akten sich Tina Martinelli und Sabine Nemez zuletzt angesehen haben.« Er nannte ihr die Dienstnummern seiner ehemaligen Studentinnen.

Während Erika am PC tippte, beruhigten sich die Kommentare im Büro langsam, und die Kollegen gingen wieder ihrer normalen Beschäftigung nach.

»Hier ist ein Vermerk von Frau Klement aus dem Archiv, dass sich Martinelli eine gesperrte Akte der Dienstaufsichtsbehörde ansehen wollte.«

Sneijder nickte. Er wusste, dass diese Akte schon seit jener Zeit fehlte, als Hess Präsident geworden war. »Und Nemez?«

Erika startete eine Suchabfrage mit Sabine Nemez' Dienstnummer. »Sie hat sich zuletzt die Online-Akte von Thomas Hardkovsky angesehen.«

»Wann?«

»Gestern um vierzehn Uhr.«

»Ist sie seitdem irgendwo online gewesen?«

»Nein – ups, ich sehe gerade, dass ihr der Zugang zum Archiv gesperrt worden ist.«

»Wann?«

»Gestern, während sie zum letzten Mal online war.«

»Wer hat das veranlasst?«

»Sehe ich nicht.«

Nemez und Martinelli waren der Gruppe 6 schon ziemlich dicht auf den Fersen und auch schon auf Hardys Spur gestoßen. Möglicherweise war Nemez ihm sogar schon in die Quere gekommen. Es gab nur eine Möglichkeit, das zu erfahren: Er musste Hardy finden!

»Weißt du, ob Nemez mittlerweile zum Dienst erschienen ist oder Timboldt irgendwelche Maßnahmen eingeleitet hat, sie zu finden?«

»Sie ist eine ehemalige Schülerin von dir, nicht wahr?«

Sneijder nickte.

Erika musterte Sneijder eindringlich. »Dass ich mal den Tag erlebe, an dem du dir ernsthaft Sorgen um jemand anderen machst, hätte ich nicht gedacht.«

»Ich mache mir keine …«

»Ja, schon gut«, unterbrach sie ihn und griff zum Telefon. Nach zwei kurzen Gesprächen blickte sie Sneijder ernst an. »Beides negativ. Timboldt weiß zwar, dass Nemez abgängig ist, hat aber nichts unternommen.«

Verdomme! Andererseits hatte Sneijder auch nichts anderes von Timboldt erwartet. Er rückte mit dem Drehstuhl näher zu Erika heran. »Ich brauche eine Handypeilung und eine Datenrückverfolgung von Sabines letztem Telefonat.«

»So ernst?«

»Ja.« Irgendwie hatte er das Gefühl, dass sein Eichkätzchen mächtig in der Klemme steckte.

»Gut, in der Mobilfunkforensik der IT-Abteilung gibt es einen jungen Mann, Marc Krüger, der kann das für mich erledigen, aber das wird dauern. Warum fragst du nicht Lohmann? Der kommt schneller an die Daten ran.«

»Ausgerechnet den kann ich nicht fragen.« Solange Sneijder nicht wusste, wem er vertrauen konnte und wem nicht, war es besser, nicht zu viel Staub aufzuwirbeln. »Ruf mich an, sobald du etwas hast. Danke.« Er stand auf und ging zur Tür.

»Vorsicht, Leute«, wisperte einer der Kollegen, der Sneijder bereits vorhin angepisst hatte. »Legt eure Schusswesten an«, fügte er etwas lauter hinzu, »Sneijder geht durchs Gebäude.«

Als Sneijder die Bürotür erreichte, drehte er sich um und sprach den Mann an. »Weißt du eigentlich, dass sich die meisten Arbeitskollegen fragen, warum deine Mutter dich nicht weggeworfen und stattdessen den Storch behalten hat?«

Einige grinsten nun, während der Angesprochene zornig mit dem Kiefer mahlte.

Sneijder wartete keine Antwort ab, sondern ging zu den Fahrstühlen, die zu Lohmanns Büro führten.

»Was ist das für ein Bild?«, fragte Krzysztof, der sich aus dem Fenster gelehnt hatte und nun Sneijder zusah, wie er mit einem gerahmten Foto auf das Auto zuging.

»Die niederländische Königsfamilie.«

»Die haben einen König?«

»Ja, schon ziemlich lange, und während du im Knast warst, hat sich das auch nicht geändert.« Sneijder verstaute das Bild hinter dem Beifahrersitz und stieg ein.

»Wohin fahren wir?«

»Nach Rüsselsheim.«

»Ich nehme an, zu Otto Gedecker«, vermutete Krzysztof.

Sneijder nickte.

»Siehst du, ich bin gar nicht so doof, wie du aussiehst.« Grinsend startete Krzysztof den Wagen.

42. KAPITEL

In Rüsselsheim hatten sie erfahren, dass Otto jeden Freitag und Samstag um diese Zeit in Mickys Boxclub trainierte.

Krzysztof parkte seinen Lieferwagen direkt vor dem Eingang der stillgelegten Fabrik am Mainufer, stieg aus und schob das Rolltor hoch. Diesmal ließ Sneijder seine Waffe nicht im Wagen, sondern legte das Schulterholster an, knöpfte das Sakko zu und betrat die Halle. Unmittelbar hinter dem Eingang stand ein Radiogerät auf dem Boden. Als Antenne diente ein Draht, der mit Klebeband an einer Eisenstange befestigt war. Links führte eine halb offene Tür zu den Umkleidekabinen. Auch dort stand ein altes Radio mit Kassettendeck auf einer Sitzbank. Von einem modernen Soundsystem hielt der Eigentümer wohl nichts.

Während Krzysztof im Hintergrund blieb, marschierte Sneijder durch den Gang und die Brandschutztür und betrat die Trainingshalle. Schweißgeruch hing in der Luft. Keine Musik, nur das Schnaufen und Stöhnen einiger Männer und Frauen erfüllte den Raum, die im Ring tänzelten oder an Schlagpolstern, Punchingbällen und Sandsäcken trainierten. Sneijder sah sich kurz um, erkannte Otto und ging auf ihn zu.

Der Mann trug ein verschwitztes T-Shirt, eine weite schwarze Boxerhose und unterrichtete zwei junge Männer in Uppercuts.

»Otto Gedecker.« Sneijder hob den Blick, doch der Mann ignorierte ihn, woraufhin Sneijder ein weißes Handtuch vom Boden aufhob und es Otto zwischen die Beine warf.

Otto fuhr fuchsteufelswild herum. »Was zum …?«, schnaubte er.

»Der Kampf ist zu Ende«, sagte Sneijder. »Ich mache es kurz: Ich brauche Informationen von Ihnen.«

Otto sah vom Ring auf Sneijder herunter, und plötzlich grinste er breit. »Maarten Sneijder!«, rief er lang gedehnt, als wären sie gute Freunde und hätten sich schon seit vielen Jahren nicht mehr gesehen. Doch beide wussten, dass es anders war.

»Maarten S. Sneijder«, korrigierte Sneijder ihn.

»Wenn schon. Ist mir scheißegal! Ich habe meine Strafe abgesessen und mache nichts Illegales mehr. Sie können mich mal! Und selbst wenn Sie mich freundlich darum bitten würden, würde ich Ihnen kein Wort sagen, *mijn heer Sneijder*«, sagte Otto mit niederländischem Akzent.

»Es heißt *meneer*, du Primat!«

»Leck mich!«

»Wo finde ich Thomas Hardkovsky?«

»Keine Ahnung. Und jetzt raus hier. Ich kann mich nicht erinnern, dass Sie Mitglied in meinem Club wären.«

»Anscheinend erreicht man hier mit netten Worten und einer Waffe mehr als nur mit netten Worten«, stellte Sneijder fest.

»Bestimmt.« Otto lächelte gefährlich. »Aber wo ist denn Ihre Waffe? Ich habe gehört, Sie sind nicht mehr im Dienst?«

Sneijder ließ das Sakko zu. »Das ist meine Waffe.« Er drehte sich um und sah, wie Krzysztof die Halle betrat.

Ottos Gesichtszüge versteinerten im selben Moment. Krzysztof kam zum Ring und schlüpfte aus seinem T-Shirt. Nicht nur für Sneijder war klar zu erkennen, dass der Körper des Polen nur aus Muskeln und Sehnen bestand. Brust und Schultern waren mit Kreuzen und Bibelsprüchen in gotischer Schrift tätowiert. Er musste im Knast viel Zeit gehabt haben.

»Darf ich?«, fragte Krzysztof.

»Ja, und wenn es sein muss, brich ihm alle Knochen. Ich möchte wissen, wo Hardy ist. Wir haben es eilig.«

Während Krzysztof in den Ring kletterte, zwängten sich die beiden jungen Männer, die Otto unterrichtet hatte, rasch durch die Seile hinaus.

Otto trat einen Schritt zurück an die Bande. »Vergiss es! Ich kämpfe nicht gegen dich.«

»Dir wird nichts anderes übrig bleiben«, antwortete Krzysztof und knackte mit den Fingerknöcheln.

»Mach ihn doch einfach fertig, Otto!«, rief jemand durch die Halle.

»Wer sich mit Krzysztof anlegt, kann auch gleich gegen den Elektrozaun eines E-Werks pinkeln«, sagte Otto und wich einen weiteren Schritt zurück.

»Herrgott!«, fluchte Krzysztof. »Mein Kühlschrank hat ja mehr Eier als du.«

»Sollen wir dir helfen?«, rief einer von Ottos Trainingspartnern hinauf.

Nun knöpfte Sneijder sein Sakko doch noch auf.

»Ist okay«, antwortete Otto, nachdem er einen kurzen Blick auf die Waffe in Sneijders Holster geworfen hatte.

»Wollen Sie Handschuhe?«, rief ein anderer zu Krzysztof.

»Sehe ich so aus, als bräuchte ich welche?« Krzysztof ballte die Faust und hielt seine mächtige Pranke in die Luft, die im Vergleich zum Rest seines Körpers überdimensioniert groß war. »Damit haue ich ihm das Gebiss raus.«

»Wir müssen das nicht tun«, sagte Otto.

»Dann sag meinem Kumpel, wo er Hardy findet.«

»Kumpel?«, wiederholte Otto. »Seit wann arbeiten Exknackis und suspendierte Bullen zusammen? Außerdem weiß ich es nicht! Warte einen Moment …«

»Von mir aus.« Krzysztof griff in seine Gesäßtasche, holte einen Flachmann heraus, schraubte den Verschluss ab und nahm einen kurzen Schluck.

Sneijder sah ihn erstaunt an. »Ich dachte, du trinkst keinen Alkohol mehr?«

Krzysztof nippte ein weiteres Mal an der Flasche und steckte sie wieder ein. »Das ist Weihwasser, gut für die Reflexe.«

Was für ein Irrenhaus! Sneijder verzog das Gesicht.

»Bereit?« Krzysztof wartete keine Antwort ab. »Der Gerechte muss viel leiden«, zitierte er einen Bibelvers, während er nun mit erhobenen Fäusten auf Otto zuging. »Und wer nicht sein Kreuz auf sich nimmt und ihm folgt, der ist seiner nicht wert.« Dann schlug er zu.

Sneijder hörte den Aufprall, wandte sich ab, ging durch die Halle und steckte sich eine Zigarette an. Hinter sich hörte er das Knallen von Fäusten, Boxhandschuhen und Ottos Stöhnen. Krzysztof war zwar um einige Jahre älter als Otto, aber kleiner, drahtiger und wendiger. Und so, wie es sich anhörte, hatte er tatsächlich Gott auf seiner Seite. Außerdem hatte Krzysztof von Geburt an die Gemeinheit mit Löffeln gefressen und kannte keine Skrupel. Deswegen war er der richtige Mann für solche Aktionen. Man brauchte Krzysztof kaum näher zu kennen, um sich zu wünschen, dass man ihm nie begegnet wäre.

Grundsätzlich verabscheute Sneijder Gewalt, andererseits kannte er Otto gut genug, um zu wissen, dass dies der einzige Weg war, innerhalb kürzester Zeit etwas aus ihm herauszubekommen.

Sneijder machte zwei langsame Runden um den Ring. Wobei er sich weniger für den Kampf, sondern vielmehr für die Radiogeräte interessierte, die, ohne dass Sneijder ein Muster erkennen konnte, im Raum verteilt herumstanden. Und zwar jeweils unter einer nackten Glühlampe, die an einem langen Kabel von der Decke hing.

Sneijder zog an seinem Joint, dann schnippte er den Glimmstängel zu Boden und trat ihn aus. »Es reicht!« Er ging zu den Seilen.

Otto lag in einer Ecke auf dem Boden. Ein Auge war geschwollen, die Lippe aufgeplatzt, und Krzysztof stand daneben und keuchte nicht einmal.

»Warum so brutal, du niederländisches Arschloch?«, presste Otto hervor. Der blutige, angespeichelte Mundschutz war ihm herausgefallen und lag neben seinem Gesicht. »Ist doch sonst nicht deine Art!«

»Bei deinem Spatzenhirn wirken subtile Gehässigkeiten zu langsam, und diesmal fehlt mir die Zeit dafür«, sagte Sneijder. »Wo ist Hardy?«

»Schalt das Radio ein«, flüsterte Otto.

Sneijder starrte Otto an, woraufhin dieser kurz zur Decke blickte und ihn dann – so gut das mit einem geschwollenen Auge ging – auffordernd ansah. Schließlich beugte sich Sneijder hinunter und legte einen Schalter des Radios um. Sogleich plärrte laute Musik daraus hervor. Dann richtete er sich wieder auf und ging ganz nahe zu den Seilen. »Also?«

»Er ist zu Antoine Tomaschewsky gegangen. Mehr weiß ich nicht«, flüsterte Otto.

Nun senkte auch Sneijder die Stimme und sprach nur mehr so laut, dass Otto ihn gerade noch verstehen konnte. »Wohnt der immer noch in Hofheim?«

»Ja, und frag nicht weiter nach, ich will keine Schwierigkeiten bekommen.«

Sneijder sah zu Krzysztof auf, nickte kurz und rief: »Sei artig und verabschiede dich. Und wenn es geht, keine weiteren Bibelverse mehr. Wir gehen!«

Krzysztof kletterte zwischen den Seilen hindurch und schlüpfte in sein T-Shirt. Die Knöchel an seinen Händen waren aufgeschlagen, aber das schien ihm nichts auszumachen. Ein paar Leute kletterten in den Ring und halfen Otto in eine aufrechte Sitzposition. Sneijder sah keine weiteren Details mehr.

Sie verließen die Halle und gingen zum Rolltor, doch bevor sie ins Freie traten, blieb Sneijder stehen und blickte sich erneut um.

»Was sollte die Sache mit dem Radio?«, fragte Krzysztof.

Sneijder starrte auf das Radio neben dem Rolltor, griff gedankenverloren nach seiner Zigarettenschachtel und steckte sich einen weiteren Glimmstängel an. »Weiß ich noch nicht. Sage ich dir in fünf Minuten.«

»Okay.« Krzysztof trat hinaus und ging zu seinem Wagen.

Unter jeder Lampe im Saal steht ein Radio. Ebenso befindet sich hier ein Gerät, und eines in der Umkleidekabine. Sneijder blickte zur Decke. *Auch hier hängt unmittelbar darüber eine nackte Glühlampe.* Sneijder zog an der Zigarette, inhalierte den Rauch tief in seine Lunge, ließ ihn eine Weile dort und atmete dann langsam aus.

Plötzlich stand Otto neben ihm. Allerdings trug er jetzt keine verschwitzte Trainingskleidung mehr, sondern Anzug und Krawatte, als wäre er gerade von einer Anhörung aus dem Gerichtssaal gekommen. Und Lippe und Auge waren unversehrt, als hätte gar kein Kampf stattgefunden.

»Ich wette, in der Umkleidekabine hängt ebenfalls eine Lampe über dem Radio«, murmelte Sneijder.

»Wie kommst du drauf?«

»Ein einfaches Gesetz von Muster, Serie und Gleichheit.«

»Sieh doch nach«, forderte Otto ihn auf.

Sneijder betrat die Kabine. *Otto folgte ihm völlig geräuschlos, als schwebte er neben ihm über den Boden.*

»Bist du paranoid?«, fragte Sneijder. »Hast du Angst, dass dich jemand über die elektrischen Leitungen abhört?«

»Nur weil ich paranoid bin, heißt das nicht, dass mich niemand auf Schritt und Tritt belauscht.«

»Wer hört dich deiner Meinung nach ab?«

»Wer hätte denn Interesse daran?«, fragte Otto.

»Ja, wer?«, murmelte Sneijder. »Es muss jemand sein, den du nicht beim BKA verpfeifen kannst.«

»Guter Tipp.«

»Das BKA selbst«, murmelte Sneijder. Er betrat die Kabine, stieg auf die Bank, klemmte die Zigarette in den Mundwinkel, streckte den Arm aus und fischte nach der Lampe, die auch hier tatsächlich über dem Radio hing. Er drehte sie ein paarmal herum und begutachtete sie. *»Hier ist nichts zu erkennen«, sagte er.*

»Dann hast du nicht genau genug nachgesehen.«

»Möglich.« Bedächtig drehte Sneijder die Glühlampe aus der Fassung, sah aber immer noch nichts. *Keine Abhörwanze! »Otto, du bist verrückt!«, stellte er fest.*

»Wenn du meinst.«

Verdomme!

Sneijder riss mit einem Ruck an dem Kabel und hielt die Fassung in der Hand. Neben ihm hingen die beiden blanken Stromkabel aus der Leitung, die gefährlich nahe an ihm vorbeischwangen. Rasch stieg er von der Bank und zerlegte die Fassung.

»Hier ist es ja«, murmelte er überrascht. Er hielt ein kleines schwarzes Plättchen in der Hand, das wie ein Miniaturdominostein aussah.

»Ich hatte also nicht unrecht.«

»Sieht ganz danach aus.« Nachdenklich verließ Sneijder die Kabine.

»Führst du Selbstgespräche?«

»Was?« Sneijder sah auf und blickte in Krzysztofs Gesicht. Der stand neben dem Rolltor und hielt Mullbinden, eine Packung Tabletten und eine Flasche Jodtinktur in den Händen.

Sneijder spürte die Wanze zwischen den Fingern. »Ich habe mich mit Otto unterhalten.«

»Mit Otto?« Krzysztof blickte irritiert durch die offene Brandschutztür in die Halle, wo Otto immer noch im Ring an die Seile gelehnt saß und sich eine Packung Eis aufs Auge drückte. »Du solltest aufhören, dieses Zeug zu rauchen.«

Sneijder deutete auf das Verbandszeug. »Was ist damit?«

»Bringe ich Otto. Als Entschädigung für den entstandenen Schaden.«

»Und du behauptest, *ich* sei verrückt?« Kopfschüttelnd ging Sneijder ins Freie und betrachtete die Wanze im Sonnenlicht.

Er hatte schon viele technische Abhörgeräte gesehen, aber so eines noch nie. Es bestand aus einem empfindlichen drahtlosen Mikrofon mit Verstärker und Minibatterie und sendete auf einer bestimmten Funkfrequenz, welcher auch immer. Das Ding war viereckig, kleiner als ein Fingernagel, und damit auch viel kleiner als die üblichen Wanzen, die das BKA verwendete. Außerdem gab es keinen Hinweis auf ein Fabrikat oder eine Seriennummer, bloß die Zeichen *3BYK* am Rand, die aussahen wie kyrillische Buchstaben.

Sneijder zerdrückte das Mikrofon zwischen den Fingernägeln und steckte die Wanze in das Münzenfach seiner Brieftasche.

Da läutete sein Handy. Die Nummer war unterdrückt. Trotzdem ging Sneijder ran, da ihm ein mulmiges Gefühl verriet, dass es wichtig sein musste. »Hallo?«

»Hallo, Maarten«, sagte eine ihm bekannte Stimme mit leicht niederländischem Akzent. »Wie weit bist du?«

Aus dem Augenwinkel sah Sneijder, wie Krzysztof mit leeren Händen die Fabrik verließ, zu seinem Wagen ging und einstieg. »Ich mache Fortschritte, stehe aber noch am Anfang«, antwortete er. »Ich dachte, wir würden nicht miteinander telefonieren.«

»Nur dieses eine Mal«, sagte der Mann am anderen Ende der Leitung. »Es hat begonnen. Dietrich Hess ist vor zwanzig Minuten seinen Verletzungen erlegen und im Krankenhaus gestorben.«

Sneijder schloss kurz die Augen und massierte seine Nasenwurzel. *Godverdomme!* Hess war stets ein zuverlässiger Feind gewesen, der ihm lieber war als alle unzuverlässigen Freunde. Trotzdem hätte Sneijder nie gedacht, dass es ihn so hart treffen würde. »Okay, danke«, krächzte er.

Mehr gab es nicht zu sagen.

Sneijder nahm das Handy herunter und unterbrach die Verbindung zu Dirk van Nistelrooy. Dann stieg er zu Krzysztof in den Wagen.

43. KAPITEL

Dienstag, 31. Mai

Das bungalowartige Motel *Car-Rest* lag am nördlichen Stadtrand von Frankfurt, zwischen einem Einkaufszentrum, der Auffahrt zur Autobahn und einem großen Parkplatz, auf dem einige LKWs standen.

Hardy betrat das Foyer, ging aber nicht gleich zum Empfangspult, sondern zu einem Drehständer mit Büchern, den er neben einem Cola-Automaten entdeckt hatte. *Für unsere Gäste zur freien Entnahme,* stand auf einer Tafel. Während der Fahrt mit dem Bus hatte er die letzte Seite von *Der Fänger im Roggen* gelesen. Caulfield war vom Jugendlichen zum Mann gereift, und er trug seine Schirmmütze nicht mehr verkehrt, sondern richtig herum.

»Soll ich schon mal zur Rezeption gehen und ein Zimmer für dich buchen?«, fragte Nora.

»Ja, danke, ich komme gleich.«

Nora verschwand, und Hardy warf einen letzten Blick auf Lizzies Widmung auf der ersten Seite. *Im Grunde deines Herzens bist du immer noch ein Kind. Bleib so.* Es wurde Zeit, Abschied davon zu nehmen. Er stopfte das Buch in den Ständer; jetzt brauchte er ein neues. Schwungvoll drehte er das Gestell, streckte den Zeigefinger aus und sah zu, wie die Bücher an ihm vorbeiglitten. Endlich blieb der Ständer stehen, und Hardys Finger zeigte auf eine Ausgabe von *Wem die Stunde schlägt* von Hemingway. *Prima!*

Er nahm den Wälzer, ging zur Rezeption und legte ihn auf den Tresen. Es war das erste Buch, das ihm seit zwanzig Jahren nicht durch den Botendienst im Knast zugestellt worden war, sondern das er sich selbst in Freiheit besorgt hatte. Hardy fand, dass das ein denkwürdiger Moment war.

Wem die Stunde schlägt!

Hemingway hätte das bestimmt gefallen.

Zehn Minuten später betraten Nora und er sein Zimmer. Die Fenster waren schalldicht und zeigten auf das Bad Homburger Autobahnkreuz. Hinter den Bungalows lag eine Wiese, in der sich sogar ein kleiner runder Pool befand, mit einem schmalem Holzsteg und drei Liegestühlen.

Nora blickte auf die Uhr. »Um achtzehn Uhr beginnt meine Abendschicht im Panda, das heißt, ich habe noch eine knappe Stunde Zeit, bis ich los muss.«

Hardy zog die Waffe unter seiner Jacke hervor, nahm das Bargeld aus der Sporttasche und verstaute beides im Safe. Die Akten passten nicht hinein, darum stopfte er sie zwischen Lattenrost und Matratze unters Bett.

»Du hast eine Waffe?«, entfuhr es Nora.

Er antwortete nicht, sondern trug seine Kosmetikartikel ins Bad, legte seine beiden Sweatshirts in eine Lade und stellte die leere Tasche in den Schrank.

»Hast du mich gehört?«, fragte sie.

»Ja.« Hardy warf einen neuerlichen Blick aus dem Fenster, dann sah er zu Nora. »Draußen ist kein Mensch. Gehen wir raus zum Pool«, schlug er vor. Er nahm zwei Handtücher aus dem Schrank, öffnete die Minibar, zog zwei Flaschen Ice-Breezer heraus, schnappte sich den Flaschenöffner und ging zur Tür.

Nora folgte ihm, und er merkte an ihrem Blick, dass sie mächtig sauer war.

Durch den Hinterausgang der Motelanlage betraten sie den eingezäunten Garten. Hardy belegte zwei Liegen mit den Handtüchern, öffnete die Flaschen, reichte Nora eine und legte sich auf eine Liege. Nora setzt sich neben ihn.

»Ich werde von vier BKA-Ermittlern beobachtet. Ehemalige Kollegen«, begann er, streckte die Beine aus und blickte auf die spiegelglatte hellblaue Wasseroberfläche, die in der Nachmittagssonne glitzerte. »Du hast ihre Fotos in den Personalakten gesehen. Rohrbeck, Hagena, Timboldt und Lohmann. Und dann ist da noch jemand in einem schwarzen Lada Taiga, der mich seit meiner Entlassung verfolgt. Ich bin sicher, dass sie mich hier nicht finden werden.«

»Warum das alles? Du bist ein freier Mann.«

»Solange ich mich ruhig und unauffällig verhalte, schon, aber sie wissen, dass das nicht so bleiben wird.«

»Und was ist mit meiner Wohnung und meinem Job im Panda?«

»Die überwachen dich bestimmt auch. Und ich fürchte, dort bist du nicht sicher.«

»Nicht sicher?«, rief sie. »Und was heißt *überwachen*?«

Die ganze Geschichte kam ihr vermutlich wie ein surrealer Albtraum vor. »Wahrscheinlich sind sie es, die mir vor zwanzig Jahren den Mord angehängt haben. Jetzt haben sie sich vermutlich wieder zusammengetan, um mich zu erledigen, sobald ich den Mund aufmache.«

»Kannst du nichts gegen die vier unternehmen? Ich meine offiziell und legal?«

Hardy gab keine Antwort. Das alles hatte er bereits versucht. Er nahm einen Schluck aus der Flasche. »Der Kerl im Geländewagen macht mir mehr Sorgen. Der ist cleverer als die anderen – und ich habe das Gefühl, dass er nicht zu ihnen gehört.«

Nora blinzelte kurz in die Sonne, dann sah sie Hardy an. »Vermutlich wirst du sowieso nicht auf mich hören, aber ich bitte dich, deine Pläne, was immer du vorhast, aufzugeben. Lass es! Es bringt nichts!«

»Ich …«

»Thomas Hardkovsky! Hör mir zu!« Sie hatte die Hand erhoben. »Versuch doch endlich ein normales Leben zu führen. Wir beide schaffen das, ich helfe dir dabei.«

Gott, wie viel Überwindung musste sie dieser Satz gekostet haben? Nun setzte er sich ebenfalls auf, stellte die Flasche weg und nahm ihre Hand. »Nora, ich muss das tun. Und ich verspreche dir …«

»Deine Versprechen!« Zornig zog sie ihre Hand zurück.

»Ich verspreche dir, dass ich dich, wenn alles erledigt ist, aus diesem tristen Leben heraushole.«

»Wieder mal? Und wieso glaubst du überhaupt, dass ich das will? Mir gefällt mein Leben. Und womit willst du mich *rausholen*?« Bei dem letzten Wort versuchte sie, seinen theatralischen Tonfall nachzuäffen. »Mit diesen fünfzehntausend Euro? Die reichen gerade mal für ein Jahr, dann ist das Geld weg. Außerdem bin ich mir nicht einmal sicher, ob ich überhaupt etwas davon haben will. Wer weiß, woher die stammen!«

»Drogengeld ist es jedenfalls keines«, versicherte Hardy ihr. »Das ist damals vollständig in meinem Haus verbrannt. Offenbar stammt das hier aus Christiane Tomaschewskys Immobilienfirma.«

»Klingt verlockend«, sagte Nora zynisch. »Ich habe nie in Reichtum gelebt und bin es gewohnt, den Gürtel enger zu schnallen – und solange es mir nicht so dreckig geht, dass ich ihn mir um den Hals legen muss, versuche ich ein anständiges Leben zu führen.«

Okay, das war ein klares Statement!

Zwei Wildenten zogen lange Kreise über die Bungalowanlage, setzten zur Landung an und glitten schließlich nebeneinander in den Pool.

Hardy sah den Tieren fasziniert zu, wie sie im flachen Fußbecken standen und ihre Flügel putzten, dann blickte er Nora wieder an. »Du hast mir bis jetzt genug geholfen, den Rest kann ich allein erledigen. Du musst mir einfach nur vertrauen. Noch ein paar Tage Geduld haben.«

»Das würde ich gern, aber …«

»Geh mit mir ins Ausland!«

Sie sah ihn an, als könnte sie nicht fassen, was er ihr soeben vorgeschlagen hatte. »Ins Ausland? Bist du verrückt? Wohin denn?«

»Das kann ich dir noch nicht sagen, aber ich habe einen Plan.«

»Ach, einen Plan?«

»Schau …« Hardy dachte nach, dann nahm er Noras Anhänger und drehte ihn zwischen den Fingern. »Du vertraust auf Gott, und ich vertraue darauf, dass mein Schicksal mich lenkt.«

»So ein Bockmist!« Sie schlug seine Hand beiseite. »Ich weiß nicht, wohin dein Schicksalsgott dich führt, aber wenn er diese Richtung beibehält, schlage ich vor, dass ihr euch trennt und er allein weitergeht.«

»Nora, ich …«

»Was soll das? Heimliche Übergaben im Taxi, geheime Dokumente, Verfolgung und Flucht! Das alles macht Lizzie nicht mehr lebendig.«

Bei der Erwähnung von Lizzies Namen zuckte Hardys Augenlid erneut, und er verzog schmerzhaft das Gesicht. *Verdammte Kopfschmerzen!* Jedes Mal, wenn er an sie dachte.

»Was hast du?«

»Kopfschmerzen«, knurrte er.

Nora nahm ihre Flasche, die vom Eisschrank immer noch kühl war, und drückte sie ihm an die Schläfe. »Besser?«

»Ja.« Er schloss die Augen.

»Du hattest schon als Kind regelmäßig Kopfschmerzen«, stellte sie fest.

»Tatsächlich?« Diese Zeit lag so lange zurück, dass er sich gar nicht mehr daran erinnern konnte.

Er nahm Noras Hand und legte seinen Kopf gegen ihren Arm und das kühle Glas. Dann sah er sie an und senkte die Stimme. »In der U-Haft wurde eine posttraumatische Belastungsstörung diagnostiziert. Natürlich war das Gutachten getürkt.«

Nora wollte etwas sagen, doch er legte ihr den Finger auf die Lippen. »Tatsächlich haben meine Kopfschmerzen eine andere Ursache«, fuhr er fort. »Nachdem mich die Wärter eines Tages bei einer Zellenkontrolle zusammengeschlagen haben, haben sie ein MRT durchgeführt. Bei der Untersuchung haben sie an einer Stelle im Kopf eine andere Dichte festgestellt. Einen Gehirntumor.«

Hardy bemerkte, wie sie zusammenzuckte.

»Er ist gutartig«, beruhigte er sie. »Auch wenn er manchmal höllische Schmerzen verursacht, aber eine OP war bisher noch nicht notwendig.« Er griff nach ihrer anderen Hand, nahm ihren Zeigefinger und führte ihn zu seinem rechten Auge. »Er sitzt genau dahinter.«

»Hardy, ich …«

»Er drückt auf die Nerven, aber mir bleiben voraussichtlich noch zehn Jahre ohne Operation – und die möchte ich mit dir verbringen.«

Nora löste sich aus seinem Griff, nahm die Flasche herunter und rückte etwas von ihm ab. »Puh, das ist im Moment alles etwas viel für mich.«

»Ich will weg von hier, das alles hinter mir lassen, neu anfangen und meinen nächsten Geburtstag mit einem Cuba Libre in der Hand unter einem Sonnenschirm am Strand verbringen. Mit dir.«

»Ich kann nur auf Deutsch Lippenlesen.«

»Mit dir!«, wiederholte er.

Nora stand auf. »Ich muss los.«

Er erhob sich ebenfalls. »In ein paar Tagen bin ich mit dieser ganzen Scheiße fertig. Versprochen! Denk in Ruhe darüber nach, ob du hierbleiben willst, in dieser miesen Gegend, mit diesem schrecklichen Vermieter und deinem Job im Panda.«

»Mein Leben besteht aus mehr als nur aus dem, was du gerade aufgezählt hast. Ich habe *hier* meine Mutter, Freunde, ein Haustier, Termine, Hobbys, Interessen und Verpflichtungen. Deine gesamten Besitztümer passen in eine Sporttasche, und du kannst schon heute Abend nach Griechenland abhauen, wenn du willst.« Automatisch hatte sie ihre hitzigen Worte mit Gesten der Gebärdensprache verstärkt.

»Ich habe eher an Uruguay gedacht.«

»Warum? Weil die kein Auslieferungsabkommen mit Deutschland haben?« Plötzlich musste sie lachen, und dabei sah sie so entzückend aus wie früher. Dann blickte sie ihn vorwurfsvoll an. »Du solltest dich mal sehen«, sagte sie und wischte mit der Hand über seine Kleidung. »Trägst du das eigentlich schon seit deiner Entlassung?«

Entgeistert starrte er sie an. »Sorry, aber ich hatte noch keine Zeit, bei Gucci und Armani shoppen zu gehen.«

»Neben dem Motel ist ein Einkaufszentrum. Kauf dir was!«

»Das hat Zeit.«

»Nein, hat es nicht.« Sie näherte sich ihm, und im ersten Moment sah es so aus, als wollte sie ihn umarmen und ihm einen Kuss geben.

Hardy wollte sie an sich ziehen, doch da gab sie ihm einen kräftigen Schubs. Er stolperte, strauchelte und fiel rücklings in den Pool. Augenblicklich stoben die beiden Wildenten schnatternd auseinander und flatterten davon. An dieser Stelle war das Becken nur einen halben Meter tief, und Hardy saß bis zu den Schultern im Wasser. *Wie in alten Zeiten,* dachte er und musste an das Hallenbad denken, wo Nora ihn ins Becken gestoßen hatte, wenn er sie wieder einmal zu viel geärgert hatte.

Nachdem er sich das Wasser aus dem Gesicht gewischt hatte, sah er, wie Nora zum Gartentor lief. »Du Biest!«, rief er ihr nach, obwohl er wusste, dass sie ihn nicht hören konnte.

Bevor sie verschwand, drehte sie sich kurz um. »Kauf dir ein paar schicke Hemden und Hosen, wenn du wieder trocken bist!«

44. KAPITEL

»Schon mal einen Liter Blut durch die Nase gespendet?«, brüllte Krzysztof, wartete aber keine Antwort ab.

Antoine Tomaschewsky flog durch sein Wohnzimmer und krachte gegen die Schrankwand. Vasen, Bücher und Kerzenständer polterten zu Boden, die Tomaschewsky unter sich begruben. Stöhnend wollte er sich davon befreien und sich aufrappeln, doch Krzysztof stand bereits über ihm, packte ihn am Hemdkragen und zerrte ihn durchs Wohnzimmer auf die Terrasse.

»Wenn ich mit dir fertig bin, wird sogar Google Probleme haben, dich zu finden!«, brüllte Krzysztof, schleifte den Hausherren zum Rand des Swimmingpools, packte ihn am Genick und tauchte ihn mit dem Kopf unter Wasser.

Sneijder blickte auf die Armbanduhr.

Wenn man nicht trainiert war, begann der Schluckreflex nach vierzig Sekunden. Aber das alles musste nicht sein …

»Wie lange willst du noch warten?«, fragte Krzysztof.

Sneijder starrte erneut auf die Uhr. Es war zwei Uhr nachmittags. Rasch schüttelte er die Vision ab. Er wollte es nicht so weit kommen lassen. Krzysztof und er standen vor Antoine Tomaschewskys Haustür und warteten darauf, dass ihnen geöffnet wurde.

»Er ist nicht zu Hause«, murrte Krzysztof.

»Er *ist* zu Hause!« Sneijder läutete erneut an der Tür.

»Was macht dich so sicher?«

»Ich kenne diesen ganzen Clan. Otto hat ihn bestimmt angerufen und vorgewarnt, dass wir kommen. Falls Tomaschewsky vor diesem Anruf nicht zu Hause war, ist er danach bestimmt heimgefahren, schon allein deshalb, um zu verhindern, dass wir uns gewaltsam Zutritt zu seiner Villa verschaffen.« Sneijder legte den Daumen auf den Klingelknopf und nahm ihn nicht mehr herunter.

Nach einer Minute öffnete sich die Tür. Tomaschewsky stand im Türrahmen. Er trug ein weißes Hemd, eine helle Leinenhose und elegante Segeltuchschuhe. »Ist ja schon gut!«

Sneijder nahm den Finger von der Glocke. »Ich nehme an, Sie wissen, wer wir sind.«

»Maarten Sneijder«, sagte Tomaschewsky. »Ich habe Sie mir immer kleiner vorgestellt.«

Sneijder korrigierte seinen Namen nicht. *Diesmal nicht!* Stattdessen hielt er drei Finger hoch. »Ich will es kurz machen. Sie haben drei Möglichkeiten. Erstens: Sie ziehen eine Waffe und fordern uns auf zu verschwinden, was wir aber nicht tun werden, da wir selbst bewaffnet sind. Außerdem sehe ich, dass Sie keine Waffe tragen.« Er zog sein Sakko auf und ließ Tomaschewsky einen Blick auf das Schulterholster werfen.

Tomaschewsky blickte kurz hin. Danach sah er Krzysztof irritiert an. »Und weiter?«

»Zweitens«, sagte Sneijder. »Mein Kollege hier zerrt Sie eine Runde durch Ihr ganzes Haus, wischt mit Ihnen den Boden auf, bricht Ihnen ein paar Finger, schleift Sie zum Pool und hält Sie so lange unter Wasser, bis Sie sich die Seele aus dem Leib gekotzt haben. Aber ehrlich gesagt verabscheue ich diese Art der Kommunikation.«

»Wir haben keinen Pool«, behauptete Tomaschewsky.

Sneijder blickte zur Hausecke, wo neben einer Wäschespinne mit Handtüchern ein Karton stand. »Dann sind die Chlortabletten wohl für den Geschirrspüler und die kaputte Luftmatratze auf der Wiese für die Badewanne?«

Tomaschewsky kniff die Augen zusammen. »Und drittens?«

»Drittens«, sagte Sneijder. »Wir können auf all das verzichten, wenn Sie mir eine Frage beantworten.«

Tomaschewsky schluckte. »Welche?«

Statt einer Antwort zog Sneijder seine Brieftasche aus dem Sakko. Aus dem Augenwinkel sah er, dass Krzysztof enttäuscht die Schultern sinken ließ. *Keine Sorge, das ist erst der Anfang. Du wirst noch auf deine Kosten kommen!*

Er klappte die Börse auf, öffnete das Münzenfach, holte die Abhörwanze mit dem kaputten Mikrofon hervor und hielt sie zwischen den Fingern in die Nachmittagssonne. Stumm zeigte er mit dem Kinn drauf.

Tomaschewsky zögerte einen Moment, dann hatte er verstanden und nickte ebenfalls. Kurz deutete er mit der Hand nach oben zur Lampe, die einen knappen Meter über seinem Kopf im Flur hing, und legte anschließend den Finger auf die Lippen.

Sneijder hatte verstanden. »Wir suchen Thomas Hardkovsky. Hatten Sie in den letzten neun Tagen Kontakt zu ihm?«

»Nein, den habe ich schon seit vielen Jahren nicht mehr gesehen.«

»Gut, danke, sollte er sich bei Ihnen melden, rufen Sie mich an, hier ist meine Karte.« Statt eine Visitenkarte zu überreichen, ließ Sneijder die Wanze wieder in seiner Brieftasche verschwinden und steckte sie in sein Sakko. »Auf Wiedersehen.«

»Auf Wiedersehen.« Tomaschewsky trat einen Schritt zurück in den Flur und machte für ihn Platz.

Sneijder folgte ihm leise. Krzysztofs Stirn legte sich in Falten, als hätte er Dutzende Fragen, doch bevor er etwas sagen konnte, bedeutete Sneijder ihm, ebenfalls still zu sein. Nun hatte auch Krzysztof Sneijders Taktik endlich begriffen und betrat genauso lautlos das Haus, woraufhin Tomaschewsky die Tür schloss und absperrte.

Geräuschlos gingen sie durch Flur, Wohnzimmer und Terrassentür ins Freie. Im Garten gab es natürlich einen Swimmingpool. Fünf Meter breit und etwa zehn Meter lang. Ideal, um Längen zu schwimmen, was Tomaschewsky auszunutzen schien, da er einen gut trainierten Eindruck machte.

Sneijder und Krzysztof folgten ihm über einen Weg aus Natursteinen durch die Wiese zu einem Pavillon, der im Schatten einer riesigen Tanne lag. Gläser und ein Krug mit Wasser und Holunderblüten standen auf einem Tisch. Sneijder und Tomaschewsky nahmen auf Stühlen Platz, doch Krzysztof blieb stehen, lehnte sich mit verschränkten Armen an die Holzbalustrade und ließ den Blick über den Garten schweifen. Durch die hohen Thujenreihen, die das Grundstück umgaben, war der Garten von außen nicht einsehbar.

Tomaschewsky schaltete einen MP3-Player ein, der an einem Lautsprecher hing. Im nächsten Moment drang ein Oldie von Dean Martin aus der Box. *King of the Road.* Tomaschewsky drosselte den Ton, dann goss er ihnen etwas zu trinken in die Gläser. Sneijder und Tomaschewsky nippten daran, Krzysztof ignorierte das Glas.

»Woher wissen Sie von den Wanzen?«, begann Tomaschewsky das Gespräch.

»Ich habe eine davon in Mickys Boxclub gefunden. Dort …« Augenblicklich verkrampfte sich Sneijder. Schweiß trat auf seine Stirn, aber er wusste, dass das nichts mit dem Getränk zu tun hatte. Eine Attacke von Cluster-Kopfschmerzen machte sich soeben bemerkbar, die sich wie ein Dutzend Bohrmaschinen durch seine Gehirnwindungen fraß.

»Alles in Ordnung?«

»Ja«, krächzte Sneijder.

»Dasselbe Fabrikat haben wir auch hier im Haus. Fünfmal!« Tomaschewsky räusperte sich. »Aber bevor ich Ihnen eine Antwort auf Ihre Frage gebe, muss ich sichergehen, dass ich Ihnen vertrauen kann. Außerdem haben wir nur fünfzehn Minuten Zeit, bis meine Frau nach Hause kommt.«

»Wenn wir zügig arbeiten, reichen zehn Minuten völlig aus.« Sneijder massierte seine Schläfen. »Was wollen Sie wissen?«

»Maarten, ich könnte …«, mischte sich Krzysztof in das Gespräch, doch Sneijder brachte ihn mit einer knappen Geste zum Verstummen. Jetzt war nicht der richtige Zeitpunkt, um den harten Mann zu markieren.

»Sie arbeiten nicht mehr für das BKA«, stellte Tomaschewsky fest. »Warum interessieren Sie sich für Hardy?«

»Ich möchte die Wahrheit darüber herausfinden, was an jenem Tag passiert ist, als Hardys Wohnhaus abgebrannt ist. Wer darin involviert und wer für die Toten verantwortlich war.«

»Wenn es das BKA nicht weiß, wer dann?«

Sneijder wischte sich den Schweiß von der Stirn. Trotz der Sommerhitze lief ihm ein Kälteschauer über den Rücken. »Ich nehme an, das weiß nur der wahre Mörder.«

»Im schlimmsten Fall stellen Sie sich mit diesen Recherchen gegen Ihre eigenen Kollegen. Aber warum erst jetzt, nach zwanzig Jahren?«

»Sagen wir so … ich habe drei Gründe.« Sneijder holte das Etui mit seinen Akupunkturnadeln aus dem Sakko, öffnete es und setzte sich eine Nadel zwischen Daumen und Zeigefinger in den Handrücken. Der feine elektrisierende Schmerz zog die Verspannung aus seinem Kopf. »Ich habe kürzlich einen geliebten Menschen verloren, der mich bisher daran gehindert hat, diese Fragen zu stellen. Zweitens bin ich auf der Suche nach meiner ehemaligen Kollegin, die in den jüngsten Mordfällen ermittelt hat und nun spurlos verschwunden ist. Und der dritte Grund geht Sie nichts an. Mehr kann ich Ihnen nicht verraten.«

Befremdet starrte Tomaschewsky auf die Nadel, an der Sneijder drehte, während dessen Augenlid schmerzvoll zuckte. »Ist das gesund, so wie Sie das tun?«

»Nein, aber es hilft.«

»Wollen Sie nicht lieber eine Kopfschmerztablette?«

»Wenn er eine wollte, hätte er längst danach gefragt!«, unterbrach Krzysztof das Gespräch. »Mein ganzer Wagen ist voll davon. Also, können wir nun weitermachen, bevor Madame Tomaschewsky heimkommt und mit ansehen muss, wie ich Sie in Ihrem Pool ersäufe?«

Irritiert blickte Tomaschewsky zu Krzysztof. »Gut, was wollen Sie wissen?«

Sneijder setzte sich eine zweite Nadel in den anderen Handrücken. »Seit wann wissen Sie von den Abhörwanzen in Ihrem Haus?«

»Nadine Pollacks Tochter hat ein ferngesteuertes Polizeiauto mit Sprechfunk. Vor etwa einem Monat gab es eine Rückkopplung und ein fürchterlich schrilles Fiepen in ihrem Haus. So hat sie die zwei Wanzen entdeckt und Otto und mich gewarnt. Daraufhin habe ich mir eine App für mein Handy besorgt, mit der man diese Wanzen orten kann.«

»Besorgt?«, wiederholte Sneijder. »Aus dem AppStore?«

Tomaschewsky gab keine Antwort.

»Warum haben Sie keine rechtlichen Schritte dagegen unternommen?«, fragte Sneijder.

Tomaschewsky lachte laut auf. »Meinen Sie die Frage ernst?«

»Wenn ich Witze mache, würden Sie das merken.«

Tomaschewsky fuhr mit der Hand durch die Luft. »Gegen wen soll ich denn Schritte unternehmen? Den Staat? Das BKA? Die Staatsanwaltschaft? Meine Frau weiß nur, dass wir vom BKA beschattet werden, was mit meiner Vergangenheit und meiner Gefängnisstrafe zu tun hat. Aber nicht, dass wir abgehört werden. Wenn sie das erfährt, dreht sie durch.«

»Die Medien?«

»Ja klar«, prustete Tomaschewsky los. »Ich könnte über die Medien einen Skandal heraufbeschwören. *Christiane und Antoine Tomaschewsky im Fadenkreuz der Fahnder!* Das würde sich unheimlich gut auf unser Immobiliengeschäft auswirken.«

»Und deshalb ist es Ihnen so lieber?«, fragte Sneijder.

»Glauben Sie mir, beim BKA gibt es Leute, die wissen, wie sie uns ruinieren können. Wenn ich den Mund aufmache, tauchen schon am nächsten Tag ein paar Dutzend gefakte negative Bewertungen auf unserer Internetseite und in den sozialen Medien auf. Heutzutage ist es verdammt leicht geworden, jemanden, der in der Öffentlichkeit steht, zu diskreditieren und mit Rufmord zu vernichten. Durch meine Vorstrafe sind wir ohnehin leicht angreifbar und …«

»Ja, schon gut«, unterbrach Sneijder ihn und zog das Abhörgerät erneut aus seiner Brieftasche. »Sehen die Wanzen in Ihrem Haus auch so aus?«

»Ja.«

Sneijder steckte sie wieder weg. »Ich glaube nicht, dass das tatsächlich BKA-Technologie ist.«

»Was sollte es sonst sein?«

»Ich weiß es nicht.« Sneijder konnte sich nicht vorstellen, dass das BKA die Telefone von Otto und Tomaschewsky abhörte oder ihre E-Mails abfing. Dafür würden sie keinen richterlichen Beschluss erhalten.

Tomaschewsky blickte auf seine Armbanduhr und nahm einen Schluck Wasser. »So, nun zu Ihrer Frage. Ich nehme an, die war vorhin ernst gemeint.«

»War sie.«

»Ich habe keine Ahnung, wo Hardy mittlerweile stecken könnte. Und das ist die Wahrheit!«

Mittlerweile! Sneijder überlegte. »Wann haben Sie ihn zuletzt gesehen?«

Tomaschewsky druckste herum, und Sneijder warf einen Blick zu Krzysztof, der die Fingerknöchel knacken ließ.

»Vor acht Tagen«, sagte Tomaschewsky schließlich.

»Was wollte er?«

»Informationen.«

»Mann, jetzt reden Sie schon!«, zischte Sneijder.

»Ich habe ihm zu einer Akte über die damaligen Ereignisse verholfen, die mittlerweile schon in seinem Besitz sein müsste.«

»Die Akte der Dienstaufsichtsbehörde?«, hakte Sneijder nach, doch Tomaschewsky schwieg, was Sneijder als ein *Ja* deutete. »Die hat einen Sperrvermerk! Wie sind Sie da rangekommen? Haben Sie jemanden von der Dienstaufsichtsbehörde bestochen, damit er eine Kopie davon anfertigt?«

»Das habe ich ursprünglich versucht, hat aber nicht geklappt.« Tomaschewsky seufzte. »Danach habe ich einen jungen Kriminalkommissaranwärter bestochen, der an der BKA-Akademie studierte.«

»Wann?«

»Vor zwei Jahren.«

Sneijder kniff die Augen zusammen. »Erstens liegt die Akte schon seit über zwölf Jahren nicht mehr im Archiv, und zweitens haben die Studenten keinen Zugang zum Archiv.«

Tomaschewsky lächelte. »Stimmt, die Akte lag nicht mehr im Archiv. Aber in einem eigenen Gerichtsarchiv befand sich eine Kopie der Unterlagen, die vor neunzehn Jahren an das Gericht gingen.«

Sneijder hob anerkennend eine Augenbraue. *Wirklich raffiniert!* »Welcher Kriminalkommissaranwärter war es? Einer meiner Studenten?«

Tomaschewsky warf einen Blick auf seine Fingernägel. »Er hieß Gomez.«

Gomez! Sneijder konnte sich an ihn erinnern. Aber eine Strafe erübrigte sich, denn Gomez war vor einem Dreivierteljahr im Dienst gestorben. »Haben Sie einen Blick in die Unterlagen geworfen?«

Tomaschewsky schwieg.

Sneijder rückte näher heran. »Ich schlage Ihnen einen Deal vor. Ich weiß bisher nur mit Sicherheit, dass Rohrbeck, Hagena und Hess irgendwie in die Sache verstrickt waren. Möglicherweise auch Timboldt. Die anderen Namen kenne ich nicht.« Er dachte an Sabine Nemez' Besuch am Grab von Irene Eisner auf dem Biebricher Friedhof in Wiesbaden. »War einer davon Frank Eisner?«

»Wie lautet Ihr Deal?«, fragte Tomaschewsky.

»Ich finde heraus, wer die Wanzen in Ihrem Haus versteckt hat, sorge dafür, dass die Wahrheit ans Tageslicht kommt und Sie ein normales Leben führen können.«

Tomaschewsky blickte auf die Uhr. Noch fünf Minuten, dann würde seine Frau nach Hause kommen. »Sneijder, ich weiß, dass Sie ein Scheißkerl sind, ein selbstgefälliger, arroganter Kotzbrocken ...«

»Eigentlich ist er ganz anders«, unterbrach Krzysztof ihn, »aber er kommt so selten dazu.«

Sneijder goutierte die Bemerkung mit einem leisen Lächeln.

»Aber ich habe gehört, dass Sie zu Ihrem Wort stehen«, fuhr Tomaschewsky fort.

»Das tue ich.«

»Hand drauf!« Tomaschewsky streckte die Hand aus.

Sneijder zog die Nadeln aus seinen Handrücken und schlug ein. »Also, die anderen Namen!«

»Eigentlich wollte ich mir die Unterlagen nicht ansehen, hab es dann aber doch getan. Timboldt, Eisner und Lohmann.«

Sneijder nickte. Timboldt hatte er vermutet, aufgrund seines auffälligen Verhaltens innerhalb der letzten Tage. Ebenso Eisner. *Aber Lohmann!* Er ließ die Nadeln in dem Etui verschwinden und erhob sich. »Danke.«

Gerade als Krzysztof und Sneijder den roten Ford Transit auf der gegenüberliegenden Straßenseite erreichten, fuhr ein schnittiger SUV vor das Haus der Tomaschewskys. Eine attraktive Frau stieg aus, warf ihnen einen misstrauischen Blick zu und betrat das Grundstück.

Die Dame des Hauses kommt heim!

»Wohin jetzt?«, fragte Krzysztof.

»Sag ich dir in fünf Minuten.« Sneijder stellte sich in den Schatten des Wagens, holte sein Handy aus der Tasche und aktivierte eine Kurzwahl, die ihn mit der IT-Abteilung des BKA verband. Nach zweimaligem Verbinden hatte er einen Kollegen von der Observationsabteilung in der Leitung. »Hallo, hier Sneijder, ich …«

»Mensch, Maarten, hast du es schon gehört? Hess ist tot. Ich frage mich …«

»Ja, weiß ich, aber jetzt interessiert mich etwas anderes«, unterbrach Sneijder ihn. »Und ich bin unter Zeitdruck.«

»Zeitdruck? Du bist vom Dienst suspendiert und …«

»Verwendet ihr bei Telekommunikations-Überwachungsmaßnahmen schwarze viereckige Wanzen, die kleiner als ein Fingernagel sind? Keine Kennzeichen drauf, bloß am Rand steht *3BYK*, sieht aus wie kyrillische Schriftzeichen.«

»Das ist Russisch, und man spricht es *S'Vok* aus«, erklärte der Kollege. »Heißt so viel wie *Ton* oder *Klang*. Das ist eine völlig neue Technologie. Die nächste Generation. Kleiner, leistungsfähiger, wenn auch momentan noch durch eine illegale Detektor-App aufzuspüren. Ist der einzige Schwachpunkt. Darum verwenden wir sie nicht. *Noch nicht!* Aber vielleicht …«

»Wenn sie so neu ist«, überlegte Sneijder. »Wer verwendet sie dann? Das Militär?«

»Ich bitte dich, die sind technologisch weit hinter uns.«

»Der Bundesnachrichtendienst? Der Militärische Abschirmdienst? Das Bundesamt für Verfassungsschutz?«

»Nicht dass ich wüsste. Die *3BYK* ist ein russisches Fabrikat. Möglicherweise der russische Geheimdienst.«

Nein, der kam nicht infrage. »Wer noch?«

»Private Unternehmen wie Überwachungsfirmen, Privatdetektive oder Security-Firmen für Personenschutz, wenn sie genug Geld haben, um sich das leisten zu können.«

Sneijder hielt das Handy ans Ohr. Mit der anderen Hand massierte er einen Druckpunkt an seiner Schläfe. *Diese verdammten Kopfschmerzen!* Außerdem hasste er diese Hitze. »Unternehmen der Sicherheitsbranche müssen ihre Hard- und Software doch genehmigen lassen. Kannst du nachsehen, ob *Eisner-Security-Electronics* diese Bauteile verwendet?«

»Könnte ich, aber …«

»Jetzt?«

»Du weiß, dass das …«

»Weiß ich, aber wenn es nicht dringend wäre, würde ich dich nicht anrufen, sondern bei dieser Hitze mit einer Packung Eiswürfel auf der Stirn im Keller meines Hauses liegen.«

»Höre ich ein *Bitte?*«

»Nein, solche Freundlichkeiten halten auf.«

»Was frage ich auch?«, seufzte der Kollege, und Sneijder hörte das Tippen auf einer Tastatur. »Ja, *Eisner-Security-Electronics* verwendet diese Wanzen.«

Verdomme! »*Goed,* nächste Frage: Wer hat die Alarmanlage in Dietrich Hess' Wochenendhaus installiert?«

»Unser Haussicherungsdienst, wer sonst?«

»Ja, aber woher stammt die Technologie?«

Der Kollege seufzte lautstark. »Da fragst du am besten Lohmann. Ihr seid doch ohnehin dick befreundet.«

»Das geht nicht«, knurrte Sneijder. »Es ist doch ein Klacks für dich herauszufinden, von wem das Sicherheitssystem stammt.« Er wartete auf das erneute Klappern der Tastatur, sah, wie Krzysztof das Heck des Wagens öffnete, und hörte ihn anschließend in den Schachteln kramen.

»Aha, nein …«, murmelte der Kollege. »Frank Eisners Security-Firma hat die Anlage in Haus und Garten installiert, doch sie wird über uns betrieben. Aber bevor du fragst: In Hess' Wochenendhaus sind garantiert keine von diesen Wanzen angebracht.«

»Das glaub ich dir, aber darum geht es gar nicht.«

»Worum geht es dann? Und komm mir jetzt nicht damit, dass ich besser nichts darüber wissen sollte, weil mich dieser ganze Scheiß nichts angeht.«

»Du solltest besser nichts darüber wissen, weil dich dieser ganze Scheiß nichts angeht«, sagte Sneijder müde. Er sah, wie Krzysztof mit einer großen Papiertüte über die Straße zu Tomaschewskys Haus ging und das Grundstück betrat. »Kannst du mich in den Erkennungsdienst zu Erika verbinden?« Sneijder hörte seinen Kollegen tippen.

»Da ist gerade besetzt.«

»Dann leg mich auf die Warteschleife. Danke.« Im nächsten Moment hörte Sneijder die Instrumentalversion von *Oh Happy Day!*

So eine Scheiße! Passt ja wie die Faust aufs Auge.

Sneijder beobachtete Krzysztof. Der hatte die Tüte vor der Haustür abgestellt und war nun wieder zu ihm unterwegs.

Sneijder nahm das Handy kurz herunter. »Was soll das?«, fragte er, als Krzysztof wieder den Wagen erreichte.

»Ein Geschenk. Pflaster, Mullbinden, Tabletten gegen Kopfschmerzen und eine Jodtinktur zum Desinfizieren von Wunden. Es soll ihn daran erinnern, dass es für ihn nicht gut ausgegangen wäre, wenn er sich für die andere Variante des Gesprächs entschieden hätte.«

»Fällt niemandem auf, dass dann bei deiner Ware etwas fehlt?«, fragte Sneijder.

Krzysztof hob die Schultern. »Alles eine Frage der Buchführung, wenn du verstehst, was ich meine.«

Eine Frage der Buchführung! Mein Gott, Krzysztof war verrückt. Sneijder führte das Handy wieder zum Ohr. Endlich meldete sich jemand.

»Hallo?« Es war Erikas Stimme.

»Hier Sneijder, hast du schon was für mich?«

»Ja, aber ich hatte noch keine Gelegenheit, dich anzurufen.« Es knackte in der Leitung, offenbar schaltete sie ihn auf einen anderen Apparat. »Sabine Nemez hat ihr letztes Telefonat mit dir geführt.« Erika hatte die Stimme gesenkt, nun schwieg sie.

Sneijder hatte Sabine gestern am späten Nachmittag angerufen und sich anschließend mit ihr am Friedhof getroffen. »Und seitdem gab es keine weiteren Gespräche?«

»Nein.«

»Und davor?«

»Sie hat eine SMS an das Diensthandy ihrer Kollegin Tina Martinelli geschickt.«

In der SMS konnte nicht viel Hilfreiches gestanden haben, sonst hätte Martinelli das bei ihrem Besuch heute Morgen ihm gegenüber erwähnt. Aber die tappte genauso im Dunkeln wie er. »Wo ist das Handy jetzt eingeloggt?«

»Es ist in keine Masten eingeloggt, und der integrierte Chip ist deaktiviert.«

Verdikkeme!

»Wann und wo war das Handy zuletzt eingeloggt?«

»Gestern Abend, in einem Mast in der Nähe des Langener Waldsees.«

Der Langener Waldsee. Frank Eisner wohnte dort. Das war nun schon die dritte Spur, die zu ihm führte. Möglicherweise war Sabine gar nicht hinter Hardy her gewesen, sondern hatte den Weg von jemand ganz anderem gekreuzt. »Danke«, murmelte Sneijder gedankenverloren.

Erika war fassungslos. »Habe ich da gerade ein *Danke* aus deinem Mund gehört?«

»Ist mir versehentlich rausgerutscht. Ich muss weiter.« Sneijder legte auf, steckte das Handy weg und nahm den Finger von dem Druckpunkt an seiner Schläfe. Langsam ließen die Schmerzen nach. Vielleicht lag es aber auch daran, dass er endlich die erste konkrete Spur gefunden hatte.

Er stieg auf der Beifahrerseite in den Wagen und blickte durch das Auto und das geöffnete Seitenfenster zu Krzysztof. »Die fünf Minuten sind um. Worauf wartest du? Ich weiß jetzt, wo wir Sabine Nemez finden könnten. Bei Eisner.«

»Bei *Frank Eisner*?« Krzysztof schluckte. Vermutlich dachte er gerade daran, was er Eisners Frau vor zwanzig Jahren angetan hatte.

45. KAPITEL

Sabine Nemez sah sich zum wiederholten Male im Dämmerlicht um. Die hölzerne Gartenhütte auf Frank Eisners Grundstück am Ufer des Langener Waldsees war knapp vier Meter breit und etwa sieben Meter lang. Auf einer Längsseite reichten die Regale bis zur Decke und waren bis auf den letzten Platz mit Werkzeugen vollgeräumt. Auf der anderen Seite lagen Autoreifen und einige Tauchflaschen, und darüber hingen zwei Tauchanzüge aus spiegelglattem schwarzem Neopren. Im Halbdunkel der Hütte sah es aus, als stünden dort zwei hagere Männer mit schmalen Beinen und dürren Armen.

Sabine hatte schon begonnen, im Geiste Selbstgespräche mit diesen beiden Schattengestalten zu führen. Mittlerweile kam es ihr vor, als wäre sie hier schon mehrere Tage lang eingesperrt. Dabei waren es gerade mal eine Nacht und etwas mehr als ein halber Tag.

Sie hatte einen Knebel von der Größe eines Golfballs im Mund, der mit einem Lederband um ihren Kopf geschnallt war. Dadurch waren ihre Lippen spröde, denn sie konnte sie nicht befeuchten. Um ihre Fußgelenke befanden sich eng gezogene Polizeihandschellen, ebenso um ihre Hände, die über ihrem Kopf mit einem Vorhängeschloss an der Kette eines schwenkbaren Krans gefesselt waren. Mit den Schuhen berührte sie den Holzboden. So hatte sie die letzten zwanzig Stunden halb stehend, halb hängend verbracht.

Die hintere Hälfte der Hütte befand sich auf dem Grundstück, die andere Hälfte, in der Sabine hing, ragte – von Pfählen gestützt – aufs Wasser hinaus. Auf beiden Seiten war jeweils ein zweiflügeliges Holztor. Die Tür zum Garten war von außen verriegelt worden, und das Tor zum See mit einer durch die Griffe geschlungenen Kette und einem Vorhängeschloss von innen versperrt. Wenn Frank Eisner es öffnete, konnte er mit dem Jetski direkt auf den See hinausfahren. Denn direkt unter Sabine befand sich eine große aufklappbare Holzluke. Unter den Bohlen plätscherten die Wellen. Hin und wieder spiegelte sich am Rand der Hütte das Sonnenlicht im Wasser, fiel für einen Augenblick durch die Ritzen und warf Wellenbewegungen an die Wand.

Der Kran mitsamt dem Eisengerüst, an das Sabine gefesselt war, diente wohl als Vorrichtung, um den Jetski ins Wasser zu lassen. Dadurch war die Hütte zugleich Garage und Werkstatt für das Wassersportgerät. Außerdem konnte Eisner mit dem Neoprenanzug unbemerkt durch die Luke ins Wasser gleiten und in den See tauchen. *Oder etwas anderes unbeobachtet darin verschwinden lassen.* Und darum beschäftigte Sabine seit mehreren Stunden nur eine Frage: *Was hat er mit mir vor?*

Letzte Nacht hatte sie ihn im Garten arbeiten und kurz darauf im Wasser hantieren gehört. Danach hatte er ihre Fesseln überprüft und war anschließend stundenlang weg gewesen.

Erst im Morgengrauen hatte er wieder in die Hütte gesehen, im Businessanzug mit Krawatte, schwarzem Hemd, Manschettenknöpfen und frisch polierten Lackschuhen, und erneut ihre Fesseln überprüft. Danach war er verschwunden. Offenbar ging sein Verkaufsseminar an diesem Samstag weiter. Sie würde also einen weiteren endlosen Tag warten müssen, bis er wieder zu ihr kommen würde und sie endlich erfuhr, was mit ihr passieren würde.

Selbst wenn Sabine die Schmerzen im Schultergelenk und in ihrem geschwollenen Handknöchel ausgehalten und sich mit dem ganzen Körper zur Seite gedreht hätte, wären die Werkzeuge in den Regalen mit den Beinen unerreichbar geblieben. Ebenfalls zu weit weg von ihr stand der alte Jetski, dessen Motor zum Teil ausgebaut war. Und mit den Schuhen auf den Boden zu klopfen, um sich bemerkbar zu machen, hätte auch nichts gebracht, da niemand in die Nähe dieses Seeufers kam und die Gartenhütte zu weit von Straße, Parkplatz und Hauseingang entfernt lag. Außerdem lief seit zwanzig Stunden ein Radiogerät in der Hütte, das jedes ihrer Geräusche übertönte. Sabine hätte nicht einmal auf einen Stromausfall hoffen können, da das Gerät nicht angesteckt war, sondern mit Batterien lief, die vermutlich noch ziemlich lange halten würden, da Eisner sie erst an diesem Morgen gewechselt hatte.

Jetzt war es 15 Uhr, und in den Nachrichten kam nur, dass der Polizeisprecher nichts Neues über die jüngsten Morde im Raum Wiesbaden hatte verlauten lassen und dass gegen Abend ein Sommergewitter über große Teile Hessens niedergehen würde.

In der Hütte war es brütend heiß. Sabine lief der Schweiß über den Rücken und über die Schläfen in die Augen. Seit Stunden schmerzten ihre Schultern, weil sie die Arme über dem Kopf halten musste – und ihre Finger schliefen regelmäßig ein, weshalb sie ständig die Hände bewegte und zu Fäusten ballte. Außerdem hatte sie nichts gegessen, nur einmal etwas zu trinken bekommen und sich Stunden später in die Hose gepinkelt. Seitdem mischte sich auch der Mief eingetrockneten Urins zum Geruch von Schilf, Wasser, Holz, Benzin, Gummi und öligen Werkzeugen.

Eisner würde sie töten – das stand zweifellos fest. Aber warum hatte er das nicht gleich getan? Würde er danach ihre Leiche im See versenken? Oder im nahen Wald vergraben? Möglichkeiten gab es genug. Unwillkürlich dachte sie an Sneijders letzten ungelösten Fall in Nürnberg, den er seinen Studenten an der Uni erzählt hatte: von der Mutter, die ihre spurlos verschwundene Tochter angeblich neben der Wohnhausanlage im Wald verscharrt hatte und danach regelmäßig in Talkshows auftrat, um so möglicherweise von ihrer eigenen Mitschuld am Tod ihres Kindes abzulenken.

Je mehr Wellen man schlägt, um ein Verbrechen anzuprangern – mit sich ständig wiederholenden, exakt einstudierten Worten –, umso mehr weist dieses Verhalten auf eine eigene Mitschuld hin! So lautete zumindest Sneijders Logik.

Immer wieder fielen Sabine die Augen zu, und sie versank in einen Sekundenschlaf, ehe ihr hinuntersackender Körper sie wieder herausriss. Obwohl sie eigentlich andere Sorgen hatte, gingen ihr im Halbschlaf ständig Sneijders Aussagen über das in Nürnberg verschwundene Mädchen durch den Kopf. Vielleicht war das das Notfallprogramm ihres Gehirns, sie wach und bei klarem Verstand zu halten.

Diejenigen, die am lautesten schreien, haben meist etwas zu verbergen.

Sabine fuhr hoch. Umgekehrt könnte diese Theorie natürlich auch gelten! *Ein Unschuldiger würde sich unauffällig verhalten!*

Unwillkürlich dachte sie an Thomas Hardkovsky. Die Wortwahl seiner Zeugenaussagen über jene Brandnacht war jedes Mal ein wenig anders gewesen, was auf keine einstudierte Geschichte hinwies. Außerdem hatte er zwanzig Jahre lang keinen Medienrummel wegen seiner in den Flammen umgekommenen Familie veranstaltet. Keine Interviews gegeben, keine Biografie im Knast geschrieben und nicht versucht, in Talkshows aufzutreten. *Nichts!* Möglicherweise war Hardy ja ein großer Schweiger, aber hätte er seine Familie tatsächlich ermordet, wäre er andernfalls vielleicht an die Öffentlichkeit gegangen und hätte lautstark herausposaunt, dass man ihn hereinlegen wollte – nur um den Verdacht von sich abzulenken. Die Dienstaufsichtsbehörde war ohnehin an dieser Sache dran gewesen, und er hätte nur seinen Beitrag dazu leisten müssen.

Aber das hat er nicht!

Stattdessen hatte er seine Zeit in Bützow mit stoischer Ruhe abgesessen und sogar zusätzliche achtzehn Monate, ohne mit der Wimper zu zucken, über sich ergehen lassen. Nun war er draußen. *Und was macht er? Er geht weder zur Presse noch zu einem TV-Sender noch zur Kripo oder zu renommierten Anwälten. Im Gegenteil. Er hält den Kopf unten. Wie ein U-Boot!*

Ich weiß, was du vorhast!

Du suchst den wahren Mörder deiner Familie auf eigene Faust.

Ein Geräusch riss Sabine aus den Gedanken. Sie blickte zum Radio. Dort liefen soeben die Kurznachrichten. Es war 15.30 Uhr. Aber nicht der Radio-Jingle von Antenne Frankfurt hatte sie hochgeschreckt, sondern etwas anderes. Ein knallendes Geräusch wie von einer Autotür.

Sabine legte den Kopf schief und lauschte. Draußen war jemand. Sie spürte es!

Verzweifelt ignorierte sie den Ball im Mund, der fest an ihrem Gaumen klebte, und versuchte zu schlucken. So laut wie möglich stöhnte sie. Gleichzeitig klopfte sie mit den Schuhen auf den Holzboden und versuchte mit den Handschellen und der Kette gegen den Kran zu schlagen. Aber das alles strengte sie zu sehr an, und sie wusste doch, dass sie die restliche Kraft brauchen würde, um weiter aufrecht stehen zu können.

Da klapperte ein Schlüssel im Schloss. Sabine hielt den Atem an. Quietschend schwang die Tür zum Garten auf. Das grelle Tageslicht blendete sie einen Moment lang, und sie musste die Augen zusammenpressen. Trotzdem versuchte sie zu blinzeln, um zu erkennen, wer vor der Hütte stand.

Sie roch ein teures Aftershave. *Sneijder?*

Wieder wollte sie um Hilfe rufen, doch da unterbrach sie die Stimme eines Mannes, die sie mittlerweile nur zu gut kannte.

»Hast du mich vermisst?«

Es war Frank Eisners heiserer Ton.

Kraftlos sank Sabine in sich zusammen.

Rasch zog Eisner die Tür hinter sich zu, sperrte ab und ließ den Schlüssel sogleich in seiner Hosentasche verschwinden. Damit schaltete er jedes Risiko aus, dass sie entkommen konnte.

Eisner ging auf sie zu. Er trug immer noch Anzughose und Lackschuhe, hatte jedoch Sakko und Krawatte abgelegt. Sein schwarzes Hemd war aufgeknöpft, und Sabine konnte eine schwere Silberkette, eine behaarte Brust und einen durchtrainierten Körper erkennen.

»Ich nehme dir jetzt den Knebel raus, damit wir uns unterhalten können. Vermutlich wirst du dich gleich übergeben. Versuche dir nicht auf deine Kleidung zu kotzen, denn ich werde dich nicht sauber machen.« Er fingerte hinter ihrem Kopf an dem Lederband. »Ach ja, und falls du schreien solltest, versenke ich dich im Wasser.« Er nahm ihr den Knebel ab und zog ihr den Ball mit einem schmatzenden Geräusch aus dem Mund.

Sabines Unterkiefer fühlte sich an, als würde er jeden Moment zerspringen. Tatsächlich kam der Brechreiz. Sie schluckte, holte tief Luft und begann sogleich laut zu schreien. »Hilfe!«

Im nächsten Moment hatte Eisner ihr wieder den Ball zwischen die Zähne gepresst und das Lederband um den Kopf gezurrt. Diesmal fester als vorhin.

»Wie du willst!«, knurrte er, löste eine Verriegelung und zerrte sie mit dem schwenkbaren Kran zur Seite, sodass sie über den Boden taumelte. Dann öffnete er die Holzluke im Boden und gab Sabine einen Stoß. Sie tänzelte wieder zurück und verlor nach einem Meter den Boden unter den Füßen. Im nächsten Moment hing ihr gesamtes Gewicht an den Handschellen, und ihre Füße zappelten über der Wasseroberfläche. Die scharfe Kante der Fesseln schnitt tief in ihr Fleisch, woraufhin ihr der Schmerz durch das geprellte Handgelenk fuhr und sie hilflos aufstöhnte. Dabei drehte sie sich um die eigene Achse wie eine Rinderhälfte in einer Fleischerei.

Aus dem Augenwinkel sah sie, wie Eisner einen Hebel betätigte und an einer Kurbel drehte. Sie wurde an einer rasselnden Kette nach unten gelassen, ihre Schuhe tauchten ins Wasser und liefen voll. Auch ihre Hose war sofort klitschnass.

Er blufft nur. An dieser Stelle ist der See nicht tief genug!

Eisner kurbelte weiter, und ihre Unterhose und ihre Bluse sogen sich voll. *Verdammt, warum ist der See hier so tief?* Die augenblickliche Kälte ließ sie erschaudern. Kurz darauf reichte ihr das Wasser bis zum Hals.

Er blufft nur! Bald spürst du Schilf, Schlamm und den Boden unter den Füßen.

Doch der Grund des Sees kam nicht, und Sabines Kinn tauchte unter Wasser. Noch einmal holte sie durch die Nase tief Luft, danach schlugen die Wellen über ihrem Gesicht zusammen. Dann war der Schlamm da, und im nächsten Moment sank sie ein. Sie versuchte sich frei zu strampeln, doch das ging nicht, weil sie sich immer tiefer im Matsch verfing. Gleichzeitig legte sie den Kopf in den Nacken, um mit der Nase durch die Oberfläche zu stoßen, was ihr nur einmal kurz gelang, aber da reagierte sie zu spät, um einzuatmen.

Instinktiv griff sie mit den Fingern nach der Kette, an der sie mit den Handschellen hing, bekam mit großer Kraftanstrengung doch die Füße frei und zog sich mit einem Klimmzug nach oben. Sie stieß mit dem Kopf durch die Wasseroberfläche und sog gierig Luft durch die Nase ein. Dabei erwischte sie aber auch Wasser, woraufhin sie zu husten und zu würgen begann.

Die Brühe um sie herum war jetzt aufgewühlt und stank nach Schlamm und Morast.

»Du mieses kleines Dreckstück bist gerade mal einen Meter sechzig groß, kämpfst aber wie eine tollwütige Wasserratte ums Überleben!«, fluchte er.

Einen Meter dreiundsechzig, du Arschloch!

Eisner ließ sie eine Minute lang im Wasser hängen, und Sabine spürte, wie ihre Kraft von Sekunde zu Sekunde schwand.

»Wirst du deinen Mund halten, wenn ich dir den Knebel aus dem Mund nehme?«, fragte er.

Du musst deine Kräfte sparen! Sie nickte.

»Gut!« Er kurbelte sie hoch und drehte den Schwenkarm zur Seite, sodass sie mit Füßen und Knien den Rand der Luke erreichen, auf den Holzboden klettern und sich selbst aus dem Wasser ziehen konnte. Erschöpft lag sie auf dem Boden, während das Wasser von ihr ablief.

Eisner stand über ihr. »Solltest du auch nur einen Mucks von dir geben, stoße ich dich wieder rein, aber dann lasse ich dich so lange hängen, bis du ersäufst, ist das klar?«

Sie nickte.

Er nahm ihr den Lederknebel mit dem Ball aus dem Mund, und diesmal schwieg sie, schnappte gierig nach Luft und übergab sich.

Eisner schaltete das Radio aus, zog einen Stuhl heran und setzte sich vor sie hin, wahrte aber so viel Abstand, dass sie ihn nicht mit den Beinen erreichen konnte.

Dieser Mistkerl. Andernfalls hätte sie versuchen können, ihn ins Wasser zu treten und ihre Oberschenkel irgendwie um seinen Hals zu legen, um ihn unter Wasser zu drücken. Aber das konnte sie vergessen. Im Moment war nur eines wichtig: dass sie so lange wie möglich überlebte.

»Man wird mich finden!«, röchelte sie.

Eisner schüttelte mitleidig den Kopf. »Lernt ihr das heutzutage beim BKA? *Man wird mich finden*«, äffte er ihren Ton nach.

»Seit Ihrem Weggang ist die Technologie weiter fortgeschritten.«

Er lächelte. »Danke für das Kompliment. Teilweise habe *ich* sie weiterentwickelt.« Er strich sich über die grauen Bartstoppeln am Hals. »Niemand wird dich finden. Letzte Nacht habe ich dein Auto und dein Handy im See versenkt. An jener Stelle fällt das Ufer steil ab, und der See ist sieben Meter tief.«

»Man wird das Auto über den GPS-Tracker orten können.«

Eisner schmunzelte. »Der ist längst ausgebaut und befindet sich auf der Plane eines LKWs, der Richtung Polen unterwegs ist. Dort können sie lange nach dir suchen.«

Sabine bekam plötzlich einen üblen Geschmack im Mund. »Und warum haben Sie mich nicht gleich mit im See versenkt?«

»Weil ich noch etwas von dir wissen möchte.« Er rückte näher. »Gestern Abend in meinem Haus hast du mir nicht alles erzählt, was du bisher herausgefunden hast, nicht wahr?«, vermutete er. »Was weißt du über Hardy, die Morde und Selbstmorde? Und wer weiß noch davon?«

Sabine schwieg.

»Gut, dann beginne eben ich und erzähle dir, wie sich die Sache für mich darstellt. Rohrbeck und Hagena haben sich selbst das Leben genommen, weil sie Angst hatten, dass alles rauskommt, was sie und die anderen Mitglieder der Gruppe 6 damals getan haben. Zudem fürchtete Hagena um das Leben ihrer Familie. Denn würde Hardy einmal die Wahrheit herausfinden, wäre niemand mehr sicher, da er vermutlich alle umbringen würde.«

»Hardy war auch bei Ihnen. Warum hat er Sie nicht getötet?«

Eisner hob die Schultern. »Ich weiß es nicht. Weißt du es?«

Schweigend dachte Sabine über Eisners Worte nach. Etwas

an seiner Theorie passte nicht zusammen. Anna Hagena hatte vermutlich tatsächlich Selbstmord begangen. Sie war unheilbar krank und bangte um das Leben ihrer Stieftochter, jenes entzückende blonde Mädchen mit der Gehhilfe, das Sabine kennengelernt hatte. Aber Rohrbeck? *Niemals!* Ebenso zweifelhaft war der Selbstmordversuch von Dietrich Hess. »Warum hat keiner von Ihnen sechs den Mumm, sich Hardy entgegenzustellen?«, fragte sie.

»Vielleicht tun wir das ja.«

»Was hat die Gruppe 6 damals gemacht?«

Eisner lachte. »Du bist wirklich nicht in der Position, Fragen zu stellen.« Er stand auf und ging zum Wandregal, wo er einen Metallkoffer herauszog, den er auf eine Werkbank legte und öffnete. »Siehst du?« Er kippte den Koffer, sodass sie seinen Inhalt sehen konnte.

Für einen Moment funkelte das Set eines chirurgischen Silberbestecks auf, dann lag der Inhalt des Koffers wieder im Dunkel.

»So etwas verwendet der russische Geheimdienst. Zu dem habe ich übrigens gute Kontakte, weil die russischen Diplomaten in Deutschland auf das Know-how meiner Firma zurückgreifen.« Er schloss den Koffer wieder. »Aber ehrlich gesagt möchte ich dieses Werkzeug nicht verwenden, denn sollte deine Leiche jemals auftauchen – und *jede* Leiche taucht irgendwann einmal auf –, würden die Spuren der Folter eventuell auf mich deuten. Dann müsste ich diesen Bestecksatz für immer verschwinden lassen. Darum spare ich mir den als letzte Alternative auf.« Er schob den Koffer wieder ins Regal zurück.

»Sie glauben doch nicht wirklich, dass Sie mit einem netten Gespräch aus mir herausbekommen, was Sie wissen wollen?«, fragte Sabine.

»Nein, aber die Frage lautet: Wie tough bist du wirklich?« Er ging zu ihr hin und hockte sich neben sie auf den Holzboden.

Sabines Herz schlug schneller. *Das ist deine Chance! Pack die Kette, leg sie ihm um den Hals und drück zu!* Sie schielte zu der Kette, die neben ihr auf dem Boden lag und ihre Handschellen mit dem Ende des Schwenkarms verband.

»*Tz, tz, tz!*«, zischte Eisner und holte im selben Moment eine Waffe hinter seinem Rücken hervor, die in seinem Hosenbund gesteckt hatte.

Das ist doch meine Glock! Nur dass diesmal ein Schalldämpfer auf dem Lauf steckte. Das gleiche Fabrikat wie auf jener Waffe, mit der sich Hess angeblich selbst in den Kopf geschossen hatte.

Nun drückte Eisner ihr den Lauf seitlich an die Kehle. »Keine Bewegung!« Mit der anderen Hand holte er einen Schlüssel aus der Brusttasche seines Hemds und öffnete damit das schwere Vorhängeschloss.

Sabines Hände waren zwar immer noch mit den Handschellen gefesselt, hingen aber nicht mehr an der Kette. »Was haben Sie vor?«, röchelte sie und zog ihren Körper in eine Fötusstellung zusammen.

»Ich stelle deinen Mut und deinen Vorsatz, den Mund zu halten, auf die Probe.« Immer noch mit dem Lauf der Waffe an ihre Kehle gedrückt stieg er über sie hinweg und befestigte das freie Ende der Kette mit dem Vorhängeschloss an ihren Fußfesseln. »Halt still!«, befahl er ihr.

Klackend schnappte das Schloss zu. Nun hing Sabine mit den Beinen am Kran. Ohne dass Eisner es bemerkt hatte, hatte sie seine Hose mit ihren nassen und von Schlamm besudelten Schuhen berührt. Etwas von dem Matsch war an dem feinen Stoff haften geblieben. Außerdem war es ihr gelungen, den Schlamm auch an seine Hemdsärmel zu schmieren. Da sie die Hoffnung noch nicht aufgegeben hatte, rechtzeitig von Tina gefunden zu werden, konnte im Moment jede Spur für ihre Kollegin hilfreich sein.

Eisner nahm die Waffe von ihrem Hals und trat einen Schritt zurück. Als er weit genug von ihr entfernt stand, steckte er die Waffe wieder hinter seinem Rücken in den Hosenbund und ließ den Schlüssel in der Brusttasche verschwinden.

»Was haben Sie vor?«, fragte sie erneut, obwohl sie sich bereits denken konnte, was jetzt gleich passieren würde.

»Im Moment erachte ich die Folter durch Wasser als viel zielführender. Sie ist wirksam, hinterlässt praktisch keine Spuren, und vor allem lässt sie deine Leiche nicht wie nach einem brutalen Verhör aussehen. Mal abgesehen von den Abschürfungen an Hand- und Fußgelenken, aber die lösen sich bei einer Wasserleiche bald auf.« Er ging zu der Kurbel und begann zu drehen.

Die Kette wickelte sich mit einem rasselnden Geräusch auf, und kurz darauf wurden auch schon Sabines Beine angehoben. Rasch begann sie tief ein- und auszuatmen. *Du musst dich darauf vorbereiten, was jetzt kommt!*

»Ah, wie ich sehe, haben sich deine Überlebensinstinkte bereits aktiviert«, bemerkte Eisner und kurbelte weiter.

Sabines Beine wurden an der Kette zum oberen Ende des Krans gehoben. Ihr Hintern wurde hinaufgezogen, dann folgte ihr Oberkörper. Das Wasser der nassen Kleidung lief ihr ins Gesicht, und sie spürte den faulen Geschmack des Seeschlamms im Mund.

Immer noch atmete sie tief ein und aus und füllte ihre Lunge mit so viel Luft wie möglich. Im nächsten Moment schleifte ihr Hinterkopf über den Holzboden, dann hing sie kopfüber am Kran. Ihr Gewicht zog an den Fußfesseln, und sie versuchte, sich trotz der Schmerzen in ihren Schultern mit den gefesselten Händen am Boden aufzustützen.

Eisner gab dem Schwenkarm einen Schubs, und sie schwang auf die Öffnung im Boden zu. Sie versuchte noch, mit den Händen den Rand zu fassen zu bekommen, doch im nächsten Moment hingen ihre Hände bereits im Wasser.

»Wie lautet das Passwort für deinen Laptop?«

Sabine schwieg. Stattdessen schlug sie mit den Armen wild im Wasser um sich. Die Chance war gering, aber vielleicht war zufällig jemand mit einem Boot auf dem See und sah die Wellen, die sich unter der Hütte ausbreiteten.

»Was hast du über Hardy, die Morde und die Gruppe 6 herausgefunden?«, rief Eisner. »Und wer weiß noch von der verkohlten Akte, die ich in deinem Wagen gefunden habe?«

»Hilfe!«, krächzte Sabine verzweifelt und spürte, wie ihr von Sekunde zu Sekunde mehr Blut in den Schädel lief.

Eisner schaltete das Radio ein und drehte die Lautstärke voll auf. »Wie lange kannst du unter Wasser die Luft anhalten?«, brüllte er. »Normale Menschen schaffen es vierzig, trainierte fünfzig Sekunden. Da du gut in Form bist, beginnen wir mit einer Minute.«

Aus dem Augenwinkel sah sie, wie er auf seine Armbanduhr blickte. Dann betätigte er die Kurbel und ließ sie ins Wasser. Sie füllte ihre Lunge noch einmal tief mit Luft, dann schlugen die Wellen über ihrem Gesicht zusammen.

Augenblicklich drang die Musik nur noch gedämpft durchs Wasser zu ihr. Über sich sah sie ihren Körper, der tiefer und tiefer ins Wasser gelassen wurde. Als ihre Knie im Wasser waren, stoppte Eisner die Kurbel.

Sabine schloss die Augen. Nase und Ohren füllten sich mit Wasser. Sie zog die Arme hoch und presste sie vor ihrer Brust zusammen. *Entspanne dich!* Sie versuchte, innerlich ruhig zu werden, um nicht zu viel Sauerstoff zu verbrauchen. *Deine Bauchmuskeln sind gut trainiert! Mit einem Sit-up könntest du vielleicht mit dem Gesicht durch die Wasseroberfläche stoßen und nach Luft schnappen.*

Aber wenn das schiefgeht?

Dann verlierst du zu viel Energie.

Sie blieb ruhig und bewegte sich nicht. Wie lange hing sie schon hier? Dreißig Sekunden? Ab jetzt begann sie die Sekunden im Geist zu zählen. Bei dreißig begann sich ihr Brustkorb zu verkrampfen, und bei fünfunddreißig zog Eisner sie aus dem Wasser.

Hastig durchstieß sie die Oberfläche und schnappte nach Luft.

Eisner ließ sie so hängen, dass ihre Stirn noch im Wasser war und Mund und Nase gerade mal daraus hervorragten. »Sag mir, was und wie du es herausgefunden hast und wer noch davon weiß!«

»Nein«, keuchte Sabine.

»Ab jetzt lasse ich dich jedes Mal zehn Sekunden länger unten. Durch das Blut, das dir mehr und mehr in den Kopf steigt, schlägt dein Herz schneller und du verbrauchst mehr Sauerstoff. Die Zeit arbeitet also in jeglicher Hinsicht gegen dich. Letzte Chance: Mach den Mund auf, sonst …!«

»Bemühen Sie sich nicht«, presste Sabine hervor. »Ich verhandle nicht!«

»Ach so?«, fauchte Eisner. »Ich habe meine Taktik soeben geändert.« Er griff zur Kurbel. »Ich lasse dich jetzt zwei Minuten lang unten.«

Sabine konnte gerade noch Luft schnappen, dann war sie schon wieder im Wasser und bekam mit geschlossenen Augen mit, wie er sie tiefer und tiefer hinunterließ. Und diesmal nicht nur bis zu den Knien, sondern bis zu den Waden.

Der Wasserdruck nahm zu. Das Blut pochte in ihrem Schädel, ihre Ohren dröhnten. Wenn sie die Arme nach unten ausstreckte, spürte sie das Schilf. Aber sie zog die Arme wieder an, presste sie an die Brust und krümmte sich instinktiv zusammen.

Dreißig Sekunden.

Sie versuchte sich eine Almwiese im Sonnenlicht vorzustellen, wie sie darauf im Gras lag und Vogelgezwitscher, das Läuten von Kuhglocken und das Lachen ihrer drei Nichten hörte.

Fünfzig Sekunden.

In Gedanken atmete sie und sog tief die frische Almluft in die Lunge.

Siebzig Sekunden.

Sie lag auf dem Rücken, starrte in den blauen, wolkenlosen Himmel, spürte die Sonnenstrahlen auf der Haut und atmete, atmete und atmete …

Neunzig Sekunden.

Ihr Brustkorb krampfte sich zum ersten Mal zusammen. Die Vision war sogleich verschwunden. Sie öffnete die Augen und starrte in das trübe Wasser. Über ihr dröhnte dumpf das Radio.

Hundert Sekunden.

Ihr Brustkorb zuckte. Sie musste schlucken, presste aber die Lippen zusammen. Stechende Kopfschmerzen drückten ihren Schädel zusammen.

Hundertfünf Sekunden.

Scheiße! Zieh mich rauf! Ich kann nicht mehr!

Wenn sie jetzt den Mund öffnete und einatmete, würde sie so viel Wasser in die Lunge bekommen, dass sie vielleicht ohnmächtig wurde.

Hundertzehn Sekunden.

Angeblich genügten nur zwei Atemzüge unter Wasser, dann gelangte Wasser in die Lunge, und es war vorbei.

Sie öffnete den Mund, und die Luftblasen sprudelten aus ihrem Mund …

Sabine spürte den Schlag im Gesicht. Sie übergab sich und erbrach Wasser durch Mund und Nase. Danach konnte sie endlich wieder atmen.

»Das war ziemlich knapp«, hörte sie Eisners weit entfernte Stimme in ihr Bewusstsein dringen. »Beim nächsten Mal lasse ich dich drei Minuten lang unten.«

Sabine war alles egal. Sie rollte sich zusammen, lag mit dem Gesicht auf den nassen Holzbrettern und hyperventilierte.

»Hast du verstanden? Drei Minuten!«, brüllte er.

Sie schwieg.

»Du weißt, dass das deinen sicheren Tod bedeutet!«

»Ja«, keuchte sie.

»Sag mir, was ich wissen will!«

Sie schüttelte den Kopf.

»Okay, dann versuchen wir, ob du es noch einmal schaffst.« Er drehte an der Kurbel und Sabines Beine wurden wieder hochgezogen.

Da hörte sie ein Läuten, das sich zu dem Lärm aus dem Radio mischte.

Eisner stoppte in der Bewegung, hob den Kopf und sah zur Decke. Dort befand sich eine kleine Glocke, die jetzt erneut ertönte. »Scheiße!«, fluchte er.

Rasch stopfte er Sabine den Knebel in den Mund, zurrte das Lederband zu und kurbelte an der Vorrichtung, bis ihre Hüfte vom Boden abhob.

Festgeschnürt wie ein Fisch am Angelhaken ließ er sie so hängen und ging. Das Letzte, was sie von ihm hörte, war, wie er von außen die Tür der Gartenhütte verschloss und sicherte.

20 Jahre zuvor – Der Tag, an dem alles begann

»Nein! Verdammte Schweinehunde! Lasst mich in mein Haus! Finger weg! Ich will rein! Es ist *mein* Haus!«

Frank Eisner tobte wie ein Berserker, und die drei Polizisten hatten alle Hände voll zu tun, ihn festzuhalten. Einer von ihnen sah Sneijder hilfesuchend an.

Vervloekt!

Sneijder schüttelte unmissverständlich den Kopf. »Bringt ihn weg!«

»Was?«, brüllte Eisner und bäumte sich gegen die Polizeigriffe auf, die ihn fixierten. »Ich will rein!«

Sneijder trat auf ihn zu. »Du weißt ganz genau, dass sich die Leute von der Spurensicherung vorher alles ansehen müssen. In deinem Zustand würdest du unsere Arbeit behindern.«

»Du holländisches Arschloch!«, brüllte Eisner. »Wie lange bist du schon beim BKA? Gerade mal sechs Jahre!«

»Genauso lange wie du!«, konterte Sneijder.

»Du kommst aus einer verfickten Buchhändlerfamilie, aber mein Vater und mein Großvater waren schon Bullen, als du …«

Sneijder ignorierte die Anfeindungen. »Ich bin hier, weil sie *mir* diesen Fall gegeben haben! Nicht der Frankfurter Kripo, nicht dem hessischen Landeskriminalamt, sondern der BKA-Abteilung für forensische Psychologie. Ich werde herausfinden, was passiert ist, und wenn deine Frau tatsächlich ermordet wurde, werde ich den Täter finden.« Er starrte ihm tief in die Augen. »Und wenn es jemanden gibt, der mir dabei *nicht* helfen kann, dann bist *du* es!«

»Ich …«

»Und noch etwas!«, unterbrach Sneijder ihn und hob den Zeigefinger. »Es heißt *niederländisches* Arschloch!« Er wandte sich an die Beamten. »Bringt ihn weg, und wenn er weiter tobt, legt ihm Handschellen an.«

»Handschellen?«

»Zu seiner eigenen Sicherheit, und jetzt lasst mich nachdenken.«

»Du begehst hier Freiheitsberaubung, ist dir das klar?«, brüllte Eisner.

Die Beamten brachten ihn zum Einsatzwagen, und Sneijder ging zum Zaun des Grundstücks, das am Ufer des Langener Waldsees lag.

Ein junger Beamter trat an Sneijders Seite. »Wollen Sie die Putzfrau vernehmen, die die Leiche gefunden hat?«

»Später«, sagte Sneijder.

»Die Spusi ist übrigens schon da«, sagte der junge Kollege und versuchte dabei eine ähnlich lässige Körperhaltung einzunehmen wie Sneijder. »Ich habe vorhin Ihren Kommentar gehört. Sehr geil.« Er grinste.

»Wie bitte?«, herrschte Sneijder ihn an.

»Ich sagte, sehr geil …«

»Nein, davor! Sagten Sie *Spusi*?«, rief Sneijder gereizt. »Mann, wo haben Sie *das* denn her. Aus dem Fernsehen? Die Abteilung heißt *Spurensicherung*, ist das klar?«

»Ja, ich dachte …«

»Mich interessiert nicht, was Sie denken. Holen Sie einen Arzt her. Und die Leute von der Spurensicherung schicken Sie erst ins Haus, wenn wir wieder rauskommen.«

»Aber normalerweise …«

»Normalerweise wird auch nicht die Ehefrau eines BKA-Kollegen ermordet. Machen Sie sich nützlich und bringen Sie mir ein Paar Latexhandschuhe und Überzieher für die Schuhe.«

Sneijder ging hinter Doktor Wudy über die breite Treppe in das obere Stockwerk hinauf. Der graubärtige und etwa sechzig Jahre alte Mann, der genauso groß war wie Sneijder, aber bestimmt das Doppelte wog, schnaufte erbärmlich.

Doktor Wudy war der Hausarzt der Familie und kannte das Gebäude. Was Sneijder bisher von der Villa gesehen hatte – den Vorraum, die Küche und das Wohnzimmer – war blitzblank und pingelig sauber. Kein Wunder. Die Putzfrau hatte an diesem Vormittag im Haus gearbeitet.

Dem Arzt schien das gar nicht aufzufallen. Er trug ebenfalls Überzieher für die Schuhe und nestelte an seinen Handschuhen herum. »Normalerweise kommen die Leute von der Spurensicherung gleich mit, wenn ich zu einem außergewöhnlichen Todesfall geholt werde«, keuchte er.

»Ach, wie interessant«, unterbrach Sneijder ihn. »Und wenn ein Dutzend Leute mit Kameras und Staubpinsel im Blitzlichtgewitter herumtrampelt, können Sie sich konzentrieren? Sich in die Situation hineinversetzen und herausfinden, was passiert ist?«

»Na ja«, brummte Wudy. »Bisher war es immer so.«

»Dann wird es heute zum ersten Mal anders sein.« Sneijder öffnete die Schlafzimmertür und führte den Arzt in den Raum. Die Vorhänge waren zugezogen, das Bett war zerwühlt und der Kleiderstuhl vor dem Fenster umgeworfen.

Sofort fielen Sneijder die kleine zerrissene Plastiktüte und das weiße Pulver auf dem Nachtschränkchen auf. Er schlüpfte in die Latexhandschuhe und öffnete die Schublade. Zwischen Taschenbüchern und Frauenkram lag ein vollständiges Heroinbesteck. Normalerweise hätte er das weiße Pulver nicht probieren müssen, um zu wissen, worum es sich handelte, doch der leicht gelbliche Farbton irritierte ihn. Vorsichtig tauchte er die befeuchtete Fingerspitze in das Pulver und kostete es. Es war kein reines Heroin, wie er anfangs vermutet hatte, sondern eine Heroin-Kokain-Mischung, ein *Speedball.* Dieses Zeug sedierte und putschte zugleich auf – und das konnte einen in den Wahnsinn treiben.

Doktor Wudy wandte sich zu Sneijder. »Darf ich den Vorhang …?«

»Nein! Alles bleibt so, wie es ist. Mich interessieren nur zwei Dinge«, sagte Sneijder. »Wie ist diese Frau gestorben, und wann ist ihr Tod ungefähr eingetreten?«

Wudy stand vor dem begehbaren Schrank und starrte durch die beiden offen stehenden Türen in das Dunkel. »Ich bin kein Hellseher.«

»Das habe ich auch nicht von Ihnen erwartet, aber Sie haben eine vierzigjährige Erfahrung als Arzt – außerdem sagte ich *ungefähr.* Sie sind der Hausarzt dieser Familie und kennen die Tote und ihre Krankengeschichte. Also sagen Sie mir nicht, dass Sie das jetzt nicht hinbekommen!«

»Darf ich Sie etwas fragen?«

»Wenn es sein muss.«

»Haben Sie keine Angst, sich bei Ihren Kollegen unbeliebt zu machen?«, fragte Doktor Wudy.

»Das bin ich schon.« Sneijder schaltete das Licht im begehbaren Schrank ein und erkannte einen schmalen Raum, in dem links und rechts die Wäschefächer bis zur Decke reichten. In der Mitte hing Irene Eisner und wurde von der Deckenlampe angestrahlt.

Sie trug nur Unterwäsche, und ihre Füße berührten gerade noch den Stuhl, der unter ihr stand. Sie hatte sich erdrosselt. Ihr

Körper hing schräg in den Raum hinein, nur gehalten durch den Gürtel eines Morgenmantels, der um ihren Hals geschlungen und an dem Deckenhaken der Lampe festgeknotet war. Auf dem Boden lagen jede Menge Krawatten, die sie aus den Fächern gefegt haben musste.

»O mein Gott!«, entfuhr es Doktor Wudy.

Sneijder schluckte. Kein Wunder, dass die Putzfrau kreischend aus dem Haus gerannt war. Die Arme der Frau lagen zu beiden Seiten ausgebreitet in den Wäschefächern, wodurch sie aussah wie ein gekreuzigter weiblicher Jesus. Der Deckenhaken oder der Knoten daran konnten sich jeden Moment lösen, dann würde die Leiche zu Boden fallen.

»Ich habe so etwas noch nie gesehen«, flüsterte der Arzt.

Ich auch nicht, aber es gibt immer ein erstes Mal!

»Ich nehme an, dass sie sich selbst stranguliert hat«, murmelte der Arzt. »Sie ist auf den Stuhl gestiegen, hat mit Krawatten und Gürtel hantiert, sich einiges davon um den Hals geschlungen und sich in die Schlinge fallen lassen. Das hat die Venen und Arterien abgeklemmt und die Blutzufuhr unterbrochen. Irenes Hirn bekam zu wenig Sauerstoff. Sie wurde ohnmächtig und erstickte. Das alles sieht im Grunde genommen ...«

»... nach einem typischen Selbstmordszenario aus«, vollendete Sneijder den Satz.

Wudy nickte. »Sehen Sie diese Kratzer an der Wange? Wenn sich jemand im letzten Moment instinktiv aus der Schlinge befreien will, verletzt er sich im Todeskampf normalerweise an der Wange oder am Hals. Ich habe auch schon Finger *in* der Schlinge gesehen.«

Aber dennoch! Etwas störte Sneijder daran. Vor allem weil Frauen, bevor sie Selbstmord begingen, immer ihr langes Haar aus der Schlinge nahmen. Irenes Haare steckten aber noch *in* der Schlinge, was auf einen unglücklichen Unfall hindeutete.

Also doch kein vorsätzlich geplanter Suizid?

Sneijder betrat den Schrankraum und betrachtete Irenes Armbeuge. Die Spritze steckte noch in ihrer Vene. Der Kolben war ganz hinuntergedrückt, und Reste von Blut befanden sich im Zylinder. »Sieht so aus, als hätte sie sich einen Schuss gesetzt«, murmelte er.

Sneijder hatte Irene Eisner in den letzten Jahren mehrmals gesehen – auf Betriebsfeiern und in der Kantine, wenn sie ihren Mann abgeholt hatte –, aber niemals war sie ihm heroinsüchtig vorgekommen. Im Gegenteil. Sie war eine fröhliche, intelligente und meist gut gelaunte Frau gewesen, die möglicherweise ein wenig frustriert war, weil sie keine Kinder bekommen konnte, wie er von Frank Eisner wusste. Aber eine Heroin-Kokain-Mischung? Wie wäre sie an die Drogen überhaupt rangekommen? Irene war erst achtundzwanzig Jahre alt gewesen, vier Jahre jünger als ihr Mann, und der Antrag auf Adoption eines Kindes lief bereits seit über einem Jahr.

»Kann sich jemand in diesem Rauschzustand selbst – ungewollt – auf diese Weise das Leben nehmen?«, fragte Sneijder.

»Möglich ist es … aber *ungewollt*?« Doktor Wudy schüttelte den Kopf. »Ich war bereits der Hausarzt von Irenes Mutter. Sie hat sich das Leben genommen, als Irene sieben war. Erhängt. Soviel ich weiß, ist sie davor in psychiatrischer Behandlung gewesen.«

Sneijder verzog das Gesicht. *Keine schöne Geschichte für ein kleines Mädchen.* Er dachte an den Speedball. »Könnten die Drogen eine Psychose ausgelöst haben? Ich meine, dass Irene unbewusst den Wunsch hatte, es ihrer Mutter gleichzutun, um rascher zu ihr zu kommen?«

»Möglich, aber diese Drogen … Ich weiß nicht.« Doktor Wudy betrachtete die Armbeuge mit der Spritze, danach die andere Armbeuge. »Sie hat keine weiteren Einstiche, weder im Hals noch am Handrücken.«

Sneijder ging in die Hocke. »Auch nicht zwischen den Zehen. Sie ist also nicht drogensüchtig gewesen.«

»Sieht nicht danach aus.« Doktor Wudy dachte nach. »Sie wollten wissen, wann der Tod eingetreten ist.« Er verließ den begehbaren Schrank. »Aufgrund der ersten Totenflecken – hier und hier –, die bereits ineinanderlaufen, weil das Blut in der Leiche nach unten sickert, der Trübung der Iris und der starren Augenlidern würde ich sagen …« Er fuchtelte vage mit der Hand herum. »Zwischen acht und elf Uhr vormittags.«

Wie hilfreich! »Die Putzfrau hat um zehn Uhr das Haus betreten«, sagte Sneijder. »Da sie keine Geräusche aus dem Schlafzimmer gehört hat, nehme ich an, Irene Eisner war zu diesem Zeitpunkt schon tot.«

»Dann zwischen acht und zehn«, sagte Doktor Wudy.

»Frank Eisner hat das Haus um halb neun verlassen.«

»Dann muss es zwischen neun und zehn passiert sein«, korrigierte sich der Arzt ein weiteres Mal.

Sneijder nickte. *So muss es gewesen sein!* »Und jetzt lassen Sie mich einen Augenblick allein!«

»Natürlich.« Doktor Wudy verließ das Schlafzimmer.

Sneijder knipste das Licht im Schrankraum aus. Die langen pechschwarzen Haare der Toten glänzten im matten Licht, das durch den Spalt des Vorhangs in den Raum fiel. Direkt unter ihrem Kopf hatte sich auf dem Boden eine kleine Pfütze aus Speichel gebildet, die bereits zur Hälfte eingetrocknet war.

Die Kollegen von der Spurensicherung würden ihn dafür hassen, trotzdem nahm Sneijder den umgekippten Kleiderstuhl vor dem Fenster, stellte ihn vor die Tote und setzte sich. Sneijder sah nach oben und blickte in Irenes schwarze Pupillen. Lange Zeit starrte er sie an, bis sich die Umgebung von allein ausblendete.

Warum hast du das getan?

Plötzlich hatte er das Bedürfnis, mit Irene zu sprechen. Ihr noch etwas zu sagen, bevor ihre Seele diesen Raum endgültig verlassen würde. Und er wusste, ihre Seele war noch da. Zudem hatte er das Gefühl, dass sie ihn sogar hören konnte, als hätte sie nur darauf gewartet, dass jemand ein paar nette Worte an sie richtete, bevor sie sich aufmachte, diesen kalten, leblosen Körper zu verlassen – diesen Raum, dieses Haus und diesen Ort.

Du siehst so hübsch aus. Auch jetzt noch. Sneijder berührte mit den Handschuhen ihre Wange. *Und ich weiß, du hast dir diesen Schuss nicht selbst gesetzt. Du weißt vermutlich nicht einmal, wie man mit einem solchen Besteck umgeht. Ist ein Einbrecher in dein Haus eingedrungen?*

»Maarten, hast du Spuren eines Einbrechers im Haus gefunden?«

Sein Herz raste. Für einen Moment hatte er tatsächlich geglaubt, ihre Lippen hätten sich bewegt. Und er hatte diese fragende Stimme in seinem Kopf gehört. Langsam beruhigte sich sein Herzschlag wieder.

Nein, es gibt keine Spuren in deinem Haus. Die Putzfrau hat alles gereinigt, ihre Arbeit verrichtet und erst zuletzt, als sie im oberen Stockwerk im Schlafzimmer angekommen ist, deine Leiche bemerkt. Wäre also ein Einbrecher ins Haus eingedrungen, hätte die Putzfrau Spuren des gewaltsamen Eindringens bemerkt. Ein eingeschlagenes Fenster, ein kaputtes Schloss oder eine aufgebrochene Tür. Dem war aber nicht so.

Also ist der Mörder ganz normal durch die Eingangstür ins Haus spaziert, überlegte Sneijder weiter. *Demnach müsstest du ihn gekannt haben.* Hast *du ihn gekannt, Irene?*

»Überlege doch, Maarten, wer könnte es gewesen sein?«

Ja, wer?

Dein Mann arbeitet gemeinsam mit knapp zwei Dutzend Kollegen bei der Drogenfahndung. Die VED setzt im Raum Hessen ver-

deckte Ermittler ein. Und jetzt bist du an einer Überdosis Speedball gestorben.

Nein! Bist du nicht! Dir wurde nur ein Schuss gesetzt, und in der Folge hast du dich selbst stranguliert. Es ist ein verdammter Unfall gewesen.

Aber wozu das Ganze? Aus Rache?

Welche Drogenringe gibt es hier? Albaner, Russen, Armenier oder Tschetschenen? Und das Geschäft von Hardkovsky, der vor fünf Jahren selbst in die Szene eingestiegen ist. Wer von ihnen war es?

Die Puzzleteile waren alle da. Lagen vor ihm. Er musste sie nur erkennen und in der richtigen Reihenfolge zusammensetzen.

Sneijder hatte den Stuhl wieder an seinen ursprünglichen Platz gelegt und das Haus verlassen. Mittlerweile arbeiteten die Kollegen von der Spurensicherung seit einer Stunde im Haus.

Sneijder stand inzwischen am Ufer, blickte auf den spiegelglatten See, rauchte eine selbstgedrehte Zigarette und beobachtete die Sonne, wie sie sich vom Zenit langsam Richtung Horizont schob. Da läutete sein Handy. Sogleich ging er ran. »Ja?«

»Wir haben Thomas Hardkovsky gefunden«, sagte ein Kripokollege aus Frankfurt. »Er hat ein Alibi für den ganzen Morgen und Vormittag.«

Vervloekt! Sneijder knirschte mit den Zähnen. »Überprüfen Sie das Alibi, womöglich ...«

»Haben wir schon. Es ist bombenfest.«

»Ja, aber vielleicht hat er ...«

»Sneijder! Wir *haben* es überprüft!« Der Kollege klang gereizt. »Thomas Hardkovsky hatte um neun Uhr einen Termin beim Zollkriminalamt in Köln. Die Kollegen haben ihn dort eine Stunde lang vernommen.«

Scheiße! Sneijder legt auf. Als er das Handy einsteckte, hörte er, wie jemand neben ihn trat. Ohne sich umzudrehen, erkannte er am Duft des Herrenparfums, dass es sich um Doktor Wudy handelte. »Fertig?«, fragte Sneijder.

»Ja, fertig. Es hat sich nichts Neues ergeben«, brummte der Arzt. »Haben Sie noch etwas entdeckt?«

»Das Problem ist, wir sehen die Dinge, Spuren und Tatorte nicht, wie sie wirklich sind«, murmelte Sneijder und zog gedankenverloren an seiner Zigarette. »Wir sehen sie so, wie *wir* sind.«

»Wie bitte?«

Sneijder sah ihn an. »Wir müssen unsere persönlichen Befindlichkeiten ausblenden, um den Tatort völlig neutral betrachten zu können.«

»Und was schließen Sie daraus?«

Sneijder dachte an Hardys Alibi und hob die Schultern. »Das weiß ich noch nicht.«

Doktor Wudy räusperte sich und nickte zu den Polizeibeamten, die das Grundstück durchforsteten. »Ich habe vorhin ein wenig mit Ihren Kollegen gesprochen. Die haben mir erzählt, Sie wären Profiler.«

»Fallanalytiker oder forensischer Kripopsychologe, wenn Sie so wollen.«

»Und da rauchen Sie dieses Zeug?« Doktor Wudy verzog das Gesicht.

»Manche Kollegen trinken, manche rauchen, andere gehen ins Bordell und vögeln sich die Seele aus dem Leib, um das zu vergessen, was sie in ihrem Berufsalltag sehen«, sagte Sneijder.

»Bei mir ist es das gute Essen.« Schmunzelnd klopfte sich Doktor Wudy auf den Bauch.

Sneijder blickte auf das Hemd des Arztes, das sich bedenklich spannte. »Wie wäre es mit einer Diät?«

Doktor Wudy schüttelte den Kopf. »Ich habe fünf Wochen

Diät gehalten, aber alles, was ich dabei verloren habe, waren fünf Wochen.«

Sneijder verzog das Gesicht zu einem Lächeln – auch wenn dieser ganz spezielle Gesichtsausdruck den meisten Leuten eher Angst zu machen schien. »Wollen Sie wissen, was mich von anderen Fallanalytikern unterscheidet?«

»Dass Sie kiffen?«

Sneijder schüttelte den Kopf. »Es gibt einige Profiler, die zu Kiffern wurden. Aber ich bin der erste Kiffer, der Profiler wurde.«

Der Arzt hob überrascht die Augenbrauen. »Haben Sie noch nie von den Nebenwirkungen gehört?«

Sneijder nahm einen Zug. »Als ich angefangen habe, über die schädlichen Nebenwirkungen zu lesen, habe ich aufgehört, den Mist zu lesen.«

»Sie machen es den Leuten wirklich schwer, ein ernsthaftes Gespräch mit Ihnen zu führen.«

Sneijder hielt den Glimmstängel hoch und blickte in die Glut. »Liegt vermutlich daran.« Er atmete langsam aus, und plötzlich stand Doktor Wudy mehrere Hundert Meter weit von ihm entfernt am Ufer, gestikulierte und sprach, doch Sneijder verstand kein Wort.

Wahnsinn!

Da sah Sneijder erneut die einzelnen Puzzleteile vor sich. Diesmal schwebten sie wie kleine Schiffchen über der Wasseroberfläche. *Keine Einbruchspuren. Keine Spuren eines Kampfes. Keine Blessuren. Hardys Alibi.*

Irene, jemand hat dir eine Spritze gesetzt und danach dein Schlafzimmer mit falschen Spuren präpariert.

Du hast ihn hineingelassen.

Nachdem dein Mann das Haus verlassen hat.

Plötzlich fügten sich die Puzzleteile zu einem Bild zusammen.

Irene, du hättest keine Russen, Albaner, Tschetschenen oder Ar-

menier ins Haus gelassen. Du nicht! Du hast jemanden reingelassen, den du kanntest. Vielleicht Thomas Hardkovskys rechte Hand? Aber warum? Du wusstest, dass er dealt. Bestimmt hast du gezögert. Was hat er zu dir gesagt?

»Frau Eisner, darf ich reinkommen? Ich muss mit Ihnen sprechen? Ich habe für Thomas Hardkovsky gearbeitet, aber ich möchte aussteigen. Deshalb muss ich mich mit Ihrem Mann treffen. Es ist dringend!«

Kaum war er im Haus, hat er dich überwältigt, betäubt, ins Schlafzimmer getragen und dir den Schuss verpasst. Aus Rache? Nein! Vielmehr sieht es nach einer eindringlichen Warnung aus. Misch dich nicht in unsere Geschäfte ein! *Er wollte dir bloß eine Dosis Drogen verabreichen, hat aber unterschätzt, welche Wirkung die auf dich haben. Dass sie dich in den Wahnsinn treiben und du das Schicksal deiner Mutter nachahmst.*

Sneijder blinzelte. Mit einem Mal stand Doktor Wudy wieder neben ihm.

»Was haben Sie?«, fragte der Arzt. »Sie wirken plötzlich so …«

»Deshalb hat Frank Eisner so getobt!«, entfuhr es Sneijder. »Eisner wusste, dass das passieren würde.«

»Wie bitte?«

»Ach, nichts.« Sneijder sah sich nach einem Polizisten um. »He, ich brauche Ihr Funkgerät!«

Während er auf den Polizisten zulief, dachte er noch einmal über alles nach. Thomas Hardkovsky hatte für diesen Vormittag nicht zufällig ein bombensicheres Alibi. Und deshalb mussten sie eine Fahndung nach seinem Mann fürs Grobe rausgeben: dem polnischen Exsoldaten Krzysztof!

5. TEIL

- H A R D Y -

SAMSTAG, 4. JUNI – ABEND

46. KAPITEL

Sneijder ging an dem silbergrauen BMW vorbei, läutete am Gartentor an und blickte auf das dahinterliegende Haus. Gott, wie lange war sein letzter Besuch her? *Zwanzig Jahre?* Die damaligen Erlebnisse und die Art, wie er Frank Eisner fast schon hatte abführen lassen, steckten ihm immer noch in den Knochen.

Das ganze Anwesen hatte sich verändert: Damals waren die Tannen noch nicht so hoch gewesen, es hatte den Wintergarten noch nicht gegeben, ebenso wenig den Holzsteg und die Gartenhütte.

Sneijder beugte sich über den Zaun und blickte zum See. Mittlerweile war das Uferstück schon ziemlich zugewuchert und von beiden Seiten nicht einsehbar. Die Tür zur Gartenhütte war geschlossen. Laute Musik drang daraus hervor. Sneijder hätte aber auch so gewusst, dass Eisner daheim war, weil sein Wagen auf dem Parkplatz stand und Eisner nicht der Typ war, der bei dieser Hitze joggen ging.

»Willst du, dass ich dich begleite?«, fragte Krzysztof.

»Ich kann mir nicht vorstellen, dass er gut auf dich zu sprechen ist. Reißen wir die alten Wunden nicht auf.« *Noch nicht!* Sneijder nickte zu Krzysztofs Bus, den sie so geparkt hatten, dass er vom Haus aus nicht gesehen werden konnte. »Warte besser im Wagen auf mich.«

Kommentarlos wandte sich Krzysztof ab und ging zurück zu seinem Lieferwagen. Als Sneijder wieder zum Haus sah, bemerkte er, wie Eisner vom Ufer über die Wiese zum Gartentor ging. Er trug Lackschuhe, Anzughose und ein schwarzes

Hemd mit aufgekrempelten Ärmeln. Wo kam der her? Aus der Hütte?

Sneijder betrachtete den Fressnapf und die Wasserschüssel neben dem Eingang. Das war doch wirklich der älteste Trick der Welt. Dass einem ausgebufften Sicherheitsexperten wie Eisner nicht Besseres einfiel, als zur Abschreckung einen Wachhund vorzutäuschen? Offensichtlich gab es keinen, denn der hätte schon längst Laut gegeben.

Sneijder öffnete das Gartentor und ging auf Eisner zu. »Lange nicht gesehen«, rief er.

Eisner machte keine Anstalten, Sneijder die Hand zu geben, als er ihn erreichte – und das beruhte auf Gegenseitigkeit. Sie waren nie die besten Freunde gewesen, und auch als Kollegen hatten sie bloß ein paarmal miteinander zu tun gehabt.

»Was führt dich her?«, fragte Eisner.

»Ein Taxi«, log Sneijder.

»Wir sind beide zu alt für diesen Scheiß, also komm zum Punkt. Was willst du?«

»Wir müssen reden.«

»Komm rein.« Eisner ging voraus und führte ihn ins Haus. »Ich habe gehört, du hast einen Mann erschossen und wurdest vom Dienst suspendiert. Brauchst du einen Job?«

Wie witzig! Sneijder schwieg.

Eisner betrachtete ihn von der Seite, während er die Haustür schloss und sie ins Wohnzimmer gingen. »Du machst nicht den Eindruck, als würde dir der Zwangsurlaub vom BKA guttun. Zum Glück ist kein Arzt da – der würde sofort mit deiner Wiederbelebung beginnen.«

Armleuchter! Sneijder blieb ruhig. »Wie läuft das Geschäft?«

»Gut. Wenn das Jahr so weitergeht, kratzen wir mit dem Umsatz an der Drei-Millionen-Grenze. Ohne Finanzamt könnte ich herrlich leben.« Eisner nahm im Wohnzimmer auf der Couch

Platz. Darüber hing ein gerahmter Picasso – und der sah nicht aus wie ein Poster aus einem Möbelhaus, sondern wie eine nummerierte und signierte Lithographie. Auch die antike Standuhr neben der edlen Ledercouch war sicher kein Nachbau von Ikea.

Wie ich sehe, kannst du auch mit *dem Finanzamt gut leben!*

»Und selbst?«, fragte Eisner.

Sneijder setzte sich in einen Ohrensessel, von dem aus er durch den Wintergarten einen Blick auf das Seeufer hatte. »Solange die Suspendierung noch nicht aufgehoben wurde, unterrichte ich nebenbei an der Uni.«

»Wer selbst nichts zu Wege bringt, kann immer noch andere beraten.« Eisner grinste.

Da redet der Richtige!

»Und das darfst du?«, hakte Eisner nach.

»Es läuft kein Verfahren gegen mich.«

»Stimmt.« Eisner musterte ihn, als wartete er auf eine Reaktion, die aber nicht kam. »Jetzt habe ich dich schon zweimal beleidigt und immer noch keine deiner üblichen Demütigungen erfahren. Also nehme ich an, dass du etwas wirklich Wichtiges von mir willst und keine rechtliche Befugnis hast, es zu bekommen. Also versuchst du es mit Freundlichkeit. Leider bist du darin wirklich schlecht. Ist nicht dein Terrain.« Eisner rückte nach vorn an die Kante der Couch. »Außerdem nehme ich an, deine Zeit ist wie immer knapp, darum biete ich dir erst gar nicht etwas zu trinken an, da du ja sowieso gleich wieder gehen wirst. Richtig?«

Eisner hatte nichts von seiner Spitzfindigkeit verloren. Statt auf Eisners Spekulationen zu reagieren, betrachtete Sneijder ihn nur. Bereits auf dem Weg ins Haus war ihm aufgefallen, dass Eisner dunkle, noch feucht glänzende Flecken an der Hose und auch am Hemdsärmel hatte. Öl war das keines. Viel eher sah es nach Schlamm aus. »Wobei habe ich dich gerade gestört?«

»Du hast mich nicht gestört. Hab gestern und heute in Wiesbaden vor einem Bankenvorstand einen Vortrag über moderne Sicherheitstechniken gehalten. Die machen vielleicht ein Sicherheitsupgrade.«

In diesem Zustand? Mit Matsch an den Kleidern? »Und wo warst du gerade?«

»Bin erst vor fünfzehn Minuten heimgekommen.«

»Ich weiß«, sagte Sneijder. »Der Motor deines Wagens ist noch warm.«

»Du bist immer noch ein schlauer Fuchs.«

Genau wie du! »Du überschätzt mich«, entgegnete Sneijder.

»So bescheiden? Ist doch gar nicht deine Art.«

»Woher stammt der Matsch an deiner Kleidung, alter Freund? Warst du am Seeufer?«

Eisner lächelte. »Wir sind keine alten Freunde! Sag mir, was du willst, oder verschwinde von hier.« Es klang wie eine Drohung.

»Hardy ist vor neun Tagen entlassen worden«, begann Sneijder.

»Ich dachte mir, dass du deswegen da bist. Hier war er noch nicht.«

»*Noch* nicht?«, wiederholte Sneijder. »Also rechnest du mit seinem Besuch?«

Eisner schwieg.

Nun rückte auch Sneijder an die Kante des Sessels. »Weißt du, was ich mir all die Jahre überlegt habe?« Er faltete die Hände vor dem Kinn, stützte den Kopf darauf und warf einen Blick auf Eisners gerahmte Ahnengalerie auf der Kommode. Nun war es wichtig, tatsächlich so zu tun, als hätte er dies alles schon seit vielen Jahren vermutet und sich nicht erst vor einer Stunde zusammengereimt. »Was hat Hardy damals dazu veranlasst, seinen Job hinzuschmeißen und ein Drogengeschäft aufzuziehen? Aus welchem Grund ist er auf die andere Seite gewechselt?« Er knöpfte sein Sakko auf, griff in die Innentasche und nahm seine Schachtel mit den selbstgedrehten Zigaretten heraus. »Darf ich?«

»Wenn du willst, dass der Feueralarm losgeht.«

Sneijder steckte die Packung wieder in die Innentasche und ließ das Sakko dabei ein wenig aufklaffen, sodass Eisner sein Holster mit der Glock sehen konnte.

»Netter Versuch, beeindruckt mich aber nicht«, sagte Eisner. »Ich habe auch eine Waffe im Haus.«

Aber nicht am Körper! Sneijder ignorierte die Bemerkung. »Bevor Hardy das BKA verließ, wart ihr ein Jahr lang Partner. Soviel ich mich erinnere, haben die Leute damals erzählt, dass Hardys Frau – Lizzie hieß sie, oder? – ihn dazu überredet hat, sein Geschäft aufzuziehen. Du kanntest sie, nicht wahr?«

»Spar dir deine Suggestivfragen und komm zum Punkt!«

»Weißt du …«, seufzte Sneijder. »Ich glaube, dass du Lizzie manipuliert hast, damit sie Hardy diese Geschäftsidee *einimpft.*« Er beobachtete Eisner, doch der verzog keine Miene. *Verdomme!* »Vielleicht hast *du* ja hinter der ganzen Idee gesteckt.«

Eisner schwieg.

»Und willst du wissen, was ich mir noch über all die Jahre zusammengereimt habe?«

»Das interessiert mich nicht«, erwiderte Eisner. »Aber willst *du* wissen, was *mich* interessiert? Warum du erst jetzt mit diesem ganzen Quatsch ankommst?«

»Das kann ich dir beantworten. Fünf Gründe! Rohrbeck, Hagena und Hess sind tot, ebenso Diana Hess, und meine Kollegin ist seit gestern Abend verschwunden«, zählte er an den Fingern einer Hand auf. »Ich finde, das genügt, um aktiv zu werden und die ganze Scheiße von damals aufzuwühlen.«

»Welche *Scheiße von damals?*«, fragte Eisner gelassen.

»Habe ich dein Interesse also doch geweckt?« Sneijder lehnte sich zurück. »Hardy war ein ehemaliger Kollege von Timboldt, Lohmann und dir – und von Timboldt weiß ich, dass der immer schon bestechlich war.« Ohne jemals einen Blick in die Akte mit dem Sperrvermerk geworfen zu haben, konnte Sneijder nur spekulieren. Aber sein Vorteil war, dass Eisner nicht wusste, ob er bluffte oder nicht. Er musste ihm seine Vermutung nur überzeugend genug verkaufen. Und das konnte er.

»Was habe ich mit Timboldt zu tun?«

»Ihr wart Mitglieder der Gruppe 6«, sagte Sneijder. »Du, Timboldt, Lohmann, Rohrbeck, Hagena und Hess. Ich nehme an, ihr habt mit Hardy zusammengearbeitet: Ihr tastet sein Geschäft nicht an, schaltet die Konkurrenz aus – was ohnehin euer Job ist – und kassiert dafür einen Teil seines Profits. Wie viel war es? Zwanzig, fünfundzwanzig Prozent? Das ist nicht besonders viel, wenn man bedenkt, wie rasch Hardys Drogenring expandieren konnte. Aber dann habt ihr mitbekommen, wie viel Kohle man *wirklich* damit machen kann. Hardy hat im Lauf der Jahre Rubel, Pfund und D-Mark im Wert von umgerechnet mindestens zwei Millionen Euro zur Seite geschafft. Und da wurdet ihr gierig. Ihr wolltet nicht mehr länger fünfundzwanzig, sondern fünfzig Prozent vom Gewinn – oder noch mehr. Aber Hardy hat sie euch nicht gegeben. Es war *sein* sauer verdientes Geld! Das muss dir mächtig gestunken haben! Immerhin war es *deine* Idee – und du hattest so lange mit Lizzie daran gearbeitet. Aber jetzt musstest du plötzlich mitansehen, wie er und Lizzie immer reicher und reicher wurden.«

Eisner reagierte nicht. Sneijder sah nur, wie seine Halsschlagadern hervortraten und mächtig zu pochen begannen – und wie sein Kehlkopf auf und ab hüpfte, weil er den Zwang unterdrückte, schlucken zu müssen. *Du bist auf der richtigen Spur. Mach weiter!*

»Und weil er dir keinen größeren Anteil geben wollte …«,

vermutete Sneijder, »hast du gedroht, ihn auffliegen zu lassen. Aber so etwas beruht immer auf Gegenseitigkeit, nicht wahr? Daraufhin hat Hardy im Gegenzug damit gedroht, dich und deine Kollegen auffliegen zu lassen. Vielleicht hat er sogar noch einen draufgesetzt und angekündigt, dass du von ihm fortan keinen einzigen Cent mehr bekommen wirst. Über Nacht war euer netter Nebenverdienst weg. Also habt ihr sein Warenlager in die Luft gejagt, um ihm unmissverständlich zu verstehen zu geben, dass mit euch nicht zu spaßen ist. War *das* eure Botschaft?«

Sneijder ließ die Frage unbeantwortet im Raum stehen. Eigentlich wäre es jetzt an der Zeit gewesen, dass Eisner laut in die Hände klatschte und einen aufgesetzten Kommentar losließ. *Großartig zusammengereimt, aber du hast keinerlei Beweise!* Doch er schwieg und hörte weiterhin aufmerksam zu.

»Daraufhin hat Hardy seinen besten Mann engagiert, um *dir* eine Warnung zukommen zu lassen«, fuhr Sneijder fort. »Krzysztof sollte deiner Frau eigentlich nur eine Dosis Heroin verpassen – damit du siehst, wie verwundbar du bist. Aber die Sache lief aus dem Ruder, und dummerweise starb Irene.«

Nun zuckte Eisners Augenlid, aber das konnte natürlich auch einfach der Erinnerung an seine Frau geschuldet sein.

»Korruption und Schmiergeldzahlungen passieren nun mal«, fuhr Sneijder fort. »Aber als deine Frau starb, geriet die ganze Sache außer Kontrolle. Da hättet ihr aufhören sollen.« Er betrachtete Eisners Hände. Die lagen auf der Couch, waren nicht zur Faust geballt. Eisner rieb nicht einmal die Handflächen auf der Couch, um Schweiß abzuwischen. Wahrscheinlich schwitzte er gar nicht. Damit entzog sich Eisners Verhalten jeglicher psychologischer Erfahrung, die Sneijder im Lauf der Jahre bei Vernehmungen gesammelt hatte. Aber ein letztes Ass hatte er noch im Ärmel – die gewagteste Vermutung von allen, die er in dieser Situation ohne seine Glock im Holster niemals ausgesprochen hätte. Aber er war schon so weit gegangen, dass er auf diese letzte Provokation nicht verzichten konnte.

»Aber ihr dachtet nicht ans Aufhören. Im Gegenteil. Für euch war es an der Zeit, die Gruppe 6 neu zu formieren. Jetzt würde sich zeigen, ob ihr zusammenhalten konntet und ein eingeschworenes Team wart. Du brauchtest sie, und sie waren dabei. Immerhin hatte Hardy deine Frau auf dem Gewissen, und er würde weitere Anschläge gegen dich, die anderen Mitglieder der Gruppe 6 und ihre Familien in Auftrag geben, falls ihr Hardys Geschäft nicht in Ruhe ließet. Du hast ihn wie eine übermächtige Bedrohung aussehen lassen und dafür gesorgt, dass sie dir das abnehmen.« Sneijder lächelte zynisch. »Theoretisch hättet ihr den Dienstweg gehen und den Staatsanwalt einschalten können, aber praktisch war das unmöglich. Hardy hätte ausgepackt. Also habt ihr die Sache selbst in die Hand genommen. In einer einzigen Nacht habt ihr seine Labors niedergebrannt und zuletzt auch sein Wohnhaus. Alles musste vernichtet werden. In jener Nacht des 1. Juni habt ihr Hardy einen so harten Schlag versetzt, dass er endgültig am Boden lag.«

Eisner schwieg nach wie vor.

Godverdomme! Dieser verfluchte Mistkerl würde nicht einmal mit der Wimper zucken, selbst wenn Sneijder noch die Befugnis gehabt hätte, ihn bei Wasser und Brot in U-Haft zu stecken. »Du hast Lohmann, Timboldt und die anderen angestachelt, damit sie glauben, dies sei die einzige Möglichkeit, wie ihr euren Kopf aus der Schlinge ziehen könnt. Sowohl Hardy als auch die Beweise in seinem Haus und vor allem Lizzie, die zu viel wusste, mussten verschwinden. Sie wäre eine schlimme Belastungszeugin gegen dich gewesen. Es ist alles verbrannt, so ein Glück für dich, und Hardy hatte nichts mehr gegen dich in der Hand. Außer seiner Aussage, aber wer hätte ihm geglaubt?«

Noch immer reagierte Eisner nicht.

Sneijder dachte nach. Nein, er hatte keinen Fehler in seiner Gedankenkette gemacht. Im Grunde genommen hätte zwar jeder von der Gruppe 6 der Drahtzieher sein können, aber diese Variante ergab den meisten Sinn: Eisner war derjenige, der Hardy und Lizzie am besten gekannt hatte. Außerdem war es *Eisners* Frau gewesen, die gestorben war.

»Bist du fertig?«, fragte Eisner.

»Ich kann deine Motivation gut nachvollziehen.«

»Ach, kannst du das?«

Sneijder nickte. »Ihr habt aus purer Angst gehandelt. Ihr musstet euch wehren und Hardy zuvorkommen – und das ist euch gelungen. Aber ich kenne Hardy. Er wäre nie so weit gegangen. Und ich kenne dich. Du bist ein Meister der Manipulation und hast die Angst deiner Kollegen massiv geschürt, andernfalls wären sie niemals mit dieser Brutalität gegen Hardy vorgegangen!«

Nun seufzte Eisner und schüttelte mit einem leichten Bedauern den Kopf wie jemand, der sich voll unter Kontrolle hatte. »Das sind alles nur Vermutungen, fernab jeglicher Beweise, nicht einmal Indizien«, behauptete er. »Außerdem steht das alles bereits in der Akte mit dem Sperrvermerk. Es gibt keine Beweise gegen die Gruppe 6, und es wurde nie Anklage gegen uns erhoben.«

»Der Fall könnte neu aufgerollt werden.«

»Dazu bräu…« Eisner verstummte.

»Richtig.« Sneijder setzte sein Leichenhallenlächeln auf. »Dazu bräuchte man die Akte mit den Verhörprotokollen. Aber die hat Hess, wie du anscheinend schon weißt, in seinem Kamin verbrannt. Allerdings nicht zur Gänze. Meine Kollegin konnte einen Blick in die Akte werfen. Außerdem gab es eine Kopie im Gerichtsarchiv des BKA, die auch verschwunden ist. Und ich weiß, dass du sie nicht hast.«

Nun verlor Eisners Gesicht doch ein wenig an Farbe.

»Hast du Angst, Hardy könnte an die Daten rankommen?«

Eisners Blick versteinerte.

»Wo ist meine Kollegin?«, fragte Sneijder.

»Falls du Sabine Nemez meinst, die Kleine mit den rehbraunen Augen, die war gestern in der Bank, wo ich meinen Termin hatte. Sie wollte mit mir über die Gruppe 6 sprechen.«

Warum plötzlich so kooperativ? »Und seither hast du sie nicht gesehen?«

»Nein.«

Das *Nein* war eine Spur zu schnell gekommen, zu laut und zu überzeugend. Sneijder wusste, dass Eisner log. Und bestimmt ahnte Eisner, dass Sneijder diese Reaktion nicht entgangen war.

»Ich nehme an, du bist mit deinen Verdächtigungen am Ende angelangt«, sagte Eisner. »Soll ich dir ein Taxi rufen?«

»Nicht nötig.« Sneijder stand auf. »Darf ich noch auf die Toilette gehen?«

Mit einer großzügigen Geste deutete Eisner in den Vorraum. »Im Flur, zweite Tür rechts.«

Sneijder kehrte Eisner den Rücken zu und verließ das Wohnzimmer. Im Spiegel der Glasvitrine beobachtete er Eisner. Der saß auf der Couch und machte keine Anstalten, ihn aufzuhalten. Er zog weder eine Waffe, noch griff er nach seinem Handy. *Ach, hättest du mir doch diesen Gefallen getan!*

Sneijder trat in den Vorraum, öffnete jedoch die erste Tür und blickte eine steile Kellertreppe hinunter.

»Die *zweite* Tür rechts!«, rief Eisner aus dem Wohnzimmer.

»Ach ja.« Sneijder bemerkte die Delle an der Wand. Der Schaden sah frisch aus. Kein Staub auf dem Boden. An dieser Stelle war frisch gefegt worden. Er schloss die Tür und ging an einer Glasvitrine vorbei. In dem gusseisernen Ständer daneben hingen vier Schürhaken. Drei waren staubig, einer geputzt. Dann öffnete er die Tür und betrat die Toilette. Wie er es vermutet hatte, befand sich ein Brandmelder an der Decke.

Sneijder stellte unter dem Spülkasten eine volle Klopapierrolle auf den Boden, nahm eine selbstgedrehte Zigarette aus der Schachtel, zündete sie an und warf sie in die Öffnung der Klopapierrolle. Normalerweise gingen Joints aus, wenn man nicht ständig daran zog, doch die Glut seines Spezialkrauts hielt länger an. Darum legte er einige Lagen Papier darüber, sodass nur ein Spalt frei blieb.

Die geringe Sauerstoffzufuhr würde ausreichen, um genügend Rauch hochsteigen zu lassen und in ein paar Minuten den Feueralarm auszulösen. Und wenn er Eisners Sicherheitstick richtig einschätzte, war der Rauchmelder über eine Brandmeldezentrale direkt mit der Feuerwehr verbunden.

Sneijder betätigte die Spülung, wusch sich die Hände und verließ die Toilette. Eisner stand bereits an der geöffneten Eingangstür.

»Auf Wiedersehen.« Ohne Eisner die Hand zu geben, trat Sneijder ins Freie, stieg die Treppe hinunter und ging zur Gartentür.

Eisner hatte seine Verabschiedung nicht erwidert. Stumm stand er in der Tür und blickte ihm nach, wie er das Grundstück verließ.

Vögel zwitscherten im nahe gelegenen Wald.

Noch drei Minuten!

Dann würde der Rummel losgehen.

47. KAPITEL

Sneijder stieg zu Krzysztof in den Lieferwagen und schlug die Tür zu.

»Wie ist es gelaufen?«

»Verheerend.«

»Was hast du erwartet? Dass er dir ein Geständnis mit einer bunten Schleife herum serviert?«, knurrte Krzysztof. »Was jetzt?«

»Wir warten zwei Minuten. Dann geht der Feueralarm in seinem Haus los. Da kann er so lange mit der Feuerwehr telefonieren, wie er will, sie *muss* kommen. Zehn Minuten später werden die Feuerwehrleute hier eintreffen, und du betrittst mit ihnen das Haus.«

»Das wird Eisner nicht gefallen.«

»Hoffentlich! Er wird zu viel um die Ohren haben, als dass er sich auch noch um dich kümmern kann. Ich möchte, dass du ihn ablenkst. Beschäftige ihn! Und wenn du eine Chance findest, sieh dich in seinem Keller um.«

»Dieser Plan ist absolut genial und exakt ausgearbeitet«, schnaubte Krzysztof.

»Ich weiß, dass er scheiße ist«, fuhr Sneijder ihn an. »Aber mir ist in der Eile kein besserer eingefallen.«

»Und was machst du?«

»Ich sehe mich im Garten um.«

»Aha.« Krzysztof griff in seine Gesäßtasche und holte den Flachmann heraus. Bevor er daran nippte, hielt er Sneijder die Flasche hin. »Magst du?«

Sneijder nahm den Flachmann, doch bevor er ansetzte, um einen Schluck zu nehmen, roch er sicherheitshalber daran. »*Vervloekt,* das ist ja wirklich Wasser!«

»Weihwasser«, korrigiert Krzysztof ihn. »Was dachtest du denn?«

Sneijder gab ihm die Flasche zurück, Krzysztof nahm einen Schluck und steckte sie wieder ein. Danach warteten sie und sprachen kein Wort.

Sieben Minuten später hörten sie die Sirene der Feuerwehr. Zwei Wagen kamen über die Uferstraße und bogen in den schmalen Waldweg zum See ein.

Sneijder stieg aus dem Wagen. »Solltest du Sabine finden, ruf mich an. Ansonsten pass auf dich auf!«

»Ich lass den Autoschlüssel stecken, falls du den Wagen brauchst …«

»Ja, mach schon.« Sneijder schlug die Autotür zu, lief zum Ende des Parkplatzes und verschwand zwischen den Bäumen Richtung Seeufer.

Als er die Grundstücksgrenze erreichte, blickte er an einem zwei Meter hohen Maschendrahtzaun hinauf, auf dem sich ein ausgerollter Stacheldraht befand. *Nee, nee, nee! Niet goed!* Er schlich zum nächsten Metallpfosten, der den Zaun hielt, schlüpfte kurzerhand aus dem Sakko, warf es über den Stacheldraht und drückte den Zaun nieder. Dann bohrte er die Schuhspitze in den Maschendraht, hielt sich am Pfosten fest und kletterte über den Zaun.

Keuchend sprang er auf der anderen Seite auf den Waldboden. Nur wenige Meter von ihm entfernt lag die Holzhütte, die zur Hälfte aufs Wasser hinausragte.

Noch hielt Sneijder sich im Schatten der Bäume auf und spähte zum Haus. Die Feuerwehrleute stürmten soeben die Treppe zur Eingangstür hinauf. Eisner stand im Türrahmen. Es gab eine hitzige Diskussion, von der Sneijder nichts verstand, sowohl wegen des plärrenden Radios in der Holzhütte als auch weil die Sirene der Feuerwehr immer noch heulte. Im nächsten Moment betrat auch Krzysztof das Grundstück.

Jetzt!

Sneijder ließ das Sakko auf dem Zaun hängen und lief über die Wiese zur Hütte. Als er näher kam, sah er, dass ein großes Vorhängeschloss die Griffe der Tür versperrte. Da wusste er, dass ihn sein Bauchgefühl nicht getrogen hatte.

Rasch holte er sein Pick-Set aus der Hosentasche und fuhr mit den beiden Enden des Dietrichs in das Schloss. *Nicht schon wieder!* Schlösser zu knacken war einfach seine verdammte Achillesferse. *Nur die Ruhe! Krzysztofs Wohncontainer hast du auch aufbekommen.* Erfolglos versuchte er den Riegel im Schloss zu drehen. Einmal rutschte ihm der Dietrich aus den Fingern, beim zweiten Mal klappte es. Er öffnete den Mechanismus, zog das Vorhängeschloss von den Griffen und riss die Tür auf. Rasch schlüpfte er ins Innere der Hütte und machte die Tür wieder hinter sich zu.

Drinnen war es dunkel. Es roch nach Holz, Öl und morastigem Wasser. In der Mitte der Hütte stand das Eisengerüst eines Krans, an dem eine gespannte Kette befestigt war. An deren Ende hing eine Person, mit den Beinen voran, Füße und Hände gefesselt, halb aufgerichtet, und mit dem Oberkörper reglos auf den Holzbrettern liegend. *Sabine Nemez!*

Wusste ich es doch!

Sneijders Herzschlag beschleunigte sich. *Wenn du Mistkerl sie umgebracht hast, dann gnade dir Gott!*

Sneijder lief zu Sabine hin, kniete sich neben sie auf den Holzboden und wollte gerade an ihrer Halsschlagader nach dem Puls tasten, als sie plötzlich wie der Blitz aufschnellte, etwas um seinen Hals schlang und zudrückte.

»Ich …«, röchelte Sneijder, bekam aber keine Luft mehr.

Er stützte sich mit allen vieren auf den Holzbrettern ab und spürte, wie Sabine ihn zu der Öffnung im Boden zerren wollte. Mit der Hand bekam er Sabines Finger zu fassen und bog sie so um, dass sich ihr Würgegriff lockerte. Endlich erkannte sie, wer er war. Schreckensbleich zog sie ihre gefesselten Hände zurück, und er ließ sie los.

Nun sah er, dass sie ihre Schnürsenkel aus den Turnschuhen gefädelt und zu einer Schnur zusammengebunden hatte, mit der sie ihn hatte erwürgen wollen. Ihre Augen waren immer noch geweitet, als könnte sie gar nicht glauben, dass Sneijder sie in der Hütte gefunden hatte. Er löste das Lederband an ihrem Kopf und nahm ihr behutsam den Ball aus dem Mund.

Sie röchelte, schnappte nach Luft und spuckte aus. »Tut ... tut mir leid.« Sie bewegte den Unterkiefer hin und her und presste dabei schmerzverzerrt die Augen zusammen.

»Schon gut. Eisner ist gerade mit der Feuerwehr beschäftigt«, rief er, um das Plärren des Radios zu übertönen. »Wir haben höchstens fünf Minuten Zeit.«

»Eisner ist in Hess' Wochenendhaus eingebrochen«, krächzte sie. »Er hat ihn angeschossen und wollte die Akte verbrennen.«

»Ich weiß.« Sneijder hatte bereits nach seinem Dietrich gegriffen, mit dem er nun versuchte, Sabines Handschellen zu öffnen. »Hardy wird demnächst hier auftauchen.«

»Das ist er schon. Er hat Eisners Safe leer geräumt.«

Sneijder hob den Kopf und sah Sabine verdutzt an. *Das ergibt doch keinen Sinn!*

»Geben Sie her.« Sabine nahm Sneijder den Dietrich aus der Hand. Sie hatte bei den Seminaren in Sperrtechnik schon immer gut abgeschnitten und bei Einsätzen noch nie den Schlüsseldienst gebraucht. Mit einem geübten Griff öffnete sie ihre Handschellen und beugte sich hinauf zu den Fußfesseln.

Indessen betrachtete Sneijder ihre Kleidung. Hose und Bluse

waren nass. Er starrte auf die Kette und den Kran. Anscheinend hatte Eisner versucht, sie in diesem Loch zu ersäufen.

Indessen schlüpfte Sabine aus den Fußfesseln, stopfte die Schnürsenkel in die Hosentasche und wollte sich aufrichten. Dabei schwankte sie, und Sneijder musste sie stützen. »O Mann …« Für einen Moment schloss sie die Augen, danach schien sie wieder klar sehen zu können.

»Alles okay?«, fragte er.

Sabine rieb ihr Handgelenk. »Ja, geht schon wieder. Wie haben Sie mich gefunden?«

»Handypeilung, russische Abhörwanzen und das Sicherheitssystem in Hess' Haus.«

Sie sah ihn verwirrt an.

»Eine lange Geschichte – dafür ist jetzt keine Zeit. Wo sind Ihr Handy und Ihr Wagen?«

»Im See versenkt.«

»Wir sollten jetzt abhauen.«

»Abhauen?« Sabine starrte Sneijder ungläubig an. Dann warf sie einen Blick auf sein Schulterholster. »Geben Sie mir Ihre Waffe, dann nehme ich Eisner fest. In der Zwischenzeit können Sie mit Ihrem Handy das BKA ver…«

»Nein!«, unterbrach er sie. Wie sollte er ihr das jetzt nur erklären? »Es ist noch zu früh für eine Festnahme.«

»Zu früh?«, wiederholte sie ungläubig. »Entführung, Folter und womöglich Einbruch und Mordversuch gehen auf Eisners Konto, und Sie halten seine Festnahme für verfrüht?«

»Es ist nicht beim Mordversuch geblieben«, korrigierte Sneijder sie. »Hess ist heute Morgen im Krankenhaus gestorben.«

Sabine sah ihn entsetzt an. »Hess ist tot?« Dann klaffte ihr Mund auf. »Das sagen Sie so … so … emotionslos.«

Mädchen, wenn du wüsstest! »Hinter dieser Sache steckt viel mehr als Einbruch, Mord, Entführung und Folter«, sagte er stattdessen. »Wir haben jetzt die Chance, die Hintergründe einer zwanzig Jahre alten Straftat und nebenbei auch mehrere aktuelle Mordfälle aufzuklären. Und zwar *jetzt*, solange Eisner noch frei ist …«

»Sie wollen Eisner *frei* herumlaufen lassen?«, rief sie. »Niemals! Ich werde ihn festnehmen.«

»Spickaal und Speigatten! Sie sind so dämlich und stur!«, fauchte er.

»Sie brauchen gar nicht so die Augen zu verdrehen. Geben Sie mir Ihre Waffe!«, verlangte sie.

Sneijder griff in sein Holster, holte die Glock heraus und lud sie durch. Aber anstatt ihr die Waffe zu geben, richtete er den Lauf auf Sabine. »Offenbar geht es nicht anders.«

»Ich fasse es nicht! Was tun Sie da?«, rief sie.

»Sie werden mir jetzt eine Minute lang gut zuhören. Entweder machen wir die Sache gemeinsam so, wie ich es für richtig halte, oder ich schlage Sie bewusstlos und fessle Sie wieder an die Kette.«

Sabine schnappte nach Luft. »Ich …«

»Eisner hat im Moment noch mit der Feuerwehr zu tun. Danach wird Krzysztof ihn nur noch kurz beschäftigen können.«

»Krzysztof? Dieser Krzysztof, der …?«

»Ja!«, unterbrach er sie. »Wenn wir jetzt Krach schlagen, bekommen wir nie die Beweise, die wir brauchen. Also werden wir still und heimlich aus dieser Hütte verschwinden und draußen das Vorhängeschloss wieder anlegen. Eisner wird nicht so rasch bemerken, dass Sie weg sind, und sich in Sicherheit wiegen. *Das* ist unser Vorteil. Er muss agieren. Und er wird einen Fehler begehen.«

»Und wenn nicht?«

»Eine Sache hat sich immer bewahrheitet: Je mehr Zeit jemand hat, desto mehr Fehler macht er.«

»Aber …«

»Aber wir wollen nicht nur Eisner überführen«, unterbrach er sie, »sondern auch alle anderen, die in der Sache mit drinstecken! Das ist unsere Chance, sie aus ihrem Versteck zu locken, indem wir sie zum Handeln zwingen! Andernfalls schwimmen uns die großen Fische davon.«

Sie sah ihn an, als bezweifelte sie, ob er noch ganz bei Trost war. »Wer sollte noch in diese Sache verwickelt sein?«

Sneijder warf einen Blick auf seine Armbanduhr. *Noch eine Minute!* »Eichkätzchen«, rief er hastig und hielt drei Finger hoch. »Es gibt drei Arten von Dingen: Dinge, von denen wir wissen, dass wir sie wissen. Dinge, von denen wir wissen, dass wir sie nicht wissen. Und zuletzt gibt es Dinge, von denen wir nicht wissen, dass wir sie nicht wissen. Das sind die gefährlichsten!«

»Was wollen Sie damit sagen?«

»Wir haben keine Ahnung, wem wir vertrauen können und wie viele hochrangige BKA-Beamte, Staatsanwälte oder Richter noch in diese Sache involviert sind. Kapieren Sie das endlich! *Das* müssen wir herausfinden. Aber wenn wir jetzt die Kripo oder das BKA einschalten, wird wieder alles vertuscht werden. Dabei haben wir gerade mal die Spitze des Eisbergs angekratzt! Geht *das* in Ihr verdammtes Spatzenhirn?«

Sie sah ihn mit hochrotem Kopf und pochenden Halsschlagadern an. »Manchmal habe ich den Eindruck, Sie bereuen, dass das Leben so kurz ist und Sie nie *genug* Zeit finden, Ihre Partner zu schikanieren.«

Er lächelte. »Wir sind also Partner?«

»Verdammt ja, es ist zwar äußerst riskant, aber was bleibt mir anderes übrig? Nehmen Sie die Waffe runter!« Sie ging zur Werkbank und schnitt ihre Schnürsenkel mit einem Stanley-Messer durch. Dann ging sie etwas mühsam in die Hocke und fädelte die Schuhbänder eilig durch die Löcher ihrer Turnschuhe.

»Muss das jetzt sein?«

»Wollen Sie, dass ich während unserer Flucht einen Schuh verliere?«

Sneijder ging zur Tür und warf durch den Spalt einen Blick in den Garten. Die Feuerwehrleute waren gerade im Begriff, das Haus zu verlassen. »Beeilen Sie sich!«

Sabine band sich soeben den zweiten Schuh zu. »Falls Sie das alles machen, um sich selbst zu rehabilitieren, habe ich eine schlechte Nachricht für Sie.« Sie stand auf und kam zur Tür. »Nach Hess' Tod wird Dirk van Nistelrooy neuer BKA-Präsident. Wir wissen beide, dass er Sie noch weniger ausstehen kann, als Hess es konnte, und jetzt haben Sie erst recht keine Chance mehr, jemals wieder in den BKA-Dienst zu treten, egal was Sie tun.«

Sneijder sah sie mit einem kalten Lächeln an, dann zog er die Tür auf. »Es ist alles ganz anders, als Sie denken.«

48. KAPITEL

Dienstag, 31. Mai

Hardy hatte in einer Seitengasse zwischen zwei Müllcontainern die Abenddämmerung abgewartet, danach sein Versteck verlassen, die Straße überquert und war auf das Einfamilienhaus zugegangen. Gerald Rohrbeck war vor einer Stunde heimgekommen und hatte das Haus seitdem nicht verlassen.

Hardy kannte Rohrbeck gut genug, um zu wissen, dass der ihn nicht freiwillig reinlassen würde. Also öffnete er mit seinem Dietrich die Tür und drückte sie leise auf. Doch die Bewegung wurde jäh durch eine straff gespannte Sicherheitskette gestoppt. *Scheiße!* Kurzerhand warf Hardy sich mit seinem gesamten Gewicht gegen die Tür und riss die Kette aus der Verankerung.

Bestimmt hatte Rohrbeck den Krach gehört, darum zählte jetzt jede Sekunde. Da das obere Stockwerk dunkel war und nur unten im Wohnzimmer Licht brannte, stürmte Hardy durch den Flur direkt in den Wohnraum. Eine Stehlampe brannte, der Fernseher, ein altmodisches breites Röhrengerät, war ausgeschaltet, aber das Radio lief.

Vermutlich hatte Rohrbeck in einem Lehnstuhl zu Abend gegessen. Er musste wie der Blitz aufgesprungen sein, da er nun mit einem wilden Blick dastand, während um ihn herum Tablett, Teller, Glas, Besteck und Salatschüssel über den Teppich kullerten.

Aus irgendeinem unerklärlichen Grund wollte Rohrbeck zur Couch springen, doch Hardy war schneller bei ihm und schlug ihm mit dem Schlagring kräftig ins Gesicht. Rohrbeck fiel zu

Boden und hielt sich die aufgeplatzte Lippe. Blut lief zwischen seinen Fingern durch.

In der Zwischenzeit hatte Hardy mit der anderen Hand seine Walther PPK aus dem Hosenbund gezogen und auf Rohrbeck gerichtet. »Keine Bewegung und keinen Laut!«

»Darf ich mich wenigstens setzen?«, stammelte Rohrbeck.

»Von mir aus.« Hardy blieb stehen und zielte mit der Pistole weiterhin auf Rohrbeck, während er den Totschläger in die Hosentasche steckte und die Walther in die rechte Hand nahm. »Ich mache es kurz, dann bin ich wieder weg. Die aufgebrochene Tür tut mir leid, aber der Schaden ist nur eine kleine Entschädigung für den Preis, den ich im Knast zahlen musste.«

Rohrbeck nahm auf der Couch Platz. »Was willst du?«

»Du und Hagena, ihr habt Antoine Tomaschewsky überwacht, während Lohmann und Timboldt mich nach meiner Entlassung verfolgt haben«, zählte Hardy auf. »Wer ist der Fahrer in dem schwarzen Lada Taiga?«

»Was? Ich weiß nicht, wovon du sprichst.«

»Hältst du mich für blöd? Einer von euch hat den Brand in meinem Haus gelegt und Lizzie und die Kinder getötet. Ich kenne die Vernehmungsprotokolle.«

»Hardy ...« Rohrbeck wischte sich übers Gesicht und verschmierte das Blut auf seiner Wange. »Bist du verrückt? Niemand von uns hat den Brand gelegt. Ich habe keine Ahnung, wer das war. Die Armenier oder Tschetschenen. Jedenfalls hätte deine Frau rechtzeitig rauslaufen können, aber vermutlich wollte sie noch die über zweieinhalb Millionen aus den Flammen retten und ist mit dem Geld verbrannt. Hätte sie ...«

Hardy starrte ihn an, und im gleichen Moment biss Rohrbeck die Zähne zusammen, als wäre ihm gerade bewusst geworden, dass er zu viel verraten hatte.

»Woher weißt du, wie viel Geld im Haus war?«

»Ich … ich wusste es nicht. Eisner hat es sich ausgerechnet. Er wusste, dass du über all die Jahre so viel zur Seite geschafft haben musstest. Hardy, dazu muss man keinen Hochschulabschluss in Mathematik haben. Kannst du die Waffe woandershin richten?«

»Eisner also?«, wiederholte Hardy. »Versuchst du gerade, deine Haut zu retten?«

»Hardy, überleg doch: Wer war der Drahtzieher hinter allem?«

»Was?« Hardy verstand die Frage nicht.

»Wer von uns hatte damals die Idee, dieses ganze Geschäft aufzuziehen?«

»Wer schon? Ich, verdammt noch mal. Worauf willst du hinaus?«

»Du?« Rohrbeck lachte. »Es war deine *und* Lizzies Idee. Aber denk doch mal nach. Wer hat als Erster davon gesprochen?«

Hardy sah Rohrbeck verwirrt an. Wollte er nur Zeit gewinnen?

»Dachtest du Arschloch tatsächlich, dass es ursprünglich *deine* Idee gewesen ist, mit Drogen zu dealen, während wir das Geschäft unangetastet lassen?« Rohrbeck lachte schäbig, während ihm Blut aus dem Mundwinkel lief. Er hustete und spuckte auf den Boden.

»Wessen Idee sollte es sonst gewesen sein?«

»Lange bevor du auch nur einen Gedanken daran verschwendet hast, den Dienst zu kündigen und Drogen zusammenzumischen, während wir dir Rückendeckung geben, hat Eisner mit Lizzie gesprochen.« Rohrbeck rückte an den Rand der Couch. »Hardy, es war *deren* Idee!«

»Das ist ein ausgemachter Blödsinn!«

»Eisner hat Lizzie gefickt!«

Hardys Hand umklammerte den Griff der Waffe, sodass seine Knöchel weiß hervortraten. »Das ist verdammt gefährlich, was du da behauptest.«

»Aber es ist wahr! Damals auf der BKA-Weihnachtsfeier, an jenem Tag, als Eisner … du weißt schon, fast krepiert wäre.«

Hardy konnte sich daran erinnern. *Eisners Luftröhrenschnitt!* Eine schreckliche Szene, die er rasch wieder verdrängte.

»Seit damals hatten sie ein Verhältnis miteinander. Lizzie hat dir die Idee ins Hirn gepflanzt. Und es war doch ihr Vorschlag, Kontakt mit Eisner aufzunehmen, nicht wahr? Hardy, du warst die ganze Zeit die Marionette.«

Heftige Kopfschmerzen kündigten sich wieder an, wie jedes Mal, wenn er an Lizzie dachte. Doch diesmal hatte der Schmerz etwas Befreiendes. Etwas Reinigendes! Vieles, was er seit zwanzig Jahren nicht verstanden hatte, ergab plötzlich einen Sinn: Lizzies Verhalten und die ganzen Gespräche mit Eisner. Abgesehen von ein paar Startschwierigkeiten hatte fast alles wie am Schnürchen geklappt – nahezu reibungslos –, und Hardy hatte tatsächlich geglaubt, das alles wären *seine* Planung und *sein* Verdienst gewesen.

Lizzie hatte ihn also nur benutzt. Ebenso wie Eisner. *Dieser Scheißkerl hat mich von Anfang an manipuliert und damit mein ganzes verdammtes Leben ruiniert.*

Für einen Moment drifteten seine Gedanken ab, und er sah Lizzie vor sich, jung, hübsch, aber gefährlich wie eine Klapperschlange. Und Eisner, mit seinem schäbigen Lächeln und dem Dreitagebart, damit man die Narbe an seiner Kehle nicht sah …

Ein Klicken holte Hardy in die Realität zurück. Er bemerkte erst jetzt, dass er seine Waffe gedankenverloren hatte sinken lassen.

Rohrbeck stand vor ihm. Er hatte ein Kissen von der Couch weggeschoben, und nun hielt auch er eine Schusswaffe in der Hand. »Hardy, lass die Waffe fallen!«

Der Lauf von Rohrbecks Pistole zielte genau auf seine Brust.

Eine alte Mauser. Aus drei Metern Entfernung hätte ihr Schuss ein großes Loch in seinen Brustkorb gerissen.

Hardy blickte in den Lauf der Mauser. »Das ist nicht deine Dienstwaffe«, stellte er fest.

»Richtig, Klugscheißer!« Rohrbeck lächelte grimmig. »Das ist eine illegale, nicht registrierte Waffe, die nach einer Razzia nie in der Asservatenkammer gelandet ist.«

»Und damit willst du mich töten?«, fragte Hardy.

Rohrbeck grinste. Verschmiertes Blut klebte auf seinen Zähnen. »Projektil und Hülse können nicht zurückverfolgt werden.«

»Wenn du mir damit eine Kugel reinjagst, hast du ziemlichen Erklärungsbedarf.« Hardy überlegte. »Oder willst du meine Leiche in deinem Keller verschwinden lassen?«

»Im Gegenteil. Das ist alles nicht nötig. Du warst es nämlich, der mit *dieser* Waffe in *mein* Haus eingedrungen ist und mich und meinen Sohn bedroht hat. Wir haben gekämpft, ich konnte sie dir aus der Hand winden, dann hat sich plötzlich ein Schuss gelöst. Ich wollte das nicht, aber ich habe dich damit in Notwehr getötet. Zehn Therapiesitzungen beim BKA-Psychologen, dann bin ich wieder ganz der Alte.« Rohrbeck lächelte. »Also, Waffe weg!«

Hardy ließ seine Waffe auf den Boden fallen. Sie schlug hart auf dem Teppich auf. Er dachte immer noch an Eisner und Lizzie. »Du hast einen Sohn?«, murmelte er plötzlich.

»Er schläft oben, und du Scheißkerl wirst keine Gelegenheit haben, auch nur in seine Nähe zu kommen.« Ohne ihn aus den Augen zu lassen, griff Rohrbeck zur Fernbedienung auf der Couch, drehte das Radio lauter, machte dann einen Schritt auf Hardy zu, den Lauf weiterhin auf seine Brust gerichtet.

Für einen Moment blendete Hardy die laute Musik aus und blickte an Rohrbeck vorbei zum Wohnzimmerschrank. In der matten schwarzen Oberfläche des ausgeschalteten Fernsehgeräts hatte Hardy die Spiegelung eines kleinen Jungen gesehen, der hinter ihm stand und dessen Figur von dem gekrümmten Bildschirm des Fernsehgeräts verzerrt wurde. Er musste soeben die Treppe heruntergekommen sein. Anscheinend sah Rohrbeck ihn nicht, da der Junge genau hinter Hardy stand.

»Papa, wer ist das?«, drang plötzlich die verschlafene Stimme des Buben ins Wohnzimmer.

Rohrbeck blickte einen Moment lang überrascht an Hardy vorbei, und in diesem Moment sprang Hardy nach vorn, packte Rohrbecks Schusshand und drehte sie mit aller Gewalt nach unten. Die Männer taumelten zur Seite. In der Bewegung löste sich ein Schuss, und Hardy spürte den Treffer in seiner Hüfte. *Dieser Scheißkerl hat tatsächlich abgedrückt!*

Aber der Schmerz war erstaunlich erträglich. Umso stärker roch Hardy das Kordit und den Gestank von verbranntem Eisen.

»Lauf nach oben!«, keuchte Rohrbeck, während er mit Hardy rangelte. »Ich …« Da verstummte er.

Hardy spürte, wie Rohrbecks Widerstand plötzlich erlosch. Rohrbeck ließ die Waffe fallen, löste seinen Griff an Hardys Arm und lief zur Wohnzimmertür. Dort lag sein Sohn auf dem Rücken. Er hatte eine strubblige Frisur, war kaum fünf Jahre alt und trug einen hellen Pyjama mit kleinen aufgedruckten Braunbären.

Doch um seine Brust färbte sich der Stoff des Pyjamas jetzt rot. Immer größer breitete sich die schreckliche dunkle Röte aus, wie die sich öffnenden Blätter einer Rosenknospe. Rohrbeck kniete sich hin und hob den Kopf des Jungen in seinen Schoß. Mit einer Hand fühlte er an der Halsschlagader nach seinem Puls, die andere presste er auf die Wunde in der Brust.

Unbewusst griff Hardy an seine Hüfte. Er spürte das versengte Loch in seinen Jeans, fühlte aber keinen Schmerz. Kein Einschuss, nur eine Prellung. Dann begriff er, dass das Projektil den Schlagring in seiner Tasche getroffen, als Querschläger abgeprallt und Rohrbecks Sohn getroffen haben musste.

»Nein, Janni, nein!«, brüllte Rohrbeck. Tränen liefen ihm über die Wangen. Hilflos versuchte er mit dem Handballen die Blutung zu stoppen, während sich seine Finger immer mehr verklebten und dunkelrot färbten.

Der Anblick ließ in Hardy die Erinnerung an den Tod seiner eigenen Kinder aufleben. »Soll ich einen Krankenwagen rufen?«, flüsterte er mit enger Kehle.

»Hau bloß ab, du verfluchtes Arschloch!«, brüllte Rohrbeck unter Tränen. Er umklammerte seinen Jungen und zog ihn an sich, als wollte er nicht wahrhaben, was geschehen war.

Hardys Magen zog sich zusammen. Mit einem Mal erinnerte er sich an Noras Worte. *Willst du Rache oder Gerechtigkeit?* Wenn er bisher keine Antwort auf diese Frage gewusst hatte – nun kannte er sie. Niemand gewann bei Rache. Jeder verlor. Einen geliebten Menschen oder ein Stück von seiner Seele.

Er würde seinen Rachefeldzug beenden. Hier und jetzt! Ein für alle Mal. Keine weiteren Toten! *Finde den Mörder deiner Frau und bring ihn vor Gericht. Mehr nicht. Das muss dir genügen!*

»Es tut mir leid«, flüsterte Hardy.

»Verschwinde!«, presste Rohrbeck hervor, während er den Körper seines Sohnes weinend im Arm wiegte, als könnte er alles ungeschehen machen und ihn wieder zum Leben erwecken.

Hardy hob seine Pistole vom Boden auf und verließ das Haus.

49. KAPITEL

Nachdem Sneijder die Holzhütte am See mit dem Vorhängeschloss versperrt hatte, kletterte Sabine mit ihm an der Stelle, an der sein Sakko hing, über den hohen Maschendrahtzaun. Als sie fast oben war, verließ sie die Kraft in den Armen, und Sneijder musste ihr helfen. Erschöpft ließ sie sich auf der anderen Seite hinunter.

Sneijder kletterte ebenfalls über den Zaun und hockte sich neben sie ins Gras. »Geht es wieder?«

Sabine massierte ihre Handgelenke und ließ die schmerzende Schulter kreisen. »Was bleibt mir anderes übrig?«

»Dort vorn steht Krzysztofs Wagen«, erklärte Sneijder und schlüpfte in sein zerknautschtes Designerstück. »Bereit?«

Sabine nickte. Sie liefen durch das Waldstück zum Parkplatz, und Sabine erkannte einen roten Ford Transit mit einem Logo an der Seitenwand. *Im Dienste Ihrer Gesundheit.* Sie erreichten den Parkplatz und versteckten sich hinter dem Heck des Lieferwagens. Soeben fuhren die beiden Feuerwehrautos hintereinander im Rückwärtsgang davon.

»Haben *Sie* dieses Tohuwabohu veranstaltet?«, fragte Sabine.

»Ein kleines Ablenkungsmanöver.«

»Darf ich jetzt Ihre Waffe haben?«

»Nein.«

»Hören Sie!« Sabine strich sich die immer noch nassen Haare hinters Ohr. »Ich habe vierundzwanzig Stunden lang nichts gegessen, war kurz vor dem Ertrinken, bin durchnässt, dreckig, habe kaum geschlafen, und mir tut alles weh. Mein Auto liegt auf dem Grund des Sees, und der Mistkerl in diesem Haus hat meine Waffe. Meine Nerven liegen also ziemlich blank, darum sollten Sie sie nicht länger strapazieren.« Sie erinnerte sich an Sneijders letzten mysteriösen Satz in dem Holzschuppen. »Sagen Sie mir wenigstens, was Dirk van Nistelrooy mit dieser Sache zu tun hat.«

»Er hat mich beauftragt, die Wahrheit ans Licht zu bringen.«

»Sie verarschen mich doch!«

Sneijder sah sie ernst an, ging aber nicht näher auf ihren Kommentar ein.

»Darum war van Nistelrooy in der Romeo Bar«, schlussfolgerte sie.

»Er ist privat nach Wiesbaden gekommen und wollte mich sehen. Gestern Abend, nach unserem Treffen auf dem Friedhof, bekam ich sein Okay.«

»Ausgerechnet Sie?«

Sneijder spähte an der Seitenwand des Wagens vorbei zum Grundstück. »Dirk van Nistelrooy wusste, dass er spätestens in sechs Monaten neuer Präsident des BKA sein würde. Dass es dann so rasch ging, konnte natürlich niemand ahnen. Jedenfalls wollte er sich nach den ersten Todesfällen, die sich nach Hardys Entlassung in Wiesbaden ereignet haben, mit mir treffen. Er kannte die Gerüchte, dass diese alte Geschichte um Korruption und Drogengelder nie aufgeklärt, sondern vertuscht worden war, und dass die Drahtzieher mittlerweile hochrangige Positionen im BKA innehatten.«

»Und Sie sollen diesen Sumpf trockenlegen?«

»Im Gegenzug würde er mir die Chance geben, wieder in den Dienst des BKA zu treten.«

»Ein Deal zweier miteinander verfeindeter Männer«, kommentierte Sabine.

»Zumindest verbindet uns keine enge Freundschaft.«

»Warum eigentlich?«

»Möglicherweise verrate ich Ihnen das eines Tages.«

»Aber warum hat er gerade Sie dafür auserkoren – jemanden, der seit einem Dreivierteljahr vom Dienst suspendiert ist?«

»Er meinte, ich sei der richtige Mann dafür und wäre der Einzige, dem er sicher vertrauen könne. Ich kenne alle, habe die Geschehnisse damals miterlebt, war aber selbst nie Mitglied der Gruppe 6.«

Sabine nickte. »Er wusste, dass Sie sich niemals in eine korrupte Sache reinziehen lassen würden.«

»Zumindest dachte van Nistelrooy das. Also ging er diesen Pakt mit mir ein. Anstatt eine korrupte Führungsriege zu übernehmen, wollte er die Köpfe der Verantwortlichen rollen sehen.«

Sabine atmete tief durch. »Warum haben Sie mir das nicht schon viel früher erzählt?«

»Van Nistelrooy hat in dieser Sache seine eigenen Ansichten, was Geheimhaltung betrifft. Ich durfte Ihnen nicht verraten, dass wir beide an derselben Sache dran sind.«

»Und ich dachte wirklich, Tinas Ermittlungen, meine Recherchen, Dianas Tod und all die Morde würden Sie kaltlassen.«

Sneijder setzte sein Leichenhallenlächeln auf. »Sie dürfen an allem im Leben zweifeln, aber niemals an mir!«

Nun atmete Sabine einmal kurz erleichtert auf, wurde aber im nächsten Moment wieder ernst. »Sie hatten also von Anfang an vorgehabt, alles aufzudecken, und Sie haben mich benutzt, den Dreck aufzuwühlen – das wird ja langsam zur Gewohnheit bei Ihnen.« Sie bohrte ihm den Finger in die Brust. »Durch Ihr ständiges *Geben-Sie-den-Fall-ab*-Gerede wollten Sie mich und Tina anstacheln weiterzugraben!«

»Leise!«, zischte Sneijder und blickte wieder zum Haus. Dann sah er kurz auf die Armbanduhr. »Nein, diesmal wollte ich wirklich, dass Sie sich raushalten. Am besten hätte ich ganz den Mund halten sollen, denn Sie tun ja sowieso immer das Gegenteil von dem, was ich sage.«

»Und warum wollten Sie uns draußen haben?«

»Warum wohl?«, entfuhr es ihm. »Weil die Sache einfach zu gefährlich ist.« Wieder spähte er zum Haus. »Für meinen Geschmack ist Krzysztof schon zu lange im Haus. Ich muss rein.«

»Geben Sie mir Ihr Handy«, verlangte sie.

»Wen wollen Sie anrufen?«

»Ich muss Tina warnen, noch tiefer auf eigene Faust in der Sache zu graben.«

Kommentarlos reichte Sneijder ihr sein Telefon, und sie wählte die Nummer des BKA und die Durchwahl von Tinas Diensthandy. Während das Klingeln ertönte, blickte sie zwischen den Bäumen hindurch zum Seeufer. Es war bereits sechs Uhr abends, und obwohl sich eine dunkle Wolkenfront über den Horizont schob, war es weiterhin drückend schwül. Dennoch fröstelte Sabine, da ihre Kleidung immer noch nicht ganz trocken war.

Es knackte in der Leitung.

»Hallo, Sneijder«, meldete sich Tina in einem scharfen Ton. »Dass Sie mich anrufen, ist echt ein starkes Stück …«

»Tina!«, unterbrach Sabine sie. »Ich bin es. Ich bin bei Sneijder und wollte nur sagen, dass es mir gut geht.«

»Sabine!«, rief Tina. »Wo warst du bloß? Ich habe hier alle rebellisch gemacht!«

»Das erzähle ich dir später. Du weißt sicher schon, dass Hess tot ist.«

»Ja, alle wissen das! Es spricht sich herum wie ein Lauffeuer. Ich habe übrigens eine Spur zu Hardy gefunden.«

Sneijder, der mitgehört hatte, zog plötzlich eine Augenbraue hoch. *Wo?* – formten seine Lippen.

»Wo ist er?«, fragte Sabine.

»Marc Krüger von der IT hat mir geholfen. Eine Gesichtserkennungssoftware hat Hardy am Frankfurter Hauptbahnhof erkannt, wie er in ein Taxi gestiegen ist. Ich habe mit den Fahrern der Taxiunternehmen gesprochen, ihnen Hardys Foto gezeigt und erfahren, dass er mit dem Taxi mehrmals zu ein- und demselben chinesischen Fastfood-Lokal gefahren ist.«

»Zu welchem?«

»Es nennt sich *Panda*. Entweder wohnt er dort, oder zumindest kennt er dort jemanden.« Tina nannte ihr die Adresse am östlichen Stadtrand Frankfurts.

Da knallte ein Schuss. Automatisch ging Sabine in Deckung, presste sich an die Wand des Wagens und griff dorthin, wo normalerweise ihre Waffe steckte. Aber ihre Hand fuhr ins Leere.

Sneijder hatte sich ebenfalls geduckt, sich aber schon wieder aufgerichtet, um zum Grundstück zu schauen. Der Schuss war aus dem Haus gekommen. »Machen Sie Schluss!«, zischte er.

»Was ist bei euch los?«, fragte Tina.

»Erzähle ich dir später«, sagte Sabine. »Was immer vor zwanzig Jahren vorgefallen ist – Hardy ist der Schlüssel. Ich fahre zu diesem Lokal.«

»Wir treffen uns dort. Wie lange brauchst du?«

Es hatte ohnehin keinen Sinn, Tina von weiteren Recherchen abbringen zu wollen. Außerdem hatte Sabine im Moment weder einen Wagen noch eine Waffe, einen Führerschein oder ihren BKA-Ausweis. Sich mit Tina zu treffen war für sie beide vermutlich die beste Taktik. »Ich bin ganz in der Nähe, etwa fünfundzwanzig Minuten entfernt.« Sie legte auf und wollte Sneijder das Telefon zurückgeben.

»Behalten Sie es.«

»Dann haben Sie keins.«

»Wenigstens weiß ich, wo ich Sie erreichen kann. Ich habe vorhin mitgehört. Suchen *Sie* nach Hardy!«

»Was ist mit dem Schuss aus dem Haus?«

»Damit komme ich allein klar.«

»Und wenn Sie meine Hilfe brauchen?«

»Vergessen Sie es!« Sneijder schlüpfte aus dem Schulterholster und reichte ihr die Glock. »Nehmen Sie schon!«

Überrascht schnallte Sabine sich das Holster über die Bluse und steckte die Waffe ein.

»Nehmen Sie Krzysztofs Lieferwagen, der Schlüssel steckt«, sagte Sneijder. »Und wenn Sie Hilfe anfordern müssen, dann reden Sie nur mit Dirk van Nistelrooy, und zwar persönlich! Seine Nummer ist in meinem Handy abgespeichert. Mit sonst niemanden. Haben Sie verstanden?«

Sabine war zu perplex, um etwas zu erwidern. So ernst sah Sneijder die Lage also! Sie nickte.

Während sie in den Wagen stieg und zum Autoschlüssel griff, lief Sneijder bereits über den Parkplatz zum Haus, aus dem seit dem Schuss kein weiteres Geräusch mehr gedrungen war.

50. KAPITEL

Keuchend erreichte Sneijder das Gartentor. Eigentlich war es Wahnsinn, das Haus ohne Waffe zu betreten, aber er hatte Sabine um keinen Preis der Welt unbewaffnet wegschicken wollen. Außerdem gab es in Eisners Haus jene Pistole, deren Schuss er gehört hatte – und die würde er sich holen.

Sneijder riss das Tor auf. Mit ein paar langen Schritten hatte er die Wiese überquert und hastete die Treppe zur Eingangstür hinauf. Er drückte die Klinke nieder. Die Tür war nicht versperrt. Leise öffnete er sie, trat ein und duckte sich, da er jeden Moment mit einem weiteren Schuss rechnete. Doch nichts passierte. Binnen Sekunden gewöhnten sich seine Augen an die Dunkelheit im Haus. Der Vorraum war menschenleer. Der Schlüssel steckte innen im Schloss. Hatte Eisner tatsächlich vergessen abzuschließen? Oder hatte möglicherweise Krzysztof die Tür heimlich für Sneijder geöffnet?

Sneijder hörte, wie jemand im oberen Stockwerk hastig mit Schubladen klapperte. Krzysztof war das bestimmt nicht, denn Sneijder hatte ihm die Anweisung gegeben, im Keller nach Sabine zu suchen. Und wenn Eisner in der oberen Etage war, bedeutete das wohl, dass er es war, der auf Krzysztof geschossen hatte – und dieser nun irgendwo lag, verletzt oder tot.

Sneijder schloss die Eingangstür, sperrte aber nicht zu. Die Tür zum Kellerabgang stand offen. Auf leisen Sohlen schlich er zur Treppe und sah nach unten. Im Dämmerlicht erkannte er auf den letzten Stufen ein Paar Beine.

Vervloekt!

»Krzysztof?«, flüsterte er.

»Sneijder …«, kam die gepresste, aber überraschte Antwort.

Sneijder zog die Tür hinter sich zu, lehnte sie jedoch nur an, damit er hören konnte, was oben passierte, und stieg die Treppe hinunter.

Krzysztof lag seitlich neben der Wand auf dem Betonboden. Seine Arme waren ausgestreckt und die Handgelenke mit braunem Klebeband an das Rohr eines Heizkörpers gefesselt. Noch dazu blutete er aus einer Verletzung im Schlüsselbeinbereich, die aber auf den ersten Blick nicht lebensbedrohlich aussah. Allerdings waren beide Beine gebrochen, wie Sneijder an den verdrehten Fußgelenken erkannte. *Ein* Gelenk hätte Krzysztof sich bei dem Sturz die Treppe hinunter brechen können, aber nicht beide. Und schon gar nicht an der gleichen Stelle.

Sneijder ging in die Hocke und tastete über die Knöchel. »War das Eisner?«, fragte er.

»Ja, der Scheißkerl hat mich niedergeschlagen und sofort auf mich geschossen. Dann meine Beine über die Kante der Treppe gezerrt und zugetreten.«

Sneijder hörte in Gedanken das Brechen und Knirschen von Knochen und Krzysztofs verzweifeltes Heulen. »Was macht das Schlüsselbein?«

»Brennt höllisch. Das Projektil steckt noch drin.«

»Hast du die Eingangstür aufgesperrt?«

»Nein, hätte ich das …?«

»Nein, schon gut«, unterbrach Sneijder ihn. Dadurch, dass Krzysztofs Hände ans Heizungsrohr gefesselt waren, konnte er ihn nicht aufsetzen.

Sneijder holte sein Pick-Set aus der Tasche und zog den stabilsten Metallstift heraus. »Beiß die Zähne zusammen, das wird jetzt wehtun.«

»Das kann nicht mehr schmerzen als die Schusswun… aaah!«

»Leise!«, zischte Sneijder. Er hatte den Metallstift zwischen Krzysztofs Handgelenke durch das Plastikband gestoßen und danach mehrere Löcher hineingestochen, um es zu lockern. Danach zerrte Sneijder an dem Band, bis es schließlich riss.

»Scheiße! Du hast nicht gerade die Feinfühligkeit einer Nonne«, knurrte Krzysztof und rieb sich die Handgelenke. »Eisner ist noch oben.«

Sneijder steckte den Metallstift ein. »Ich weiß. Zähne zusammenbeißen!« Er zerrte Krzysztof herum und zog ihn in eine sitzende Position, sodass er mit dem Rücken am Heizkörper lehnte.

»Verdammt, dich begleite ich nirgendwo mehr hin«, keuchte Krzysztof.

»Mit diesen Beinen begleitest du vorerst sowieso niemanden mehr irgendwohin.« Sneijder schlüpfte aus seinem Sakko, rollte es zusammen und drückte es auf Krzysztofs Schulterwunde. »Halt da drauf!« Er sah sich um. Etwa zwei Meter entfernt, außerhalb von Krzysztofs Reichweite, lagen dessen Handy und seine Kleinkaliberpistole. Sneijder nahm beides an sich und roch am Lauf. Die Waffe war erst vor Kurzem abgefeuert worden. Eisner hatte demnach mit Krzysztofs Waffe auf ihn geschossen und nicht mit seiner eigenen. *Clever!*

Sneijder wollte mit Krzysztofs Handy den Notarzt anrufen, doch das Telefon war gesperrt. »Wie lässt sich das entriegeln?«

»Sag ich dir nicht!«, presste Krzysztof hervor.

»Bist du verrückt? Hast du Kinderpornos auf dem Handy? Die interessieren mich nicht.«

»Nein«, murrte Krzysztof und schwieg.

Dieser Idiot verblutet lieber! Sneijder hielt das Handydisplay ins Licht eines Kellerfensters und sah auf dem Glas die verschmierte Fettspur in Form eines *Z*. Er fuhr das Z mit dem Finger nach, doch das Handy blieb versperrt. Er versuchte es ein zweites Mal in die entgegengesetzte Richtung, und diesmal funktionierte es.

»Was machst du da?«, keuchte Krzysztof.

»Du brauchst einen Arzt«, stellte Sneijder fest.

Seinen ursprünglichen Plan, Eisner zu beschatten, in die Enge zu treiben und darauf zu warten, dass er einen Fehler beging, konnte er jetzt vergessen. Eisner würde behaupten, einen Exknacki als Einbrecher in seinem Haus überrascht, mit ihm gekämpft, ihn im Handgemenge angeschossen und gefesselt zu haben – und kein Richter dieser Welt würde ihm widersprechen. Und dass er mit Krzysztofs Pistole auf Krzysztof geschossen hatte, sprach ebenfalls für die Theorie eines bewaffneten Einbruchs.

Sneijder wählte die Notrufnummer und wartete auf eine Verbindung.

»Eisner hat vorhin einen Anruf erhalten«, keuchte Krzysztof. »Dann ist er hektisch geworden und hat mich hier liegen lassen.«

»Ja, sei still! Drück lieber fester auf die Wunde!«, flüsterte Sneijder. Endlich nahm jemand das Gespräch entgegen. Sneijder nannte seinen Namen, Eisners Adresse, beschrieb Krzysztofs Verletzungen und forderte einen Krankenwagen an.

»Wenn deine Kollegen mich hier mit einer Waffe erwischen, bin ich dran.«

»Du hattest keine Waffe«, sagte Sneijder und steckte sich Krzysztofs Pistole hinten in den Hosenbund. »Außerdem kann ich bezeugen, dass du Eisner einen freundschaftlichen Besuch abstatten wolltest. Du bist jetzt seit fünf Jahren aus dem Knast und dachtest, das sei ein guter Zeitpunkt, um dich bei Eisner für den Tod seiner Frau zu entschuldigen. Aber dass der so ausrastet, damit hattest du nicht rechnen können.«

»So drehen wir das also?«

»So drehen wir das.« Sneijder richtete sich auf. »Ich gehe jetzt nach oben.«

»Er wird dich niederschießen. Glaube mir, der ist im Blutrausch.«

»Das lass mal meine Sorge sein.«

»Darf ich mein Telefon wiederhaben?«

»Nein.« Während Sneijder die Treppe nach oben stieg, hörte er im Vorraum sich nähernde Schritte und lauter werdendes Gemurmel.

Eisner schien zu telefonieren, aber Sneijder konnte kein Wort verstehen. Dann hörte er ein fünfmaliges Piepen. Anscheinend aktivierte Eisner die Alarmanlage mit dem Code und zog anschließend den Schlüssel ab. Die Eingangstür öffnete sich, und kurz darauf schlug sie wieder zu.

Sneijder trat von der Kellertreppe in den Vorraum und hörte, wie die Haustür von außen versperrt wurde.

Sicherheitshalber sah er sich in beide Richtungen um. *Nichts.* Dann ging er durch den Flur zum Fenster und warf einen vorsichtigen Blick durch den dünnen Vorhang in den Garten. Eisner war die Treppe zur Wiese hinuntergelaufen. Er trug nun ein Sakko zu seiner Anzughose. Allerdings rannte er nicht zur Holzhütte am Flussufer, wie Sneijder vermutet hätte, sondern zum Gartentor. *Was hast du vor?*

Sneijder sah sich im Haus um. Neben der Eingangstür piepte es immer noch im Sekundentakt. Auf dem Display der Alarmanlage zählte ein Countdown herunter.

9 Sekunden.

Nach dieser Zeit würde die Alarmanlage scharf sein. Sobald Sneijder dann eine Tür oder ein Fenster öffnete, würde die Sirene losgehen und der stille Alarm ein Signal an die Polizei und vermutlich auch auf Eisners Handy senden. Und Eisner würde wissen, dass jemand in sein Haus eindringen oder daraus entkommen wollte.

5 Sekunden.

Dasselbe würde passieren, wenn Sneijder die Tür öffnete, um den Notarzt ins Haus zu lassen.

3 Sekunden.

Er betrachtete das Display, suchte nach der Abbruch-Taste und drückte auf *Deaktivieren.* Der Countdown stoppte bei zwei Sekunden.

Dann nahm Sneijder Krzysztofs Telefon und wollte eine SMS schreiben, als sein Blick auf das Handydisplay fiel. Auf dem Gerät öffnete sich tatsächlich das Video, das sich Krzysztof zuletzt angesehen hatte. Sneijder wollte es abschalten, tippte aber irrtümlich darauf. *Ist das zu fassen?*

Die Aufnahme war ziemlich verwackelt, aber es handelte sich weder um einen Porno noch um ein brutales Snuff-Video – sondern um die Raubkopie einer TV-Serie. *Dr. Quinn – Ärztin aus Leidenschaft* mit Jane Seymour. Herrgott, wer hätte das gedacht? *Krzysztof steht auf Romantik und sentimentalen Kitsch. Kein Wunder, dass ihm das peinlich ist.* Im nächsten Moment erstarrten Sneijders Gesichtszüge, als er hörte, wie ein Kofferraumdeckel zuschlug. Rasch tippte er eine Nachricht an seine eigene Nummer, in der Hoffnung, dass Sabine sie lesen würde.

Eisner hat Krzysztof angeschossen. Er verlässt das Haus. Bin unter dieser Nummer erreichbar.

Jetzt schlug eine Autotür zu, und ein Motor röhrte dumpf auf. Möglicherweise musste Sneijder seinen ursprünglichen Plan doch nicht aufgeben. Der Rettungswagen würde erst in etwa zehn Minuten da sein, und wenn Eisner jetzt das Grundstück verließ, würde er davon nichts mitbekommen. Damit war Sneijder wieder im Rennen.

Er ging zum Fenster und blickte wieder durch den Vorhang. Eisner fuhr soeben davon, und Sneijder sah nur noch die Rücklichter eines silbergrauen BMW.

51. KAPITEL

Dienstag, 31. Mai

Von Rohrbecks Haus im Süden Wiesbadens bis in den Mainzer Stadtteil Gonsenheim war es nicht weit gewesen. Hardy war mit dem Taxi gefahren und ging jetzt die Breite Straße hinunter.

Keine Rachegedanken mehr – nur die Wahrheit erfahren! Das hatte er sich geschworen. Danach wäre mit seinen Recherchen für ihn Schluss gewesen, wenn da nicht dieser kurze gedankenlose Kommentar von Gerald Rohrbeck gewesen wäre.

Die über zweieinhalb Millionen! Woher kannte er den Betrag? Hardy hatte vor zwanzig Jahren mit dem Drogengeschäft jede Menge D-Mark und Fremdwährungen eingenommen. Umgerechnet wäre dieses Geld heute zwei Komma sieben Millionen Euro wert gewesen. Aber das Geld war nicht beschlagnahmt worden, sondern im Haus verbrannt. Wie kam Rohrbeck also auf diesen Betrag? Niemand außer Hardy hatte von der genauen Summe gewusst. *Außer Lizzie!*

Eisner hat Lizzie gefickt!

Irgendetwas stimmte nicht. Möglicherweise war das Geld gar nicht verbrannt. Und genau *das* wollte er jetzt noch herausfinden.

Er wusste, was Nora dazu gesagt hätte. *Vergiss das Geld,* hätte sie ihm geraten. *Es hat wenig Sinn, der reichste Mann auf dem Friedhof zu sein.* Aber wenn das Geld jemandem zustand, dann ihm! Und deshalb würde er allen anderen von der Gruppe 6 einen Besuch abstatten. Und mit Hagena wollte er beginnen. *Such immer das schwächste Glied der Kette!*

In den Dossiers, die Antoine Tomaschewsky ihm besorgt

hatte, befand sich leider keine Adresse von Anna Hagena. Außerdem besaß sie eine Geheimnummer. Immerhin wusste er aus den Unterlagen, dass sie mit einem jüngeren Mann zusammen war und eine Stieftochter hatte. Und die Adresse ihrer Schwester, einer prominenten Mainzer Rechtsanwältin, hatte Antoine ebenfalls herausgefunden. Der wollte Hardy nun einen Besuch abstatten, um zumindest Annas Telefonnummer in Erfahrung zu bringen – mehr nicht.

Als er zu Dr. Katharina Hagenas Haus kam, stellte er fest, dass alles überraschend einfach ging. Die Anwältin hatte ihn nicht erwartet, und auch sonst schien sie sich keiner Gefahr bewusst zu sein. Andernfalls hätte sie die Haustür um diese Uhrzeit wohl abgesperrt, doch so verschaffte er sich relativ leicht Zugang.

Hardy betrat das Haus, die Walther steckte hinter seinem Rücken im Hosenbund. Er hatte nicht vor, sie zu benutzen. Diesmal wollte er nur ein kurzes Gespräch ohne Gewaltandrohung führen.

Es war kurz vor halb zehn Uhr nachts. Im unteren Stockwerk lagen alle Räume im Dunkel. Nur oben brannte Licht, das über eine lange, breite Treppe herunterfiel.

Hardy stieg die Treppe nach oben. Die Holzstufen knarrten. Kurz nach dem ersten Geräusch hörte er, wie jemand oben eine Tür öffnete und in den Flur trat. Sogleich beschleunigte Hardy seine Schritte.

»Es tut mir leid, dass ich einfach so hier hereinplatze. Mein Name ist Thomas Hardkovsky«, rief er mit lauter Stimme. »Ich bin ein ehemaliger Kollege Ihrer Schwester.«

Katharina Hagena tauchte am Treppenabsatz auf und umklammerte den Knauf des Holzgeländers. »Ich weiß, wer Sie sind.« Ihr Gesicht war ungewöhnlich bleich, und vermutlich war es sein Anblick – die gebrochene Nase und das geschwollene Auge –, der ihre Stimme zittern ließ. »Sie sind ein Mörder. Und Sie sollten mein Haus verlassen, bevor ich die Polizei rufe.«

Hardy hob beschwichtigend die Hände. »Ich habe nur eine Frage.«

Katharina ignorierte seine Bitte und zog die Hand hinter ihrem Rücken hervor, in der sie ein Mobiltelefon hielt. Sie wählte bereits.

Scheiße!

Da zog Hardy die Waffe und nahm die letzten Stufen in einem Satz nach oben. Er richtete die Waffe auf Katharina und riss ihr gleichzeitig mit der anderen Hand das Telefon aus den Fingern. Sie wich kreischend zurück.

»Seien Sie still!«, zischte er. »Ich habe nur eine Frage.« Er zielte mit der Waffe auf sie, und sie stolperte einen weiteren Schritt zurück an die Wand. Sie wusste ja nicht, dass die Pistole sicherheitshalber gar nicht geladen war, damit es in dieser Nacht zu keinem zweiten tödlichen Zwischenfall kommen konnte.

»Was wollen Sie wissen?«, kreischte Katharina hysterisch.

»Wo finde ich Ihre Schwester? Das ist alles.«

»Was wollen Sie von ihr?«

»Ich will wissen, wo sie wohnt und wie ich sie erreichen kann!«

Katharina schwieg.

Hardy drückte ihr den Lauf der Waffe auf die Brust, woraufhin sie erneut aufschrie.

»Sie hat eine Geheimnummer. Ich darf sie Ihnen nicht geben.«

»Dann rufen Sie sie an, und sie soll mir selbst einen Treffpunkt nennen. Los!« Hardy drückte ihr das Telefon in die Hand.

»Ich … ich weiß ihre Nummer nicht auswendig«, stammelte Katharina. »Wir haben schon seit Jahren keinen Kontakt mehr zueinander, und ihre Nummer ist darauf nicht gespeichert.«

»Was soll die Scheiße?«, brüllte Hardy, packte Katharina am

Arm und schob sie durch den Flur zu einer offenen Tür, hinter der ein beleuchtetes Büro lag. Katharina musste darin gearbeitet haben, denn auf dem Tisch lagen einige aufgeschlagene Ordner. Daneben standen ein Becher Kakao und ein moderner Festnetzapparat. Die Klimaanlage an der Decke gab ein monotones Surren von sich.

»Suchen Sie ihre Nummer raus und rufen Sie sie an!«, befahl Hardy.

Katharina setzte sich an den Schreibtisch, öffnete mit zitternden Händen ein Notizbuch, blätterte durch die Seiten und wollte mit dem Handy eine Nummer wählen, doch Hardy stoppte sie. »Wählen Sie mit der Telefonanlage, damit ich besser sehen kann, welche Nummer Sie anrufen. Und schalten Sie den Lautsprecher ein.«

Katharina legte ihr Handy weg und tippte die Nummer ihrer Schwester in den Festnetzapparat, während Hardy neben ihr stand und die Eingabe am Display überprüfte. Dann aktivierte sie den Lautsprecher.

Katharina hielt den Hörer mit zitternden Fingern und wartete. Hardy hörte das Freizeichen. Nach dem siebten Klingeln hob jemand ab.

»Hallo, Schwesterherz, lange nicht mehr gehört. Großartig, dass du dich auch mal wieder bei mir meldest. Ja, ich lebe noch«, rief eine Frauenstimme, die Hardy nach so vielen Jahren sogleich als die seiner ehemaligen Kollegin erkannte. Ihr Ton klang zynisch. Anscheinend waren die Schwestern nicht die besten Freundinnen.

»Wo bist du gerade?«, fragte Katharina, wobei ihre Stimme beinahe weggekippt wäre.

»In Berlin auf einer Tagung. Mein Gott, du klingst ja geradezu rührselig. Seit wann interessierst du dich für mich?« Im Hintergrund waren die typische Pianomusik einer Bar und das

Gemurmel anderer Menschen zu hören. »Ich habe nicht viel Zeit, was gibt es?«

Hardy deutete ihr mit einem Kopfnicken, dass sie weitersprechen sollte.

»Thomas Hardkovsky steht neben mir …« Katharina räusperte sich. »Er möchte sich mit dir treffen. Bei dir zu Hause.«

Einen Moment lang herrschte Schweigen in der Leitung. »Hast du ihm gesagt, wo ich wohne?«

»Nein.«

»Was will er?«

Hardy wand Katharina den Hörer aus der Hand. »Hallo, Anna. Ich möchte wissen, wohin ihr mein Geld geschafft habt, nachdem ihr mein Haus angezündet habt.«

»Welches Geld, du kranker Irrer? Ich habe keine Ahnung, wovon du sprichst.«

»Anna, ich bin ein Leben lang verarscht worden, und das habe ich jetzt gründlich satt!«

»Warum gehst du nicht zu einem der anderen?«

»Ich komme gerade von Rohrbeck.«

»Und?«

Er würde ihr nicht sagen, dass Rohrbecks Sohn tot war. »Glaube mir, ich werde nicht zimperlich mit deiner Schwester umgehen«, drohte er stattdessen. Er wollte das eigentlich nicht tun, aber trotzdem presste er Katharina den Lauf der Pistole an die Schläfe, sodass diese panisch aufschrie.

»Hardy, nein!«, rief Anna.

»Wo wohnst du? Ich komme zu dir, und bis dahin überlegst du dir, wo ihr das Geld versteckt habt.«

»Hardy, du bist verrückt und reitest dich immer tiefer in die Scheiße!«

»Glaubst du, ich hätte irgendetwas zu verlieren? Also rede mit mir, denn ich werde deine Adresse sowieso herausfinden.

Aber dann komme ich in einer ganz anderen Laune.« Vielleicht war er zu weit gegangen, aber nun musste er es bis zum Ende durchziehen. »Ich habe gehört, du hast einen Mann und eine kleine Tochter.«

»Meine Schwester wohnt in …«

»Katharina, nein! Halt den Mund!«, hallte Annas Kreischen aus dem Lautsprecher.

Aber Katharina ließ sich nicht beirren. »Ich sage es Ihnen, weil ich glaube, dass Sie nicht wirklich so brutal sind, wie Sie vorgeben«, presste sie hervor. »Aber Sie müssen mir versprechen, dass Sie Anna und ihrer Stieftochter nichts tun. Was immer Anna Ihnen angetan hat, glauben Sie mir, sie hat die Rechnung dafür bereits präsentiert bekommen …« Katharina begann zu weinen. »Anna liebt das Mädchen wie ihr eigenes Kind. Können Sie das verstehen?« Schluchzend wischte sie sich die Tränen aus den Augen.

Für einen Moment verringerte Hardy den Druck der Waffe auf ihre Schläfe. *Mein Gott, es ist schon wieder alles außer Kontrolle geraten.*

»Katharina, ich bitte dich, sag nichts mehr!«, drang Annas Stimme aus dem Lautsprecher.

Hardy war einen Moment lang abgelenkt, da sprang Katharina auf und stürzte mit einigen raschen Schritten aus dem Büro.

Fuck! Hardy ließ den Hörer fallen und rannte ihr nach. Im Flur holte er sie ein, doch bevor er sie packen konnte, stolperte sie über ihre eigenen Beine und fiel vor dem Treppenabgang hin. Ihre Fingernägel kratzten mit einem hässlichen Geräusch über die Wand, und dann verlor sie das Gleichgewicht und stürzte kopfüber die Treppe hinunter.

Hardys Herzschlag setzte für einen Moment aus. Während des Sturzes wollte Katharina verzweifelt nach den Sprossen des Geländers greifen, hatte jedoch einen solchen Schwung, dass sie sich zweimal überschlug und schließlich reglos im Vorraum des unteren Stockwerks liegen blieb.

O Gott! Hardy lief hastig zu ihr. Ihre Haare hingen ihr wirr ins Gesicht, und ihr Schienbein sah aus, als wäre es gebrochen. Aber das Wichtigste war: Sie atmete noch. Hardy steckte die Waffe weg und betrachtete sie. Katharina öffnete die Augen und verzog schmerzverzerrt das Gesicht.

»Bewegen Sie sich nicht. Ich bringe Sie ins Krankenhaus.«

»Verschwinden Sie von hier!«, zischte sie.

»Sie können nicht gehen«, stellte er fest. Nur um sicherzugehen, beugte er sich zu ihr hinunter und tastete über ihr Schienbein. Es war offensichtlich gebrochen, denn die Haut über dem Knochen färbte sich bereits blau und Katharina zuckte bei der Berührung zusammen. »Vielleicht haben Sie innere Verletzungen.«

»Ich kann den Krankenwagen selbst rufen.«

»Wie Sie wollen, aber Ihr Handy ist oben. Bewegen Sie sich nicht, ich hole es.« Hardy wollte sich bereits abwenden, doch Katharina packte ihn am Arm.

»Hätten Sie mich wirklich erschossen?«

Er zögerte, dann schüttelte er den Kopf.

»Und meine Schwester und deren Stieftochter?«

»Wofür halten Sie mich? Ich kann keine Kinder töten. Ich möchte nur ein Verbrechen aufklären, für das ich unschuldig gesessen habe. Und ich will mein Eigentum zurückhaben.«

Katharina nickte. Dann nannte sie ihm einen Straßennamen und eine Hausnummer in Wiesbaden. »Tun Sie ihr bitte nichts.«

»Natürlich nicht, danke.« Hardy stieg die Treppe hinauf und betrat das Büro. Während er auf dem Schreibtisch nach Katharinas Handy griff, hörte er Annas verzweifelte Rufe aus dem Lautsprecher.

»Hardy? Verdammt, was ist passiert? Was hast du krankes Schwein ihr angetan?«

Hardy beugte sich über den Telefonhörer. »Wenn ich zu dir komme, möchte ich Antworten und mein Geld zurück.« Er nannte ihre Adresse und unterbrach die Verbindung. Dann stieg er die Treppe hinunter.

Nachdem er Katharina das Mobiltelefon in die Hand gedrückt hatte, wollte er bereits gehen, doch sie lehnte erschöpft an der Wand und hielt das Telefon kraftlos in den Fingern.

»Soll ich für Sie anrufen?«, fragte Hardy.

»Danke, ich mach das schon. Ich brauche nur noch eine Minute.«

»Sicher?«

»Ja, sicher, gehen Sie.«

Ohne weiteren Kommentar hatte Hardy das Haus verlassen. Die drückende Hitze der Nacht empfing ihn.

Das hast du ja wieder glänzend hingekriegt.

Hardy kam an einem alten weißen VW-Bus vorbei, auf dessen Seite ein Pizza-Logo prangte. *Zu verkaufen. 2499,– Euro* stand auf einem Karton in der Windschutzscheibe. Darunter befand sich eine Telefonnummer. Hardy betrachtete die Kiste, die so aussah, als wäre sie noch gut in Schwung. Natürlich musste er vorher den Motor checken. Er zog sein Handy heraus und wählte die Nummer.

Während er telefonierte und sich nach dem Wagen erkundigte, bemerkte er nicht, dass einige Hundert Meter hinter ihm ein schwarzer Lada Taiga ohne Licht die Straße hinuntergerollt war und vor dem Haus von Dr. Katharina Hagena hielt.

Am Steuer saß ein hochgewachsener, glatzköpfiger Mann in dunkler Kleidung. Während der Motor weiterlief, öffnete sich die Beifahrertür.

52. KAPITEL

Sabine parkte Krzysztofs roten Lieferwagen direkt vor der Eingangstür des Imbissladens *Panda.* Als sie das Lokal betrat, schlug ihr der Duft von gebratener Ente und süß-saurer Soße entgegen, woraufhin ihr Magen sofort zu knurren begann.

Tina stand bereits am Take-away-Tresen und unterhielt sich mit einem älteren Asiaten. Als sie wegen des bimmelnden Glöckchens an der Eingangstür aufsah und Sabine erkannte, klappte ihre Kinnlade herunter. »Wo haben sie dich denn entlassen?«

»Später!«, würgte Sabine alle weiteren Fragen ab.

»Deine Kleider, dein Gesicht und deine Haare sehen aus, als …«

»Du hörst dich an wie Rotkäppchen«, unterbrach Sabine sie. »Dein Handgelenk ist arg geschwollen.«

»Bekanntschaft mit einem Schürhaken«, antwortete Sabine knapp. »Also, was hast du rausgefunden?«

Tina wedelte mit einem Foto in der Hand. »Hardy ist zwar mehrmals hier gewesen, aber Herr Chang, der Ladenbesitzer, weiß nicht, wo er wohnt.«

»Verd…« Sabine zerbiss einen Fluch zwischen den Zähnen. »Eine Sackgasse also.«

»Nicht ganz.« Tinas Augen leuchteten. »Hardy dürfte mit einer gewissen Nora Mühlenhof zusammen sein.«

»Und woher weiß Herr Chang das? Ist er Eheberater?«

»Die arbeitet hier als Kellnerin. Aber sie ist heute nicht zum Dienst erschienen, obwohl sie eigentlich schon seit acht Uhr früh hier arbeiten müsste.«

»Können wir sie anrufen?«

Tina schüttelte den Kopf. »Sie ist taub – behauptet zumindest Herr Chang.«

»Wie bitte? Eine taube Kellnerin?« Sabine wollte bereits laut auflachen, als sie Tinas ernsten Blick sah. »Okay, das alles hilft uns nicht weiter.« Sie wandte sich an den Besitzer des Ladens. »Wissen Sie, wo diese Nora Mühlenhof wohnt?«

Herr Chang blickte zuerst Tina an, dann Sabine und schließlich auf Sabines Schulterholster. Dann deutete er zur Decke. »Oben im dritten Stock.«

Tina und Sabine liefen hintereinander die schmale Treppe in das dritte Stockwerk hinauf.

»Seit wann trägst du so ein Schulterholster?«, fragte Tina. »Das sieht genauso aus wie das von …«

»Sneijder hat es mir gegeben. Ist seine Waffe.«

»Aha, und deine?«

»Später.«

»Verdammt, mir reicht es langsam«, keuchte Tina. »Immer willst du mir alles später erklären! Ich komme mir vor wie eine Anwärterin in der Polizeischule. Was soll die Geheimniskrämerei?«

»Wir haben es mit der Gruppe 6 zu tun, und du weißt ja, bis wohin der Einfluss dieser Leute reicht.«

Tina lachte auf. »Und du glaubst ernsthaft, dass wir zwei kleinen Lichter die ganze Scheiße allein bewältigen können?«

»Wir haben Sneijder auf unserer Seite.«

»Reden wir von demselben Sneijder? *Dem* Sneijder, der suspendiert wurde, der uns nicht helfen wollte und der dir und mir erzählt hat, wir sollen uns gefälligst aus den Fällen raushalten? *Der* Sneijder?«

»Ja, der.«

Tina hielt vor Nora Mühlenhofs Türnummer. »Jetzt auf einmal! Ich fasse es nicht …«, regte sie sich auf, verstummte aber im gleichen Moment, als ihr Blick auf den Boden und dann auf die Tür fiel.

Holzsplitter lagen auf dem Fußabstreifer. Dann sah auch Sabine den zerfetzten Türrahmen der Wohnung. Die Eingangstür stand einen Spaltbreit offen und ließ sich vermutlich nicht mehr ganz schließen, da die Metallplatten des Schlosses komplett verzogen waren.

Vorsichtig tippte Sabine die Tür mit der Schuhspitze an, worauf Holzspäne zu Boden rieselten. Jemand hatte das Schloss gewaltsam mit einem Stemmeisen aufgebrochen. An den Abdrücken erkannte Sabine, dass es sich um ein schmales Werkzeug gehandelt haben musste. Der Einbrecher war Profi gewesen, der genau wusste, wo sich die Zapfen des Sicherheitsschlosses befanden, und hatte sie mit einem gezielten Ruck zwischen Tür und Rahmen ausgehebelt.

Sabine und Tina zogen gleichzeitig ihre Waffen. Langsam schob Sabine die Tür mit dem Fuß vollends auf und ging als Erste hinein. Tina folgte ihr. Während sie sich gegenseitig Deckung gaben, betraten sie nacheinander jeden Raum, doch sowohl von Hardy als auch von Nora fehlte jede Spur.

Die Küche war sauber, nichts stand oder lag herum, und auch in keinem der anderen Räume deutete etwas auf einen Kampf oder eine Entführung hin. Lediglich im Schlafzimmer lag ein offener und zur Hälfte gepackter Koffer auf dem Bett. Nichts schien entwendet worden zu sein, denn unter einem Stapel Blusen befanden sich ein Bündel Bargeld, Schmuck sowie ein Reisepass.

»Anscheinend wollte Nora verreisen«, stellte Tina fest.

»Sieht aber so aus, als wäre sie verfrüht abgeholt worden.« Sabine steckte Noras Reisepass in ihre Gesäßtasche.

»Was tust du?«

»Wer keinen Pass besitzt, kann das Land nicht mehr so leicht verlassen«, antwortete Sabine. *So geht das!* Sie trat aus dem Schlafzimmer und betrachtete das gerahmte Foto, das auf dem Bücherregal stand: eine etwa fünfundvierzigjährige Frau mit blauen Augen, Sommersprossen und kurzen blonden Haaren neben einer älteren Dame. Wenn das Nora Mühlenhof mit ihrer Mutter war, sah sie ziemlich gut aus. »Glaubst du wirklich, dass sie taub ist?«

»Habe zumindest kein Radio in der Wohnung gesehen«, rief Tina aus dem Schlafzimmer. »Glaubst du, sie wurde entführt? Von Hardy?«

»Möglich.«

»Warum hat sie nicht um Hilfe gerufen?«

»Weil sie taub ist und das Aufbrechen der Tür nicht gehört hat?«, vermutete Sabine. »Falls unsere Theorie stimmt, hat der Entführer möglicherweise auch ihre Katze mitgenommen.«

»Katze?«, wiederholte Tina.

»In der Küche stehen ein Fressnapf und eine Wasserschüssel, im Wohnzimmer liegen eine Katzenbürste und eine Packung Wurmtabletten, und auf der Couch sind Katzenhaare. Aber hier *ist* kein Tier.«

Tina betrat ebenfalls das Wohnzimmer. Sie hatte sich Latexhandschuhe angezogen und hielt ein Smartphone in der Hand. »Hat auf dem Nachttisch gelegen. Wozu braucht eine Gehörlose ein Handy?«

»Doofe Frage – um SMS zu schreiben oder im Internet zu surfen? Telefonieren tun doch sowieso nur noch die wenigsten damit«, entgegnete Sabine.

»Aha.« Tina tippte auf der Tastatur. »Stimmt, die Lautstärke ist auf null.« Sie warf einen Blick zur aufgebrochenen Tür. »Wir sollten die Kriminaltechnik und die Spurensicherung verständigen.«

Sabine verzog unglücklich das Gesicht. Einerseits war Gefahr im Verzug und es musste dringend eine Fahndung nach Nora Mühlenhof und Thomas Hardkovsky rausgegeben werden. Andererseits hatte Sneijder ihr eingeschärft, nur mit Dirk van Nistelrooy in Kontakt zu treten. Sollte sie den neuen BKA-Präsidenten tatsächlich mit dem Fall einer möglicherweise entführten Kellnerin belästigen? *Das ist doch verrückt!*

»Was hast du?«, fragte Tina.

»Ich …«

Plötzlich zuckte Tina zusammen, weil das Handy in ihrer Hand vibrierte. Sie blickte auf das Display. »Eine SMS.«

»Von wem?«

»Errätst du nie! Von einem gewissen *Hardy*. Sieh an, da haben wir ihn ja.«

Sabine trat näher und gemeinsam lasen sie die Nachricht.

Komm um 20 Uhr zum vereinbarten Treffpunkt.

Tina sah zur aufgebrochenen Tür und dann ins Schlafzimmer, wo der offene Koffer lag. »Das wird schwierig.«

Sabine blickte auf die Uhr. Jetzt war es 19.15 Uhr.

»Und wo soll dieser Treffpunkt sein?«, fragte Tina.

»Gib mir eine Minute.« Sabine sah sich im Wohnzimmer um, riss die Schränke auf und schaute in jede Kommode.

»Wonach suchst du?«

»Nach einer Transportbox für die Katze.«

»Ich weiß zwar nicht wozu, aber okay«, murmelte Tina und half ihr beim Suchen. Doch weder im Vorzimmer noch im Abstellraum fanden sie eine Box. »Hier ist nichts.«

»Hier auch nicht«, rief Sabine, die soeben das Schlafzimmer durchsucht hatte.

»Offenbar ist die Katze entweder gemeinsam mit Nora verschwunden, durch die offene Tür ausgebüxt oder kürzlich gestorben.«

»Im Treppenhaus haben wir keine Katze gesehen, und das Wasser im Napf ist noch nicht schmutzig«, entgegnete Sabine und durchwühlte die Sachen in Noras Koffer. »Hier ist ein Impfpass für eine Katze!«, rief sie und blätterte durch das Heft.

»Zieh dir wenigstens Handschuhe an, du zerstörst sämtliche Spuren«, schimpfte Tina.

»Die Leute von der Spurensicherung haben meine Fingerabdrücke und können sie rausfiltern«, wandte Sabine ein. »Die Katze heißt Twinky.« Sie klappte den Pass zu. »Antworte auf die SMS und frag, ob Hardy dich abholen kann. Der Koffer und die Box für Twinky sind so schwer.«

»So schwer? Und du glaubst, dass er Nora das abnimmt?«

»Versuchen wir es.« Gedankenversunken steckte Sabine den Impfpass ein.

Tina tippte eine SMS, und dann warteten sie auf eine Antwort. Zwanzig Sekunden später kam sie.

Nein. Nimm dir ein Taxi. In die Rhein-Mainstraße kostet es nicht so viel. Warte wie besprochen eine Zeitlang beim alten Drehkreuz. Ich muss sichergehen, dass dir niemand folgt.

»Beim alten Drehkreuz?«, wiederholte Tina. »Was soll das sein? Ein Wahrzeichen?« Sie legte Noras Telefon beiseite und öffnete mit ihrem eigenen Handy den Routenplaner. »In Frankfurt gibt es eine Rhein-Mainstraße, die ist nicht gerade lang und ziemlich weit abgelegen auf einem ehemaligen Industriegelände. Wo soll es da ein altes Drehkreuz geben?« Tina schaltete auf 3D-Satellitenansicht um und vergrößerte das Bild. Langsam scrollte sie über die Anzeige.

»Hier!«, rief Sabine, die sich ebenfalls über das Handy gebeugt hatte. »Das sieht nach einem großen Gebäude mit dazugehörigem riesigem Parkplatz aus. Ein Firmengelände oder Einkaufszentrum vielleicht?«

»Das alte Aquamarin-Hallenbad«, rief Tina. »Soviel ich weiß, steht es seit zehn Jahren leer. Ach so, da gibt es bestimmt ein Personendrehkreuz. Dort wollen sie sich also treffen.«

Sabine blickte auf die Uhr. »Ich schätze, wir brauchen etwa fünfzehn Minuten dorthin. Schreib Hardy, dass du kurz nach acht Uhr da bist.«

Tina tippte die Nachricht und schickte sie ab. Eine Minute später kam die Antwort.

Okay.

»Das wäre geschafft«, sagte Tina. »Und jetzt?«

»Jetzt schnappen wir uns Hardy.«

»Moment.« Tina hob die Hände. »Mit dir allein ohne Rückendeckung schnappe ich mir niemanden. Hardy hat vermutlich eine Handvoll Morde begangen, und wir haben keine Ahnung, wie er reagiert, wenn *wir* statt Nora dort aufkreuzen. Außerdem wissen wir nicht, wo Nora ist, wer sie hat, und …«

»Davon war auch keine Rede«, unterbrach Sabine sie. »Mein Plan sieht so aus.« Sie atmete tief durch. »Du nimmst Kontakt zu Dirk van Nistelrooy auf – und zwar persönlich! Frag dich durch, wo er ist, oder geh in sein Büro.«

»Ja, klar, und er wird mich auch sofort empfangen.«

»Das wird er! Vertrau mir. Er hat Sneijder damit beauftragt, die Machenschaften der Gruppe 6 aufzudecken. Erklär ihm, dass du von dem Deal zwischen ihm und Sneijder weißt und wir mit Sneijder zusammenarbeiten.«

Tina bekam große Augen, doch Sabine ließ sie nicht zu Wort kommen. »Er soll ein Kriminaltechnikteam in diese Wohnung schicken und eine Fahndung nach Nora Mühlenhof rausgeben. Gleichzeitig soll er eine Peilung von Hardys Telefon veranlassen, von dem wir ja jetzt die Nummer haben. Dann soll er ein Mobiles Einsatzkommando zum alten Hallenbad schicken.«

Tina hatte sich rasch wieder gefasst. »Van Nistelrooy wird eine Menge Fragen an mich haben. Wie kann ich dich erreichen?«

»Unter Sneijders Nummer.« Sabine zog Sneijders Handy aus der Tasche und hielt es demonstrativ hoch. Da sah sie, dass das Telefon auf lautlos geschaltet war und sie vor längerer Zeit eine SMS erhalten hatte. »Einen Moment.« Sie öffnete die Nachricht.

Eisner hat Krzysztof angeschossen. Er verlässt das Haus. Unter dieser Nummer können Sie mich erreichen.

Die Nachricht stammte zweifelsohne von Sneijder. Er hatte sie zwar gebeten, offiziell noch nichts zu unternehmen, doch alles in ihr schrie laut auf, dass es höchste Zeit war, mit großem Geschütz aufzufahren.

»Und noch etwas«, sagte sie zu Tina. »Van Nistelrooy soll eine Fahndung nach Frank Eisner rausgeben. Er hat mich einen Tag lang gefangen gehalten, verhört, gefoltert, und nun hat er auch noch Krzysztof, den Mörder seiner Frau, angeschossen.«

Tina bekam große Augen. »Okay, was noch?«

»Sicherheitshalber soll er Timboldt und Lohmann observieren lassen.«

»Großartig.« Tina ließ die Schultern sinken, und ihr Ton klang mittlerweile ziemlich verzweifelt. »Das wird unser letzter Tag beim BKA sein.«

»Möglicherweise«, sagte Sabine. »Aber dann nicht nur für uns.«

»Und was machst du in der Zwischenzeit, wenn ich fragen darf?«

»Ich fahre zu diesem Hallenbad und nehme Hardy fest.«

»Du bist verrückt!« Tina schüttelte den Kopf. »Trotzdem viel Glück.« Sie steckte Noras Handy in eine Plastiktüte, schlüpfte aus den Latexhandschuhen, die sie in die Hosentasche stopfte, und wählte eine Nummer auf ihrem Handy. Während sie sprach, verließ sie bereits die Wohnung.

Sabine sah ihr mit einem mulmigen Gefühl nach. Vielleicht

war es nicht richtig, was sie gerade taten, aber zumindest war das der vernünftigste Kompromiss, der ihr im Moment einfiel.

Sie verließ ebenfalls die Wohnung und zog von außen die Tür so gut es ging in den Rahmen. Während sie die Treppe hinunterlief, schickte sie eine SMS an Sneijder.

Hardy ist in Frankfurt beim alten Aquamarin-Hallenbad. Ich fahre dorthin.

53. KAPITEL

Dem alten Hallenbad merkte man deutlich an, dass es schon seit vielen Jahren nicht mehr in Betrieb war. Hier suchten jetzt nur noch Vögel Unterschlupf – und der eine oder andere Obdachlose einen Schlafplatz im Winter.

Sabine parkte den roten Lieferwagen auf dem großen Parkplatz im Schatten einiger Fichten, die die Streifen zwischen den Abstellplätzen zierten. Am anderen Ende der rissigen Betonfläche gammelten einige verrostete und auf Ziegelsteinen aufgebockte Karosserien ohne Nummernschilder vor sich hin, denen vermutlich schon vor vielen Jahren die Räder geklaut worden waren. Daneben stand ein einzelner weißer VW-Bus, an dessen Seitenwand das Logo eines Pizza-Zustelldienstes prangte. Neben den alten Schüsseln wirkte er unauffällig, als hätte auch er schon immer dort gestanden. *Eine prima Tarnung!* Das musste das Auto sein, das sie im Wald neben Frank Eisners Haus gesehen hatte.

Sabine blieb im Wagen sitzen und beobachtete den Eingang des Hallenbads durch die Windschutzscheibe. Für einen Moment fielen ihr die Augen zu. *He, halt dich wach!* Sie fuhr hoch, langte zum Beifahrersitz und biss von einer Frühlingsrolle ab, die sie im *Panda* gekauft hatte, bevor sie losgefahren war. Gierig spülte sie den Bissen mit einem Schluck aus einer eiskalten Cola-Dose hinunter. Die Kohlensäure schoss ihr in die Nase und ins Hirn, aber sie brauchte Zucker, um wieder einigermaßen in Schwung zu kommen.

Kurzerhand kramte Sabine durch das Handschuhfach und

fand eine neue, ungeöffnete Packung Kopfschmerztabletten. Sie drückte zwei Tabletten raus und spülte sie mit Cola hinunter. *Du musst fit bleiben! Nur noch ein paar Stunden, dann kannst du schlafen.*

Wieder starrte sie durch die Scheibe. Da Hardy befürchtete, Nora könnte verfolgt werden, war er bestimmt schon in dem Hallenbad und beobachtete die Umgebung. Damit war es unmöglich, unbemerkt in das Gebäude zu gelangen – und gewiss hatte Hardy genau deswegen diesen Ort ausgewählt.

Sabine kurbelte das Seitenfenster runter. Die Hitze des Abends war mittlerweile einer nahezu unerträglichen Schwüle gewichen. Der Himmel verdunkelte sich zunehmend im Sekundentakt, und nun kam auch Wind auf, der die Bäume zum Rauschen brachte. Zeitungspapier und Plastiktüten tanzten über den rissigen Asphalt. Am Horizont zuckten Blitze, und einige Atemzüge später war ein dumpfes, weit entferntes Donnergrollen zu hören. Es wurde längst Zeit, dass ein Gewitter den Staub wegwusch, der schon seit Wochen in der Luft hing.

Sabine griff zum Handy und rief Tina an, die nach dem zweiten Läuten ranging. »Wie geht's?«

»Ich bin noch unterwegs nach Wiesbaden und warte vergeblich auf einen Rückruf von van Nistelrooy«, schnaubte Tina über die Freisprechanlage ihres Wagens. »Vielleicht sollte ich …«

»Nein, sprich *nur* mit van Nistelrooy«, bläute Sabine ihr ein. »Ich brauche deine Hilfe. Schick Hardy eine längere SMS, schreib irgendwas, Hauptsache, du lenkst ihn ab.«

»Irgendwas? Okay.«

Sabine hörte im Hintergrund, wie Tina hantierte.

»Abgeschickt«, sagte sie nach einer Weile.

»Danke.« Sabine legte auf, zog die Waffe aus dem Holster und sprang aus dem Wagen. Hardy würde zumindest einige Sekunden lang unaufmerksam sein, und in dieser Zeit lief Sabine hinter der Baumreihe vor Blicken geschützt zum Eingang.

Sie rannte über die Betontreppe und erreichte die Eingangstür. Die war zwar abgesperrt, aber die Glasscheibe war eingeschlagen. Sabine stieg durch den Türrahmen, achtete darauf, dass sie auf keine Scherben trat, und drang in die Eingangshalle vor. Eine kaputte Neonröhre hing an einem Stromkabel von der Decke.

Zwei Meter vor Sabine lag das Kassenhäuschen, rechts ging es durch ein Drehkreuz zu den Umkleidekabinen, links zum Schwimmbad. Über der Tafel mit den Eintrittspreisen befand sich an der Wand das Logo des Hallenbades: zwei Seeschwalben mit aufgeplusterten Federn umkreisten einander im Flug. Sabine legte den Kopf schief und lauschte. Von Hardy war weder etwas zu sehen noch zu hören.

Dank ihrer Turnschuhe verursachte sie kein Geräusch auf den Marmorsteinen. Mit einer langsamen Bewegung lud sie die Glock möglichst leise durch. *Links oder rechts?* Sie entschied sich für die Schwimmhalle und kletterte geräuschlos über das Drehkreuz, ohne es dabei zu bewegen, da die Eisenstangen bestimmt verräterisch gequietscht hätten.

Die Treppe führte eine halbe Etage hinauf. Über ein leeres Desinfektionsbecken für die Füße betrat Sabine die Schwimmhalle, die sich ihr in einem antiken griechischen Design mit Säulen und Stuckornamenten präsentierte. Hier war es deutlich heller, da die Seitenwände aus langen Fensterfronten bestanden und das Dach aus Glas war. Darüber brauten sich die dunklen Wolken zusammen, deren große Schatten wie lebendige Kreaturen über den Hallenboden krochen.

Es gab ein Sportbecken mit blauen Kacheln und ein Kinderbecken mit Rutsche. In keinem davon befand sich Wasser. Sabine trat an den Rand des Sportbeckens. Entlang der Leiter ging es bestimmt drei Meter tief hinunter. Auf dem Boden lag verwelktes Laub, das der Wind im Lauf der Jahre irgendwie hereingetragen haben musste. Mittlerweile wucherte zwischen den Kacheln bereits Unkraut aus den Ritzen.

Einige Tauben, die sich in das Bad verirrt hatten, segelten durch die Halle und setzten sich gurrend auf den drei Meter hohen Turm. Die Sprungbretter fehlten.

Sabine sah sich weiter um. An den Glaswänden der Halle hatten sich Sprayer zu schaffen gemacht. Sogar auf den Sprungböcken befanden sich Graffiti. Sabine ging an einer leeren Cafeteria mit mittlerweile blind gewordenem Schaufenster vorbei.

Wo steckt Hardy bloß? Am Drehkreuz hatte er nicht gewartet, und so wie es aussah, hätte sie sich das kleine Ablenkungsmanöver mit der SMS sparen können. Denn von ihm war hier nichts zu sehen, und bis auf das Gurren der Tauben und den Wind, der wie ein wildes Tier durch irgendein eingeschlagenes Fenster pfiff, war auch nichts zu hören.

Bin ich hier überhaupt richtig?

Neben dem Hochsitz des Bademeisters führte ein Durchgang zu den Umkleidekabinen der Herren. Mit der Waffe im Anschlag betrat Sabine diesen dunklen Bereich, in dem die Luft zunehmend muffiger wurde. Sie brauchte einige Sekunden, um sich im Dämmerlicht zu orientieren. In dem Raum führte eine Treppe in den Bauch des Gebäudes. Dort unten lagen vermutlich die Toiletten, und wie Sabine auf einem Schild gerade noch erkennen konnte, auch die Herrensauna. Eine dicke Staubschicht bedeckte den Handlauf, der ins Dunkel führte. Allerdings entschied sich Sabine dagegen hinunterzugehen, da das Restlicht aus der Schwimmhalle schon kaum ausreichte, um die Umkleidekabinen auszuleuchten.

Sabine ging weiter. Hier gab es nur ausrangierte Kabinen und verrostete Schließfächer. Sie wollte den Raum schon wieder verlassen, als sie ein Geräusch hörte. Das hatte nicht nach einer Taube geklungen. Also starrte sie auf den Boden, um nicht auf etwas draufzutreten, und schlich in den ersten Gang zwischen den Umkleidekabinen. An der Wand stand ein Einkaufswagen, und auf dem Boden lagen versiffte Matratzen; Nachtlager von Obdachlosen. Vorsichtig ging sie darum herum und erreichte die nächste Ecke. Plötzlich hielt sie inne, als sie das leise Piepen elektronischer Tasten hörte.

Konzentriert spähte sie um die Ecke. In der Dunkelheit stand ein Mann, dessen Gesicht vom Display eines Handys angestrahlt wurde. *Hardy!* Sie erkannte ihn als den Einbrecher, der sie mit dem Schürhaken in Eisners Haus fast zu Tode gewürgt hatte. Zu seinen Füßen stand eine längliche Sporttasche – vermutlich dieselbe, die sie in Eisners Keller gesehen hatte.

All die Mühe, die Sabine sich mit ihrem unauffälligen Eindringen in das Gebäude gemacht hatte, hätte sie sich sparen können. Sie zog den Kopf zurück und atmete tief durch. Hardy war bestimmt bewaffnet. *Keine Alleingänge! Nur beobachten und auf den Zugriff der Kollegen warten!* Leise steckte Sabine die Waffe in das Holster und zog Sneijders Handy heraus, um Tina eine Nachricht zu schicken. Dabei schirmte sie das Display mit der hohlen Hand ab, um nicht ihren Standort preiszugeben, und versicherte sich noch einmal, dass alles auf lautlos gestellt war. Doch als sie gerade das erste Wort tippen wollte, erreichte sie eine Nachricht von Tina. Sabine öffnete die SMS.

Hardy will von Nora wissen, wo sie sich zum letzten Mal gesehen haben, bevor er zur Polizeischule gegangen ist. Tina hatte der Nachricht fünf Fragezeichen angefügt.

Hardy musste den Braten gerochen haben und inzwischen vermuten, dass Noras Handy nicht mehr in ihrem Besitz war.

Egal! Hardy ist hier, schick das MEK her, lautete Sabines Antwort. Nun musste sie handeln, bevor Hardy von hier verschwinden würde.

Sie steckte das Handy weg, zog wieder ihre Waffe heraus und atmete einmal tief durch. Dann ging sie um die Ecke und zielte mit der Waffe auf jene Stelle, an der Hardy vor wenigen Augenblicken noch gestanden hatte. Doch der Platz war leer! Hardy war weg. *Stinktierscheiße!* Nur die Sporttasche lag verlassen auf dem Boden.

Sabine wollte sich umsehen, aber da spürte sie bereits das kühle runde Metall eines Pistolenlaufs im Genick. Hardy musste rasch um die Kabinen herumgeschlichen sein!

»Keine Bewegung!«, knurrte er. »Lassen Sie die Waffe fallen!«

Sabine umklammerte den Griff der Glock. Gleichzeitig lief ihr eine Gänsehaut über den Rücken. Dieser Mistkerl hatte sie erwartet und wahrscheinlich deshalb die SMS mit der Frage geschickt, um *sie* abzulenken.

»Geben Sie mir Noras Handy!«, verlangte er.

»Ich habe es nicht«, krächzte Sabine.

»Ich glaube Ihnen nicht. Lassen Sie die Waffe fallen und geben Sie mir das Handy. Wo ist Nora?«

»Ich weiß es nicht.«

Da ließ der Druck des Pistolenlaufs für einen Moment nach, doch bevor Sabine reagieren konnte, traf sie der Knauf der Waffe am Hinterkopf. Sogleich stolperte sie vorwärts, und der Schmerz fuhr ihr vom Kopf in Nacken und Wirbelsäule. *Verdammt, jetzt reicht es aber!* Noch mehr Prügel würde sie nicht einstecken. Ihr tat ohnehin schon alles weh.

Hardy stand sofort wieder bei ihr, presste ihr die Waffe ins Genick und zwang sie auf die Knie. »Waffe fallen lassen!«, drohte er.

Diesmal gehorchte sie, ließ die Glock fallen und schob sie einen Meter von sich weg.

»Wer sind Sie?«

»Sabine Nemez, Bundeskriminalamt Wiesbaden.«

»Sie sind jung. Wer ist Ihr Vorgesetzter?«

Sabine nannte ihm den Namen ihres Abteilungsleiters.

»Und weiter?«

»Darüber steht ...« Sabine wollte ihm bereits einen erfundenen Namen nennen, doch Hardy verstärkte den Druck der Waffe.

»Lügen Sie mich nicht an«, knurrte er. »Ich würde es merken.«

»Klaus Timboldt«, sagte sie schließlich.

Hardy gab ein angewidertes Grummeln von sich. »Wo ist Nora?«

»Ich weiß es nicht«, wiederholte Sabine und nestelte am Gürtel ihrer Hose.

Hardy musste vermuten, dass sie zu ihrem Einsatzgürtel greifen wollte, doch im Dämmerlicht würde er keine Details erkennen können. »Hände hoch!«, befahl er erwartungsgemäß.

Darauf hatte Sabine gewartet. *Jetzt nimm noch einmal all deine Kräfte zusammen!* Sie hob die Hände, glitt aber gleichzeitig mit dem Kopf zur Seite und packte Hardys Handgelenk.

Im gleichen Moment löste sich ein Schuss, und Sabine hatte das Gefühl, dass ihr Trommelfell zerriss. Trotzdem drehte sie Hardys Schusshand herum, brachte ihn mit einem Wurf über die Schulter zu Fall und nützte dabei seinen Sturz, um ihm die Waffe aus der Hand zu winden. Nun griff aber auch er nach ihr und riss sie mit sich zu Boden. Übereinander rollten sie durch den Gang. Sabine bekam in der Drehung die Glock zu fassen, die sie vorhin weggeschoben hatte, und dann knallten ihre Köper gegen eine Kabinenwand.

Da Hardy nun auf dem Boden lag und sie auf ihm saß, drückte sie ihm den Lauf an die Gurgel. Sogleich erstarrte er in der Bewegung. Obwohl Sabines geschwollenes Handgelenk immer noch schmerzte, umklammerte sie den Griff der Waffe so fest wie möglich und presste Hardy den Lauf hart gegen den Hals. *Kein Mitleid!* Immerhin hatte sie *ihm* die Verletzung zu verdanken.

»Ich habe in den letzten beiden Tagen schon so viel Scheiße durchgemacht, dass ich im Moment nicht gerade gut gelaunt bin!«, brüllte sie, hörte aber ihre eigenen Worte nur sehr gedämpft aus weiter Ferne; ihr rechtes Ohr war von dem Schuss völlig taub. »Und diese Scheiße habe ich nur Ihnen und Frank Eisner zu verdanken!«, rief sie weiter. »Also strapazieren Sie meine Geduld nicht länger.«

»Ich …«

»Ich verstehe kein Wort, also halten Sie den Mund!«, brüllte sie. Während sie Hardy immer noch die Waffe unter das Kinn drückte, tastete sie nach seiner Waffe, die neben ihr auf dem Boden lag. Der Form nach zu urteilen war es eine Walther PPK. Sie sicherte die Pistole und steckte sie hinter ihrem Rücken in den Hosenbund.

»Wollen Sie mich erschießen?«, fragte Hardy.

Sabine verstand nur Bruchstücke. Sie bewegte ihren Kiefer, und schön langsam kam ihr Gehör wieder zurück.

»Sie sind verhaftet!«, rief sie. Während sie die Rechtsbelehrung automatisch abspulte, fiel ihr ein, dass sie keine Handschellen dabei hatte und es verdammt schwierig werden würde, Hardy aus dem Gebäude zu schaffen, wenn er Widerstand leistete. Am besten wäre, er würde zu fliehen versuchen, damit sie ihm ins Bein schießen konnte, doch den Gefallen tat er ihr nicht; zumindest nicht im Moment.

»Verhaftet?«, wiederholte er. »Und warum? Die Scheibe in der Eingangstür war schon eingeschlagen.«

»Witzbold!«, rief sie. »Mord an Gerald Rohrbecks Sohn, Doktor Katharina Hagena, Klaus Timboldts Frau sowie an Diana und Dietrich Hess.« Der BKA-Präsident ging wahrscheinlich auf Eisners Konto, aber die anderen hatte mit ziemlicher Sicherheit Hardy auf dem Gewissen.

»Hess ist tot?«, fragte Hardy. »Timboldts Frau auch?«

Sabine schwieg. Für einen Moment war sie verwirrt.

»Sie wirken nicht so, als stünden Sie auf Timboldts Gehaltsliste«, stellte er fest.

»Wie bitte?«, fragte Sabine verwirrt.

Hardy wiederholte die Aussage, dann fügte er hinzu: »Ich habe weder Rohrbecks Sohn noch Katharina Hagena, Timboldts Frau, Diana oder Dietrich Hess ermordet.«

»Netter Versuch, aber darüber urteile nicht ich, sondern der Haftrichter.«

»Ich habe niemanden …«

»Sie haben mich in Frank Eisners Haus beinahe zu Tode gewürgt!« In Sabines Ohren knackte es, und sie konnte fast wieder normal hören.

»*Sie* sind das?«, rief Hardy. »Ich habe Sie für Eisners Freundin oder Nachbarin gehalten.«

»Und deshalb sind Sie gleich mit dem Schürhaken auf mich losgegangen?«

»Ich wollte nur, dass Sie das Bewusstsein verlieren.«

»Das soll ich Ihnen glauben? Wobei habe ich Sie in Eisners Haus überrascht? Wollten Sie auch ihn töten?«

Hardy deutete mit der Hand nach hinten zur Sporttasche. »In der Tasche befindet sich eine Akte der Dienstaufsichtsbehörde.«

Nun war Sabine restlos verwirrt. »*Sie* haben diese Akte mit dem Sperrvermerk?«

»Es ist nicht das Original, sondern die Kopie aus dem Gerichtsarchiv des BKA. Darin steht, dass die Mitglieder der Gruppe 6 verdächtigt wurden, den Brandanschlag auf mein Haus verübt zu haben. Einer von ihnen hat meine Familie kaltblütig umgebracht und mir den Mord in die Schuhe geschoben …« Hardy schwieg einen Moment.

»Warum erzählen Sie mir das?«

»Weil Sie nicht auf Timboldts Gehaltsliste stehen.« Seine Augen funkelten. »Helfen Sie mir, den wahren Mörder zu finden.«

54. KAPITEL

Mittwoch, 1. Juni

Hardy saß in seinem weißen VW-Bus, den er heute Morgen beim Kfz-Händler angemeldet hatte. Mittlerweile hatte er sich an den Geruch von Käse, Knoblauch und kalten Pizzakartons gewöhnt, der immer noch in den Sitzbezügen hing. Und für die paar Tage, die er noch vorhatte, in Deutschland zu bleiben, reichte die alte Rostlaube allemal.

Er blickte durch die verschmierte Windschutzscheibe. Der Wagen stand neben dem Eingang eines Parks in einer dunklen Ecke, die von den Straßenlaternen nicht beleuchtet wurde. Von dort aus blickte Hardy über die Eisenbahnbrücke hinweg zu einem Lokal. Aus dieser Entfernung war nur das Schimmern der Leuchtreklame zu sehen.

Nachdem Hardy Papiere und Kennzeichen vom Händler erhalten hatte, war er zum BKA-Gelände gefahren und hatte dort zufällig Diana Hess gesehen. Eigentlich wollte er zu Anna Hagena, stattdessen hatte er dann aber Diana Hess den ganzen Tag verfolgt und schließlich beobachtet, wie sie und Dietrich Hess vor drei Stunden in Begleitung einiger Männer dieses Lokal betreten hatten und seitdem nicht mehr herausgekommen waren.

Hardy sah angestrengt durch den Feldstecher, den er ebenfalls an diesem Morgen gekauft hatte. Da öffnete sich die Tür des Restaurants, und eine Frau trat ins Freie. An der Stola und den hochgesteckten Haaren erkannte er Diana Hess. Sie unterhielt sich mit einem Mann, vermutlich einem Sicherheitsbeamten, der die ganze Zeit vor dem Lokal gestanden hatte. Dann ging sie zur Eisenbahnbrücke in seine Richtung.

Hardy wartete ab. Diana Hess kam weiter auf ihn zu. Rasch legte er den Feldstecher beiseite. Sie ging über die Brücke, stoppte in der Mitte, lehnte sich an die Brüstung und steckte sich eine Zigarette an. Die Glut leuchtete in der Dunkelheit.

Während sie ihr Handy herausholte und telefonierte, stieg er aus seinem Wagen, ging ebenfalls zur Brücke und kletterte neben einem Baustellenschild über ein Absperrband. An dieser Stelle war der Asphalt aufgerissen und die Beleuchtung nicht intakt.

Diana bemerkte nicht, dass er sich näherte, da sie auf die Bahngleise blickte und den Zügen nachsah, die in regelmäßigen Abständen unter der Brücke durchfuhren.

Nachdem sie zu Ende telefoniert hatte, steckte sie das Handy in ihre Handtasche und schnippte die Zigarette auf die Gleise.

Mittlerweile hatte er sie erreicht und stand an der gegenüberliegenden Brüstung an einer dunklen Stelle.

»Sind Sie mir also doch gefolgt?«, fragte sie, nachdem sie ihn bemerkt hatte.

Ohne ein Wort zu sagen, trat Hardy in das aufblitzende Licht eines vorbeifahrenden Zuges.

»*Sie!*«, entfuhr es ihr.

»Guten Abend, Frau Hess«, sagte er und merkte, wie brüchig und trocken seine Stimme klang.

Nachdem der Smalltalk beendet war und er sie überzeugt hatte, dass sie weder Handy noch Pager oder Pfefferspray brauchte, sah er sie eindringlich an. »Ich frage Sie nur ein Mal, und Sie sollten mir die richtige Antwort geben.«

Diana schluckte und spähte zu dem Lokal, aus dem sie gekommen war. »Ich versuche es. Was wollen Sie wissen?«

»Wie komme ich ungestört an Ihren Mann ran?«

»Was wollen Sie von ihm?«

»Beantworten Sie die Frage!«

»Erst wenn Sie mir sagen, was Sie von ihm wollen.«

Hardy seufzte. »Mit ihm reden. Und zwar darüber, wo mein Geld steckt.«

»Ihr Geld?«, wiederholte sie.

Im nächsten Moment wollte sie sich an ihm vorbeidrängen, doch er packte sie am Kragen ihrer Bluse, presste sie gegen die Brüstung und drückte ihren Oberkörper über das Geländer.

»Ich schwöre, dass ich nichts von Ihrem Geld weiß«, keuchte sie.

»Ihr Mann und seine Kollegen waren vor zwanzig Jahren an einer schäbigen Aktion gegen mich beteiligt.«

»Sie waren kein Unschuldslamm, Hardy. Soviel ich weiß, haben Sie einen Drogenring geleitet und einen Schläger mit einem Racheakt beauftragt, bei dem eine Frau gestorben ist.«

»Aber am Tod meiner Familie war ich nicht schuld!« Er sah sie eindringlich an.

»Ich weiß«, presste sie hervor. »Die Kollegen meines Mannes wollten Ihr Geschäft ruinieren. Ich habe zufällig ein Gespräch belauscht und geahnt, dass in dieser Nacht nicht alles legal ablaufen würde, und deshalb meinen Mann angefleht, es nicht zu tun. Aber Dietrich hat mir versichert, dass niemand dabei zu Schaden kommen würde.«

Hardy entfuhr ein zynisches Lachen. »Ein großer Irrtum! Alles ist außer Kontrolle geraten, und meine Frau und meine Kinder sind dabei gestorben.« Er packte sie härter an der Bluse, und Diana stieß einen kurzen Schrei aus.

»Die Ergebnisse der Dienstaufsichtsbehörde liegen im Safe meines Mannes in unserem Haus.«

»Ich kenne diese Akte bereits«, wehrte Hardy ab.

»Ich verspreche Ihnen, dass ich mich dafür einsetzen werde, dass die Akte noch einmal geöffnet und die Sachlage geprüft wird.«

»Was wollen Sie schon ausrichten?«

»Ich kenne einige Richter in Wiesbaden.«

Hardy musterte sie. Ihr Blick verriet ihm, dass sie nicht einfach nur um ihr Leben bettelte, sondern ihm wirklich helfen wollte. Damit hatte er nun wirklich nicht gerechnet. »Auch wenn das Ihren Mann belasten würde?«

»Falls er wirklich Schuld am Tod Ihrer Kinder hat und Sie deswegen rechtswidrig mehr Zeit als nötig im Gefängnis verbracht haben …« Diana zögerte. »Ja. Schließlich habe ich selber … hatte selber zwei Söhne«, korrigierte sie sich. »Einer ist letztes Jahr gestorben, der andere ist sechzehn Jahre alt und …«

»Hören Sie auf!« Er drückte sie immer noch über das Geländer, doch seine Wut und Kraft schwanden zusehends.

»Hardy, ich weiß, dass Sie mir nichts antun werden. Sie sind kein Mörder. Machen Sie jetzt nicht alles kaputt. Ich verspreche Ihnen …«

»Dass Sie mit einem Richter reden werden?«

»Ja.«

»Und Ihr Mann erfährt nichts davon?«

Sie schluckte. »Seien Sie nicht naiv. Ich *muss* mit ihm darüber reden; es geht gar nicht anders. Aber erst *nachdem* ich einem Richter eine Kopie der Akten gegeben habe.«

Hardys Augenbrauen zogen sich zusammen, seine Hand ballte sich zur Faust.

»Hardy! Was immer Sie vorhaben, es wird nur zu noch mehr Gewalt führen. Vertrauen Sie mir! Wir regeln das auf legalem Weg. Ich helfe Ihnen.«

Hardy zögerte, dann ließ er sie los. »Einverstanden.« Ein warmes Gefühl breitete sich in ihm aus. Diese Frau konnte Menschen wirklich überzeugen, und für einen Moment fühlte er sich sicher. Alles würde gut werden.

Wenn das mal kein Fehler ist. Aber nachdem bereits Rohrbecks Sohn in dieser Nacht gestorben war und Katharina

Hagena sich bei dem Sturz das Bein gebrochen hatte, war es höchste Zeit, den Weg der Gewalt, den er bisher gegangen war, zu verlassen. Möglicherweise bot ihm Diana Hess' Einschreiten tatsächlich eine neue Chance auf Frieden.

»Ich gebe Ihnen meine Nummer«, sagte sie und griff mit einer langsamen Bewegung, die Hardy genau beobachtete, in ihre Handtasche, aus der sie eine Visitenkarte hervorzog. »Bleiben wir in Kontakt.«

Hardy nickte. Er steckte die Karte ein und richtete den Kragen von Dianas Bluse. »Danke.«

»Ich muss jetzt wieder zurück.«

»Gute Nacht.« Er wandte sich ab und ging.

Unter der Brücke ratterte ein Zug vorbei, der die Eisentraversen über ihm zum Vibrieren brachte. Aus dem Augenwinkel sah er, wie Funken von der Oberleitung stoben.

Auf der anderen Seite der Brücke kam Hardy ein gebückter Mann mit gesenktem Kopf entgegen. Er hielt eine Hundeleine in der Hand und stieß drei kurze Pfiffe aus. Hardy sah auf, konnte aber keinen Hund entdecken. Wahrscheinlich war die Töle abgehauen, und der Mann suchte sie.

Hardy verließ die Brücke und ging in Richtung Park. Als er die Straße überquerte, sah er, dass ziemlich weit entfernt am anderen Ende des Parks hinter zwei Bäumen ein weiteres Auto parkte, das vorhin noch nicht dort gestanden hatte.

Der Mann mit dem Hund?

Hardy ging langsamer, schirmte das Licht der Straßenlaterne mit der Handfläche ab, starrte zu dem Auto und näherte sich ein paar Schritte. *Diese Form!*

Rasch lief er die paar Meter zu seinem Wagen, riss den Feldstecher vom Beifahrersitz und blickte zu dem Auto.

Ein Lada Taiga! Verdammt!

Hardy fuhr herum.

Der alte Mann mit der Hundeleine!

Sogleich sah er mit dem Feldstecher zur Brücke. *Scheiße!* Dort stand der Mann. Er würgte Diana mit der Hundeleine und drückte ihren Oberkörper über das Geländer.

Hardy warf den Feldstecher ins Auto und lief wieder zur Brücke. Als er keuchend das Absperrschild und die Böschung erreichte, die zu den Gleisen hinunterführte, stoppte er. Der Mann hatte Diana Hess soeben über das Brückengeländer auf die Gleise gestoßen. Der nächste Zug ratterte bereits unter der Brücke hindurch. Hardys Atem schien in seiner Lunge zu gefrieren, als er das Quietschen der Notbremse hörte. Er musste nicht hinsehen, um zu wissen, dass Diana Hess den Sturz unmöglich überlebt haben konnte. Ihr Körper war vom Zug erfasst und viele Meter mitgerissen worden.

Hardys Magen fühlte sich an wie ein großes aufgebrochenes Geschwür, aus dem Eiter, Blut und Säure gleichzeitig in seinen Körper flossen. Ein übler Geschmack stieg in seinen Mund. Mit angespannten Nackenmuskeln und eiskalten Händen starrte Hardy zum Brückengeländer. Instinktiv machte er ein paar Schritte zurück in die Dunkelheit und wartete darauf, ob er das Gesicht des Mannes erkennen würde.

Verdammt, du musst zur Polizei gehen!

Aber wegen seines Besuchs bei Rohrbeck, dem Tod des Jungen und Hagenas Verletzung konnte er das nicht. Die Beamten würden ihn sofort in U-Haft stecken, und dann stünden gleich mehrere Aussagen gegen ihn. Und alle würden sich absprechen!

Noch hatte ihn der Mann, der gerade die Hundeleine zusammenrollte, nicht bemerkt.

Hardy taumelte neben das Baustellenschild, machte einen Schritt zur Seite und stand auf der bemoosten Böschung.

Verdammt! Der Mann kam auf ihn zu! Hardys Muskeln spannten sich an – bereiteten sich auf die offene Konfrontation vor. *Mach jetzt nichts Unüberlegtes! Sei einfach nur einmal in deinem Leben clever!* Instinktiv löste sich Hardys Anspannung. Er kauerte sich zusammen und rutschte über den Hang unter die Brücke. Als er außer Sichtweite des Mannes war, klammerte er sich an die Spitzen eines über seinem Kopf aus dem Beton ragenden Stahlgitters und hielt den Atem an.

Er hörte die Schritte über sich. Der Kerl ging über die Brücke und wechselte auf die Straße. Hardy zog sich zur Böschung hinauf und sah, wie der Mann sich entfernte. Er ging auf eine Laterne zu. *Jetzt!* Für einen Moment war sein Profil im Schein der Bahnbeleuchtung zu sehen.

Frank Eisner!

Auch er war älter geworden, aber immer noch unverkennbar das gleiche eiskalte Arschloch wie vor zwanzig Jahren. Während Eisner zu seinem Wagen ging, löste sich Hardy von dem Anblick und starrte zu den Gleisen hinunter. Der Lokführer hatte den Zug angehalten, war aus dem Führerhaus gesprungen und lief nun die Gleise entlang zurück.

Hardys Magen krampfte sich erneut zusammen. Mit Dianas Tod waren auch die Pläne für seinen Seelenfrieden gestorben. *Endgültig!* Kein offizielles Aufrollen des Falls. Kein Gespräch mit einem unabhängigen Richter.

Eisner!

Dein Haus nehme ich mir als Nächstes vor.

Hasserfüllt blickte Hardy zu dem Lada Taiga. Doch Frank Eisner war an dem Wagen vorbeigegangen, setzte sich stattdessen in ein anderes Auto, das einige Meter dahinter parkte, und fuhr davon. In einem silbergrauen BMW.

Verdammt, was war das jetzt?

Hardy reckte den Hals und starrte dem Wagen hinterher. Da sah er aus dem Augenwinkel, wie der schwarze Lada Taiga ebenfalls startete, ohne Licht ausscherte und dem BMW folgte.

55. KAPITEL

»Es ist nicht meine Aufgabe, Ihnen zu helfen, den Mörder Ihrer Familie zu finden«, sagte Sabine.

»Ich habe …«

»Seien Sie still!«, unterbrach sie Hardy, packte ihn mit einer Hand im Polizeigriff und zog ihn aus seiner liegenden Position hoch, während sie mit der anderen Hand die Waffe auf ihn richtete.

Wiederum musste sie an das Nürnberger Mädchen denken, dessen Eltern seit über einem Jahr lautstark verkündeten, dass sie am Verschwinden ihrer Tochter unschuldig seien. Hardys Verhalten entsprach so gar nicht dem eines Mannes, der seine Familie im eigenen Haus ermordet hatte. Möglicherweise war er in dieser Hinsicht tatsächlich unschuldig. Aber dann musste der Fall vom Staatsanwalt aufgerollt und vom Gericht erneut beurteilt werden; und nicht von ihr. Sie wollte nur die aktuellen Mordfälle lösen, und dazu gehörte es, Hardy festzunehmen. Nicht mehr und nicht weniger.

»Und was jetzt?«, fragte Hardy.

»Stellen Sie sich an den Schrank, mit dem Rücken zu mir, und verschränken Sie die Hände hinter dem Kopf.«

Hardy gehorchte, und sie tastete ihn nach versteckten Waffen ab. *Nichts.* Sie fand nur sein Handy in der Hosentasche, das sie ihm abnahm und einsteckte. Dann ging sie einige Schritte zurück und schob die Sporttasche mit einem kräftigen Fußtritt über den Boden zu ihm hin. »Nehmen Sie die Tasche hoch, aber die Hände bleiben dabei hinter dem Rücken.«

Hardy ging in die Knie, tastete nach dem Griff der Tasche und hob sie hoch.

»Und jetzt gehen Sie!«, befahl Sabine. »Durch die Schwimmhalle zum Ausgang.«

Hardy setzte sich mit kurzen Schritten in Bewegung, während die Tasche hinter seinem Rücken hin und her baumelte.

Sabine hatte bemerkt, wie schwer die Tasche war. »Was ist da drin?«

»Das sagte ich Ihnen bereits.«

»Die Tasche sieht nicht so aus, als befände sich nur eine Akte darin«, stellte Sabine fest. »Was noch?«

»Die Akte ist dick. Außerdem sind ein Buch drin, Zahnbürste, Reisepass, meine Kleidung und ein wenig Bargeld.«

»Wollen Sie mich verarschen?«, rief sie. »Was noch?«

Er schwieg.

Er erreichte die Halle und ging langsam am Rand des Sportbeckens entlang, während Sabine ihm mit zwei Metern Abstand folgte. Durch die Fenster und das Glasdach fiel immer noch das letzte Dämmerlicht des Tages, das das Hallenbad in eine düstere Atmosphäre tauchte. Mittlerweile war das Gewitter näher gekommen. Tiefschwarze Wolken bedeckten den Himmel, und der Wind pfiff durch die Halle, vertrieb die Hitze und brachte endlich Erleichterung.

Sabine hörte, wie der Regen leise aufs Dach trommelte. Mehrere Donnerschläge krachten, und kurz darauf wurde der Himmel von einigen Blitzen sekundenlang erhellt. Die Gesichter der Graffiti starrten im stroboskopartigen Licht unheimlich von den Wänden.

Da vibrierte Sabines Handy. »Stehen bleiben!«, befahl sie.

Hardy gehorchte augenblicklich.

Sabine machte sicherheitshalber einen weiteren Schritt zurück, bevor sie das Gespräch entgegennahm. Es war Tina.

»Ich habe endlich mit van Nistelrooy sprechen können, ihm alles erklärt, und er hat sich alles in Ruhe angehört. Das MEK wird jeden Moment ausrücken und kommt zum Hallenbad.«

»Gut«, antwortete Sabine. »Inzwischen habe ich Thomas Hardkovsky festgenommen.« Aus Erfahrung wusste sie, dass die Kollegen vom Mobilen Einsatzkommando innerhalb von fünf Minuten ausrücken konnten und von Wiesbaden wahrscheinlich vierzig Minuten hierher brauchten. »Ich halte ihn so lange hier fest.«

»Ich fahre mit den Leuten mit. Wir sehen uns.« Tina hatte aufgelegt.

Fünfundvierzig Minuten! Eine Ewigkeit.

Sabine steckte das Telefon weg. Hardy stand immer noch vor ihr, hielt die Tasche hinter dem Rücken und hatte das Gespräch bestimmt interessiert mitverfolgt.

»Sie halten mich so lange hier fest, bis *was* passiert?«, fragte er.

»Das MEK wird Sie übernehmen.«

»Das MEK«, wiederholte er zynisch. »Sie wissen, dass Lohmann der Chef des Haussicherungsdienstes und des MEK ist?«

»Ist mir bekannt.«

»Und Lohmann war ein Mitglied der Gruppe 6.«

»Weiß ich, aber Sie sollten jetzt den Mund halten.«

»Wen immer Sie informiert haben, das MEK wird nicht kommen.«

»Seien Sie still!«

»Jemand anderer wird kommen«, sprach Hardy weiter. »Und wir beide werden sterben!«

»Sie sollen endlich den Mund halten!«, rief Sabine. »Stellen Sie die Tasche ab und entfernen Sie sich ein paar Schritte davon.«

Hardy ließ die Tasche zu Boden fallen. Nachdem er zur Seite getreten war, kniete sich Sabine neben die Sporttasche und zog den Reißverschluss auf. Hardy hatte nicht gelogen. Im Licht eines Blitzes sah sie ein Taschenbuch, ein Etui mit Kosmetikartikeln, Sweatshirts, zwei dicke Mappen und jede Menge Bargeld. Die Scheine machten fast den gesamten Inhalt der Tasche aus. Das mussten mehrere Hunderttausend Euro sein, wenn nicht sogar Millionen.

»Ein Buch und ein wenig Bargeld also«, wiederholte Sabine Hardys vorherige Aussage. »Woher stammt das Geld?«

Hardy schwieg.

Nichts anderes hatte sie von ihm erwartet. »Aus dem Tresor aus Dietrich Hess' Wochenendhaus?«, fragte sie.

»Ich war nicht bei Dietrich Hess«, antwortete er mit eindringlicher Stimme.

»Sie haben es aus dem Safe in Frank Eisners Keller!«, stellte Sabine fest. »Deshalb sind Sie so brutal auf mich losgegangen. Sie sind in Panik geraten, als ich dort aufgetaucht bin …« Sie verstummte. Im Seitenfach der Tasche hatte sie ein Springmesser ertastet sowie einen Schlagring mit scharfer Kante. Allein für den Besitz dieser Waffen würde Hardy mit seinen Vorstrafen mindestens für ein Jahr in den Bau wandern. Daneben fand Sabine mehrere Kabelbinder aus Hartplastik. Sie zog einen davon heraus und warf ihn Hardy vor die Füße. »Fesseln Sie sich damit die Hände.«

Hardy regte sich nicht.

»Los!«, befahl sie.

Hardy hob den Kabelbinder auf, formte eine Schlinge, schlüpfte mit beiden Händen hindurch und zog das Ende mit den Zähnen zu.

»Fester!«

Hardy zerrte mit den Zähnen am Kabelbinder.

»Und jetzt erzählen Sie mir, woher Sie das Geld haben und …«, verlangte Sabine, verstummte jedoch, als sie ein knirschendes

Geräusch hörte, das beinahe von dem aufs Dach prasselnden Regen übertönt worden wäre.

Hardy musste es ebenfalls gehört haben, da er den Kopf in die Richtung des Geräuschs drehte und angestrengt lauschte.

Von Nora konnte das Knirschen nicht stammen, denn die wurde garantiert irgendwo gewaltsam festgehalten, und für das Eintreffen des Mobilen Einsatzkommandos war es noch zu früh. Sabine zog Sneijders Handy aus der Tasche, schaltete die Taschenlampenfunktion ein und leuchtete durch die Halle, doch das Hallenbad war zu groß, sodass sich das Licht in der Dunkelheit verlor. Dennoch erkannte Sabine die Silhouette eines Mannes, der unten an der Treppe stand, die vom Kassenraum hinaufführte.

Ein schlanker, hochgewachsener Kerl. Die Rundung seines Kopfes sah aus, als hätte er eine Glatze.

Sneijder!

Im nächsten Moment erhellte ein weiterer Blitz die Schwimmhalle, und Sabine sah, dass am anderen Ende der Halle tatsächlich Sneijder stand. Mit ausgestreckten Armen hielt er eine Waffe und zielte auf sie. »Eichkätzchen?«, rief er.

»Sneijder«, sagte Sabine knapp. Gleichzeitig verspürte sie Erleichterung. Sie wusste, Sneijder war auf ihrer Seite, und zu zweit würden sie Hardy leichter festhalten können, bis das MEK eintraf.

»Ich habe Hardy festgenommen«, rief sie.

»Das sehe ich.« Sneijder kam mit raschen Schritten auf sie zu. »Wir müssen so rasch wie möglich von hier verschwinden.«

»Ganz meine Meinung«, ergänzte Hardy, als hätte er sich mit Sneijder abgesprochen.

»Wir gehen nirgendwohin!«, entschied Sabine. »Wir warten hier auf das MEK. Und nehmen Sie endlich die Waffe runter! Woher haben Sie die überhaupt?«

»Von Krzysztof«, sagte Sneijder kurz angebunden, nachdem er sie erreicht hatte. Er nahm die Waffe zwar herunter, steckte sie aber nicht weg.

Die beiden Männer warfen sich einen kurzen, aber vielsagenden Blick zu, woraufhin Sneijder knapp nickte. *»Goedendag* Hardy, lange nicht gesehen.«

»Hallo, Maarten.« Hardy verzog das Gesicht. »Du arbeitest mit Krzysztof zusammen?«

»Er war der Einzige, dem ich vertrauen konnte.«

»Um was zu tun?«

»Du kannst blöde Fragen stellen. Um das Gleiche herauszufinden wie du. Nur mit dem Unterschied, dass ich dabei keine Blutspur hinterlasse. Ein bisschen mehr Feingefühl hätte ich dir schon zugetraut.«

»Dein Ratschlag kommt reichlich spät«, sagte Hardy gefühlskalt. »Du hattest so viele Jahre Zeit, deine Kollegen ans Messer zu liefern, hast es aber vorgezogen, die Klappe zu halten.«

»Glaub mir, Hess scheitern zu sehen wäre mir ein großes Vergnügen gewesen«, knurrte Sneijder, »aber ich bin nicht der Typ, der Kollegen verpfeift. Außerdem wusste ich zu wenig darüber, was in jener Nacht passiert ist.«

»Für so einen brillanten Kopf wie dich wäre es ein Leichtes gewesen, das herauszufinden!«

»Es war nicht so einfach, wie du denkst. Die Kollegen haben auch mich gedeckt, oder warum glaubst du, hätte ich sonst all die Jahre als kiffender Profiler meinen Dienst ausüben können, ohne suspendiert zu werden?«

»Dein eigenes Hemd war dir immer schon näher als die Hose«, warf Hardy ihm vor.

Sneijder nickte. »Nicht nur das. Zu dem Zeitpunkt war Diana bereits mit Hess zusammen, und ich konnte ihr nicht gleich wieder alles zerstören, indem ich Hess vor Gericht bringe.«

»Also hast du mit angesehen, wie ein Unschuldiger wegen Mordes ins Gefängnis kam«, schlussfolgerte Hardy zynisch.

»Ganz so unschuldig, wie du tust, warst du nicht!«

»Zumindest am Tod meiner Familie.«

»Diesbezüglich war es ein Deal mit meinem Gewissen – ist mir nicht leichtgefallen.«

Sabine hörte aufmerksam zu, während die beiden Männer miteinander redeten und sich Vorwürfe an den Kopf warfen, als wäre sie gar nicht anwesend.

»Und warum hast du dich ausgerechnet jetzt dafür entschieden, dein Gewissen reinzuwaschen?« Hardy hob seine gefesselten Hände und spreizte provokant drei Finger ab. »In drei knappen Sätzen, du Arschloch!«

Sneijder ignorierte die Imitation seiner Macke. »Tatsächlich sind es drei Gründe. Rohrbeck, Hagena und Diana sind tot – mittlerweile auch Hess –, und nichts in der Welt zwingt mich, weiterhin den Mund zu halten. Zweitens war meine Kollegin verschwunden.« Er warf Sabine einen kurzen Blick zu.

»Und der dritte Grund?«, drängte Hardy.

»Ich wusste, Dirk van Nistelrooy würde als neuer Präsident kein BKA übernehmen wollen, in dem sich Vertuschung und Korruption jahrelang wie ein eitriges Geschwür durch die Führungsebene gezogen haben, also habe ich ihm vorgeschlagen, die alten Geschichten aufzudecken.«

Sabine starrte Sneijder überrascht an. »*Sie* haben Kontakt zu van Nistelrooy aufgenommen – nicht umgekehrt?«

»Es war mein Ticket, um meine Suspendierung aufzuheben und wieder in den Dienst des BKA zu treten«, antwortete er kühl.

»Darum ging es Ihnen also«, entfuhr es ihr. »Sie hatten das von Anfang an geplant, nicht wahr?«

»Nicht von Anfang an«, korrigierte er sie. »Sie überschätzen mich. Diese Idee ist mir zum ersten Mal wenige Tage nach Hardys Entlassung gekommen.«

»Dann hätten wir ja alles besprochen«, sagte sie knapp. »Hardy kommt in U-Haft, und nach Frank Eisner wird bereits gefahndet. Damit ist die ganze Sache erledigt.«

Hardy warf ihr einen abschätzigen Blick zu. »Nichts ist erledigt.«

Sneijders bleiche Gesichtszüge wirkten, als wären sie zu Granit erstarrt. Er nickte. »Hardy hat recht – jetzt fängt es erst richtig an. Wir haben unseren Gegner gerade erst aus seiner Deckung gelockt.«

»*Unseren* Gegner?«

»Eisner.«

»Sie tun geradewegs so, als wäre er ein Übermensch.«

»Viel fehlt nicht«, mischte Hardy sich in das Gespräch. »Haben Sie ihn jemals aus der Nähe betrachtet und seine Narbe am Hals bemerkt?« Hardy deutete mit dem Finger eine lange Linie vom Kinn über den Kehlkopf hinunter an.

Sabine nickte. »Er hat einen Luftröhrenschnitt. Und?«

»Wissen Sie, wer ihm den zugefügt hat?« Hardy machte eine Pause.

»Sie?«

»Nein, er selbst.«

»Blödsinn.«

»Wir waren nach der BKA-Weihnachtsfeier in einer Bar. Rohrbeck, Timboldt, Lohmann, Eisner und ich. Hess war auch dabei, Sneijder und noch ein paar andere Kollegen.«

Sabine sah zu Sneijder, der die Geschichte mit einem Nicken bestätigte.

»Eisner steht an der Bar, schaufelt sich nacheinander Erdnüsse rein, und plötzlich bekommt er keine Luft mehr. Er röchelt vor sich hin und wird langsam blau im Gesicht. Bei alldem

Lärm und Rauch in der Bar haben wir das zunächst nicht bemerkt, erst als er nach meinem Arm greift. Ich wende sofort den Heimlich-Griff an, packe ihn von hinten und drücke auf seinen Bauch, aber die verdammte Nuss steckt so tief in seinem Hals, dass sie nicht rauskommt. Rohrbeck versucht es als Nächster, aber auch er hat kein Glück. Schließlich wird klar, dass nur noch ein Luftröhrenschnitt hilft, aber keiner wagt es. Das Risiko, ihn dabei zu töten, ist zu hoch. Andererseits wird er ohnehin sterben, also nimmt Eisner, mittlerweile völlig blau im Gesicht, das Messer von der Theke, mit dem der Barkeeper die Zitronen für die Getränke geschnitten hat, tastet nach seiner Luftröhre und sticht sich selbst die Kehle auf. Er will noch nach dem dicken Strohhalm in seinem Cocktail greifen, klappt aber vorher ohnmächtig zusammen.«

Sabines Gaumen wurde augenblicklich trocken. »Wer hat ihm Luft in die Lunge geblasen?«

»Ich habe ihm den Strohhalm in die Wunde gestoßen und ihn beatmet«, sagte Hardy. »Währenddessen hat eine Kellnerin, die den Tumult mitbekommen hat, einen Arzt gerufen.«

Sabine schwieg. Schließlich verdrängte sie die schrecklichen Bilder, die in ihrem Kopf entstanden waren. »Selbst wenn er wirklich so hart ist – was kann er schon allein gegen uns ausrichten?«

»Genug«, widersprach Hardy. »Außerdem ist er nicht allein. Er hat die Gabe, andere zu manipulieren. Und genau das wird er tun.«

»Schließlich weiß das keiner besser als du«, ergänzte Sneijder.

Hardy sah ihn an. »Ja, mittlerweile schon.«

»Wir warten trotzdem!«, bestimmte Sabine, erstarrte aber, als das Licht mehrerer Autoscheinwerfer durch die Glasfront in die Schwimmhalle fiel.

Alle drei starrten sie durch die Fenster auf den Parkplatz, wo soeben nebeneinander im Abstand von mehreren Metern drei Autos vor der Eingangstür hielten.

Sabine bemerkte Hardys konzentrierten Blick, als er die Wagen im gegenseitigen Scheinwerferlicht betrachtete, die Stirn runzelte und die Schultern sinken ließ.

»Was ist los?«, fragte sie ihn.

»Nichts. Ich hatte eigentlich mit einem schwarzen Lada Taiga gerechnet. Aber der ist nicht dabei.«

56. KAPITEL

Sabine schob Hardy vor sich her, bis sie die große graffitiverzierte Fensterfront erreichten, von der man auf den Parkplatz sehen konnte. Gebannt blickte sie auf die Autos. Die Lichter der Scheinwerfer gingen der Reihe nach aus.

»Warum einen Lada Taiga?«, fragte sie.

»Vergessen Sie es.«

Aus dem silbergrauen BMW stieg Frank Eisner. Möglicherweise wusste der Mistkerl noch gar nicht, dass Sneijder sie aus dem Holzschuppen am Seeufer befreit hatte und sie mittlerweile hier war.

Hardy blickte mit regungslosem Gesichtsausdruck durch die Scheibe und verfolgte dabei jeden von Eisners Schritten. Dabei rotierten seine Handgelenke in einer monoton kreisenden Bewegung, sodass der Kabelbinder an seiner Haut rieb. »Woher weiß er, dass wir hier sind? Haben Sie ihm das gesteckt?«

»Sie sollten endlich mit Ihren Verschwörungstheorien aufhören«, entgegnete Sabine. Dann fasste sie sich ein Herz. »Möglicherweise ist Nora Mühlenhof in seiner Gewalt.«

Kaum hatte sie den Satz ausgesprochen, spürte sie, wie Hardys Körper sich anspannte. »Machen Sie mich los«, verlangte er von ihr.

»Sie sind festgenommen«, erinnerte sie ihn. Dann nahm sie das Handy heraus und hielt es so, dass man vom Parkplatz aus das Licht des Displays nicht erkennen konnte. Rasch wählte sie die Notrufnummer der Frankfurter Polizei, da ihnen möglicherweise nicht mehr so viel Zeit blieb, bis das MEK aus Wiesbaden hier eintraf. *Verfluchte Scheiße!* Sie hielt das Handy hoch und starrte auf die fehlenden Balken. *Kein Empfang!* Was war denn jetzt los?

»Was ist?«, fragte Hardy.

»Ich erreiche niemanden ...«

Da trat Sneijder neben Sabine und blickte ebenfalls durch die Scheibe auf den Parkplatz. »Vergessen Sie es, Eichkätzchen. Mein Handy funktioniert auch nicht. Die haben einen Störsender dabei, der die Funkfrequenzen blockiert.«

»Aber woher ...?«, fragte Sabine.

»Eisner verwendet in seiner Firma bestimmt die neuesten Handyblocker, mit denen er künstliche Funklöcher herstellen kann.«

»Jetzt wird es lustig«, murmelte Hardy.

Inzwischen war aus dem zweiten Auto, einem metallicblauen Van mit eingedellter Seite, ein zweiter Mann gestiegen. Sabine kannte den Wagen. Im Dämmerlicht sah sie Klaus Timboldt.

Gleichzeitig öffnete sich auch die Fahrertür des dritten Wagens, und Sabine erkannte im Schein des nächsten Blitzes Harald Lohmann. *Der harte Kern der ehemaligen Gruppe 6.* Bei allen drei Wagen war das Licht in der Fahrerkabine ausgeschaltet gewesen.

Nun kamen die drei Männer durch den Nieselregen auf das Gebäude zu, diesen langersehnten Regen, der Schweiß und Trockenheit davonspülte. Kurz bevor sie die Treppe erreichten, die zum Eingang führte, erhellte ein weiterer Blitz den Parkplatz. Die Männer waren bewaffnet und trennten sich nun. Einer lief zur Rückseite des Hallenbads, und zwei stiegen die Treppe hoch, dann waren sie aus Sabines Blickfeld verschwunden.

»Was wollen die hier?«, flüsterte sie.

»Liegt das nicht auf der Hand?«, entgegnete Hardy. »*Ich* bin nicht Ihr Feind. Es sind die Überlebenden der Gruppe 6. Die haben keine andere Wahl und müssen um jeden Preis verhindern, dass die Wahrheit ans Licht kommt. sonst sind sie selbst wegen Dreifachmordes dran.«

»Und warum haben Eisner und die anderen Sie nicht schon längst getötet?«, fragte Sabine.

»Solange sie noch nicht wussten, ob und was ich gegen sie in der Hand habe?«

Sabine schüttelte den Kopf. »Ich kenne Lohmann seit drei Jahren«, wisperte sie. »Ich kann nicht glauben, dass er so weit gehen würde, einen *Mord* zu begehen.«

»Ich kenne Lohmann seit über fünfundzwanzig Jahren«, entgegnete Sneijder. »Und *ich* traue es ihm zu.«

»Einer von denen ist für den Tod meiner Familie verantwortlich«, knirschte Hardy.

»Das ist nicht bewiesen«, widersprach Sabine.

»Warum sollten sie sonst hier sein?«, fragte Hardy. »Die haben Angst, dass der Dreifachmord und ihre korrupten Geschäfte nach all der Zeit genauso ans Tageslicht kommen wie die Tatsache, dass sie mich wegen Mordes in den Knast gebracht haben.«

»Außerdem haben sie die Hosen gestrichen voll, dass du ein weiteres ihrer Familienmitglieder töten könntest«, ergänzte Sneijder.

»Ich habe niemanden getötet!«

Sabine fixierte Hardy mit zusammengekniffenen Augenbrauen. »Das wird sich zeigen.«

»Vielleicht auch nicht.« Hardy nickte zum Treppenabgang, der zum Kassenhäuschen führte, von wo soeben ein Geräusch zu ihnen gedrungen war. »Die werden keinen von uns lebend hier rauslassen.«

Sabine suchte den Horizont nach dem Blaulicht eines Einsatzfahrzeuges ab, doch dafür war es noch zu früh. Der Straßenabschnitt war dunkel, und nur ab und zu fuhr ein Wagen an dem

Parkplatz und dem Areal des Hallenbads vorbei. »Gibt es einen Hinterausgang?«

»Nein, nur den Haupteingang«, sagte Hardy. »Und zwei Notausgänge, aber die sind verriegelt.«

»Fenster in den Umkleidekabinen?«

Hardy schüttelte den Kopf.

»Dann schlagen wir hinten eine Scheibe in der Schwimmhalle ein.«

Sneijder winkte ab. »Die würden das Geräusch hören.«

»Und wenn schon«, widersprach Sabine.

»Einer von denen ist zur Rückseite des Hallenbads gerannt. Bevor wir davonlaufen könnten, hätten die sich verständigt und uns mit dem Auto eingeholt – und was dann?«

»Hardy!«, hallte plötzlich eine laute kehlige Stimme aus dem Vorraum in die Schwimmhalle.

Frank Eisner!

»Komm raus!«, fügte Timboldt hinzu.

Sabine bedeutete Hardy mit einem Blick, dass er die Klappe halten sollte. Dann erhob sie die Stimme. »Ich habe Thomas Hardkovsky festgenommen. Er befindet sich in Gewahrsam des Wiesbadener Bundeskriminalamts.«

»Sabine Nemez?«, rief Eisner. »Du verdammte kleine …« Er brach ab. Anscheinend war er ziemlich geschockt, dass sie sich nicht mehr in seiner Seehütte befand.

»Was tun Sie hier?«, mischte sich Timboldt in das Gespräch. »Sie handeln ohne Dienstanweisung. Als Ihr Vorgesetzter möchte ich Sie sofort hier unten sehen!«

»Das ist unmöglich. Außerdem muss ich Frank Eisner ebenfalls festnehmen!«, fuhr sie fort.

»Warum? Drehen Sie jetzt völlig durch?«, rief Timboldt.

»Wegen Entführung, Freiheitsberaubung, Körperverletzung und versuchten Totschlags«, fuhr Sabine fort. »Eisner, lassen

Sie die Waffe fallen und kommen Sie mit erhobenen Händen herauf!«

»Sind Sie allein hier?«, fragte Timboldt.

Sneijder senkte die Stimme und flüsterte Sabine zu: »Ich bin mit dem Taxi hergefahren. Die haben keine Ahnung, dass ich hier bin. Machen Sie das Beste daraus!« Er wandte sich ab, und im nächsten Moment war er bereits verschwunden.

Sabine versuchte, das Dämmerlicht zu durchdringen, konnte ihn aber nicht mehr sehen. »Ich bin allein!«, rief sie laut. »Aber das MEK ist in direktem Auftrag von Dirk van Nistelrooy hierher unterwegs. Eisner, Sie haben noch eine Minute Zeit, sich zu stellen!«

Hardy verzog das Gesicht. »Wird die beiden nicht besonders beeindrucken«, murmelte er.

Ja, das weiß ich selbst!

Eine seltsame Stille senkte sich über die Halle, die nur durch das Prasseln des Regens und das Gurren der Tauben unterbrochen wurde.

»Dort«, flüsterte Hardy und nickte zum Ausgang.

Eisner hatte das Gebäude wieder verlassen. Er lief zu Timboldts Van, zog die Heckklappe auf und zerrte etwas Großes aus dem Auto, das er vor seine Füße auf den Asphalt stieß.

Hardy musste erkannt haben, um was es sich handelte, denn Sabine spürte plötzlich seine Anspannung. »Ist das Nora?«, flüsterte sie.

Hardy ballte die Fäuste. »Diese Scheißkerle haben sie geschnappt, um sie gegen mich einzusetzen«, presste er hervor.

Die Frau vor Eisners Beinen war an Händen und Füßen gefesselt und hatte einen Knebel im Mund. Weitere Details konnte Sabine nicht erkennen, aber Nora war bestimmt so lange geschlagen worden, bis sie den Männern verraten hatte, wo sie sich mit Hardy treffen sollte. Und nun waren sie hier!

Eisner packte die Frau an den Haaren und zog sie vor sich in eine kniende Position. Im nächsten grellen Aufflackern eines Blitzes sah Sabine deutlich, wie er ihr von oben den langen Lauf einer Waffe mit Schalldämpfer an den Hinterkopf hielt.

Sabine kaute an der Unterlippe. *Verdammte Stinktierscheiße!* Instinktiv stellte sie sich darauf ein, gleich den grellen Funken eines Schusses zu sehen und in Gedanken ein dumpfes Ploppen zu hören. Doch zum Glück blieb beides aus.

»Sabine Nemez!«, brüllte Timboldt stattdessen in die Halle. »Sie haben fünf Minuten Zeit, uns Hardy auszuliefern und ohne Waffe und mit erhobenen Händen herauszukommen!«

Die Situation schien gerade fürchterlich aus dem Ruder zu laufen.

20 Jahre zuvor – Der Tag, der sie ins Verderben stürzte

Sneijder starrte an dem völlig ausgebrannten zweistöckigen Wohnhaus von Thomas Hardkovsky empor, von dem noch immer eine dicke Rauchsäule in den Nachthimmel aufstieg.

Die Feuerwehrleute hatten ihre Löscharbeiten bereits eingestellt. Wasser lief vom Dach herunter, über die Mauer und Fensterbretter, und sammelte sich mit dem Löschschaum auf dem Bordstein zu kleinen verschlickten Seen, die träge in den Kanal und zum Teil auch durch den Kellerschacht ins Haus abliefen.

Die Polizei hatte die Bewohner in den Gebäuden der unmittelbaren Umgebung evakuiert und die Straßen großräumig abgesperrt, sodass sich im Moment nur Feuerwehrleute, Ärzte, Sanitäter und Polizisten vor dem niedergebrannten Haus befanden. Es stank fürchterlich. Funkgeräte knackten, Kommandos wurden über Megafon durchgegeben, und vereinzelt heulte eine Sirene auf. Laut Information der Löschmannschaft waren keine Bewohner in dem Haus, darum war bisher auch kein Atemschutztrupp hineingegangen.

Soeben traf der Brandsachermittler ein. Sneijder wartete, bis der mit einem der Feuerwehrmänner auf das Gebäude zuging, dann stellte er sich ihnen in den Weg. »Ist das Haus sicher?«, rief er und schirmte mit der Hand den Kopf ab, da über ihm das Gebälk krachte.

»Sicher wofür?« Der Feuerwehrmann wischte sich den Schweiß von der Stirn und hinterließ mit dem Handschuh einen schwarzen Strich auf seiner Haut.

»Um es zu betreten.«

Nun starrte auch der Brandsachermittler Sneijder an. »Ich glaube nicht, dass Sie da jetzt reingehen werden, bevor ich …«

»Sehen Sie, das ist der Unterschied«, sagte Sneijder. »Ich glaube nämlich schon, dass ich da jetzt reingehe.« Er zog seinen Dienstausweis aus der Sakkotasche.

»Das BKA? Hat das nicht Zeit bis …?«

»Nein, hat es nicht«, widersprach Sneijder. »Ich muss rein, und zwar *jetzt,* bevor Sie oder einer der Kollegen auf die Idee kommen, Spuren zu verändern. Ist das Haus sicher?«

»Mann«, stöhnte der Brandsachermittler auf. »Vielleicht sind es ja *Sie,* der Spuren verwischen möchte.«

»Sie können gern nach mir reingehen und alles kontrollieren«, schlug Sneijder vor und steckte den Ausweis ein.

»Sie können jetzt noch nicht rein. Vielleicht gibt es noch Glutnester, die …«

»Ich gehe mit Ihnen rein«, mischte sich der Feuerwehrmann in das Gespräch. »Im Fond des Feuerwehrwagens finden Sie Einsatzstiefel mit Stahlkappen. Schnappen Sie sich eine Jacke und einen Helm mit Stirnlampe. Bleiben Sie bei mir, und weichen Sie mir keinen Schritt von der Seite. Haben Sie verstanden?«

Sneijder nickte knapp, dann war er auch schon unterwegs zum Wagen.

Während der Sachverständige draußen wartete, ging Sneijder mit dem Feuerwehrmann ins Haus. Im Gebäude war die Luft stickig und verraucht. Alles war von Ruß verschmiert, verkohlt und dampfte. Wasser tropfte von der Decke, und die Möbelstücke sahen aus wie poröse schwarze Skelette.

Der Feuerwehrmann ging vor Sneijder die Stufen hinauf. »Die Treppe ist aus Beton und hält. Aber berühren Sie nicht das Geländer. Das bricht jeden Moment auseinander.«

Sneijder folgte ihm. Der Wasserdampf, der vor ihm aufstieg, war so dicht, dass der Strahl seiner Stirnlampe wie ein gebündelter Lichtkanal durch den Nebel stach. »Was könnte die Brandursache gewesen sein?«

»In einem so frühen Stadium wie jetzt ist jede Aussage problematisch«, rief der Mann, während er mit schweren Schritten die Treppe hinaufstapfte. »Da können wir nur nach dem Ausschlussverfahren vorgehen.«

»Und was können Sie ausschließen?«

»Den Keller, das gesamte untere Stockwerk und vor allem die Küche. Ebenso den Dachboden.«

Okay, der Mann sprach nicht von der *Ursache*, sondern vom *Ort* des Brandbeginns. »Das Feuer könnte also im oberen Stock ausgebrochen sein?«, fragte Sneijder.

»Möglicherweise in einem der Schlafräume.«

»Können Sie mich dorthin bringen?«

»Wir sind bereits auf dem Weg.«

Der Mann brachte Sneijder in das Schlafzimmer. Der Parkettboden knirschte unter ihren Schuhen. Hier war alles schwarz, und in der Mitte standen die Überreste eines Doppelbetts. Die Fensterscheiben waren aufgrund der Hitze nach außen geborsten. Danach mussten die Flammen hier wie in einem Höllenschlund gewütet haben. Jetzt hingen nur noch Rußpartikel in der Luft, und obwohl Wind in den Raum wehte, war es fast unmöglich zu atmen.

Der Feuerwehrmann sah ihn besorgt an. »Alles in Ordnung?«

Sneijder nickte. »Was meinen Sie?«, krächzte er. »Natürliche Brandursache oder Brandstiftung?«

»Wenn ein Brand gelegt worden ist, dann vermutlich hier.« Der Mann deutete mit dem Stiel seiner Axt zum Bett.

Sneijder sah ebenfalls zum Bett, dann zu den Fenstern. Die geschmolzenen Griffe standen in einer Position, die auf gekippte Fenster hindeuteten. *Hätte ich den Brand gelegt, hätte ich ebenfalls dafür gesorgt, dass das Feuer genug Sauerstoff erhält und so lange genährt wird, bis alles in Schutt und Asche liegt.*

Sneijders nächster Blick fiel zur Wand auf eine verkohlte Tür, von der nur noch einzelne schwarze Holzteile vom Querbalken hingen. Der Rest der Tür war ins dahinterliegende Zimmer hineingedrückt worden, und so wie es aussah, handelte es sich dabei um einen begehbaren Schrank.

Der Feuerwehrmann sah nun ebenfalls dorthin. »Soll ich die Tür frei machen?«

Vermutlich genügte ein Schlag mit der Axt, dann würde das verbrannte Holz in sich zusammenfallen.

»Noch nicht.« Sneijder ging näher und richtete den Strahl seiner Stirnlampe auf das verkohlte Parkett vor der Tür. Dort gab es zwei kleine, gleichmäßig helle, viereckige Stellen. Etwas musste hier gestanden haben. Daneben lagen verkohlte Überreste, die Sneijder nicht näher definieren konnte. »Sind das Teile der Tür, oder war das mal ein Stuhl?«

»Sieht nach einem Holzstuhl aus.«

»Aber der kann dort nicht gestanden haben.« Sneijder hockte sich hin. »Sehen Sie sich mal die Markierungen auf dem Boden an. Es sind nur *zwei* Stellen von *zwei* Stuhlbeinen«, stellte er fest. »Wo sind die restlichen Spuren?«

»Der Stuhl ist vielleicht gekippt.«

»Als die Fensterscheiben platzten, hat der Sauerstoff die Glutnester bestimmt wieder angefacht und die Rauchgase zur Explosion gebracht, stimmt's?«

Der Feuerwehrmann nickte. »Bestimmt. Hier ist alles schwarz.«

»Dann hätte die Druckwelle den Stuhl weggefegt.« *Was aber nicht passiert ist.* Sneijder betrachtete die Stellen. »Also wurde der Stuhl gekippt und unter der Türklinke festgeklemmt.« Für diese Theorie sprach, dass die Tür nicht nach innen aufging. »Gut, öffnen Sie die Tür!«

Sneijder stand auf, trat zurück, und der Feuerwehrmann schlug die Reste der Tür mit ein paar gezielten Schlägen ein. Krachend fiel das Holz in sich zusammen.

Sneijder betrachtete den Rahmen, die Trümmer und das Schloss. Die Tür war nicht versperrt gewesen, und weder innen noch außen steckte ein Schlüssel. Dahinter befand sich ein kleiner Raum mit bis zur Decke verkohlten Regalen und jeder Menge Asche, der Sneijder an den begehbaren Schrank in Frank Eisners Haus erinnerte, in dem er die strangulierte Leiche von Irene Eisner gefunden hatte. Ein schreckliches Déjà-vu erfasste ihn. Die Situation war ähnlich, nur dass sich in diesem Raum *drei* Leichen befanden.

»Mein Gott!«, stieß der Feuerwehrmann aus.

Sneijder erkannte die zur Fötusstellung zusammengekrümmten Körper eines erwachsenen Menschen und zweier Kinder.

Ohne es zu wollen, arbeitete sein Hirn bereits auf Hochtouren. *Haben sich diese drei Menschen vor dem Feuer in den Raum retten wollen und sind jämmerlich am Rauch erstickt? Das wäre glatter Selbstmord gewesen. Viel eher wurden sie darin eingesperrt, denn der Stuhl ist sicher nicht von allein gegen die Tür gefallen. Die Frage lautet nur: Waren die drei beim Ausbruch des Feuers noch am Leben oder schon tot? Und war der Brand das eigentliche Verbrechen, oder wurde der Brand gelegt, um ein anderes Verbrechen zu vertuschen?*

Sneijder starrte auf die bizarr verzerrten Körper der Leichen und ihre schrecklich weit aufgerissenen Münder, die tiefen schwarzen Höhlen glichen. »Dieser Anblick ist nicht normal«, murmelte er zu sich selbst.

»Doch«, widersprach der Feuerwehrmann. »Durch die enorme Hitze schrumpfen die Knochen. Die Eiweißgerinnung verkürzt die Muskeln, die Halsmuskulatur schrumpft, der Mund öffnet sich, und die Zunge wird herausgepresst ...«

»Davon rede ich nicht«, unterbrach Sneijder ihn und deutete auf die Hände der Toten, die hinter ihrem Rücken lagen, als wären sie gefesselt gewesen. »Haben Sie *so* etwas schon einmal gesehen?«

Der Mann schüttelte den Kopf. »Das sieht tatsächlich merkwürdig aus.«

Sneijder betrat den Schrankraum, hockte sich neben die Toten, schloss die Augen und sog den üblen Gestank von verbrannten Haaren, verkohlter Haut und triefendem Fett in sich auf.

Aus welchem Grund auch immer du das getan hast, Tatverdächtiger null – du bist zielgerichtet vorgegangen. Du bist mit dem Ort vertraut, kennst die Gewohnheiten dieser Menschen und hast rasch und effizient gehandelt. Andernfalls wäre es dir unmöglich gewesen, die drei zu überwältigen und diesen Brand so effektiv zu inszenieren. Siehst du das auch so?

»Ja, ich bin effizient«, antwortete eine fremde Stimme in Sneijders Kopf.

»Kann ich Ihnen helfen?«

Sneijder öffnete die Augen und sah den Feuerwehrmann an. »Ja, das können Sie.« Er erhob sich. »Ich brauche drei Dinge: die offensichtliche Brandursache und die *echte* Brandursache, denn ich bin sicher, hier war ein Profi am Werk, der uns auf eine falsche Fährte führen möchte. Zweitens ...« Er sah sich um, bis sein Blick auf das Bett fiel. »Stellen Sie mit dem Brandsachermittler den Brandschutt sicher, nehmen Sie Proben und verschließen Sie die möglichst rasch luftdicht, damit Rückstände auf Brandbeschleuniger oder gasförmige, flüssige oder feste Zündmittel nicht verloren gehen.«

»Und drittens?«

Sneijder kniff die mittlerweile brennenden und tränenden

Augen zusammen. »Lassen Sie vorerst niemand anderen ins Haus und sperren Sie vor allem den Zugang zu diesem Zimmer ab.«

Sneijder trat ins Freie und zog sich den Helm vom Kopf. *Endlich frische Luft!* Er wischte sich den Schweißfilm aus dem Nacken.

Vor wenigen Tagen war Thomas Hardkovskys Warenlager explodiert, und kurz darauf hatte Frank Eisners Putzfrau die Leiche von Irene Eisner in ihrem Schrankraum gefunden. Die Fahndung nach Krzysztof als mutmaßlichem Mörder lief immer noch, aber der war inzwischen untergetaucht. Und in dieser Nacht des ersten Juni wurden Hardys Mitarbeiter von maskierten Männern zusammengeschlagen, seine Drogenlabors niedergebrannt und sein Wohnhaus in Schutt und Asche gelegt. Zu allem Überfluss hatten sie jetzt auch noch drei Leichen am Hals.

Godvervloekt! Irgendwie wurde Sneijder das Gefühl nicht los, dass all diese Dinge zusammenhingen und die Abteilung VED und deren Gruppe 6 irgendwie darin verwickelt waren. Doch wer verdammt waren die verdeckten Ermittler?

Sneijder verwettete sein sensationelles Jahresgehalt darauf, dass sie bald hier auftauchen würden.

Kaum war der Gedanke zu Ende gedacht, sah Sneijder aus dem Augenwinkel, wie ein PKW neben einem der Feuerwehrautos hielt. Unauffällig blickte er hinüber. Gerald Rohrbeck und Anna Hagena stiegen aus dem Wagen.

Wenn das mal kein Zufall ist!

Sneijder ging zu dem Polizisten, der das Einsatzkommando leitete.

»Und, was haben Sie drinnen rausgefunden?«, fragte der Kollege.

»Sieht ganz nach dem Anschlag eines gegnerischen Drogenrings aus«, log Sneijder. »Das würde auch zu den anderen Vorfällen in dieser Nacht passen.« Sein Bauchgefühl sagte ihm, dass es ratsam war, seine echten Vermutungen vorerst für sich zu behalten. »Im oberen Stock liegen drei Leichen. Ich nehme an, eine Frau und zwei Kinder«, sagte er, da er nicht glaubte, dass es sich bei dem Erwachsenen um Hardy handelte. »Wir brauchen Kriminaltechnik, Spurensicherung und einen Rechtsmediziner im Haus. Die Feuerwehr soll für die Leute einen Trampelpfad durchs Haus sicherstellen.«

Der Mann nickte.

»Und dann geben Sie eine Fahndung nach Thomas Hardkovsky und seinen engsten Mitarbeitern raus«, fuhr Sneijder fort und zählte die Namen von Nadine Pollack, Otto Gedecker und Antoine Tomaschewsky auf. »Das ...«

»Was machst du denn hier?«, ertönte eine Männerstimme.

Sneijder fuhr herum und starrte in die Gesichter von Rohrbeck und Hagena. »Das ist alles, und jetzt machen Sie sich an die Arbeit«, sagte er zu dem Polizisten. Dann wandte er sich an seine Kollegen. »Ich ermittle im Mordfall Irene Eisner.«

»Hier?«

»Du glaubst an keinen Zusammenhang?«

»Wo sollte der liegen?«

»Anscheinend habt ihr euch schon gründlich Gedanken darüber gemacht, sonst würdet ihr einen möglichen Zusammenhang nicht ausschließen«, stellte Sneijder fest. »Andererseits seid ihr aber trotzdem hier – also verratet mir, was an meinen Überlegungen nicht stimmt.«

Rohrbeck starrte Sneijder irritiert an.

Sneijder hielt dem Blick stand, und plötzlich wusste er, dass er mit seiner Vermutung richtig lag. Rohrbeck und Hagena arbeiteten unter Hess in der Abteilung VED!

Falls seine Kollegen etwas mit den vernichteten Labors und den zusammengeschlagenen Kerlen zu tun hatten, war ihm das egal, denn solche Typen, die harte Drogen herstellten, verkauften und zig Menschenleben auf dem Gewissen hatten, taten ihm nicht leid. Aber die Erinnerung an die verbrannten Kinderleichen brach ihm das Herz – und falls ihn sein Instinkt nicht täuschte, handelte es sich dabei um vorsätzlichen Mord.

»Du solltest dich besser um Irenes Mörder kümmern und nicht um das niedergebrannte Haus eines dreckigen Drogendealers. Um die ist es nicht schade.«

»Um die?«, wiederholte Sneijder leise. »Dann weißt du also schon, dass zwei Leichen im Haus liegen?«

»Zwei? Es …« Rohrbeck verstummte.

»Ja, richtig, es sind nicht *zwei,* sondern *drei«,* korrigierte Sneijder sich. »Was weißt du darüber?«

Hagena packte Rohrbeck am Arm. »Wir sollten gehen!«, mahnte sie ihn.

Sneijder blickte ans Ende der Straße, wo soeben ein weiteres Auto stehen blieb. Im Schein der Straßenbeleuchtung sah er einen Mann aussteigen, herüberblicken und sich eine Zigarette anstecken.

Frank Eisner!

Die Sache nahm bedenkliche Ausmaße an.

Sneijder senkte die Stimme. »Ich weiß nicht genau, wer in diese Anschläge und Morde verwickelt ist und was genau aus welchem Grund passiert ist, aber dieser Tag wird euch ins Verderben stürzen.«

»Gar nichts wird passieren«, antwortete Rohrbeck.

»Du täuschst dich«, beharrte Sneijder. »Der Tag wird kommen, an dem euch die Vergangenheit einholt.«

6. TEIL

– DER MANN IM LADA TAIGA –

SAMSTAG, 4. JUNI – NACHT

57. KAPITEL

»Fünf Minuten!«, drang Timboldts Stimme erneut aus dem Korridor in das leer stehende Hallenbad.

Sabine überlegte fieberhaft ihre nächsten Schritte, da riss sie der Knall von drei kurz aufeinanderfolgenden Schüssen aus den Gedanken.

Im Gegensatz zu ihr nahm Hardy den Krach der Schüsse und das kurz darauf folgende Splittern von Glas gelassen hin. Er hatte nur den Kopf gewandt und blickte nun zur Rückseite des Hallenbads, woher der Lärm gekommen war.

»Wer war das?«, flüsterte Sabine.

Hardy antwortete nicht, seine Stirn lag in Falten, und die Augenbrauen waren zu einer geraden Linie zusammengezogen.

Im nächsten Moment sah sie, wie Sneijder am leeren Becken entlang durch die Halle zu ihnen lief.

»Haben *Sie* geschossen?«, flüsterte Sabine.

»Ich wollte auf uns aufmerksam machen und habe durch den Spalt eines gekippten Oberlichts in den Himmel gefeuert. Vielleicht hat jemand den Krach gehört und informiert die Polizei. Zu mehr bin ich nicht gekommen. Hinten steht jemand mit einer Waffe mit Schalldämpfer, der auf mich geschossen und mich nur knapp verfehlt hat. Ich vermute, es war Lohmann.«

Erst jetzt sah Sabine, wie Sneijder sich Staub aus dem Gesicht wischte.

»Wir haben immer noch keinen Handyempfang«, fuhr er fort. »Außerdem habe ich versucht, den Feueralarm auszulösen. Keine Chance, die Batterien sind leer. In diesem Gebäude gibt es auch keinen Strom. Nichts funktioniert mehr.«

»Sollte die Polizei hier auftauchen, stirbt Nora«, drang Timboldts Stimme zu ihnen. »Also keine weiteren Versuche mehr, jemanden zu verständigen! Drei Minuten!«

»Großartig!«, fauchte Sabine Sneijder an. »Wir hätten das BKA schon viel früher einschalten sollen.«

»Wenn Sie sich immer an die Regeln halten, erzielen Sie keine Erfolge.«

»Das nennen Sie Erfolge?« Sabine starrte nach draußen.

»Wir wissen jetzt zumindest, mit wem wir es zu tun haben.«

»Trotzdem stecken wir in der Klemme.« Sie blickte über das Gelände des Parkplatzes, das nun immer öfter vom Licht der Blitze erhellt wurde. »Es fahren keine Autos mehr auf der Straße vorbei«, stellte sie fest.

»Hab ich auch schon bemerkt«, murrte Hardy. »Die haben vermutlich die Straßen aus irgendeinem hanebüchenen Grund absperren lassen, damit keine unliebsamen Zeugen in die Nähe des Hallenbads kommen.«

Sabine blickte zu Sneijder. »Und was machen wir jetzt?«

Der starrte durchs Glas auf den Parkplatz. »Wir warten.«

»Das ist unser Plan?«, fragte Hardy wenig begeistert. »Wir warten? Nein, wie genial.«

»Halt den Mund«, zischte Sneijder, »sonst liefere ich dich den Kerlen dort draußen aus.«

»Das haben nicht Sie zu entscheiden«, widersprach Sabine.

»Diese Männer werden sowieso keinen von uns am Leben lassen«, ergänzte Hardy.

»So ein Quatsch!«, murmelte Sabine, obwohl sie instinktiv wusste, dass Hardy recht hatte.

»Sie vergessen, dass die ihre Karriere als verdeckte Ermittler begonnen haben«, sprach Hardy weiter. »Die haben weniger Skrupel als Ihre jungen Kollegen von der Akademie.«

»Trotzdem habe ich Sie vor denen gefasst.«

»Nur nützt uns das jetzt nicht viel«, antwortete Hardy. »Außerdem will Eisner vor allem auch das Drogengeld zurückhaben, von dem sonst niemand weiß, dass es noch existiert, weil es damals angeblich verbrannt ist.«

Sneijder blickte zu Hardys Sporttasche, die immer noch am Rand des Schwimmbeckens stand. »Ist es da drin?«

Hardy nickte. »Der Rest, der davon übrig geblieben ist. Ich habe es in Eisners Safe gefunden. Ein Tresor mit hoher Sicherheitsstufe und massiver Wand, aber im Knast lernt man, auch solche Türen zu knacken. Anscheinend wusste niemand von der Gruppe 6, dass er es heimlich an sich genommen hat, bevor er den Brand in meinem Haus gelegt hat.«

»Es war sicher nicht leicht, die vielen D-Mark unauffällig in Euro umzutauschen«, sagte Sneijder. »Und selbst dann konnte er das Geld in all der Zeit nicht so einfach unbemerkt ausgeben, um vor seinen Kollegen nicht aufzufallen.«

»Mein Mitleid hält sich in Grenzen«, entgegnete Hardy bitter. »Warum glaubst du, hat er vor zehn Jahren seine eigene Firma gegründet?«

»Wie viel ist von dem ursprünglichen Betrag noch übrig?«, fragte Sabine.

»Knapp zwei Millionen – und Eisner will sie als Altersvorsorge wiederhaben.«

»Aber er hat doch eine gut gehende Firma.«

»Eisner war immer schon geldgierig«, sagte Sneijder.

»Außerdem war die ganze Sache seine Idee«, ergänzte Hardy. »Und ich nehme an, er betrachtet das Geld auch als seinen Anteil.«

»Zwei Minuten!«, tönte Timboldts Stimme durch die Halle.

»Ich werde es ihm nicht geben. Es ist *mein* Geld, und ich will es für Noras und meine Zukunft«, knirschte Hardy.

»Nora hat vielleicht keine Zukunft mehr«, antwortete Sabine kalt. »Und Sie auch nicht. Sie sind ein festgenommener Mörder.«

Hardy atmete tief durch. »Wie oft noch? Ich habe niemanden ermordet! Der Tod von Rohrbecks Sohn war ein schreckliches Unglück. Er selbst hat ihn mit seiner Waffe erschossen. Der Abdruck seiner Schusshand wird das beweisen.«

Falls sich das nach seinem Selbstmord auf der Autobahn noch feststellen lässt. »Und Katharina Hagena?«

»Als ich sie zuletzt sah, hatte sie nur ein gebrochenes Bein. Jemand muss sie getötet haben, weil sie mir bei meinen Recherchen geholfen hat.«

»Und am Tod von Dietrich Hess und seiner Frau trifft Sie vermutlich auch keine Schuld«, sagte Sabine bissig.

»Ich war gar nicht in seiner Nähe. Aber ich habe beobachtet, wie Eisner Diana Hess von der Brücke gestoßen hat.«

Beim Gedanken an Diana und die Vorstellung von ihrem schrecklichen Tod traten Sabine Tränen in die Augen. »Und warum verflucht hätte er das tun sollen?«

»Ich weiß nicht, wie er es gemacht hat, aber er muss uns belauscht haben. Sie wollte mir helfen, den Fall aufzurollen und alles aufzudecken, darum musste Eisner sie zum Schweigen bringen. Daraufhin hat er Hess getötet, seinen Tresor geöffnet und die Unterlagen vernichtet.«

Auch wenn Sabine das alles nicht wahrhaben wollte – dummerweise ergab es einen Sinn. »Aber Sie waren bei Timboldt und haben seine Frau ermordet!«, fuhr sie ihn an.

Sneijder blickte auf die Armbanduhr. »Eine halbe Minute noch.«

»Ich war noch gar nicht bei Timboldt«, widersprach Hardy.

»Zuvor war ich bei Eisner und habe mein Geld in seinem Safe gefunden. Danach war die Sache für mich erledigt.«

»Aber wer hat dann …?« Sabines Mund klappte auf.

Sneijder zog eine Augenbraue hoch. »Es war Timboldt selbst«, murmelte er.

Im selben Moment erkannte Sabine die Wahrheit: Timboldt hatte im Chaos der Ereignisse seine Chance gewittert, um seine Frau von ihrem Leid im Alzheimer-Endstadium zu erlösen. »Dieser eiskalte, abgebrühte Dreckskerl hat seiner Frau Schlaftabletten verabreicht und sie ins Auto gesetzt, um es nach einem Racheakt von Hardy aussehen zu lassen.«

»Offenbar«, sagte Hardy, »denn ich war es nicht.«

Ein letztes Mal drang Timboldts Stimme in die Halle. »Ihre Frist ist soeben abgelaufen!«

58. KAPITEL

Gebannt blickte Sabine auf den Parkplatz. Eisner holte mit dem Arm aus und knallte Nora den Griff der Waffe gegen den Hinterkopf. Die Frau fiel von ihrer knienden Position zur Seite, wo sie reglos auf dem Asphalt liegen blieb.

Gott sei Dank hat er nicht abgedrückt! Sabine ließ die angespannten Schultern sinken. *Sie haben nur geblufft!* Anscheinend waren sie verzweifelt genug, um Nora nicht zu töten, sondern sie bis zum Schluss als weiteres Druckmittel aufzuheben.

Hardys Kiefer mahlten. Sein Blick war starr auf Eisner gerichtet.

»Es hat begonnen«, sagte Sneijder. »Sie kommen.«

Eisner ließ Nora im Regen mit gefesselten Händen und Füßen auf dem Boden liegen und ging zur Treppe des Hallenbads.

»Diese Leute sind weit gefährlicher als ich«, sagte Hardy. »In meiner Sporttasche ist ein Messer. Nehmen Sie mir die Fessel ab und geben Sie mir meine Waffe. Allein haben Sie keine Chance gegen die!«

Sneijder ging zur Tasche und wühlte bereits durch das Seitenfach.

»Sneijder, was tun Sie?«, zischte Sabine.

»Wonach sieht es denn aus?«

»Hardy ist festgenommen. Ich werde ihm *keine* Waffe in die Hand drücken!«

»Haben Sie eine bessere Idee?« Sneijder kam mit dem Springmesser auf sie zu.

»Ich sagte: *Nein!*«

»Falls das MEK tatsächlich jemals kommen sollte, sind wir bis dahin längst tot.«

Sabine richtete ihre Waffe nun auf Sneijder.

Er blickte kurz auf den Lauf. »Was soll das? Wollen Sie mich erschießen?«

»Ich möchte Sie nur daran hindern, einem Verhafteten die Fesseln abzunehmen.«

»Haben Sie nicht zugehört, was ich gerade gesagt habe?«, zischte er.

»Ihre Logik in allen Ehren, aber der Feind meines Feindes muss nicht unbedingt mein Freund sein«, warnte sie ihn.

»Wenn wir alle Chancen und Risiken abwägen, bietet dieser Weg die beste Aussicht auf Erfolg.« Sneijder nickte zur Glaswand auf den Parkplatz.

Lohmann lief soeben durch den Regen zum Eingang. Anscheinend verständigten sich die drei mit Headsets, ihre Aktionen waren zu gut koordiniert.

Im nächsten Moment hörten sie Schritte im Treppenaufgang.

»Sie kommen, und sie werden sich im Gebäude aufteilen«, drängte Sneijder.

»Von mir aus«, flüsterte Sabine zornig und wandte sich an Hardy. »Aber Sie bekommen *keine* Waffe! Und Sie werden mir vorher den Autoschlüssel von Ihrem Bus geben, damit ich sichergehen kann, dass Sie nicht abhauen, falls wir die Sache überstehen.«

»In meiner linken Hosentasche«, sagte Hardy.

Sabine griff sich den Autoschlüssel, woraufhin Sneijder Hardys Kabelbinder durchtrennte.

»Du bist so feinfühlig wie ein Fleischhacker«, murrte Hardy und massierte seine Handgelenke.

»So etwas Ähnliches habe ich heute schon einmal gehört«, sagte Sneijder.

»Das Messer!«, verlangte Sabine, ehe Sneijder auf die Idee kam, es Hardy zu geben.

Sneijder reichte es ihr, und sie ließ es in ihrer Hosentasche verschwinden. Im nächsten Moment erhellte ein Blitzlicht die Schwimmhalle, und der lange Schatten eines Mannes fiel vom Treppenaufgang über die Fliesen.

»Wie lautet unser Plan?«, wisperte sie.

»Auch wir sollten uns trennen. Vielleicht schafft es einer von uns raus und kann Hilfe holen«, antwortete Sneijder.

»Und falls nicht?«

»Töten wir sie, bevor sie uns töten.«

Toller Plan!

Hardy nickte.

Ohne weiteren Kommentar liefen sie in verschiedene Richtungen davon.

59. KAPITEL

Sneijder verbarg sich hinter der Betonsäule des Sprungturms, sodass bei jedem Blitz sein Schatten mit jenem der Säule zu einem großen schwarzen Balken verschmolz.

Er hatte gesehen, wie Hardy in Richtung der Umkleidekabinen verschwunden war und Sabine durch die Glastür in die Cafeteria.

Sneijder blickte hinter der Säule hervor und versuchte das Dunkel der Schwimmhalle zu durchdringen. Krzysztofs Kleinkaliberpistole lag gut in seiner Hand, und sieben Schuss hatte er noch. Am Rand des Beckens sah er einen Mann entlanglaufen, geduckt, leicht federnd in den Knien und die Waffe mit beiden Händen fest umklammernd. Als der Mann näher kam, sah Sneijder, wer es war.

Lohmann!

Sneijder hatte richtig geraten. Lohmann hatte einen Schalldämpfer auf den Lauf seiner Waffe montiert. Somit konnte er zwar nahezu lautlos Schüsse abfeuern, aber andererseits würden dadurch seine Projektile abgebremst und ihre Flugbahn leicht irritiert werden. Vielleicht nur um Bruchteile von Sekunden und nur um wenige Millimeter – aber das war ein entscheidender Vorteil für Sneijder.

Er verließ seine Deckung hinter dem Sprungturm und ging mit erhobener Waffe am Beckenrand entlang auf Lohmann zu.

»Harald, es ist vorbei. Lass die Waffe fallen!«, herrschte Sneijder ihn an, nachdem er ihn anvisiert hatte.

Sogleich fuhr Lohmann herum und richtete den Lauf seiner Pistole auf Sneijder.

Sneijder hätte sofort schießen müssen, zögerte jedoch. Noch hegte er die Hoffnung, dass diese Nacht unblutig enden könnte. Außerdem hatte er noch nie auf einen Kollegen geschossen, und das war immerhin Lohmann, auch wenn er sich nun als korrupter Scheißkerl entpuppt hatte.

»Maarten, warum musstest ausgerechnet du dich in diese Geschichte einmischen?«, rief Lohmann so laut, dass Eisner und Timboldt ihn garantiert hören konnten.

Andererseits machte er dadurch aber auch Sabine und Hardy auf sich aufmerksam. *Eine Patt-Situation!*

Jedenfalls war Lohmann keineswegs überrascht, ihn hier zu sehen. Und falls doch, gab er seine Gedanken nicht preis. *Zeige deinem Gegner nie einen wunden Punkt!*

»Hardy ist ein Verbrecher, ein Exknacki«, fuhr Lohmann fort. »Und *wir beide* stehen doch auf derselben Seite. Viele im BKA behaupten, wir beide seien aus demselben Holz geschnitzt. Maarten, ich …«

»Ich kann mir gut vorstellen, dass es dich freut, mit mir verglichen zu werden«, antwortete Sneijder. »Aber ob ich mich freue, mit dir verglichen zu werden?«

Lohmanns Stimme klang versöhnlich. »Maarten, wir sind Freunde, Kollegen!«

Zu versöhnlich für Sneijders Geschmack.

Instinktiv hatte sich Sneijder schräg gestellt – die Schulter der Schusshand vorn, die andere hinten –, um Lohmann eine geringere Angriffsfläche zu bieten. »Freunde?«, wiederholte er geringschätzig. »Je mehr ich über die Menschen erfahre, umso mehr liebe ich meinen Hund.«

»Wenn du dich auf unsere Seite stellst, wirst du deinen Hund gesund und unversehrt wiedersehen.«

»Ich dachte, wir wären Freunde«, stellte Sneijder fest. »Und da drohst du mir?«

Ein Blitz erhellte das Schwimmbad. Sneijder sah, wie Lohmann gleichzeitig das Ziel suchte, es anvisierte und den Körper anspannte.

Verdomme!

Lohmann drückte ab. Sneijder schoss ebenfalls.

Er konnte nicht mehr sagen, was früher zu hören gewesen war. Das Ploppen aus Lohmanns Waffe oder der Schuss aus seiner eigenen Pistole. Wahrscheinlich hatten sie gleichzeitig gefeuert. Noch bevor Sneijder sicherheitshalber ein zweites Mal abdrücken konnte, spürte er die Wucht des Einschlags in seiner Schulter. Danach lief für ihn alles nur noch mit einer langsam verzerrten Zeitwahrnehmung ab.

Das Projektil musste seinen Körper durchschlagen haben, denn er spürte den brennenden Schmerz auch im Rücken neben dem Schulterblatt. Dass ihn der Treffer herumgerissen hatte, bemerkte er gar nicht – erst als es zu spät war und er rücklings über den Rand des Schwimmbeckens taumelte, ins Leere trat und nach hinten fiel.

Der Sturz schien ewig zu dauern, aber der harte Aufprall holte ihn wieder in die Normalzeit zurück. Sneijder lag auf dem Rücken und rang nach Luft. Schädel und Brustkorb schmerzten. Entweder hatten sich seine Brustwirbel verschoben, oder er hatte sich bei dem Sturz in das über drei Meter tiefe Becken ein paar Rippen gebrochen, von denen sich eine in seine Lunge gebohrt hatte. Außerdem war ihm plötzlich kotzübel. Entweder als Reaktion auf die Schussverletzung oder von einer Gehirnerschütterung.

Schöne Scheiße!

Reglos lag er da, starrte durch die Glaselemente der Decke und schloss die Augen, als ein Donner krachte und der Himmel für einen Moment grell erleuchtet wurde.

Sneijders Brustkorb brannte bei jeder Bewegung, und am liebsten hätte er den Atem angehalten, um die Schmerzen zu lindern, aber das ging nicht. *Keine Panik! Du erlebst so etwas nicht zum ersten Mal. Atme ruhig weiter!*

Erst jetzt bemerkte er, dass er seine Waffe nicht mehr in der Hand hielt. *Godvervloekt!* Seine Finger tasteten über den Fliesenboden. *Nichts!* Langsam drehte er den Kopf, suchte den Boden ab und fuhr mit den Händen weiter über gesprungene Fliesen und verdorrtes Unkraut. Einen halben Meter von ihm entfernt lag die Pistole. Etwa drei Meter dahinter befand sich die Wand mit der Leiter, über die er nach oben klettern konnte.

Er versuchte die Beine zu bewegen. Das funktionierte! *Gut!* Wenigstens hatte er sich keinen Wirbel gebrochen. Auf dem Rücken liegend schob er sich mit den Beinen zu seiner Waffe.

Vom Rand des Beckens – dort, wo Lohmann zuvor gestanden hatte – drang ein Stöhnen zu ihm herunter. Anscheinend hatte er Lohmann getroffen, möglicherweise sogar schwer verletzt.

Weiter!

Mit einem kräftigen Schub näherte er sich weiter seiner Waffe, bekam den Griff zu fassen und richtete den Lauf zum Beckenrand hinauf.

In diesem Moment schoben sich Lohmanns Kopf und Hand über den Rand. Lohmann zielte und schoss.

Diesmal hörte Sneijder das Ploppen, kurz gefolgt vom Splittern der Fliesen neben seinem Kopf.

Beinahe hätte Sneijder lauthals aufgelacht. *Ein Schalldämpfer!* Er hatte noch nie auf diese Geräte vertraut. *Was für ein Glück!*

Sneijder zielte auf das Mündungsfeuer und schoss. Er leerte das Magazin und hörte erst auf, als die Waffe klickte. Eines seiner Projektile hatte getroffen und Lohmanns Kopf mit einer ruckartigen Bewegung nach hinten gerissen.

Unwillkürlich dachte er an Rohrbeck, Hagena und Hess. Nun würde es ein weiteres Begräbnis geben! Und vielleicht konnten sie ihn dann gleich danebenlegen – denn er hatte keine Patronen mehr.

Eichkätzchen, hoffentlich ergeht es dir besser. Zeig, dass ich dich nicht umsonst zu dem ausgebildet habe, was du heute bist.

60. KAPITEL

Sabine wusste, dass es aus den Umkleidekabinen nur zwei Fluchtmöglichkeiten gab: entweder in das Untergeschoss, in dem die Toiletten und die Sauna lagen, was vermutlich eine tödliche Sackgasse war – oder weiter durch das Gebäude, wo es nicht so stockdunkel war.

Aus diesen Gründen entschied sie sich für die Cafeteria. Von dort führte eine Tür in die Küche, in der es zumindest zwei Fenster gab, durch die das Dämmerlicht der Nacht fiel, an dem sie sich orientieren konnte.

Nachdem sie die Küche inspiziert und sich mit dem Raum vertraut gemacht hatte, fiel der erste Schuss in der Schwimmhalle. Da ihre Gegner Schalldämpfer benutzten und Hardy keine Waffe besaß, konnte nur Sneijder geschossen haben.

Aber Sabine konnte jetzt nicht durch die Cafeteria zurück in die Schwimmhalle laufen, um nachzusehen, ob Sneijder Hilfe brauchte. Denn ein Geräusch unmittelbar vor ihr ließ sie zusammenzucken. Sie stoppte und hielt den Atem an.

Schon wieder! Ein Rascheln!

Da schoss Sneijder wieder. Diesmal war es eine regelrechte Salve von mehreren hintereinander abgefeuerten Schüssen.

Sabines Herz schlug schneller. Danach herrschte eine tödliche Stille … bis auf das Rascheln, das sie jetzt schon wieder hörte. Im Dämmerlicht lagen Nirostaspüle, Dunstabzugshaube und die Regale und Wandschränke mit den Aluminiumfronten der Industrieküche wie graue Skelette vor ihr.

Abermals dieses merkwürdige Rascheln.

Sabine riss die Waffe herum.

Beim nächsten Blitz sah sie, was sie so erschreckt hatte. Tauben hatten sich in die Küche verirrt, die vermutlich durch die Schüsse aufgeschreckt in einem offenen Wandschrank herumflatterten.

Erleichtert ließ Sabine die Waffe sinken. Im selben Moment hörte sie Timboldts Stimme dumpf von den Wänden widerhallen.

»Waffe fallen lassen, oder ich schieße!« Timboldt betrat den Raum durch eine offene Tür, hinter der vermutlich eine Treppe zum Lieferanteneingang führte.

Sabine hätte nur eine Sekunde gebraucht, um die Waffe hochzureißen und in Timboldts Richtung zu feuern, aber vermutlich hätte selbst diese Zeit nicht ausgereicht. Und sie wollte es nicht darauf ankommen lassen.

»Waffe fallen lassen!«, wiederholte Timboldt.

Sabine starrte an Timboldts Silhouette vorbei zum Fenster auf den Parkplatz, über den eine Gestalt lief.

Verflucht!

Es war Hardy. Der Mistkerl hatte also doch einen Fluchtweg gefunden. Rasch rannte er auf Timboldts Van zu, neben dem Nora noch immer im Regen lag. Timboldt bekam von alldem natürlich nichts mit, weil er seine Waffe auf sie richtete und sie nicht aus den Augen ließ.

Mutlos ließ Sabine die Schultern sinken. Auf Hardy durfte sie nicht mehr zählen. Blieb also nur noch Sneijder übrig, der ihr aus der Klemme helfen konnte.

Oder du hilfst dir selbst!

Der Kloß in ihrem Hals wurde immer dicker.

»Zum letzten Mal. Weg mit der Waffe!«, forderte Timboldt sie auf, und es klang, als wäre seine Geduld am Ende.

Sie nahm den Finger vom Abzug. Der Griff glitt aus ihren

kraftlosen Fingern. Hart schlug die Waffe auf dem Fliesenboden auf.

»Schieben Sie die Waffe mit dem Fuß zu mir herüber!«

Sabine gehorchte. »Damit kommen Sie nicht durch.«

»Womit denn?«

»Mit dem Mord an einer Untergebenen.«

»Warum nicht?«, fragte er süffisant. »Sie haben der Stressbelastung des Jobs nicht standgehalten, Ihre Versetzung zur Akademie nicht akzeptiert, die Nerven verloren und einem Verbrecher dabei geholfen, gegen das BKA vorzugehen, und damit gegen ein halbes Dutzend Bundesgesetze verstoßen. Ich und Lohmann haben Sie nur dabei gestoppt, bevor Sie noch mehr Schaden anrichten konnten.«

»So werden Sie die Geschichte also darstellen? Hardy und ich gemeinsam auf Rachetour? Und Sie denken, das glaubt Ihnen jemand?«

»Wer sollte das Gegenteil beweisen, wenn alle tot sind?«

»Ihre Geschichte hat Lücken.«

»Zum Beispiel?«

»Sie haben Nora Mühlenhof entführt, sie in Ihrem Van gefangen gehalten und zugelassen, dass Frank Eisner sie mit einer Waffe bedroht.«

Timboldt hob die Pistole und zielte auf Sabines Stirn. »Nora wurde – genauso wie Sie – von Hardy manipuliert und zu illegalen Machenschaften verleitet.« Ein Lächeln schwang in seiner Stimme mit.

»Niemand wird Ihnen glauben.«

»Frau Nemez, Sie verstehen eines nicht: *Ihnen* würde niemand glauben! Denn wir sind das BKA. Wir haben die nötigen Kontakte. *Wir* sind das Gesetz! Das war schon immer so.«

Sie tastete mit den Händen an ihrem Gürtel entlang nach hinten.

»Stopp! Ich will Ihre Hände sehen!«

Sie nahm die Hände wieder nach vorn. »Der Tod Ihrer Frau war kein Selbstmord«, fuhr sie fort. »Auch diese Sache wird untersucht werden, und das Ergebnis liegt auf der Hand: *Sie* haben Ihre Frau ermordet!«

»Wie …?« Unsicherheit schwang plötzlich in seiner Stimme mit.

Für einen Augenblick schien Timboldt verwirrt. Entweder konnte er nicht begreifen, wie Sabine auf eine so abstruse Anschuldigung gekommen war, oder er geriet soeben in leichte Panik, weil sie die Wahrheit erkannt hatte. Jedenfalls nutzte sie diesen Moment der Ablenkung und ließ sich zur Seite fallen.

Sogleich ploppte Timboldts Waffe. Das Mündungsfeuer erhellte den Raum, aber der Schuss fuhr mit einem blechernen Geräusch hinter Sabine in einen Aluminiumschrank.

Bevor sie mit den Knien am Boden aufschlug, griff sie nach Hardys Waffe, die immer noch in ihrem Hosenbund steckte, entsicherte sie und riss den Lauf nach vorn. Sie drückte ab. Es knallte … einmal, zweimal, dreimal.

Sie hörte Timboldt stöhnen. Dann fiel er wie ein schwerer Sack um. Die Waffe in seiner Hand knallte gegen den Fliesenboden, und bei dem Aufprall löste sich mit einem Ploppen ein weiterer Schuss. Diesmal fuhr das Projektil funkenschlagend in den Sockel des Kühlschranks.

Sabine war sofort über Timboldt und tastete ihn in der Dunkelheit ab. Rasch wand sie ihm die Waffe aus der Hand, steckte das Magazin in ihre Hosentasche und warf die Patrone im Lauf aus. Sie spürte klebriges Blut auf ihren Fingerkuppen. Anscheinend musste sie ihn mindestens einmal in die Brust getroffen haben.

Timboldt atmete schwer. Sie hörte bei jedem röchelnden Atemzug, wie Blutbläschen in seinem Mund zerplatzten.

»Sie sind nicht das Gesetz!«, murmelte sie. »Da hätten Sie Abgeordneter werden müssen und kein korrupter Bulle.«

Sie warf Timboldts Waffe für ihn unerreichbar auf einen Hochschrank, nahm ihm das Paar Handschellen vom Gürtel ab und richtete sich auf. Sie musste raus aus diesem Gebäude und Hardy schnappen, bevor der abhauen und für immer untertauchen würde.

»Rufen Sie einen Krankenwagen …«, röchelte Timboldt.

»Das würde ich ja«, antwortete sie. »Aber Sie stören den Handyempfang in diesem Areal.«

Wenn es nach ihr ging, konnte Timboldt elend krepieren. Er hatte seine Ehefrau auf dem Gewissen und nichts anderes verdient, als in diesem Drecksloch einsam zu verrecken – genauso wie seine Frau in der Garage.

Sie wandte sich von ihm ab, hob die Glock auf, die sie zuvor fallen gelassen hatte und lief zurück in die Schwimmhalle.

Die Sporttasche war verschwunden. Jedenfalls lag sie nicht mehr da, wo sie vorhin gestanden hatte. *Hardy hat sie mitgenommen! Klar, damit er abhauen kann.*

Auf dem Weg zum Ausgang wäre Sabine beinahe über einen reglosen Körper gestolpert, der einen Meter vom Rand des Schwimmbeckens entfernt lag.

Im grellen Schein eines Blitzes erkannte sie Lohmanns Gestalt. Aber auch nur an seiner Kleidung, dem Headset und der Waffe mit dem Schalldämpfer in der Hand. Seine leblosen Augen starrten ins Nichts, und sein Hinterkopf war eine einzige undefinierbare rote Masse. Sneijder musste ihn erledigt haben.

Sabine würgte.

Du musst weiter! Schnapp dir Hardy und Eisner!

Sie lief zur Treppe und raste über die Stufen zum Drehkreuz ins Foyer hinunter. Dahinter lag die eingeschlagene Eingangstür, die ins Freie führte.

Noch verdeckten einige Säulen Sabines Blick auf den Parkplatz, wodurch sie nicht erkennen konnte, ob Hardys VW-Bus noch dort stand. Sie sprang über das Drehkreuz und landete auf der anderen Seite des Durchgangs.

In diesem Moment zerriss ein Projektil den Fliesenboden neben ihr. Es bohrte sich tief in den Beton und ließ die Splitter in einer Staubwolke aufstäuben. Gleichzeitig wurde ihr das ploppende Geräusch bewusst, das ihr einen Schauer über den Rücken jagte.

»Keine hastige Bewegung«, verlangte Eisner mit tiefer kehliger Stimme hinter ihr. »Ich habe absichtlich danebengeschossen, weil ich wollte, dass Sie sich umdrehen. Ich möchte Ihnen nämlich nur ungern in den Rücken schießen.«

Sabine verharrte stocksteif.

»Lassen Sie die Waffe unten und drehen Sie sich langsam um.«

Sabine richtete sich auf und wandte sich um. Vor ihr stand Eisner und zielte auf sie. Und schoss ihr im nächsten Moment ohne Ankündigung in die Schulter. Das Projektil schlug wie eine Granate in ihren Körper ein, riss sie herum und schleuderte sie zu Boden.

61. KAPITEL

Beim Sturz fiel Sabine die Walther aus der Hand und schlitterte über die Fliesen. Sogleich war Eisner da und trat ihr auch die Glock aus der Hand, bevor sie schießen konnte. Sabine lag auf dem Rücken und starrte in Eisners Gesicht, der nun über ihr stand und seine Waffe aus einem Meter Entfernung auf sie richtete.

»Danke, dass Sie und Sneijder mir die Arbeit abgenommen haben, alle Mitwisser auszuschalten«, sagte er.

»Gern geschehen, Arschloch!«, keuchte sie.

Er lächelte. »Immer noch die toughe Frau?«

Nun war alles aus. Während sich soeben die letzten Minuten ihres Lebens abspielten, machte sich Hardy aus dem Staub.

»Wo ist Sneijder?«, presste sie hervor und biss gleichzeitig die Zähne zusammen, um die Schmerzen in der rechten Schulter besser zu ertragen.

»Liegt ziemlich lädiert am Grund des Schwimmbeckens.« Eisner lächelte. »Aber keine Sorge, um den kümmere ich mich später.« Er blickte durch die Glastür ins Freie. Sein Blick suchte den Horizont ab. Anscheinend wollte er sichergehen, dass er noch genug Zeit hatte, bevor das MEK eintraf.

»Jetzt, wo Ihre ehemaligen Kollegen tot sind«, spekulierte Sabine, »wird keiner mehr dahinterkommen, dass Sie vor zwanzig Jahren das Drogengeld allein kassiert haben.«

»Netter Versuch«, sagte Eisner. »Aber Sie können mich in kein Gespräch verwickeln, um Zeit zu schinden. Leben Sie wohl.« Er zielte auf ihren Kopf, und sein Finger spannte sich um den Abzug.

Sabine starrte in den Lauf mit dem aufgesetzten Schalldämpfer. Selbst wenn sie noch die Kraft gehabt hätte, Eisner mit einem Tritt kampfunfähig zu machen, hätte die Zeit für ihn gereicht, den Abzug zu drücken.

Dann ist es jetzt wohl aus!

Sie dachte an ihre Schwester und ihre Nichten. *Es ist keine Schande, im Dienst erschossen zu werden.* Sie wollte die Lider schließen, hielt jedoch inne, als sie aus dem Augenwinkel eine Bewegung in der Dunkelheit bemerkte.

Sneijder?

Das konnte unmöglich sein. Allerdings musste Eisner die Bewegung ebenfalls bemerkt haben, denn er blickte kurz zur Seite. Aber da war die Gestalt auch schon da, holte mit der Hand aus und schlug Eisner mit einem metallischen Gegenstand mit voller Wucht gegen den Kiefer.

Hardy!

Er musste sich den Totschläger aus seiner Tasche geholt haben. Sabine hörte das Splittern von Knochen und Zähnen. Blut spritzte auf ihr Gesicht. Dann ging Eisner zu Boden.

Hardy war sogleich über ihm und schlug ein weiteres Mal zu. Diesmal jedoch nicht in Eisners Gesicht, sondern gegen seinen Kehlkopf – auf jene Stelle, an der er ihm vor einer halben Ewigkeit einen Strohhalm in den Hals gesteckt hatte, um sein Leben zu retten.

Eisner röchelte verzweifelt nach Luft. Beim nächsten Gewitterblitz sah Sabine die tiefen blutenden Wunden, die der scharfkantig geschliffene Schlagring in Eisners Gesicht hinterlassen hatte.

»Danke, dass Sie zurückgekommen sind«, presste sie hervor.

»So hatten wir es ausgemacht«, sagte Hardy, als wäre das die selbstverständlichste Sache der Welt.

»Aber Sie waren schon draußen …«

»Um nach Nora zu sehen.« Er beugte sich über Eisner, um ihm brutal die Schusswaffe aus der Hand zu drehen. »Sie lebt, es geht ihr gut. Dieser Scheißkerl hat ihr nur eine Platzwunde am Hinterkopf verpasst.«

Die Wunde in ihrer Schulter pochte höllisch. Sabine versuchte sich aufzurappeln. »In meiner Tasche sind Handschellen.«

Hardy tastete sie ab, fand die Fesseln und zog sie heraus. Eigentlich waren sie für Hardy gedacht gewesen, aber so erfüllten sie möglicherweise einen besseren Zweck.

Hardy drehte Eisner zur Seite, bog ihm brutal die Arme auf den Rücken und ließ die Fesseln um seine Handgelenke einrasten. Eisner wollte sich befreien und zerrte wie verrückt an den Fesseln. Doch Hardy drückte ihm den Schalldämpfer seiner eigenen Waffe hart gegen den Kopf, was Eisner in der Bewegung erstarren ließ.

»Machen Sie nichts Unüberlegtes!«, warnte Sabine ihn. »Eisner ist festgenommen und Gefangener des Bundeskriminalamts – genauso wie Sie«, erinnerte sie Hardy. »Und ich werde Sie beide an die örtlichen Behörden überstellen.«

»Ja, das müssen Sie mir nicht dauernd reinwürgen«, fauchte Hardy. »Wo sind die anderen beiden?«

»Lohmann ist tot, und Timboldt hat vermutlich nur noch wenige Minuten zu leben, falls er in der Zwischenzeit nicht schon an seinem eigenen Blut erstickt ist.« Sie biss die Zähne zusammen und rappelte sich endgültig auf.

»Wo hat es Sie erwischt?«

»An der Schulter, ich werde es überleben.« Während Sabine den rechten Arm an ihren Körper presste und versuchte, ihn so wenig wie möglich zu bewegen, beugte sie sich über Eisner und tastete mit der anderen Hand seine Taschen ab.

»Er hat keine anderen Waffen«, stellte Hardy fest.

»Ich suche nach dem Handyblocker.« Sie fand das Gerät in

Eisners Tasche und deaktivierte das Störsignal. Dann rief sie mit Sneijders Handy, das sie immer noch bei sich trug, die Nummer der Notrufzentrale an, gab die Anzahl der Verletzten durch und nannte die Adresse und ihren Namen.

In der Zwischenzeit hielt Hardy seinen ehemaligen Kollegen mit der Waffe in Schach. »Wer ist der Kerl in dem schwarzen Lada Taiga?«

»Wovon redest du?«, röchelte Eisner mit gequetschtem Kehlkopf, wobei seine Stimme so klang, als fehlten ihm zusätzlich noch ein paar Schneidezähne.

»Du weißt, wovon ich rede. Der Fahrer des Wagens wollte mich in einer Tiefgarage überfahren. Hat die Gruppe 6 ein siebtes Mitglied?«

Sabine blickte auf. *Ein siebter Mann?*

Eisner schwieg.

»Wie konntet ihr mich immer wieder finden und die ganze Zeit über verfolgen?«

»Hardy, Hardy … Du bist ein so beneidenswert naives und zugleich dämliches Arschloch.«

»Rede nur weiter!«, forderte Hardy ihn auf, während er mit dem Lauf der Waffe auf Eisners Brust zielte.

»Wirf doch mal einen Blick in deine Brieftasche.«

»Was?«

»Im Futter hinter dem Münzfach.«

»Du hast einen Sender in meiner Brieftasche angebracht?«, entfuhr es Hardy. »Wie bist du an meine persönlichen Sachen gekommen?«

»Im Knast«, antwortete Sabine an Eisners Stelle. »Ich nehme an, er hat gute Kontakte nach Bützow.«

Eisner schwieg, und das genügte Sabine als Antwort.

Hardys Stimme klang nun finster. »Dann warst *du* es, der Major Kieslinger bestochen hat, mich zu provozieren, was mir die zusätzliche Haft eingebracht hat.« Die Pistole mit dem langen Lauf vibrierte in seiner Hand.

Mittlerweile hatte Sabine ihre Glock vom Boden aufgehoben. Obwohl sie beim Schießtraining immer mit beiden Händen übte, war es ein ungewöhnliches Gefühl, die Waffe in der linken Hand zu halten. Eigentlich hätte sie als Nächstes nach Sneijder sehen wollen, der bestimmt ihre Hilfe benötigte, doch sie konnte die beiden Männer unmöglich allein lassen. Das hätte bestimmt in einem Blutbad geendet. »Hardy, Sie sollten mir jetzt die Waffe geben«, verlangte sie und streckte die schmerzende rechte Hand aus.

Hardy zögerte.

»Hardy, lassen Sie es nicht bis zum Äußersten kommen!«, warnte sie ihn.

In diesem Moment hörte Sabine Glassplitter hinter sich auf dem Boden knirschen. Sie fuhr herum. Im Türrahmen sah sie die Silhouette einer Frau.

»Hardy?« Die weibliche Stimme klang verzweifelt und zugleich etwas seltsam.

Wie die Aussprache einer Gehörlosen, dachte Sabine.

»Ich bin hier«, sagte Hardy, verstummte jedoch mit einem Seufzen, da ihm offenbar bewusst wurde, dass sie ihn nicht hören konnte.

»Hardy?«, rief sie erneut.

Eine Taschenlampe flammte auf, die Nora vermutlich in Timboldts Van gefunden hatte. Der Lichtkegel leuchtete als Erstes in Sabines Gesicht und beleuchtete dann Eisner, der gefesselt auf dem Boden lag.

»Sag der Schlampe, sie soll den Strahl woanders hinrich…«

Weiter kam Eisner nicht, da Hardy ihn mit einem Tritt in die Rippen zum Schweigen brachte.

Der Lichtstrahl erfasste Hardy.

»Ich habe dir doch gesagt, du sollst im Wagen auf mich warten!«, herrschte er sie an.

»Ich wollte doch nur …« Nora verstummte und brach in Tränen aus.

»Alles ist gut. Die drei Mistkerle sind erledigt.« Er ging auf sie zu und nahm sie in die Arme.

Auch sie umarmte ihn. Hardy musste sie vorhin von den Fesseln befreit haben, als er bei ihr gewesen war.

Der Strahl der Taschenlampe ging nun zu Boden. Sabine nahm Nora die Lampe aus der Hand und richtete das Licht in ihr eigenes Gesicht, sodass Nora sehen konnte, was sie sagte. »Sind Sie verletzt?«

»Nein.«

»Wer hat Sie entführt?«

»Der Mann mit den gelben Zähnen«, schluchzte sie. »Tim…«

Timboldt!

»Aber der da …« Nora löste sich aus Hardys Umarmung und deutete auf Eisner. »Bevor er mich gepackt und aus dem Auto gezerrt hat, hat er mich angeschrien, und ich konnte von seinen Lippen lesen, was er gesagt hat.«

Als Nora den Kopf zur Seite drehte, sah Sabine, dass ihre Haare am Hinterkopf blutverklebt waren.

Noras Stimme überschlug sich. *»Um dich tut es mir nicht leid. Ich werde Hardy alles nehmen und dich taube Schlampe genauso abfackeln wie seine Frau und Kinder!«*

Hardy wandte sich zu Eisner. »Du warst es also«, stellte er fest.

Sabine leuchtete in Hardys Gesicht. »Keine Bewegung!«, befahl sie erneut. »Ich habe meine Waffe auf Sie gerichtet. Geben Sie mir endlich die Pistole! Letzte Warnung!«

»Drück doch ab!«, forderte Eisner ihn auf.

Hardys Hand zitterte nicht mehr. Er hielt die Waffe fest umklammert und zielte wieder auf Eisner. Aber der schwieg nicht, sondern redete sich weiter in Rage.

»Ja, Timboldt, Lohmann, Rohrbeck, Hagena und ich haben dein verdammtes Haus angezündet, wenn du es wissen willst«, zischte Eisner. »Die anderen wussten zwar, dass sich deine Familie noch im Haus befand, aber nicht, dass ich sie gefesselt hatte. *Ich* habe Lizzie getötet. Hess haben wir erst später ins Boot geholt. Immerhin war es seine Abteilung, und er musste seine Mitarbeiter decken.«

Sabine war klar, welchen Plan Eisner verfolgte. »Halten Sie den Mund!«, fuhr sie ihn an.

Doch Eisner ignorierte sie. »Ich habe deine Familie gefesselt und in der Kammer eingesperrt. Ich!«, brüllte er. »Also schieß schon! Bring es zu Ende, denn ich gehe garantiert nicht so jämmerlich in den Knast wie du.«

Sabines Finger lag auf dem Abzug. Sie würde auf Hardy schießen, aber ihr Bauchgefühl sagte ihr, dass sie noch einige Sekunden warten sollte, um ihm eine Chance zu geben.

»Tu es nicht«, erklang Noras flehende Stimme von hinten. Anscheinend war Nora nicht entgangen, was soeben passierte.

Hardy reagierte nicht.

»Er will Sie nur provozieren«, sagte Sabine.

»Ich weiß.« Hardy ließ den Arm sinken.

Sabine atmete erleichtert aus.

»Du saudummes, naives Arschloch!«, brüllte Eisner. »Du bist sogar zu dämlich dazu, dich am Mörder deiner Frau und deiner Kinder zu rächen! Hat sie dir nichts bedeutet?«

»Doch«, antwortete Hardy. »Aber *ich* habe Lizzie nichts bedeutet. Andernfalls hätte sie mich nicht mit dir betrogen. Dabei hast du sie nur benutzt, genau wie alle anderen auch.« Er reichte Sabine die Waffe. »Bützow wird ihm gefallen.«

»Danke.« Sie steckte die Waffe weg, und die Bewegung verursachte einen höllischen Schmerz in ihrer Schulter. Dann atmete sie zweimal tief durch und ließ danach den Strahl der Taschenlampe zwischen den beiden Männern kurz hin und her wandern. Hardys und Eisners Blicke trafen sich für einen Moment. Hasserfüllt und voller Verachtung füreinander. Zwei Männer, die einst Kollegen gewesen waren und aus Geldgier und Rachsucht gegenseitig ihre Familien ausgelöscht hatten.

Während Hardy im Knast gewesen war, hatte Eisner die ganze Zeit über in jenem Haus gewohnt, in dem seine Frau und sein ungeborenes Kind ermordet worden waren.

Zwanzig Jahre!

Mit alldem Geld im Safe, das er nur stückchenweise ausgeben konnte. *Was für ein beschissen trauriges Leben!* Aber das war ihm selbst zuzuschreiben.

»Hardy, ich muss Sie jetzt wieder festnehmen«, sagte Sabine, und die Worte hinterließen einen fahlen Beigeschmack in ihrem Mund. »Geben Sie mir den Schlagring!«

»Das sehe ich anders …«, drang plötzlich eine Stimme aus einem dunklen Winkel.

Sabine richtete den Strahl der Taschenlampe auf den Eingangsbereich des Hallenbads.

Hinter dem Drehkreuz stand Sneijder – oder zumindest eine überaus angeschlagene Version von ihm.

62. KAPITEL

»Wie bitte?« Sabine legte die Taschenlampe auf den Tresen des Kassenschalters, damit sie zumindest eine freie Hand hatte. Denn nun schien es kompliziert zu werden.

Das Licht spiegelte sich in der Scheibe, und die Reflexion erhellte den Raum ein wenig. Sneijder schob sich durch das Drehkreuz, mehr zusammengekrümmt als aufrecht. Eine Hand hatte er auf die Rippen gepresst, und aus einer Schulterwunde lief Blut. Während das alte rostige Gestänge ein erbärmliches Quietschen von sich gab, biss Sneijder schmerzerfüllt die Zähne zusammen.

»Was immer ich Ihnen jetzt sage, sollten wir nicht vor Eisner besprechen«, presste Sneijder hervor. »Bringen wir ihn nach draußen.«

»Von mir aus.« Sabine wandte sich an Eisner. »Aufstehen!«, befahl sie ihm.

Nachdem Eisner sich mühsam erhoben hatte, gingen sie alle nach draußen.

Das Sommergewitter, das nur knapp dreißig Minuten gedauert hatte, verzog sich gerade in Richtung Süden. Es hatte aufgehört zu regnen, und nur noch vereinzelt fielen Tropfen vom Himmel. Hin und wieder zuckte ein fahler Blitz am Horizont. Auf dem Parkplatz lagen abgerissene Äste in riesigen Pfützen, die nicht so rasch abfließen konnten. Es war immer noch schwül, und der Asphalt schien zu dampfen.

Sabine kettete Eisner mit den Handschellen im Laderaum von Krzysztofs Lieferwagen an ein Wandregal, wobei sie darauf achtete, dass er nichts, was im Auto herumlag, mit den Händen erreichen konnte. Eisner tobte und beschimpfte sie, doch Sabine verriegelte kommentarlos die Tür. Danach ging sie zu Hardys VW-Bus, wo Hardy, Nora und Sneijder auf sie warteten.

Nora hatte aus Timboldts Van ihre Katzentransportbox geholt, die nun zu ihren Füßen stand. In der Box saß Twinky, ein ziemlich unansehnliches Geschöpf. Es schaute verschreckt durch das Gitter und miaute sich kläglich die Seele aus dem Leib. Anscheinend hatten Noras Entführer die Katze mitgenommen, um Nora damit drohen zu können, dem Tier etwas anzutun, falls Nora nicht kooperieren würde.

Sneijder lehnte an der Seitenwand des Busses, inhalierte mit ruckartigen Atemzügen die frische Nachtluft und sah misstrauisch zu der Box. »Ich hasse Katzen«, knurrte er. »Und dieses Tier ist besonders hässlich.«

Sabine ignorierte den Kommentar und suchte den Horizont ab. Immer noch waren weder die Krankenwagen noch die Einsatzfahrzeuge des BKA zu sehen. Die schwarzen Wolken über ihnen gaben den Mond frei, und das fahle Licht spiegelte sich in den Pfützen. »Sagen Sie mir jetzt, was Sie anders sehen.«

»Hardy hat uns geholfen und uns das Leben gerettet. Ohne ihn …«

»Das mag sein«, unterbrach sie ihn, da sie mittlerweile ahnte, worauf Sneijder hinauswollte.

»Lassen Sie Hardy laufen!«

»Sie wissen, dass ich das nicht kann«, antwortete sie scharf. »Er ist festgenommen.«

»Er hat niemanden ermordet, und ich glaube ihm.«

Sabine presste die Lippen zusammen. Nachdem sie für Sneijder einen Meineid geleistet hatte, wollte sie nicht die nächste strafbare Handlung begehen. »Nein!«, sagte sie entschlossen.

Hardy war indessen zur Fahrertür des VW-Busses gegangen.

Sabine zielte mit der Waffe auf ihn. »Bleiben Sie stehen. Hände hinter den Kopf, Beine auseinander, Gesicht zum Auto!«

Von der leeren Straße her ertönte leises Sirenengeheul. Sabine sah kurz hinüber und erkannte das Blaulicht von zwei Krankenwagen.

»Eichkätzchen«, sagte Sneijder eindringlich. »Manchmal ist es moralischer, wenn man nicht nach den Regeln spielt. Hören Sie auf Ihr Bauchgefühl!«

So wie du, als du dich vor einem Dreivierteljahr von deinen Gefühlen hast hinreißen lassen?

Hardy verharrte in der Bewegung, da Sabine immer noch auf ihn zielte. »Ist diese Entscheidung auch Bestandteil des Deals, den Sie mit van Nistelrooy geschlossen haben?«, fragte sie.

»Nein, und davon würde van Nistelrooy nie etwas erfahren.«

Sie starrte Sneijder an. Obwohl er schwer verletzt war und sich kaum noch aufrecht halten konnte, sah sie im Mondschein, dass sein Gesicht eine gesunde Farbe angenommen hatte. Zum ersten Mal seit Tagen. Die heutige Mörderjagd schien Sneijder neue Kraft und Energie gegeben zu haben. »Selbst wenn Hardy nichts verbrochen hat, ist er immer noch Zeuge im Fall Rohrbeck, Hagena und Hess«, sagte sie. »Außerdem hat er knapp zwei Millionen Euro Drogengeld in der Tasche.«

»Aber er hat unser Leben gerettet. Zählt das nichts?«

Sabine lachte auf. »Ohne ihn wäre unser Leben erst gar nicht in Gefahr geraten. Außerdem wäre Diana Hess ohne seine Einmischung nicht tot«, erinnert sie ihn.

»Glauben Sie, das ist mir gleichgültig?«, fauchte Sneijder. »Aber sechs Beamte des BKA haben seine Frau und seine Kinder auf dem Gewissen – und dafür hat er zwanzig Jahre lang gesessen. In Bützow! Wissen Sie, was das bedeutet? Lassen Sie ihn wenigstens jetzt gehen. Das sind wir ihm schuldig.« Er wandte sich an Hardy. »Sind wir beide im Reinen?«

Hardy nickte. »Sind wir.«

Sneijder streckte die Hand aus. »Die Waffe!«

Hardy reichte ihm den Schlagring.

»Trotzdem kann ich Sie nicht gehen lassen«, rief Sabine. Ihre Hände zitterten heftig, und im Moment wusste sie nicht, ob das von dem Adrenalinschock wegen ihrer Schulterverletzung herrührte, von ihren aufgewühlten Emotionen oder weil sie einen Tag lang ohne Nahrung und wenig Wasser gefangen gehalten worden war und nicht geschlafen hatte. Vielleicht kam jetzt aber auch alles zusammen.

»Wegen all der Rache- und Vergeltungsaktionen, die vor zwanzig Jahren begonnen haben, ist bereits zu viel Hass geschürt und Blut vergossen worden. Es muss endlich aufhören«, redete Sneijder weiter auf sie ein. »Lassen Sie Hardy zur Ruhe kommen – für immer!«

»Das kann ich nicht zulassen, und das wissen Sie«, widersprach Sabine und schielte zu den Krankenwagen, die gerade hintereinander auf die Zufahrt des Parkplatzes rasten.

»Ja, ich weiß, das BKA hat eine Menge Zeit und Geld in Sie investiert«, sagte Sneijder. »Und Sie sind eine der Besten, die ihre Aufgaben immer hundertprozentig und korrekt erfüllt. Aber denken Sie nicht immer in Schwarz und Weiß. Dazwischen gibt es diesen großen Graubereich. Ich würde ihn gehen lassen, aber es ist Ihre Entscheidung.«

Sabine überlegte. Eine Stimme tief in ihr drinnen sagte ihr, dass Sneijder recht hatte, aber andererseits konnte sie nicht über ihren Schatten springen. *Nicht noch eine illegale Handlung!*

»Wie auch immer Sie sich entscheiden – ich muss Ihnen noch etwas geben«, sagte Hardy. »Darf ich?« Langsam griff er in seine Hosentasche und zog vorsichtig einen Schlüssel heraus. Damit sperrte er den VW-Bus auf.

Sabine starrte ihn ungläubig an. »Aber den Schlüssel haben Sie mir gegeben.«

Hardy lächelte verlegen. »Das war nur der Reserveschlüssel.«

Sabine sah zu, wie Hardy die Sporttasche auf dem Fahrersitz öffnete und darin wühlte. *Er hätte die ganze Zeit über abhauen können,* dachte sie. *Und trotzdem ist er geblieben und noch einmal in das Gebäude gegangen.* Ihre Knie wurden weich.

Hardy reichte ihr die Kopie der Gerichtsakte mit dem Sperrvermerk, in dem alle falschen Zeugenaussagen der Gruppe 6 enthalten waren. »Damit kriegen Sie auch den Staatsanwalt, den Richter und die Leute von der Dienstaufsichtsbehörde, die darin involviert waren.«

Sie nahm die Akte mit der verletzten Hand entgegen. Gleichzeitig ließ sie die andere Hand mit der Waffe sinken. Mittlerweile hatten die Rettungsfahrzeuge den Parkplatz erreicht und rasten durch die Regenlachen auf sie zu.

Das Blaulicht schmerzte Sabine in den Augen. Sie sah zu, wie Nora auf der Beifahrerseite in den Wagen stieg, die Box auf ihren Schoß hievte und Hardy ebenfalls im Begriff war, ins Auto zu steigen.

»Wohin wollen Sie eigentlich?«, murmelte Sabine.

»Wir müssen noch einmal zurück in Noras Wohnung, um ihren Koffer zu holen … und danach ins Ausland.«

»Das können Sie vergessen«, sagte Sabine. »In Noras Wohnung arbeitet bereits die Spurensicherung. Die Kollegen würden Sie festnehmen und verhören.«

Hardy stieg ein. »Dann werden wir einen anderen Weg finden.« Er wollte die Tür schließen, doch Sabine hinderte ihn daran.

»Warten Sie!« Sie hielt immer noch die Waffe in der Hand, die sie jetzt aber in das Holster steckte. Dann griff sie in ihre Gesäßtasche, holte Noras Reisepass und den Impfpass für die

Katze heraus und reichte Hardy beides. »Das werden Sie brauchen, aber Ihr Handy behalte ich, denn das BKA hat bereits Ihre Nummer.«

»Danke.«

»Wofür?«, fragte sie. »Dieses Gespräch hat nie stattgefunden.«

Hardy steckte die Pässe ins Handschuhfach, holte eine Schachtel Bonbons daraus hervor, schob sich eines davon in den Mund und hielt Sabine die Packung hin. »Einen Rockie-Drops mit Pfefferminzgeschmack?«

»Nein, und hauen Sie endlich ab!« Sie schlug die Tür zu und klopfte auf den Wagen.

Hardy startete den Motor und fuhr los. Für einen Moment blickte Nora durch das Seitenfenster zu Sabine und Sneijder. Eine Hand steckte in der Transportbox und streichelte die Katze. Tränen glänzten in Noras Augen.

Sneijder legte die Hand auf Sabines Schulter. »Gut gemacht, Eichkätzchen.«

Sabine sah dem VW-Bus nach. »Ich hoffe, ich werde das nie im Leben bereuen.«

Dann waren die Krankenwagen da. Für einen Moment fiel das Licht ihrer Scheinwerfer über den Parkplatz, und Sabine sah, wie sie für den Bruchteil einer Sekunde die Form eines Geländeautos aus der Dunkelheit rissen, das verborgen hinter den Bäumen stand.

Dieser Wagen hat vorhin noch nicht da gestanden.

Das ist doch ein Lada Taiga!

Im nächsten Moment spürte Sabine, wie ihre Knie nachgaben und ihr schwarz vor Augen wurde. Die Akte glitt ihr aus der Hand, dann fiel sie um.

63. KAPITEL

Sabine erwachte in einem Rettungswagen auf der Trage. Sie blickte zur Decke, roch Desinfektionsmittel und hörte das Glucksen von Flüssigkeiten. In ihrer Armbeuge steckte eine Kanüle, an der ein Schlauch mit einer Infusionsflasche hing.

Aus dem Augenwinkel bemerkte sie ihre aufgeschnittene Bluse. Ein Sanitäter säuberte Sabines Schulterwunde und legte ihr soeben einen Druckverband an.

Sabine hob den Kopf und sah durch die offene Tür in die Dunkelheit des leeren Parkplatzes. Sneijder lag vermutlich in dem Notarztwagen daneben, denn Sabine sah einen Arzt vorbeieilen und hörte, wie dort mehrere Helfer hantierten.

»Bewegen Sie sich nicht«, mahnte der Sanitäter.

Ihr Kopf sank wieder aufs Kissen. »Wie geht es meinem Kollegen?«

»Dem Niederländer?«, fragte der junge Mann. »Der treibt den Arzt zur Weißglut.«

Sabine lächelte. *Typisch Sneijder!* »Er ist ein Klugscheißer und weiß immer alles besser.«

»Nein, darum geht es gar nicht. Er will seine private Waffe wiederhaben und den Wagen verlassen, weil da noch etwas ist …«

Sabine stutzte. »Weil da noch etwas ist?«, wiederholte sie schwach.

»Ja, behauptet er zumindest. Aber ich nehme an, das ist wegen des Dipidolor, das der Arzt Ihnen beiden verabreicht hat. Spüren Sie es nicht?«

»Doch.« Sabine bemerkte, wie auch bei ihr langsam die Wirkung des hoch dosierten Schmerzmittels einsetzte und ihre Sinne benebelte. »Warum fahren wir noch nicht?«, flüsterte sie.

»Der Notarzt will noch einen Blick auf Sie werfen, ist aber momentan im anderen Wagen drüben bei Ihrem Kollegen. Der hat viel Blut verloren, ist kollabiert und muss stabilisiert werden.« Der Sanitäter richtete sich auf. »So, fertig!«

»Ist mein Kollege bei Bewusstsein?«, murmelte Sabine.

»Kürzlich war er es noch.«

»Können Sie ihn bitte fragen, was er mit seiner Aussage gemeint hat.«

Der Sanitäter zögerte. »Ich muss bei Ihnen bleiben.«

»Mir geht es gut, ich bin okay – und es ist wichtig.«

»Gut, ich kann es versuchen.« Der Sanitäter überprüfte die Infusionsflasche, dann zog er Sabine eine Decke bis zum Bauch und stieg aus dem Wagen.

Sabine sank entspannt in das Kissen zurück und starrte wieder nach oben.

Weil da noch etwas ist …

Aber was?

Ja richtig, der schwarze Lada Taiga. Auf dem Parkplatz hat doch plötzlich dieser Wagen gestanden, von dem Hardy die ganze Zeit gesprochen hat.

Sabine erinnerte sich an Sneijders Aussage. *Sechs Beamte des BKA haben Hardys Familie auf dem Gewissen.* Aber Hardy erwähnte die Möglichkeit einer siebten Person.

Scheiße! Es sind sieben!

Als sie versuchte sich aufzurappeln, trat ein älterer, hochgewachsener, glatzköpfiger Mann in den Wagen und schloss die Tür hinter sich.

»Sneijder?«, murmelte Sabine und senkte den Blick.

Der Mann drehte ihr den Rücken zu und kramte durch die Papiere auf der schmalen Ablage.

»Wer sind Sie?«

Der Mann ignorierte die Frage, fand auf dem Sitz für den Sanitäter die Gerichtsakte mit dem Sperrvermerk und schob sie sich hinter dem Rücken unter der Jacke in den Hosenbund.

»Hilfe«, keuchte Sabine.

Da fuhr der Mann herum, presste ihr die Hand auf den Mund und drehte zugleich mit der anderen am Rädchen der Infusionsflasche, sodass das Medikament rascher durchlief und Sabine sogleich noch mehr einlullte.

»Hilfe …«, stöhnte sie unter seiner Hand und spürte, wie ihre Kräfte von Sekunde zu Sekunde schwanden.

Ihre Augen rollten nach oben, und als sie wieder klar sehen konnte, bemerkte sie, wie sich der Mann über sie beugte. Sie roch seinen faulen Atem und sah sein altes, ausgemergeltes und verwittertes Gesicht mit den Tränensäcken. Panisch starrte sie in die Augen des Mannes.

Dieses Gesicht!

In ihrem Delirium kam ihr der Blick des Alten so vertraut vor. Plötzlich dachte sie an Eisners Aussage. *Ich komme aus einer Polizistenfamilie; drei Generationen Kripo.* Ihre Augen weiteten sich, als sie plötzlich das gerahmte Foto in Eisners Wohnzimmer vor sich sah. Der Mann mit der Mütze in der blauen Polizeiuniform!

»Sie sind Eisners Vater!«, presste sie unter seiner Hand hervor.

»Uns wirst du nicht in den Knast bringen …«, murrte er mit brüchiger Stimme und erhöhte die Zufuhr des Schmerzmittels ein weiteres Mal. Dann nahm er seine Hand von ihrem Mund.

Sabine schnappte nach Luft. »Ihr Sohn benutzt Sie …«

»Du irrst dich, Schätzchen. Mein Junge ist zwar korrupt, aber Blut ist nun mal dicker als Wasser.« Der Alte nahm eine verpackte Injektionsnadel und zog die Folie herunter. »Meine Schwiegertochter konnte keine Kinder kriegen, aber wie durch ein Wunder wurde sie plötzlich doch schwanger. Trotzdem wird es keine vierte Generation Polizisten in unserer Familie geben. Meinem Enkelsohn blieben nur vier Monate im Mutterleib, und er hat nicht einmal das Licht dieser Welt erblickt.«

»Und dafür hassen Sie Krzysztof«, stellte sie fest.

»Krzysztof?«, wiederholte er abfällig, steckte die Nadel auf eine große Spritze und zog damit Luft auf. »Der hat nur auf Anweisung gehandelt.«

Und plötzlich wusste sie es.

Es geht um Hardy!

Dieser Zeuge von damals, jener Polizist im Ruhestand, und der Mann im Lada Taiga waren ein und dieselbe Person. »*Sie* sind dieser Zeuge, der vor zwanzig Jahren angeblich gesehen hat, wie Hardy aus seinem brennenden Haus gekommen ist«, keuchte sie. »Sie wollten es Hardy heimzahlen. In Wahrheit sind Sie gar nicht gestorben.«

Sie wollte sich aufrappeln, doch der Alte streckte den sehnigen Arm aus und drückte sie mit festem Griff nieder. »*Schscht!*« Er legte ihr die Finger auf den Mund, sodass die Nadel gefährlich nahe an ihr Auge kam. »Ja, ich war sogar Kronzeuge, meine Daten wurden geschützt.«

»*Sie* hatten als ehemaliger Polizist Kontakt nach Bützow und haben dafür gesorgt, dass Hardy länger im Knast bleibt!«

»Ihr Wissen nützt Ihnen nichts mehr.«

Er wandte sich von ihr ab, stach die Nadel in den Schlauch der Infusionsflasche und drückte Luft in die Flüssigkeit. Rasch wanderten die Luftblasen im Schlauch nach unten zur Venenkanüle, die mit einem Pflaster an Sabines Armbeuge fixiert war.

Luft wird in deine Vene wandern – und wenn die Bläschen deine Lunge erreichen, wird dich die Luftembolie umbringen.

Sabine wollte sich verzweifelt herumdrehen und die Kanüle aus der Armbeuge reißen, doch der alte Eisner stemmte sich mit dem Knie auf ihre Hand und verlagerte sein Gewicht darauf. Dann beugte er sich über sie und drückte ihr mit beiden Händen die Oberarme hinunter. Damit war sie zu völliger Reglosigkeit verdammt und hätte höchstens mit den Beinen strampeln können. Doch diese Kraft hatte sie nicht mehr.

»Sie kommen nicht davon«, keuchte sie, während sie zum Schlauch schielte, in dem die Luftblasen jeden Moment den Beginn des Katheters erreichen würden.

»Die Gerichtsakte mit dem Sperrvermerk habe ich schon«, sagte er mit einer kaltblütigen Ruhe in der Stimme.

»Wenn schon«, keuchte sie. »Nachdem Sie mich getötet haben, müssen Sie auch noch Sneijder zum Schweigen bringen.«

»Sneijder?« Er lächelte verächtlich. »Der ist suspendiert. Wer wird einem Drogensüchtigen glauben, der schon einmal wegen Mord im Affekt vor Gericht gestanden hat?«

»Hilfe …!«, rief Sabine, doch weiter kam sie nicht.

Er nahm eine Hand von ihrem Arm und hielt ihr wieder den Mund zu. Nun hatte sie zwar den rechten Arm frei, aber sie war so benommen, dass sie sich kaum bewegen konnte. Noch dazu pochte die Wunde in ihrer Schulter wie verrückt.

Du musst den Schlauch entfernen!

Aber wie? Sie hatte keine Waffe. Die Sanitäter hatten ihr die Pistole abgenommen, und hier gab es keine Scheren oder Skalpelle, mit denen sie hätte zustechen können.

Das stimmt nicht.

Du hast eine Waffe!

Die Luftblase erreichte den Beginn des Katheters, und die Panik ließ in Sabines Unterarm ein Gefühl eisiger Kälte entstehen. Sie biss sich mit aller Gewalt auf die Lippe und schmeckte das Blut im Mund. Der Schmerz brachte sie wieder zu Bewusstsein.

Mit der freien Hand griff sie unter die Decke in ihre Hosentasche und zog Hardys Springmesser heraus, das sie Sneijder abgenommen hatte. Noch bevor der Alte mitbekam, was sie tat, ließ sie die Klinge ausfahren und stieß ihm das Messer in den Oberschenkel.

Er ließ schreiend von ihr ab und stürzte zu Boden, wobei er einige Behälter scheppernd mit sich riss. Hastig löste Sabine den Schlauch vom Ende der Venenkanüle. Die Luft entwich aus dem Schlauch, und sogleich spritze Blut aus der Öffnung ihrer Armbeuge.

Immer noch brüllend richtete sich der Alte auf. Allerdings kümmerte er sich nicht um das Messer in seinem Bein, sondern wollte sich mit zu Klauen verzerrten Händen auf Sabine stürzen. Instinktiv griff sie zur Spritze, die immer noch im Schlauch steckte, und rammte ihm von unten die Nadel in die Kehle.

Der Alte erstarrte röchelnd in der Bewegung und riss ungläubig die Augen auf.

Da flog die Tür des Krankenwagens auf, und die beiden Fahrer und ein Sanitäter starrten ins Innere. Geistesgegenwärtig zerrten sie den tobenden Alten aus dem Auto und hielten ihn auf dem Asphalt fest, während sich der Sanitäter um Sabine kümmerte und sie wieder an die Infusion hängen wollte.

»Danke, aber schmerzstillende Mittel habe ich genug …«, murmelte sie mit geschwollener Lippe.

In diesem Moment trafen endlich die Einsatzfahrzeuge des MEK ein. Gepanzerte schwarze Gefährte ohne Blaulicht, die sich in einer Linie über den Parkplatz verteilten.

Die Männer und Frauen des Kommandos trugen Helme, Kevlarwesten und Schilde. Einige von ihnen sicherten das Gelände, andere liefen zu den Autos, und der Rest stürmte von zwei Seiten auf das Hallenbad zu, verharrte dort und wartete weitere Befehle ab.

Der Sanitäter sah entsetzt auf. »Was ist denn da los?«

»Nichts mehr«, antwortete Sabine. *Perfektes Timing,* dachte sie zynisch.

Unter den Kollegen befanden sich auch Tina Martinelli und Dirk van Nistelrooy. Beide hielten eine Waffe in der Hand und trugen ebenfalls kugelsichere Westen. Rasch liefen sie zum Heck des Krankenwagens, in dem Sabine lag.

»Wer ist dieser Mann auf dem Boden?«, rief Dirk van Nistelrooy, nachdem er den Kopf zu ihr in den Krankenwagen gesteckt hatte.

»Frank Eisners Vater. Den sollten Sie …«

»Festnehmen!«, brüllte van Nistelrooy und rammte seine Waffe mit einem satten Geräusch in das Holster.

»Warum hat das eigentlich so lange gedauert?«, fragte Sabine mit halb offenen Augen.

»Höre ich da etwa Kritik aus Ihrem Mund?«, tadelte er sie.

»Wie kommen Sie denn darauf? Würde ich mir nie erlauben.« Sie schloss für einen Moment die Augen.

»Wir haben das Signal von Thomas Hardkovskys Handy eine Zeitlang verloren und das Areal großräumig abgeriegelt«, erklärte van Nistelrooy.

»Ein Störsender, der die Funkfrequenzen blockiert«, erklärte Sabine.

Tina stand neben van Nistelrooy und blickte sie besorgt an. *Alles okay?*, fragte sie mit tonlosen Lippen.

Sabine lächelte kurz.

Van Nistelrooy blickte zu dem anderen Wagen, in dem Sneijder lag, dann wieder zu Sabine. »Und wo ist Hardkovsky?«

»Im Hallenbad liegen Harald Lohmanns und Klaus Timboldts Leichen. Frank Eisner ist festgenommen und befindet sich dort drüben in dem roten Pharmalieferwagen.«

Dirk van Nistelrooy schien diese Informationen mit stoischer Ruhe aufzunehmen. »Und wo ist Hardkovsky?«

Sabine atmete tief durch. »Der ist uns entwischt.«

EPILOG

Sabine stand vor dem Gerichtsgebäude und blickte die breite Treppe zum Eingangsbereich hinauf. Es war ein milder Spätsommertag, und sie fröstelte ein wenig, da der Wind über den Bürgersteig fegte und die ersten bunten Blätter zu kleinen Haufen zusammentrug.

Soeben erhielt sie eine Nachricht auf ihr Handy.

Wie geht's?

Rasch tippte sie eine Antwort. *Danke gut, bald ist alles überstanden.*

Die Nachricht war von Marc Krüger, dem IT-Spezialisten des BKA.

Du bist mir noch einen Kinobesuch schuldig, erinnerte er sie.

Wie wäre es mit heute Abend? Aber keinen Science-Fiction-Film, antwortete sie.

Okay, Kompromiss, nehmen wir eine Sneak-Preview und lassen uns überraschen, schlug er vor.

Einverstanden, muss Schluss machen, tippte sie rasch und steckte das Handy weg, da sich die Tür geöffnet hatte und Sneijder auf der Marmortreppe erschienen war.

Wie immer trug er glänzende Lackschuhe und einen schwarzen Designeranzug mit Krawatte. Seine Glatze war frisch poliert und die schwarzen Koteletten bis zum Kinn zu einer exakten schmalen Linie getrimmt.

Aber auch Sabine trug an diesem Tag ein schickes Kostüm. Immerhin hatten sie beide heute ihren letzten Termin vor der Anhörungskommission gehabt, von der die Schießerei im Hallenbad untersucht worden war. Zugleich hatte auch der dritte Verhandlungstag im neu aufgerollten Fall Hardkovsky begonnen.

Im Gegensatz zu Sabine war Sneijder allerdings noch nicht vollständig genesen, da sein Arm immer noch in einer Schlinge steckte. *Wie theatralisch!* Immerhin waren seit den Ereignissen beim Aquamarin-Hallenbad knapp zwei Monate vergangen.

Sneijder kam die Treppe herunter und stellte sich zu ihr.

»Wie ist es gelaufen?«, fragte sie.

»Exzellent. Frank Eisner hat gestanden. Damit sind der Mord an der Familie Hardkovsky sowie die aktuellen Todesfälle restlos aufgeklärt«, informierte er sie. »Drei Kollegen von der Dienstaufsichtsbehörde, ein Staatsanwalt, ein Richter und ein Major von der JVA Bützow, die damals in die Sache verstrickt waren, wurden vom Dienst suspendiert und angeklagt. Auch der Gerichtspsychologe, der damals Hardys Gutachten erstellt hat und mittlerweile im Ruhestand ist, hängt mit drin. Sie alle standen auf Eisners sogenannter *Spendenliste.* Nur sein Vater hat ihm aus reiner Loyalität und Wut auf Hardy geholfen, die Sache von damals zu vertuschen. Damit wurde das Rattennest zwar ausgehoben, aber nach der Gerichtsverhandlung wird die Angelegenheit garantiert wieder zur Verschlussakte erklärt, um einen Medienrummel zu vermeiden. Ich bezweifle, dass auch nur irgendetwas davon an die Öffentlichkeit dringen wird.«

»Und jeder der Beteiligten wird im eigenen Interesse schweigen.« Sabine nickte. So lief das nun mal. Sneijder hatte recht – das Leben war eine große Grauzone. Mittlerweile hatte sie sich damit abgefunden, auch wenn ihr nicht gefiel, was sie bei ihrem flüchtigen Blick hinter die Kulissen alles gesehen und mitbekommen hatte.

Sie selbst hatte allerdings einen detaillierten Blick in die Ermittlungsakten werfen können. Dietrich Hess war in seinem

Wochenendhaus mit demselben Mittel betäubt worden wie Sabine in Frank Eisners Haus – mit dem Unterschied, dass sie die Begegnung mit Eisner überlebt hatte.

Die Kollegen von der Spurensicherung hatten die Schmauchspuren an Rohrbecks Kleidung analysiert. Sowohl dort als auch in seiner Haut hatten sich Rückstände des Anzündsatzes und der Treibladung der Munitionspatrone gefunden. Die Ballistiker hatten den Schusskanal analysiert und bestätigt, dass das Projektil von einem metallischen Gegenstand abgeprallt war und Rohrbeck somit seinen Sohn selbst erschossen hatte.

Eine Sache würde jedoch für immer ungeklärt bleiben: ob Timboldt seine Frau selbst mit einem Schlafmittel betäubt und in den Wagen gesetzt hatte. Sabine war sich jedoch sicher, dass es so gewesen war. Im Gegensatz dazu hatten Anna Hagena und Gerald Rohrbeck tatsächlich ohne Fremdeinfluss Selbstmord begangen.

Jedenfalls war Eisners Vater wegen seiner Falschaussage vor zwanzig Jahren und Mordversuchs an Sabine angeklagt worden und Frank Eisner wegen Mordes an Hardys Familie, Katharina Hagena, Diana und Dietrich Hess sowie wegen Mordversuchs an Krzysztof und Sabine – und damit war ihm ein lebenslanger Aufenthalt in Bützow sicher.

»Und was passiert mit Hardy?«, fragte Sabine.

Sneijder blickte die Straße hinunter. »Der wäre bei der Verhandlung ein wichtiger Zeuge gewesen, aber die Suche nach ihm wurde eingestellt. Sie hätten ihn ohnehin nicht gefunden. Der hat als Drogenfahnder gearbeitet und im Knast noch ein paar Tricks dazugelernt.« Sneijder griff in die Brusttasche seines Sakkos und holte eine Ansichtskarte heraus, die er Sabine kommentarlos reichte.

»Aus Uruguay?«, stellte sie fest. »Kein Auslieferungsabkommen mit Deutschland«, bemerkte sie und betrachtete den Palmenstrand von Montevideo. Der Text auf der Rückseite bestand nur aus einem Satz.

Haben eine Hazienda gekauft, auf der wir eine Gehörlosenschule eröffnen, wo Nora Gebärdensprache unterrichtet.

Die Nachricht war mit einem Gekritzel unterschrieben, das wie *Hardy & Nora* aussah.

»Ich habe mich also richtig entschieden?«, fragte Sabine unsicher.

»Zweifeln Sie nie an Ihren Entscheidungen«, sagte Sneijder.

In ihrem Magen löste sich ein Knoten, der sie seit Wochen gedrückt hatte und in dieser Zeit immer größer geworden war. Zum ersten Mal seit jener Nacht im Aquamarin-Hallenbad konnte sie befreit aufatmen. Auch wenn Hardy kein Unschuldslamm war, vielleicht hatte sie in dieser Nacht doch etwas Gutes getan.

»Übrigens habe ich erfahren, dass der Staatsanwalt die Anzeige gegen die drei Trucker fallen gelassen hat, weil Rohrbeck nicht irrtümlich falsch auf die Autobahn aufgefahren ist, sondern die Scheinwerfer ausgeschaltet hat und nachweislich mit einem Crash Selbstmord begehen wollte.«

»Eine gute Entscheidung.« Sabine nickte. »Und was haben Sie jetzt vor?«

Sneijder sah auf die Armbanduhr. »Ich besuche die Haital-Filiale in der Innenstadt. Dort präsentiert diese junge Mutter aus Nürnberg, die vermutlich die Leiche ihrer Tochter im Wald verscharrt hat, ihr Buch. *Meine Tochter wurde entführt*«, sagte er abfällig. »Das höre ich mir an.«

»Ah, Ihr letzter ungelöster Fall«, erinnerte Sabine sich. »Und was machen Sie danach? *Einkaufen?*«, fragte sie spitz, da sie wusste, dass Sneijder in dieser Buchhandelskette gern Bücher klaute, weil diese vor vielen Jahren den Laden seines Vaters ruiniert hatte.

»Natürlich, was dachten Sie? Ich brauche ein Geschenk für Krzysztof. Dem werden heute im Krankenhaus die Schrauben und Platten aus den Fußgelenken genommen.«

»Richten Sie ihm meine Grüße aus.« Sabine hatte den zähen Polen mit dem eigenwilligen Humor am ersten Tag der Gerichtsverhandlung kennengelernt.

»Mach ich. Danach besuche ich Dianas Sohn. Der Junge wird morgen sechzehn und wohnt bei seiner Tante. Er möchte mehr über seinen Vater erfahren – und über den gibt es, nun ja, ein paar gute Dinge zu erzählen.«

»Ein paar *gute* Dinge? Über Dietrich Hess?«, fragte sie verwundert.

Sneijder nickte. »Sie kennen mein Motto. *De mortuis nil nisi bene* – über die Toten nur Gutes!«

Wie ungewohnt seltsam! So versöhnlich hatte sie Sneijder bisher selten erlebt. Irgendetwas musste in den letzten Tagen vorgefallen sein, von dem sie nichts wusste. Sneijder würde doch auf seine alten Tage nicht etwa zu einem sentimentalen Menschen mutieren?

»Eigentlich meinte ich, was Sie jetzt generell vorhaben«, hakte sie nach.

Sneijder sah sie an, und auf seinem Gesicht entstand der Anflug eines Leichenhallenlächelns. »Warum fragen Sie?«

»Dirk van Nistelrooy ist seit Wochen offiziell neuer BKA-Präsident. Sie wissen, dass ich mit ihm nicht besonders gut kann«, antwortete sie. »Für mich weht nun ein anderer, rauer Wind.«

»Sie haben mein volles Mitgefühl«, sagte Sneijder sarkastisch.

Ja, genau diesen ätzenden Kommentar habe ich gebraucht. »Nachdem Lohmann, Timboldt, Rohrbeck, Hagena und Hess tot sind, fehlen dem BKA ein paar gute und wichtige Leute«, fuhr sie fort. »Wollen Sie nicht wieder zurück in den Dienst?«

Sneijder wiegte den Kopf. »Ich kann mit diesem Kotzbrocken

Dirk van Nistelrooy genauso wenig wie Sie. Trotzdem hat er meine Suspendierung aufgehoben.« Er schlüpfte mit dem Arm aus der Schlinge, zog sie sich über den Kopf und stopfte sie in seine Sakkotasche. Mit dem lädierten Arm, der plötzlich kein bisschen mehr beeinträchtigt zu sein schien, steckte er sich einen Zigarettenstummel an.

»So schnell wieder genesen?«, bemerkte Sabine kein bisschen überrascht.

»Sie wissen doch, wie gefällig Kommissionsmitglieder Kollegen behandeln, die im Dienst verletzt wurden.« Sneijder zog an dem Glimmstängel und stieß eine süßlich riechende Rauchwolke aus.

Ja, das wusste sie. Immerhin war sie selbst auch angeschossen worden. »Ich habe gehört, dass Sie von van Nistelrooy ein Angebot erhalten haben«, bemerkte Sabine, nachdem Sneijder ihre vorherige Frage nicht beantwortet hatte, »und zwar wieder als Profiler und Ausbilder in den Dienst des BKA zu treten.«

Sneijder reagierte nicht, sondern starrte nur in die Glut der Zigarette.

Sabine gab sich einen Ruck. »Werden Sie das Angebot annehmen?«

Er schnippte die Zigarette zu Boden und trat sie aus. »Nein, das werde ich nicht.«

Ohne weiteren Kommentar wandte er sich um und ging davon.

Krzysztof lag in einem bequemen Einzelzimmer mit Aussicht auf die Wiesbadener Innenstadt.

Sneijder hatte die Tür aufgestoßen und betrat das Zimmer. »Die Krankenschwestern haben mir erzählt, dass du sie ständig belästigst.«

Krzysztof sah auf, legte die zusammengefaltete Zeitung beiseite, rekelte sich im Bett und zupfte an einem Kissen, auf dem seine Füße hochlagerten. »Wundert dich das? Hast du die Blonde in dem knallengen Dress gesehen?«

»Ich bitte dich, die ist höchstens achtzehn.«

»Einundzwanzig. Wenn die ihre Lippen mit Lippenstift nachzieht, ist es dasselbe, wie wenn ein Scharfschütze sein Gewehr putzt.«

»Verschone mich damit!«, unterbrach Sneijder ihn, bevor Krzysztof sich in weitere Details vertiefen konnte.

Krzysztof wischte sich die graue Mähne aus dem Gesicht. »Was hast du da mitgebracht?«

Sneijder stellte eine breite DVD-Box auf den Beistelltisch.

Krzysztof betrachtete die Risse und Knicke im Karton sowie den vergilbten Aufkleber einer aufgelassenen Videothek, die es schon seit Jahren nicht mehr gab. »Sieht aber ziemlich gebraucht aus.«

»Ist nagelneu, habe ich von Haital. Die haben dort auch DVDs.«

»Du klaust also immer noch, indem du Artikel gebraucht aussehen lässt und behauptest, es wären deine?« Kopfschüttelnd nahm Krzysztof die DVD-Hüllen aus der Box. »*Dr. Quinn – Ärztin aus Leidenschaft* – alle Staffeln in der restaurierten Fassung«, rief er überrascht.

»Damit du nicht mehr Raubkopien auf deinem Handy schauen musst.«

»Danke«, murmelte Krzysztof und blickte sogleich besorgt zur Tür. »Pack das lieber rasch in den Schrank, bevor die Schwestern das sehen und mein Image beim Teufel ist.«

Grinsend stellte Sneijder die Box aufs Fensterbrett, wo jeder sie sehen und Krzysztof sie nicht erreichen konnte.

»Du Mistkerl!«, fluchte der.

»Wirst du weiterhin als Lieferant für Pharmafirmen arbeiten?«, wechselte Sneijder das Thema.

»Vermutlich, warum?«

»Nur so.«

»Und du?«, fragte Krzysztof. »Habe gehört, das BKA hat dir ein Angebot gemacht. Gehst du zurück?«

Sneijder warf einen Blick auf die Tageszeitung. *Anschlag auf UNO-Treffen in Bonn,* lautete die Schlagzeile, *Diplomatenfamilie entführt* die Bildunterschrift.

Sneijder nickte zu der Zeitung. »Kennst du jemanden außer mir, der diese Sachen aufklären könnte? Ich nicht.«

»Das heißt, du bist wieder im Spiel?«

»Kommt darauf an.« Sneijder trat ans Fenster, schob den Vorhang beiseite und ließ den Blick über Wiesbaden gleiten. »Ich habe van Nistelrooy ein Gegenangebot gemacht: mir selbst ein Team von Ermittlern zusammenzustellen.«

»Du und ein Team?« Krzysztof lachte laut auf. »Wissen die anderen in deinem *Team* schon davon?«

»Nein, keiner. Wenn van Nistelrooy zustimmt, werden sie es erfahren.« Er musterte Krzysztof aus dem Augenwinkel und ließ die nächste Frage wie beiläufig klingen. »Wie verstehst du dich eigentlich mit Sabine Nemez?«

DANKSAGUNG

Für Dutzende Stunden und hitzige Besprechungen via Skype, am Telefon und bei zahlreichen Treffen bedanke ich mich bei meinen Testlesern, die das Manuskript wieder einmal akribisch mit mir durchgegangen sind: Heidemarie Gruber, Günter Suda, Veronika Grager, Gaby Willhalm, Roman Schleifer, Robert Froihofer, Barbara Krussig, Sebastian Aster, Dagmar Kern, Leni Adam, Peter Hiess, Jürgen Pichler, Lothar Löser und meine Lektorin Vera Thielenhaus. Ihr seid die Besten, und das wisst ihr auch.

Ein ebenso großer Dank geht an das Team des Goldmann-Verlags und an meinen Literaturagenten Roman Hocke und sein Team von der AVA.

Weiter danke ich Karl Wallner, der als LKW-Fahrer die Autobahnen Osteuropas bereist hat, Hubert Karl von der Freiwilligen Feuerwehr Grillenberg, Erich Weidinger, der mit Gehörlosen zusammenarbeitet, Dagmar Kern für ihren Nachhilfeunterricht in Handfeuerwaffen und Heiko Dietrich für die Idee, endlich einmal Sneijders Tabaknachschub zu vernichten.

Für die Beantwortung psychologischer Fachfragen danke ich Psychotherapeutin Mag. Uta Weber-Grüner vom Verein Lichtblick und für medizinische Beratung Kai Meermann, Barbara Krussig und Dr. med. Lothar Löser, Facharzt für Anästhesiologie und Notarzt im Rettungsdienst.

Weiter danke ich Rechtsanwältin Dr. Gerda Mahler-Hutter und Mag. Katharina Hausmann für rechtliche Auskünfte und Alfred Stubner von der Wiener Sicherheitsfirma *ZEUS-Secur-Electronics* für die Beantwortung meiner Fragen.

Für ausführliche Erklärungen und hilfreiche Ideen zur Handlung danke ich dem Berliner Staatsanwalt Dr. Frank Heller und für die freundliche Einladung und Führung durch die Justizanstalt Hirtenberg in Niederösterreich Major Herbert Pusterhofer und Bezirksinspektor Wolfgang Lechner.

Mein letzter Dank geht nach Deutschland, in Sneijders Heimatstadt Wiesbaden, an Kriminalhauptkommissarin Gabriele Kraft vom Polizeipräsidium Westhessen sowie an Florian Gruber und Kriminalhauptkommissar Hans Busch vom BKA Wiesbaden.

Dies war der Auftakt zur zweiten Trilogie – und natürlich kommen Sabine Nemez und Maarten Sneijder … äh, Verzeihung … Maarten S. Sneijder wieder. Oder wie Sneijder es formulieren würde: »Sie dürfen an allem im Leben zweifeln, aber zweifeln Sie niemals an mir!«

Der Autor

Andreas Gruber, 1968 in Wien geboren, lebt als freier Autor mit seiner Familie in Grillenberg in Niederösterreich. Mit seinen bereits mehrfach preisgekrönten Romanen steht er regelmäßig auf der Bestellerliste. Mehr zum Autor und seinen Büchern finden Sie unter www.agruber.com sowie unter www.facebook.com/Gruberthriller.

Bücher von Andreas Gruber im Goldmann Verlag:

Die Reihe um Maarten S. Sneijder

Todesfrist. Thriller

Todesurteil. Thriller

Todesmärchen. Thriller

Todesreigen. Thriller

Todesmal. Thriller

Die Reihe um Walter Pulaski

Rachesommer. Thriller

Racheherbst. Thriller

Rachewinter. Thriller

Die Reihe um Peter Hogart

Die Schwarze Dame. Thriller

Die Engelsmühle. Thriller

Die Knochennadel. Thriller

Außerdem lieferbar

Herzgrab. Thriller

Alle Bücher sind auch als E-Book erhältlich.